HISTORIA POLSKI

1505-1764

EX LIBRIS
BIBLIOTEKI
DOMOWEJ

JÓZEF ANDRZEJ GIEROWSKI

HISTORIA POLSKI

1505-1764

Warszawa 1988
PAŃSTWOWE WYDAWNICTWO NAUKOWE

Okładkę projektował *Marian Jankowski*

Redaktor techniczny *Witold Motyl*

Korektorka *Magdalena Krawczykowa*

Opracowanie kartograficzne *Urszula Mazurek, Irena Pac*

ISBN 83-01-08840-0

Państwowe Wydawnictwo Naukowe

Wydanie dwunaste. Nakład 149 850 + 150 egzemplarzy.
Arkuszy wydawniczych 25,0. Arkuszy drukarskich 20,0.
Papier offsetowy klasy III 80 g, rola 84 cm
z Zakładów Celulozowo-Papierniczych w Kwidzynie
Oddano do reprodukcji w lutym 1988 r.
Podpisano do druku w lutym 1988 r.
Druk ukończono w marcu 1988 r.
Zamówienie nr 348/88. U-61

Zakłady Graficzne w Gdańsku

I. RZECZPOSPOLITA SZLACHECKA

1. Podstawowa literatura i źródła

Wspólne omawianie okresu 1506 - 1648 ma tradycje w polskiej nauce historycznej, jakkolwiek ostatnio przyjęła się raczej inna periodyzacja, łącząca drugą połowę XV w. z XVI w. (po lata siedemdziesiąte) oraz wyodrębniająca okres od pierwszego bezkrólewia po rok 1648. Nie zamierzamy kwestionować słuszności takiego podziału, jakkolwiek nie jest on przyjmowany przez wszystkie działy historii. Tak więc historycy ustroju okres formowania się Rzeczypospolitej szlacheckiej kończą dopiero na początkach XVII w., by zaczynać wtedy dobę oligarchii magnackiej trwającej do połowy XVIII w. Ze zrozumiałych względów historycy kultury wyodrębniają okres Baroku, dla którego data 1648 ma tylko drugorzędne znaczenie. Zdając sobie sprawę z dyskusyjności przyjętych cezur, można podkreślić, że w całym tym okresie istnieje nieprzerwana ciągłość rozwojowa we wszystkich dziedzinach, że osiągnięcia ekonomiczne, kulturalne i polityczne doby pierwszych Wazów wytrzymują porównanie z osiągnięciami doby ostatnich Jagiellonów, że nawet w zakresie ustroju politycznego, mimo pewnego zastoju charakteryzującego pierwszą połowę XVII w., sprawność aparatu państwowego była znacznie lepsza niż w drugiej połowie tego wieku. Innymi słowy, pod wpływem zasadniczej dyskusji, która toczy się w polskiej nauce historycznej na temat charakteru pierwszej połowy XVII w., przyjęta została periodyzacja, która zgodnie z sugestiami zwłaszcza Adama Kerstena i Władysława Czaplińskiego odsuwa początki okresu oligarchii magnackiej na połowę XVII w. W miarę możności starano się przy tym uwzględnić różnice między okresem Odrodzenia a wczesnego Baroku, akcentując tam, gdzie to możliwe, cezurę lat osiemdziesiątych. Pełne wprowadzenie tej cezury wydawało się niepotrzebne i powodujące nadmierne rozdrobnienie procesu historycznego.

Ze względu na swe znaczenie w dziejach Polski omawiany okres znajduje obszerne odbicie we wszystkich syntezach historii Polski. W XIX w. najgruntowniej przedstawił go Józef Szujski. W okresie międzywojennym szeroko i dość wszechstronnie (jakkolwiek z pominięciem historii społeczno-gospodarczej) został omówiony w zbiorowym dziele *Polska, jej dzieje i kultura* t. II, Warszawa 1931). Z nowych pozycji metodologicznych podeszli historycy, opracowujący na zlecenie Instytutu Historii PAN *Historię Polski* t. I, cz. II, Warszawa 1957). Po raz pierwszy proces historyczny przedstawiony został tutaj tak wszechstronnie. Od napisania tego dzieła minęło jednak już dwadzieścia lat, a wielki skok, jaki uczyniły nauki historyczne w Polsce w tym czasie, sprawił, że pewne wyrażone w nim poglądy zostały poddane rewizji. Z tego względu w latach sześćdziesiątych PWN przystąpiło do wydania skryptów z historii Polski w opracowaniu S. Arnolda, J. Gierowskiego i H. Zielińskiego. Znajdująca się tam część poświęcona czasom nowożytnym (J. Gierowski, *Historia Polski 1492 - 1864*, wyd. 2, Warszawa 1972) posłużyła też za punkt wyjściowy niniejszego znacznie szerszego opracowania. Na potrzebę tego rodzaju publikacji wskazuje również wydanie dwu innych syntez — *Dzieje Polski* pod redakcją J. Topolskiego (Warszawa 1976) oraz *Zarys historii Polski* pod redakcją J. Tazbira (Warszawa 1979).

Wiele dziedzin życia ma również swe opracowania syntetyczne, które są pomocne przy studiowaniu tej epoki. W zakresie historii gospodarczej użyteczna jest nadal *Historia gospodarcza Polski* J. Rutkowskiego (wyd. 2, Warszawa 1953), jakkolwiek ukazało się w ostatnim czasie kilka zarysów uwzględniających nowsze badania, jak np. *Rozwój gospodarczy ziem polskich w zarysie* W. Rusińskiego (wyd. 3, Warszawa 1973). Istnieją również zespołowe opracowania odnoszące się do bardziej szczegółowych zagadnień gospodarczych, jak *Zarys dziejów górnictwa i hutnictwa na ziemiach polskich*, t. I - II (Katowice 1960 - 1961), *Zarys dziejów gospodarki wiejskiej w Polsce*, t. I - II (Warszawa 1964), *Historia chłopów polskich*, t. I, *Do upadku Rzeczypospolitej szlacheckiej*, Warszawa 1970, *Zarys historii włókiennictwa na ziemiach polskich do końca XVIII w.*, Wrocław 1966. Historia społeczna została natomiast przedstawiona w sposób syntetyczny przez I. Ihnatowicza, A. Mączaka i B. Zientarę, *Społeczeństwo polskie od X do XX wieku* (Warszawa 1979).

Jeśli chodzi o sprawy ustrojowe, obok S. Kutrzeby, *Historia ustroju Polski w zarysie* (wyd. 8, Warszawa 1949), okres Rzeczypospolitej szlacheckiej o wiele dokładniej przedstawia *Historia państwa i prawa Polski*, t. II: *Od połowy XV wieku do r. 1795* (wyd. 2, Warszawa 1966). Również *Zarys dziejów wojskowości polskiej do roku 1864*, t. I: *Do roku 1648* (Warszawa 1965) zastępuje dawniejsze opracowania tyczące dziejów wojskowości, nawet tak gruntowne, jak T. Korzona, *Dzieje wojen i wojskowości w Polsce* (t. I - III, Kraków 1912). Natomiast jeśli chodzi o dzieje floty, nadal muszą wystarczać *Dzieje floty polskiej* K. Lepszego (Gdańsk 1947).

Dla poznania przeszłości kultury polskiej wciąż aktualne są *Dzieje kultury polskiej* A. Brücknera (wyd. 2, t. II - III, Warszawa 1958), napisane przed pół wiekiem. Stronę społeczno-obyczajową uzupełniają opracowania W. Łozińskiego, *Życie polskie w dawnych wiekach, Wiek XVI - XVIII* (wyd. 9, Warszawa 1970), oraz J. Bystronia, *Dzieje obyczajów w dawnej Polsce, Wiek XVI - XVIII* (t. I - II, Warszawa 1932 - 1934) czy Z. Kuchowicza, *Obyczaje staropolskie XVII- XVIII wieku* (Łódź 1975). O materialnych podstawach kultury można znaleźć informacje w *Historii kultury materialnej Polski w zarysie* pod redakcją W. Hensla i J. Pazdura, t. I - IV (Wrocław 1978). W zakresie historii Kościoła ważne miejsce przypada *Historii Kościoła w Polsce* pod redakcją B. Kumora (t. I, Poznań 1974); odnotować też warto bardziej popularną *Historię kościoła katolickiego w Polsce 1460 - 1795* J. Tazbira (Warszawa 1966). Nowe spojrzenie na procesy przemian w literaturze dał J. Krzyżanowski w swej pracy *Historia literatury polskiej od średniowiecza do XIX w.* (wyd. 3, Warszawa 1964). Ostatnio jednak ukazały się pokaźne tomy *Historii literatury polskiej* przygotowywanej w ramach Instytutu Badań Literackich PAN pod red. K. Wyki: J. Ziomka, *Odrodzenie* (Warszawa 1973) i C. Hernasa, *Barok* (Warszawa 1973), które rzucają zupełnie nowe światło nie tylko na rozwój literatury, ale i mentalność tej doby. Dla historii sztuki wymienić należy *Historię sztuki polskiej*, t. II: *Sztuka nowożytna* (Kraków 1965). Dla historii muzyki Z. Jachimeckiego *Muzyka polska w rozwoju historycznym* (t. I - II Kraków 1948 - 1951) jest pracą nieco przestarzałą, nie uwzględniającą ostatnich, ważnych odkryć w tej dziedzinie. Nowsze spojrzenie znajdzie Czytelnik w zbiorowym opracowaniu *Z dziejów polskiej kultury muzycznej*, t. I, pod red. Z. Szweykowskiego (Kraków 1958). Dla poznania dziejów polskiej myśli warto zapoznać się z takimi wydawnictwami, jak *Polska myśl filozoficzna i społeczna* t. I pod redakcją A. Walickiego, t. II - III pod redakcją B. Skargi (Warszawa 1973 - 1977) oraz *Dzieje teologii katolickiej w Polsce* pod redakcją M. Rechowicza, t. I - II (Lublin 1974 - 1975).

Trzeba zwrócić wreszcie uwagę na syntezy częściowe, zajmujące się omawianym okresem czy też dziejami Rzeczypospolitej szlacheckiej. Najpełniejsze pod tym względem, zwłaszcza jeśli chodzi o historię polityczną, są *Dzieje Polski nowożytnej* (t. I - II, Warszawa 1936) W. Konopczyńskiego. Użyteczna może być także L. Kolankowskiego *Polska Jagiellonów, Dzieje polityczne* (Lwów 1936). W nowoczesny sposób, od strony dziejów społeczeństwa, spojrzał natomiast na tę epokę A. Wyczański w pracy *Polska Rzeczą Pospolitą szlachecką* (Warszawa 1965).

Z ujęć ogólnych o charakterze bardziej popularnym wymienić należy zbiory studiów z cyklu Konfrontacje historyczne (*Polska w epoce Odrodzenia* pod red. A. Wyczańskiego, Warszawa 1970 i *Polska XVII wieku* pod red. J. Tazbira, Warszawa 1969) zbierające najnowsze poglądy na organizację Rzeczypospolitej i jej dzieje społeczne, gospodarcze i kulturalne.

Dzieje ludności polskiej poza granicami Rzeczypospolitej opracowane są w sposób najbardziej pełny w odniesieniu do Śląska w zbiorowej *Historii Śląska* pod red. K. Maleczyńskiego (t. I, cz. 2 - 4, Wrocław 1961—1963). Podobne *Dzieje Pomorza* są w przygotowaniu, jeśli chodzi o interesującą nas epokę. Z mnożących się obecnie opracowań regionalnych najcenniejsze są *Dzieje Wielkopolski*, t. I: *Do r. 1795*, pod red. J. Topolskiego (Poznań 1971).

Przechodząc do opracowań bardziej szczegółowych przede wszystkim wypadnie się zastrzec, że nie jest możliwe na tym miejscu wskazanie na wszystkie problemy, którymi zajmowała się w odniesieniu do omawianego okresu polska nauka historyczna. Trzeba się więc ograniczyć do tych problemów, które wydają się szczególnie charakterystyczne dla badań historycznych w ciągu ostatniego ćwierćwiecza.

Dla wcześniejszego okresu Czytelnik może znaleźć dość pełne omówienie dorobku historiografii w *Historii Polski* wydanej przez Instytut Historii PAN. Pomocą może być także selektywna *Bibliografia historii Polski*, której t. I pod red. H. Madurowicz-Urbańskiej (Warszawa 1965 nn.) zawiera zestawienie ważniejszych publikacji wydanych do 1960 r. Pełne zestawienie wydawnictw ogłoszonych do 1918 r. obejmuje *Bibliografia historii Polski* przygotowana przez L. Finkla. Drugie jej wydanie (fotooffsetowe) ukazało się w 1955 r. Zakres chronologiczny zawartych w niej pozycji sięga tylko po 1815 r. Corocznie (lub niemal corocznie) w Polsce Ludowej wydawana jest na bieżąco *Bibliografia historii polskiej*, obejmująca całość pozycji odnoszących się do historii Polski włącznie z XIX i XX w. Pomocnicze znaczenie mogą mieć także bibliografie regionalne, np. równie systematycznie wydawana *Bibliografia historii Śląska*, oraz *Bibliografia polska* K. Estreichera, w której można znaleźć wszystkie druki polskie z XVI - XVIII w. wraz z informacją, gdzie są przechowywane. Liczne informacje bibliograficzne znajdują się również w czasopismach historycznych. Niektóre z nich publikują zestawienia bibliograficzne lub obszerne omówienia stanu badań w wybranych dziedzinach historii.

W ciągu ostatniego ćwierćwiecza dorobek badań nad historią Polski XVI i XVII w. nie przedstawia się jednolicie. Najwartościowsze wyniki osiągnęła historia gospodarcza. Zarówno wprowadzone przez nią metody kwantytatywne, jak szeroka analiza porównawcza, wyróżniają ją spośród innych działów historii. Rozwój tych badań opiera się na dobrych tradycjach szkół J. Rutkowskiego i F. Bujaka. Najpoważniejszy postęp można dostrzec w zakresie badań nad dziejami folwarku pańszczyźnianego. Pozwoliły one znacznie uściślić żywo dyskutowaną kwestię roli gospodarki folwarcznej w rozwoju ekonomicznym Polski XVI w. Gdy S. Arnold w pracy *Podłoże gospodarczo-społeczne polskiego Odrodzenia* (Warszawa 1954) podkreślał głównie regresywne momenty związane z występowaniem folwarku, późniejsi badacze wskazywali na bardziej złożony charakter oddziaływania folwarków, czy to na tle ogólnoeuropejskim, jak J. Topolski, *Narodziny kapitalizmu w Europie XVI - XVII wieku* (Warszawa 1963), czy też dokładniej analizując jego oddziaływanie na gospodarkę kraju, jak A. Wyczański, *Studia nad folwarkiem szlacheckim w Polsce 1500 - 1580* (Warszawa 1960), J. Topolski, *Gospodarstwo wiejskie w dobrach arcybiskupstwa gnieźnieńskiego od XV do XVIII w.* (Poznań 1958), L. Żytkowicz, *Studia nad gospodarstwem wiejskim w dobrach kościelnych* (t. I - II, Warszawa 1962), J. Majewski, *Gospodarstwo folwarczne we wsiach miasta Poznania w l. 1582 - 1644* (Poznań 1957). Równolegle z tymi badaniami nad gospodarką folwarczną prowadzono także badania nad gospodarką chłopską tego okresu, które wskazywały na jej możliwości rozwojowe. Sprawy te były poruszane częściowo w wymienionych wyżej pracach — szczególnie tymi problemami zajęli się: A. Wawrzyńczykowa, *Gospodarstwo chłopskie w królewszczyznach mazowieckich w XVI i w początkach XVII w.* (Warszawa 1962), A. Mączak, *Gospodarstwo chłopskie na Żuławach Malborskich w początkach XVII w.* (Warszawa 1962) i R. Heck, *Studia nad położeniem ekonomicznym ludności wiejskiej na Śląsku* (Wrocław 1959). Przy tym wszystkim brak prac syntetyzujących ten dorobek. W pewnej mierze można za taką pracę uznać próbę modelowej analizy funkcjonowania folwarku pańszczyźnianego dokonaną przez W. Kulę, *Teoria ekonomiczna ustroju feudalnego* (Warszawa 1962). Natomiast podjęte zostały próby oszacowania globalnej produkcji zbożowej w artykułach A. Wyczańskiego (*Próba oszacowania obrotu żytem w Polsce XVI wieku*, KHKM, 1961) czy J. Topolskiego (*Wskaźnik rozwoju gospodarczego Polski od X do XX wieku*, KH, 1967). Dyskutowano także nad wysokością plonów w Polsce — zestawienie wyników tej dyskusji dał L. Żytkowicz (*Ze studiów nad wysokością plonów w Polsce od XV do XVIII w.*, KHKM, 1966).

Sprawy miejskie tej epoki, początkowo nieco zaniedbywane kosztem badań nad wsią, doczekały się również nowatorskich opracowań, które pozwoliły spojrzeć na rolę gospodarczą miast w omawianym okresie w odmiennym od tradycyjnych ujęć świetle. Tak więc badania nad rzemiosłem czy przemysłem w Polsce przyniosły takie prace, jak *Sukiennictwo wielkopolskie XIV - XVII wieku* A. Mączaka (Warszawa 1955), *Dzieje małopolskiego hutnictwa żelaznego XIV - XVII wieku* B. Zientary (Warszawa 1954) czy M. Boguckiej, *Gdańsk jako ośrodek produkcyjny od XIV do XVII w.* (Wrocław 1960). Nowe światło na sytuację rzemiosła w mniejszych ośrodkach rzuciły badania M. Horna, *Rzemiosło miejskie województwa bełskiego w pierwszej połowie XVII w.* (Wrocław 1966), których wyniki zostały jednak częściowo zakwestionowane przez A. Wyrobisza (*Zagadnienie upadku rzemiosła i kryzysu gospodarczego miast w Polsce, wiek XVI czy XVII*, PH, 1967). Ciekawie rozwinęły się badania nad handlem w Polsce. Najpoważniejsze znaczenie miała chyba praca S. Mielczarskiego, *Rynek zbożowy na ziemiach polskich w drugiej połowie XVI i w pierwszej połowie XVII wieku. Próba rejonizacji* (Gdańsk 1962), w której — jakkolwiek w sposób dyskusyjny — podjęto próbę zbadania przesłanek i mechanizmów kształtowania się rynku wewnętrznego. Dalszy krok naprzód w tym zakresie stanowiły studia J. Małeckiego, zwłaszcza *Związki handlowe miast polskich z Gdańskiem w XVI i w pierwszej połowie XVII w.* (Wrocław 1968). Gruntownych opracowań doczekał się handel Krakowa (J. Małecki, *Studia nad rynkiem regionalnym Krakowa w XVI w.*, Warszawa 1963), Poznania (M. Grycz, *Handel Poznania 1550 - 1655*, Poznań 1964), Wrocławia (M. Wolański, *Związki handlowe Śląska z Rzecząpospolitą w XVII wieku ze szczególnym uwzględnieniem Wrocławia*, Wrocław 1961), Gdańska (M. Bogucka, *Handel zagraniczny Gdańska w pierwszej połowie XVII wieku*, Wrocław 1970) oraz kilka innych ośrodków miejskich. Stosunków handlowych Polski z wschodnimi sąsiadami dotyczyły A. Wawrzyńczykowej, *Studia z dziejów handlu Polski z Wielkim Księstwem Litewskim i Rosją w XVI wieku* (Warszawa 1956). Nad charakterem bilansu handlowego Polski w XVII w. rozwinęła się dyskusja, w której szczególnie istotne były wystąpienia M. Boguckiej (*Handel bałtycki a bilans handlowy Polski w pierwszej połowie XVII wieku,* PH 1968) oraz A. Mączaka (*Eksport zbożowy i problemy polskiego bilansu handlowego w XVI - XVII w.* [w:] *Pamiętnik X Powszechnego Zjazdu Historyków Polskich*, t. I, Warszawa 1968) czy tegoż historyka *Między Gdańskiem a Sundem* (Warszawa 1972), gdzie zresztą rozpatruje problem eksportu w szerszych granicach chronologicznych. Syntetyzujący charakter ma natomiast praca M. Małowista, *Wschód a Zachód Europy w XIII - XVI wieku* (Warszawa 1973), który wykazuje, w jaki sposób zmieniające się warunki handlu europejskiego oddziałały na tworzenie się gospodarki folwarczno-pańszczyźnianej we wschodniej Europie.

Na tym tle stosunkowo skromnie wypadły badania nad dziejami pieniądza i skarbu (najważniejszymi pozycjami są Z. Sadowskiego, *Pieniądz a początek upadku Polski w XVII w.*, Warszawa 1964 oraz W. Pałuckiego, *Drogi i bezdroża skarbowości polskiej XVI i pierwszej połowy XVII w.*, Wrocław 1974), a także nad rozwojem polskiej myśli ekonomicznej (J. Górski, *Poglądy merkantylistyczne w polskiej myśli ekonomicznej XVI i XVII w.*, Wrocław 1958). Także w zakresie badań nad cenami, jakkolwiek odgrywały one ważną rolę w interpretacji procesów ekonomicznych, nie posunięto się wiele poza ustalenia opublikowane przez uczniów J. Bujaka w latach 1928 - 1938, odnoszące się do cen w Gdańsku, Warszawie, Krakowie, Lublinie i Lwowie. Nie podjęte zostały natomiast badania tejże szkoły nad klęskami elementarnymi w Polsce w zakresie ustaleń pomocniczych dla historii gospodarczej. Podstawowe znaczenie ma dotyczące zresztą szerszych ram chronologicznych studium W. Kuli, *Miary i ludzie* (Warszawa 1970).

W przeciwieństwie do badań ekonomicznych badania z zakresu historii społecznej rozwinęły się dość jednostronnie. Główny nacisk położony bowiem został, zwłaszcza w latach pięćdziesiątych, na problemy ruchów społecznych i walk klasowych na wsi. Pojawiło się z tego zakresu wiele szczegółowych opracowań i przyczynków; szerszy, ale nie podsumowujący charakter miała praca B. Baranowskiego, *Powstania chłopskie na ziemiach dawnej Rzeczypospolitej* (Warszawa 1952). Interesowano się zarówno otwartymi ruchami zbrojnymi, jak i innymi formami oporu (S. Śreniowski, *Zbiegostwo chłopów w dawnej Polsce jako zagadnienie ustroju społecznego*, Warszawa 1948). W sumie badania te pozwoliły na stworzenie nowego obrazu napięć społecznych na wsi. Badania te, podobnie zresztą jak i wspomniane studia nad gospodarką chłopską czy nad życiem wewnętrznym wsi (zwłaszcza S. Szczotki, *Z dziejów chłopów polskich*, Warszawa 1951, J. Burszty, *Wieś i karczma. Rola karczmy w życiu wsi pańszczyźnianej*, Warszawa 1950, J. Bieniarzówny,

O chłopskie prawa. Szkice z dziejów wsi małopolskiej, Kraków 1954), znacznie wzbogaciły dawną wiedzę o życiu chłopstwa i strukturze tej warstwy.

Badania nad dziejami mieszczaństwa znalazły swe odbicie przede wszystkim w dość licznych monografiach różnych ośrodków miejskich, zarówno większych (monografie takie opublikowano m. in. dla Warszawy, Poznania, Gdańska, Lublina, Wrocławia, Gniezna, Torunia), jak i mniejszych. Do wyjątków należą natomiast prace o warunkach życia w miastach, jak M. Boguckiej, *Życie codzienne w Gdańsku, wiek XVI - XVII* (Warszawa 1967) czy o strojach i mieszkaniach, np. M. Bartkiewicz, *Odzież i wnętrze domów mieszczańskich w Polsce w drugiej połowie XVI i w XVII wieku* (Wrocław 1974). Niewiele także prac poświęcono działalności wybitniejszych mieszczan — nie znalazła właściwie naśladowców praca A. Keckowej, *Melchior Walbach. Z dziejów kupiectwa warszawskiego XVI w.* (Warszawa 1955). Urywkowo również zbadane zostały niektóre problemy demograficzne, jak ruch ludności (S. Waszak, *Dzietność rodziny mieszczańskiej i ruch naturalny ludności miasta Poznania w końcu XVI i w XVII wieku*, RDSiG 1954) czy osiedlanie się szlachty w miastach (W. Dworzaczek, *Przenikanie szlachty do stanu mieszczańskiego w Wielkopolsce w XVI i XVII wieku*, PH 1956). W tych warunkach nadal podstawowe znaczenie mają dawniejsze prace o mieszczaństwie, zwłaszcza J. Ptaśnika, *Miasta i mieszczaństwo w dawnej Polsce* (wyd. 2, Warszawa 1949). Nowe naświetlenie roli Żydów w Rzeczypospolitej zawiera praca M. Horna, *Powinności wojenne Żydów w Rzeczypospolitej w XVI i XVII wieku* (Warszawa 1978).

Badania nad strukturą społeczną szlachty wbrew pozorom nigdy nie były mocną stroną polskiej historiografii. Chociaż zebrano w poprzednich wiekach wiele materiałów, na których takie badania mogłyby się opierać (szczególnie w herbarzach Niesieckiego, Bonieckiego czy Uruskiego), poza studia o położeniu prawnym i obyczajowości szlachty historycy nie posunęli się daleko. Tym większe znaczenie trzeba przypisać podejmowanym ostatnio próbom w tej dziedzinie, jak ciekawemu studium A. Zajączkowskiego, *Główne elementy kultury szlacheckiej w Polsce. Ideologia a struktury społeczne* (Wrocław 1961), które spotkało się jednak z zasadniczymi zastrzeżeniami, dotyczącymi pewnej ahistoryczności ujęcia, ze strony J. Maciszewskiego i J. Bardacha. J. Maciszewski dał zresztą i własną ocenę tej problematyki w popularnonaukowej książce *Szlachta polska i jej państwo* (Warszawa 1969). Głęboką charakterystykę szlachty polskiej w okresie panowania Wazów przedstawił W. Czapliński w zbiorze studiów *O Polsce siedemnastowiecznej. Problemy i sprawy* (Warszawa 1966). Magnaterii polskiej poświęcona jest ostatnio wydana praca W. Czaplińskiego i J. Długosza, *Życie codzienne magnaterii polskiej w XVII wieku* (Warszawa 1976). Wiele informacji o kulturze politycznej szlachty, zwłaszcza na Litwie, można znaleźć w pracy H. Wisnera, *Najjaśniejsza Rzeczpospolita. Szkice z dziejów Polski szlacheckiej XVI - XVII w.* (Warszawa 1978). Trzeba przy tym zauważyć, że wiele cennych spostrzeżeń i materiałów dotyczących szlachty, szczególnie zaś stosunku szlachty średniej do magnaterii, znajduje się w pracach poświęconych organizacji Rzeczypospolitej szlacheckiej czy polityce wewnętrznej. Dla ideologii szlacheckiej, szczególnie dla badań nad dziejami sarmatyzmu, podstawowe znaczenie ma praca T. Ulewicza, *Sarmacja, Studium z problematyki słowiańskiej XV i XVI w.*, Kraków 1950. Późniejszemu okresowi poświęcona jest praca historyka sztuki T. Mańkowskiego, *Genealogia sarmatyzmu*, Warszawa 1946. Spojrzenie z zewnątrz na problemy Rzeczypospolitej można znaleźć w zbiorze studiów C. Bakvisa, *Szkice o kulturze staropolskiej* (Warszawa 1975).

Podstawowe znaczenie dla badań nad strukturą społeczeństwa polskiego w XVI w. ma praca A. Wyczańskiego, *Uwarstwienie społeczne w Polsce XVI wieku* (Wrocław 1977). Natomiast cennym wprowadzeniem w problemy demograficzne Polski jest I. Gieysztorowej, *Wstęp do demografii staropolskiej* (Warszawa 1976).

Nie jest możliwe przedstawienie na tym miejscu całości badań w zakresie historii kultury. O badaniach w dziedzinie literatury, sztuki, muzyki pełniejsze informacje można znaleźć w wymienionych poprzednio opracowaniach ogólnych. To samo tyczy badań nad dziejami oświaty, w odniesieniu do której wyniki ostatnich badań zestawione są w zarysie S. Wołoszyna. *Historia wychowania* (Warszawa 1968) czy w zbiorowej *Historii oświaty* pod red. Ł. Kurdybachy (t. I, Warszawa 1969). O aktualnej problematyce badań nad dziejami nauki w Polsce informuje doskonała *Historia nauki polskiej* (t. I, II, Wrocław 1970). Nawet jubileusz kopernikowski w 1973 r. i związane z nim publikacje, najcenniejsze historyków toruńskich, nie były w stanie poważniej pogłębić naszej wiedzy w tym zakresie. Odnotować też trzeba wydanie zbiorowych *Dziejów Uniwersytetu Jagiellońskiego*, t. I: *W latach 1364 - 1764* (Kraków 1964), które miały zastąpić dawniejsze opracowanie H. Barycza, spotkały się jednak z licznymi zastrzeżeniami.

Wszechstronne naświetlenie znalazły problemy epoki w czasie sesji naukowej zorganizowanej w 1953 r., której materiały wydane zostały pt. *Odrodzenie w Polsce* (t. I - V, Warszawa 1955 - 1958). Na wartości ówczesnych ustaleń zaciążyły wszakże płynne granice chronologiczne, wynikające z mało precyzyjnego operowania nazwą Odrodzenia, a także nadmierny optymizm w ocenianiu rodzimego wkładu w rozwój kultury renesansowej. Późniejsze badania nad charakterem Odrodzenia, którym ton nadawali przede wszystkim historycy literatury, poszły w kierunku ściślejszego wyodrębnienia Baroku i Odrodzenia. O licznych dyskusjach nad epoką Baroku informują m. in. J. Białostocki, *Manieryzm. triumf i zmierzch pojęcia* w tomie *Sztuka i myśl humanistyczna* (Warszawa 1966) oraz J. Sokołowska, *Spory o barok* (Warszawa 1971). Obecnie zdaje się dominować pogląd, wyrażony m. in. przez W. Czaplińskiego (*Kultura baroku w Polsce* [w:] *Pamiętnik X Powszechnego Zjazdu Historyków Polskich*, t. I, Warszawa 1968) o jednolitości kultury barokowej od końca XVI do początków XVIII w. Próbę takiego całościowego spojrzenia zawiera zbiór studiów *Wiek XVII — kontrreformacja — barok. Prace z historii kultury*, pod red. J. Pelca (Wrocław 1970). O tym stanowisku powinien pamiętać Czytelnik niniejszego zarysu, w którym epoka Baroku rozdzielona została datą 1648 r., mającą drugorzędne znaczenie dla historii kultury.

Przechodząc do zagadnień bardziej szczegółowych wypada zacząć od badań nad reformacją. Stosunkowo dobrze postawione przez dawniejszych historyków (Z. Zakrzewskiego, A. Brücknera, S. Kota), studia te rozwinęły się szerzej dopiero w latach sześćdziesiątych. Na temat podstawowego problemu polskiej reformacji — stosunku do niej chłopstwa — ukazały się dwie gruntowne monografie, J. Tazbira, *Reformacja i problem chłopski w Polsce XVI wieku* (Wrocław 1953) oraz W. Urbana, *Chłopi wobec reformacji w Małopolsce w drugiej połowie XVI wieku* (Kraków 1959). Na początki reformacji rzuciła nowe światło biografia *Jana Łaskiego*, cz. I: *1499—1556* O. Bartela (Warszawa 1955). Przy raczej drugoplanowo traktowanych badaniach nad luteranizmem, braćmi czeskimi czy kalwinizmem (wyniki ich publikowane są przeważnie w roczniku „Odrodzenie i Reformacja w Polsce", wydawanym od 1956 r. przez Instytut Historii PAN jako kontynuacja dawnej „Reformacji w Polsce") poważnie posunęły się naprzód badania nad arianizmem. Wymienić tu można takie prace, jak *Bracia Polscy. Ludzie, idee, wpływy* L. Chmaja (Warszawa 1957), wydane pod redakcją tegoż historyka *Studia nad arianizmem* (Warszawa 1959), ponadto *Studia z dziejów ideologii religijnej XVI i XVII w.* (Warszawa 1960), L. Szczuckiego, *Marcin Czechowic (1532 - 1613). Studium z dziejów antytrynitaryzmu polskiego XVI wieku* (Warszawa 1964), wreszcie zbiór *Wokół dziejów i tradycji arianizmu* pod red. L. Szczuckiego (Warszawa 1971). Ogólne spojrzenie na reformację w Polsce na tle europejskim zawierają P. Skwarczyńskiego, *Szkice z dziejów reformacji w Europie środkowo-wschodniej*, Londyn 1967, gdzie także zestawiono podstawowe dzieła dotyczące tej problematyki.

O ile badania nad dziejami reformacji służyły raczej pogłębianiu wiedzy o jej organizacji i ideologii na terenie Polski, o tyle bardziej dyskusyjny charakter miały publikacje dotyczące zagadnienia tolerancji w Polsce. Przez pewien czas historycy wyolbrzymiali bowiem kwestię ucisku i prześladowań religijnych w Polsce, posługując się przy tym albo wyrwanymi przykładami, albo powołując się na stan z końca XVII w. Przeciwko takiemu stawianiu sprawy wystąpili szczególnie stanowczo W. Czapliński (w zbiorze *O Polsce siedemnastowiecznej*) oraz J. Tazbir, *Państwo bez stosów. Szkice z dziejów tolerancji w Polsce w XVI i XVII w.* (Warszawa 1966). Podobne stanowisko zajął także historyk francuski, znawca dziejów kultury polskiej Ambroise Jobert. Dziejami konfederacji warszawskiej 1573 r. zajął się M. Korolko, *Klejnot swobodnego sumienia* (Warszawa 1974). Do problemów stosunków między wyznaniami nawiązał ostatnio M. Kosman. *Protestanci i kontrreformacja. Z dziejów tolerancji w Rzeczypospolitej XVI - XVII wieku* (Wrocław 1978).

Utrzymują się natomiast rozbieżności w ocenie roli kontrreformacji w Polsce. Pod tym względem zresztą istnieją już tradycyjne stanowiska w polskiej literaturze historycznej, wywodzące się chyba jeszcze z dawnych polemik wyznaniowych. Obok mniej czy więcej apologetycznego nurtu występował i krytyczny, który reprezentował W. Sobieski czy zwłaszcza S. Czarnowski (*Reakcja katolicka w Polsce w końcu XVI i na początku XVII wieku*, Dzieła t. I, Warszawa 1956). Ten drugi nurt początkowo zdecydowanie przeważał w powojennej nauce historycznej, ostatnio jednak zaznaczyła się tendencja do bardzięj wszechstronnego spojrzenia na tę kwestię i uwzględniania zarówno stron negatywnych, jak i pozytywnych osiągnięć polskiej kontrreformacji. Dla ewolucji tych poglądów znamienne są prace J. Tazbira, *Jezuici w Polsce do połowy XVII wieku* (*Szkice z dziejów papiestwa*) (wyd. 2, Warszawa 1961), *Święci, grzesznicy i kacerze. Z dziejów polskięj kontrreformacji* (Warszawa 1959), *Sarmatyzacja katolicyzmu w Polsce* (w cyt. zbiorze *Wiek XVII*). Zupełnie nowe spojrzenie na Kościół rzymskokatolicki i unicki w okresie potrydenckim przyniosła oparta na nieznanych materiałach i wykorzystująca metody statystyczne i kartograficzne praca zbiorowa *Kościół w Polsce*, t. II: *Wieki XVI - XVIII* (Kraków 1969) pod red. J. Kłoczowskiego.

Kwestia mecenatu budziła stosunkowo duże zainteresowanie, mające już bogate tradycje w dawnych badaniach. Skoncentrowało się ono głównie na okresie Wazów — powstały prace o mecenacie królewskim W. Tomkiewicza, *Z dziejów polskiego mecenatu artystycznego w w. XVII* (Wrocław 1952), K. Targosz-Kretowej, *Teatr dworski Władysława IV* (Kraków 1965), a także prace o mecenacie magnackim — A. Sajkowskiego, *Od Sierotki do Rybeńki, W kręgu radziwiłłowskiego mecenatu* (Poznań 1965) czy J. Długosza, *Mecenat kulturalny i dwór Stanisława Lubomirskiego wojewody krakowskiego* (Wrocław 1972). Zbliżona zakresowo, chociaż wychodząca raczej z pozycji wyznaniowych, jest praca S. Tworka, *Działalność oświatowo-kulturalna kalwinizmu małopolskiego (połowa XVI - połowa XVIII wieku)* (Lublin 1670).

Charakter pomocniczy ma podstawowe opracowanie słownikowe *Drukarze dawnej Polski od XV do XVIII wieku*, pod red. A. Gryczowej (t. IV—VI, Wrocław 1952—1960).

Obszerne informacje dotyczące badań w zakresie ustroju politycznego w omawianym okresie znajdują się we wzmiankowanej na wstępie *Historii państwa i prawa Polski*, t. II. Charakter i typ państwa starał się ustalić Z. Karczmarek w studium *Typ i forma państwa polskiego w okresie demokracji szlacheckiej* (w: *Odrodzenie w Polsce*, t. I) oraz w referacie *Oligarchia magnacka w Polsce jako forma państwa* (*VIII Powszechny Zjazd Historyków Polskich*, t. I, cz. I, Warszawa 1958). Chronologię jego podziału podważył A. Kersten (*Problem władzy w Rzeczypospolitej czasu Wazów* w zbiorze *O naprawę Rzeczypospolitej XVII - XVIII wieku*, Warszawa 1965). Natomiast z poglądami jego polemizował A. Vetulani (*Nowe spojrzenie na dzieje państwa i prawa dawnej Rzeczypospolitej*, CHP 1958). Odmienną próbę wartościowania ustroju Polski przeprowadził J. Gierowski,

Rzeczpospolita szlachecka wobec absolutystycznej Europy (Pamiętnik X Powszechnego Zjazdu Historyków Polskich, t. III, Warszawa 1971), podkreślając konieczność uściślenia kryteriów porównawczych.

Badania nad ustrojem Rzeczypospolitej zawierają wciąż wiele luk, pozwalających na różne dowolności interpretacyjne. Przede wszystkim brak monografii, która by przedstawiała stanowisko i zakres władzy królewskiej. Także dawniejsze prace z tego zakresu odnosiły się tylko do niektórych aspektów władzy monarszej. Stosunkowo dokładnie są zbadane tylko artykuły henrykowskie (dzięki pracy S. Płazy, *Próby reform ustrojowych w czasie pierwszego bezkrólewia,* Kraków 1969) czy problemy elekcyjne. Niewiele lepiej przedstawiają się i badania nad dziejami sejmu. Praca K. Grzybowskiego, *Teoria reprezentacji w Polsce epoki Odrodzenia* (Warszawa 1959), rzuciła nowe światło na parlamentaryzm polski tej doby, zwłaszcza na zasadę jednomyślności, daleko jej jednak do systematyczności i gruntowności. Nad sejmami pierwszej połowy XVII w. pracuje W. Czapliński i jego uczniowie — niektóre tylko wyniki ich badań podsumowuje artykuł W. Czaplińskiego, *Z problematyki sejmu polskiego w pierwszej połowie XVII w.* (KH 1970). Urzędy centralne dzielą los władzy monarszej — brak ich gruntowniejszych opracowań. Doczekała się ich natomiast organizacja dyplomacji (w pracy zbiorowej *Polska służba dyplomatyczna w XVI - XVIII w. Zbiór studiów,* pod red. Z. Wójcika, Warszawa 1967). Brak także nowej syntetycznej pracy o konfederacjach w Polsce (dotychczasowa A. Rembowskiego pochodzi z 1893 r.). W pewnym stopniu tylko zapełnia tę lukę praca J. Maciszewskiego, *Wojna domowa w Polsce (1606—1609),* cz. I (Wrocław 1960) — o podstawowym znaczeniu dla dziejów politycznych i walk ideologicznych początków XVII w.

Nieco lepiej przedstawiają się badania nad dziejami sejmików, zgodnie z tradycjami wytyczonymi w XIX w. przez fundamentalne dzieło A. Pawińskiego, *Rządy sejmikowe w Polsce* (Warszawa 1888). Opracowany został sejmik generalny mazowiecki (J. Gierowski, 1947), sejmik województwa łęczyckiego (J. Włodarczyk, 1974), skład społeczny reprezentacji sejmikowej krakowskiej (W. Urban, 1953), wielkopolskiej (W. Dworzaczek, 1957), lubelskiej (W. Śladkowski, 1957). Urzędy ziemskie badał W. Pałucki (*Studia nad uposażeniem urzędników ziemskich w Koronie do końca XVI w.,* Warszawa 1962).

Funkcjonowanie przedstawicielstw stanowych na Śląsku omówił w gruntownej rozprawie K. Orzechowski, *Ogólnośląskie zgromadzenia stanowe* (Warszawa 1979).

Nierównomiernie przedstawiały się również badania nad dziejami wojskowości polskiej. Jeśli chodzi o okres pierwszej połowy XVI w., najważniejsze badania w tym zakresie prowadził Z. Spieralski (wyniki ich częściowo opublikowane są w SiMdHW). Końcowy okres panowania Zygmunta Augusta i czasy batoriańskie analizował gruntownie H. Kotarski (ogłaszając swe wyniki w tymże wydawnictwie). Dla okresu Wazów podstawowe znaczenie mają monografie B. Baranowskiego

(*Organizacja wojska polskiego w latach trzydziestych i czterdziestych XVII w.*, Warszawa 1957) oraz J. Wimmera, *Wojsko i skarb Rzeczypospolitej u schyłku XVI i w pierwszej połowie XVII w.* (SiMdHW, Warszawa 1968). Nad artylerią tej doby dokładne badania prowadził T. Nowak (*Arsenały artylerii koronnej w latach 1632—1655*, SiMdHW, Warszawa 1968). Uzupełnieniem tych badań, jak i wielu innych ogłaszanych w tymże wydawnictwie, jest studium K. Dembskiego, *Wojska nadworne magnatów polskich w XVI i XVII wieku* (w Zeszytach Naukowych Uniwersytetu Poznańskiego, Historia, Poznań 1956). Dokładnie opracowano także wiele kampanii i bitew tego okresu.

Z zagadnień polityki wewnętrznej doby jagiellońskiej najwięcej uwagi poświęcili ostatnio historycy rozwojowi ruchu egzekucyjnego. Punkt wyjściowy stanowiły prace Z. Wojciechowskiego, *Zygmunt Stary (1506—1548)* (Warszawa 1946) i zwłaszcza oparta na szerokiej kwerendzie archiwalnej W. Pociechy, *Królowa Bona (1494—1557), Czasy i ludzie Odrodzenia* (t. I—IV, Poznań 1949—1958). Związane z ruchem egzekucyjnym kwestie skarbu i dóbr królewskich oświetlił A. Wyczański w paru studiach, zwłaszcza *Z dziejów reform skarbowo-wojskowych za Zygmunta I, Próby relucji pospolitego ruszenia* (PH 1953), a później A. Sucheni-Grabowska, *Odbudowa domeny królewskiej w Polsce (1504 - 1548)* (Wrocław 1967). Badania nad strukturą społeczną obozu egzekucyjnego przeprowadziła ostatnio I. Kaniewska w pracy *Małopolska reprezentacja sejmowa za czasów Zygmunta Augusta* (Kraków 1974) oraz A. Sucheni-Grabowska, *Monarchia dwu ostatnich Jagiellonów a ruch egzekucyjny*, cz. 1 (Wrocław 1974). Ukazało się także parę biografii przywódców tego obozu m. in. w rocznikach „Odrodzenia i Reformacji w Polsce". Najważniejsza z nich to rozprawa A. Tomczaka. *Walenty Dembiński, Kanclerz egzekucji (ok. 1504 - 1584)* (Toruń 1963). Jeśli chodzi o ideologię ruchu egzekucyjnego, stosunkowo najwięcej uwagi skupiła twórczość Andrzeja Frycza Modrzewskiego i arian. Można wskazać na takie pozycje, jak K. Lepszego, *Andrzej Frycz Modrzewski* (Warszawa 1953), W. Voisé, *Frycza Modrzewskiego nauka o państwie i prawie* (Warszawa 1956) oraz studia C. Hernasa i Z. Ogonowskiego o ideologii arian w zbiorze *Z dziejów polskiej myśli filozoficznej i społecznej* (t. I, Warszawa 1956). Dla końcowego okresu ruchu egzekucyjnego i rozchodzenia się jego programu z królewskim nowe ustalenia wprowadziły studia J. Pirożyńskiego, szczególnie o sejmie 1570 r. (Kraków 1972). Okres bezkrólewia zainteresował ostatnio dwu badaczy: S. Płazę (we wspomnianej rozprawie) i S. Gruszeckiego (*Walka o władzę w Rzeczypospolitej Polskiej po wygaśnięciu dynastii Jagiellonów (1572 - 1573*) (Warszawa 1969), który rozpatruje rywalizację średniej szlachty i magnaterii w tej dobie.

Mimo niewątpliwych postępów w tym zakresie i dość jednolicie pozytywnego (w przeciwieństwie do dawniejszej historiografii) stosunku do programu egzekucjonistów, trzeba stwierdzić, że w wielu wypadkach odwoływać się trzeba do dawnych ustaleń, niekiedy sięgających XIX w.

(jak niezastąpiona do dzisiaj *Geneza trybunału koronnego* C Balzera z 1886 r.).

W jeszcze większym stopniu odnosi się to do zagadnień polityki zewnętrznej. Nawet przy tak dyskusyjnym problemie, jak znaczenie unii lubelskiej, wkład polskiej nauki historycznej ostatnich lat jest niewielki (scharakteryzował go J. Bardach w artykule *Krewo i Lublin, Z problemów unii polsko-litewskiej*, KH 1969) i można wybierać tylko między stanowiskiem dawnych apologetów unii (typowym przykładem w tym zakresie jest twórczość O. Haleckiego, szczególnie jego *Dzieje Unii Jagiellońskiej*, t. I - II, Kraków 1919 - 1920) a bardziej racjonalizującym spojrzeniem reprezentowanym np. przez H. Łowmiańskiego, *Uwagi w sprawie podłoża społecznego i gospodarczego unii jagiellońskiej* (Wilno 1935). Nowego naświetlenia doczekała się tylko polityka bałtycka Zygmunta Augusta w studium S. Bodniaka, *Polska a Bałtyk za ostatniego Jagiellona* (PBK 1946), a także niektóre aspekty polityki Zygmunta Starego. Tak więc jego stosunkiem do Habsburgów zajął się w swych studiach W. Pociecha i A. Wyczański (*Francja wobec państw jagiellońskich w latach 1515 - 1529*, Wrocław 1954), a także K. Baczkowski, *Zjazd wiedeński 1515* (Warszawa 1974), natomiast politykę mołdawską zbadał starannie Z. Spieralski (*Kampania obertyńska*, Warszawa 1962).

W pozostałych sprawach odwoływać się trzeba do prac dawniejszych: w zakresie stosunków z Litwą do monografii L. Kolankowskiego, stosunki z Prusami, zwłaszcza traktat krakowski, naświetlił W. Pociecha, oraz A. Vetulani, polityką węgierską dworu polskiego zajął się J. Pajewski. Problem inflancki przedstawił J. Jasnowski w swej biografii *Mikołaja Czarnego Radziwiłła*. Uderzający jest brak gruntownego opracowania sprawy inflanckiej, stosunków politycznych z krajami Europy Zachodniej — wprawdzie H. Barycz ogłosił obszerny zbiór studiów *Spojrzenie w przeszłość polsko-włoską* (Wrocław 1965), ale dotyczy on głównie spraw kulturalnych. Na badaniach udziału Polski w stosunkach międzynarodowych ciąży koncentracja naszej dawniejszej historiografii na unii z Litwą i sprawach wschodnich. W celu odwrócenia tych proporcji potrzebne są nie tylko nowe naświetlenia w ujęciach syntetycznych, ale i nowe gruntowne badania z tego zakresu. Interesującą propozycję nowego spojrzenia na pozycję Polski zawarł A. Wyczański w książce *Polska w Europie XVI wieku* (Warszawa 1973).

Uwagi te odnoszą się także do panowania pierwszych dwu królów elekcyjnych, zwłaszcza Stefana Batorego. Opublikowany przed wojną (1935) zbiór studiów *Etienne Batory roi de Pologne, prince de Transylvanie* stanowi bowiem ostatnią próbę wszechstronnego przedstawienia jego rządów, często przy tym dyskusyjną.

Zdecydowanie korzystniej, jeśli chodzi o wszechstronność podejmowanych badań, przedstawia się doba panowania dwu pierwszych Wazów. Jest to przede wszystkim zasługa W. Czaplińskiego, z którego kręgu wyszła większość badaczy zajmujących się tym okresem, tym bardziej że K. Lepszy, który przed wojną zainicjował gruntowne prace nad początkami panowania Zygmunta III, nie znalazł kontynuatorów. Jak wspomniano, główne zainteresowania tego kręgu wrocławskiego skupiały się wokół spraw polityki wewnętrznej, rokoszu sandomierskiego (J. Maciszewski), polityki sejmowej Zygmunta III (J. Byliński — sejm 1611 r., S. Ochmann — sejmy 1615 - 1616, J. Seredyka — sejmy 1626 - 1629). Skomplikowaną sytuację lenna pruskiego badał F. Mincer. Sam Czapliński dał ogólną charakterystykę doby Wazów w zbiorze *O Polsce siedemnastowiecznej* (1965), biografię Władysława IV (Warszawa 1972), a także ogłosił wiele monografii poświęconych polskiej polityce bałtyckiej (szczególnie *Polska, Prusy i Brandenburgia za Władysława IV*, Wrocław 1947, *Polska a Bałtyk w latach 1632 - 1648. Dzieje floty i polityki morskiej*, Wrocław 1952) oraz studia odnoszące się do śląskiej polityki Zygmunta III. Natomiast końcowe lata panowania tego króla scharakteryzował J. Seredyka, *Rzeczpospolita w ostatnich latach panowania Zygmunta III (1629 - 1632)* (Opole 1978).

W zakresie stosunków międzynarodowych nowe podejście do dość dobrze zbadanych przez dawniejszych historyków (W. Sobieskiego, K. Tyszkowskiego i W. Godziszewskiego) wojen polsko-moskiewskich wprowadził J. Maciszewski, zwracając uwagę w swej pracy *Polska a Moskwa 1603 - 1616* (Warszawa 1968) na stosunek polskiej opinii szlacheckiej do interwencji w Rosji. Stosunek Polski do księstw naddunajskich scharakteryzował L. Bazylow (1967). Nową interpretację wojny tureckiej i klęski Żółkiewskiego dał R. Majewski w swej pracy *Cecora* (Warszawa 1971). Wreszcie opierając się na nie wyzyskanych przez poprzedników materiałach źródłowych przedstawił politykę śląską i plany wojny tureckiej Władysława IV J. Leszczyński (*Władysław IV a Śląsk w latach 1644 - 1648*, Wrocław 1969). Z historyków radzieckich stosunki polsko-rosyjskie przełomu XVI i XVII w. naświetlił ostatnio B. N. Florija w pracy *Russko-polskije otnoszenija i bałtijskij wopros k koncu XVI - naczale XVII w.*, Moskwa 1973.

Jakkolwiek też w odniesieniu do niektórych kwestii polityki zewnętrznej nadal trudno się obejść bez prac dawniejszych (szczególnie A. Szelągowskiego) i choć niektóre problemy (jak układ stosunków między średnią szlachtą a magnaterią po rokoszu, kwestia kozaczyzny czy stosunki polsko-szwedzkie) nie zostały jeszcze dokładniej zbadane, ogłoszone w ostatnim ćwierćwieczu prace pozwalają na uformowanie się nowych poglądów na sytuację i rolę Polski w pierwszej połowie XVII w., odbiegających od pesymistycznych ocen wyrażanych w ujęciach syntetycznych lat pięćdziesiątych z *Historią Polski* IH PAN włącznie. Postęp w badaniach historycznych opiera się nie tylko na wprowadzaniu nowych metod, pozwalających na uściślenie wyników czy lepsze wykorzystanie materiałów źródłowych, nie tylko na wprowadzaniu nowej problematyki, nie dostrzeganej lub lekceważonej przez poprzedników, nie tylko na nowej interpretacji opartej na zmienionych założeniach metodologicznych, ale również — nieraz w szczególnym stopniu — na poszerzaniu podstawy źródłowej. Dla badacza czasów nowożytnych stwierdzenie takie ma specjalne znaczenie. W odróżnieniu od historyków średniowiecznych, którzy w większości mają do czynienia ze źródłami opublikowanymi czy opisanymi, nowożytnik swą twórczą pracę musi opierać przede wszystkim na materiałach znajdujących się w archiwach i w zbiorach rękopisów. Publikacje źródłowe obejmują bowiem tylko niewielką część zachowanych materiałów i bynajmniej nie w każdym wypadku najważniejszą.

Historyk polski wskutek rozproszenia archiwów centralnych w dobie rozbiorów, a także zniszczeń dokonanych przez Niemców w toku ostatniej wojny, znajduje się w sytuacji gorszej niż większość jego kolegów europejskich. Nie tylko bezpowrotnie zaginęło mnóstwo podstawowych materiałów, ale wiele zespołów trzeba było formować i porządkować niemal od podstaw. Mimo pełnej samozaparcia pracy archiwistów prace nad udostępnieniem tych zbiorów nie zostały jeszcze ukończone i związane z tym trudności musi mieć na uwadze każdy badacz. Nie dotyczy to wszakże materiałów podstawowych.

Najważniejsze materiały źródłowe dla czasów nowożytnych zawiera Archiwum Główne Akt Dawnych w Warszawie, gdzie mieszczą się zachowane archiwa urzędów centralnych, przede wszystkim urzędu kanclerskiego, tzw. Metryka Koronna. Pełniejszą informację o tych zbiorach można znaleźć w przewodniku *Archiwum Główne Akt Dawnych*, t. I: *Archiwum dawnej Rzeczypospolitej* pod red. J. Karwasińskiej (wyd. 2, Warszawa 1975). Znalazły się tutaj także zbiory niektórych wielkich rodów magnackich czy szlacheckich zwane podworskimi (dla omawianego okresu największe znaczenie mają zbiory radziwiłłowskie i Potockich). Ponadto w każdym mieście wojewódzkim mieszczą się archiwa wojewódzkie zawierające materiały władz danego obszaru, archiwa miejskie oraz odpowiednie podworskie. Najlepiej zachowane są zbiory archiwum krakowskiego. Większe znaczenie mają również archiwa gdańskie, poznańskie, lubelskie, szczecińskie, wrocławskie, łódzkie i toruńskie. Archiwa kościelne zachowały swą odrębną sieć archiwów diecezjalnych, kapitulnych i klasztornych. Z archiwów szkolnych najcenniejsze zbiory ma Archiwum Uniwersytetu Jagiellońskiego.

Znaczna część materiałów źródłowych o charakterze zarówno prywatnym, jak i publicznym znajduje się w zbiorach rękopisów przy bibliotekach. Najcenniejsze zbiory zawiera Biblioteka Narodowa w Warszawie, Ossolineum we Wrocławiu, Muzeum Czartoryskich w Krakowie, Biblioteka Jagiellońska oraz Biblioteka PAN w Krakowie, Gdańsku i Kórniku. Ponadto w bibliotekach tych znajdują się działy starodruków, grafiki i kartograficzne, obejmujące również materiały źródłowe dla omawianej epoki.

Większość z wymienionych wyżej archiwów i bibliotek ma opublikowane inwentarze i katalogi, informujące o znajdujących się w nich materiałach. Dane o tych zasobach podaje systematycznie „Archiwalny Biuletyn Informacyjny Naczelnej Dyrekcji Archiwów Państwowych". Dostęp do materiałów archiwalnych ułatwiony jest obecnie dzięki mikrofilmom, które obejmują znaczną część najważniejszych źródeł.

Podstawowy materiał badawczy, zarówno dla polityki zewnętrznej, jak i wewnętrznej Rzeczypospolitej, znajduje się także w archiwach zagranicznych. Największe znaczenie mają zbiory znajdujące się na obszarach wchodzących w XVI i XVII w. w skład Rzeczypospolitej, a także archiwa w Moskwie, Wiedniu, Merseburgu (brandenburskie), Watykanie i w Sztokholmie (gdzie znajdują się archiwalia zrabowane w Polsce podczas najazdów szwedzkich w XVII w.).

Brak na razie przewodnika obejmującego całość materiałów do dziejów Polski nowożytnej. Jedynie dla historii ustroju ważne do dzisiaj (choć nie zawsze aktualne) informacje zawiera *Historia źródeł dawnego prawa polskiego* S. Kutrzeby (t. I - II, Lwów 1925 - 1926).

Część materiałów źródłowych została, jak już wspomniano, opublikowana. Dokładne informacje o tych wydawnictwach zawierają bibliografie historii Polski. Na tym miejscu wskażemy na te, które miały szczególne znaczenie dla rozwoju badań historycznych w PRL.

Tak więc dla historii gospodarczej jednym z podstawowych źródeł są inwentarze spisujące majątek pana i obciążenia poddanych. Na nich opiera się w poważnym stopniu znajomość struktury gospodarczej wsi. Opublikowane zostały m. in. inwentarze dóbr szlacheckich z Kaliskiego i Krakowskiego, inwentarze dóbr kościelnych biskupstw włocławskiego, chełmińskiego, poznańskiego. Z dóbr królewskich w Polsce mają opublikowany inwentarz starostwo człuchowskie, puckie i kościerskie. Na Śląsku, gdzie występują inwentarze w postaci tzw. urbarzy, opublikowane zostały urbarze z Górnego Śląska. Wprowadzenie kwarty spowodowało przeprowadzenie lustracji dóbr królewskich. Ponieważ lustracje takie były dokonywane w pewnych odstępach czasu i zawierają dobry materiał porównawczy, IH PAN prowadzi systematyczną akcję publikowania lustracji od XVI do XVIII w. Ukazało się ich już kilkanaście tomów. Wreszcie pomocne w badaniach nad zjawiskami gospodarczo-społecznymi są księgi skarbowe, zwłaszcza rejestry podatkowe. Już w XIX w. W. Pawiński, A. Jabłoński i T. Baranowski podjęli oparte na tym materiale wydawnictwo *Polska XVI w. pod względem geograficzno-statystycznym. Źródła dziejowe* (t. XII - XXIV, Warszawa 1883 - 1915). Ostatnio opublikowane zostały rejestry podatkowe woj. krakowskiego i lubelskiego z XVII w.

Dla poznania życia wewnętrznego wsi nieocenione są księgi sądowe wiejskie, a także ustawy wiejskie. Publikację ich podjął w XIX w. B. Ulanowski, ostatnio w sposób pełniejszy i bardziej usystematyzowany publikował księgi sądowe zespół historyków prawa kierowany przez A. Vetulaniego.

Wymienione wyżej źródła mają pewne znaczenie dla poznania nie tylko wsi, ale i struktury gospodarczej i społecznej miast. Większych wydawnictw źródłowych odnoszących się do życia wewnętrznego miast jest stosunkowo niewiele — przeważają raczej publikacje drobne czy oderwane. Niekóre też tylko miasta (jak np. Kraków, Poznań, Biecz, Lublin) mają wydane prawa i przywileje miejskie, księgi radzieckie itp

Jeśli chodzi o źródła dotyczące funkcjonowania państwa szlacheckiego, to akta Metryki Koronnej doczekały się tylko regestów obejmujących dobę jagiellońską (T. Wierzbowski, *Matricularum Regni Poloniae Summaria*, t. I - V: (*1447 - 1572*), Varsovia 1905 - 1961). Podjęte przez O. Balzera wydawnictwo *Corpus iuris Polonici* sięga tylko po rok 1526. Natomiast uchwały sejmowe drukowano początkowo w rozmaitych zbiorach ustaw i publikowano także tuż po sejmach (od 1576 r.). Dopiero w XVIII w. podjęto z inicjatywy J. Załuskiego i S. Konarskiego publikację zbiorową konstytucji sejmowych — *Volumina legum*. W połowie XIX w. przedrukował ją ponownie J. Ohryzko. Natomiast nie ogłaszano w XVI i XVII w. diariuszy sejmowych. Dopiero w XIX i XX w. wydane zostały diariusze tylko kilku sejmów omawianego okresu. Wykaz tych publikacji jak i zachowanych w rękopisach diariuszy podaje W. Konopczyński, *Chronologia sejmów polskich 1493 - 1792*, Kraków 1948. Wykaz ten nie jest kompletny; na niektóre uzupełnienia wskazał H. Olszewski w „Czasopiśmie Prawno-Historycznym", t. IX.

W celu zrozumienia postaw szlacheckich i przeprowadzenia badań nad życiem politycznym kraju, a także skarbowością i wojskowością, nieocenione są uchwały sejmikowe. Lauda i instrukcje sejmikowe zostały opublikowane dla województwa krakowskiego, województw wielkopolskich, województwa ruskiego, województw kujawskich, ziemi dobrzyńskiej, a także niektórych województw ukrainnych i litewskich. Opublikowany został także inwentarz aktów sejmikowych Prus Królewskich oraz akta niektórych sejmików śląskich. Większość z tych materiałów znajduje się jednak w archiwach lub zbiorach rękopisów.

Stosunkowo niewiele materiałów opublikowano z ksiąg sądów szlacheckich. Najważniejszą publikacją w tej dziedzinie są *Akta grodzkie i ziemskie z czasów Rzeczypospolitej szlacheckiej z archiwum tzw. bernardyńskiego we Lwowie*. Na tym materiale oparły się także wydawnictwa dla Ukrainy *Archiw Jugo-Zapadnoj Rossii* i dla Litwy *Akty izdawajemyje Wilenskoju Archeograficzeskoju Komissieju*. Z akt sądów centralnych opublikowane są częściowo akty sądów referendarskich, rzucające wiele światła na położenie ludności chłopskiej w królewszczyznach.

Wreszcie z zakresu skarbowości obok wspomnianych rejestrów opublikowane zostały rachunki dworu królewskiego za panowania Zygmunta I i Zygmunta Augusta i księgi podskarbińskie z czasów Stefana Batorego.

Zachowana korespondencja wysokich dygnitarzy koronnych stała się punktem wyjściowym dla paru wydawnictw odnoszących się głównie do historii politycznej i historii kultury. Zbiory Stanisława Góreckiego, współpracownika podkanclerzego Piotra Tomickiego, stały się podstawą monumentalnego wydawnictwa źródeł z czasów Zygmunta I ukazującego się od 1852 r. — *Acta Tomiciana*. Dla okresu panowania Stefana Batorego podobne znaczenie ma *Archiwum Jana Zamoyskiego* (t. I - IV, Warszawa—Kraków 1904 - 1948). Trzeba przy tym zaznaczyć, że tylko w postaci mikrofilmów są szerzej dostępne tzw. Teki Naruszewicza, ponad 200 tomów chronologicznie ułożonych odpisów podstawowych często źródeł do dziejów Polski, zbieranych w XVIII w. przez Adama Naruszewicza, a przechowywanych obecnie w zbiorach Czartoryskich.

Do dziejów dyplomacji polskiej publikacji źródłowych jest stosunkowo mało. Do wyjątków takich należy np. wydanie aktów poselstwa polskiego do Francji po elekcji Henryka Walezego. Nieco inny charakter mają wydane akty do dziejów unii polsko-litewskiej. Z obcych archiwaliów historycy polscy wykorzystali przede wszystkim akta watykańskie dla celów edytorskich. Tak więc F. Rykaczewski wydał *Relacje nuncjuszów* (t. I - II, Berlin—Poznań 1864) w tłumaczeniu. Ogłoszone zostały *Monumenta Poloniae Vaticana* obejmujące okres do 1585 r. Sporo materiałów dotyczących Polski z różnych archiwów europejskich zostało opublikowanych w wydawanych w Rzymie *Elementa ad fontium editiones*. Wielokrotnie odwoływać się wszakże trzeba do wydawnictw obcych, które częściowo uwzględniają także sprawy polskie, oraz do odpisów korespondencji dyplomatycznej dokonanych głównie w zeszłym wieku i przechowywanych w Polskiej Akademii Umiejętności — obecnie w krakowskiej placówce IH PAN.

W zakresie stosunków religijnych podstawowe znaczenie dla dziejów reformacji i kontrreformacji mają wizytacje dokonywane w diecezjach. Większość z nich pozostaje w archiwach kościelnych, opublikowane są niektóre wizytacje diecezji chełmińskiej, włocławskiej, najwięcej z wrocławskiej. Na uwagę zasługują także akty normatywne wydawane przez synody. Jeśli chodzi o Kościół katolicki, publikował je J. Sawicki w wydawnictwie *Concilia Poloniae*. Synody wyznań protestanckich zostały również częściowo ogłoszone drukiem. Z opublikowanej korespondencji dygnitarzy kościelnych największe znaczenie mają *Uchansciana*, wydane przez T. Wierzbowskiego materiały do działalności prymasa Jakuba Uchańskiego.

Na podkreślenie zasługują wreszcie staranne publikacje dzieł pisarzy, uczonych i polemistów tej doby. Wzorowy charakter ma wydanie dzieł Mikołaja Kopernika czy Andrzeja Frycza Modrzewskiego.

Przez długi czas dla badań historycznych podstawowe znaczenie miały dawniejsze opracowania historyczne czy pamiętniki. Dzisiaj źródła tego rodzaju uważane są nie bez słuszności za mało wiarygodne, oddające raczej klimat epoki. Niemniej znajomość ich często bywa konieczna choćby dla wstępnych badań nad podejmowanym problemem. Pełne zestawienie tych publikacji można znaleźć w bibliografiach, m. in. w *Bibliografii literatury polskiej „Nowy Korbut"*, t. 1 - 3: *Piśmiennictwo staropolskie* (Warszawa 1963 - 1965), jeśli chodzi zaś o pamiętniki, u E. Maliszewskiego, *Bibliografia pamiętników polskich i Polski dotyczących* (Warszawa 1928).

Z kronikarzy polskich tej epoki trzeba wymienić pierwszego kontynuatora Długosza, Macieja z Miechowa (Miechowitę), autora *Chronica Polonorum* (1529). Po nim podjął kontynuację J. L. Decjusz, ogłaszając *De vetustatibus Polonorum libri III* (1521). W drugiej połowie XVI w. powstaje najlepsze szesnastowieczne dzieło o Polsce M. Kromera (*Polonia*, 1577) i tegoż kronikarza *De origine et rebus gestis Polonorum libri XXX* (1555). Pierwszą kronikę po polsku ogłosił M. Bielski. Jego *Kronika wszytkiego świata* (1551) jest kompilacją obejmującą i dzieje Polski. Po nim M. Stryjkowski wydał *Kronikę polską, litewską, żmudzką i wszystkiej Rusi* (1582). Dopiero natomiast w XVII w. ukazały się Ł. Górnickiego, *Dzieje w Koronie Polskiej 1538 - 1572* (1637). Dla dziejów pierwszego bezkrólewia szczególne znaczenie ma S. Orzelskiego, *Interregni Polonorum libri VIII* (wyd. w 1917 r.). Dla okresu Batorego najcenniejsze jest dzieło R. Heidensteina, *Rerum Polonicarum ab excessu Sigismundi Augusti libri XII* (1672 — w przekł. polskim 1857), dość zresztą apologetyczne w odniesieniu do mecenasa Heidensteina, kanclerza Zamoyskiego. O tymże okresie pisał także J. D. Solikowski oraz J. Bielski, który kontynuował po polsku dzieło swego ojca (1597). Okres Wazów reprezentuje prokrólewsko nastawiona twórczość podkanclerzego S. Łubieńskiego, zajmującego się m. in. rokoszem sandomierskim. Pełniej dzieje pierwszej połowy XVII w. przedstawił z antyhabsburskim tonem P. Piasecki (*Chronica gestorum in Europa singularium*, 1645, po polsku 1846).

Obok tych kronik zachowało się sporo pamiętników, z których większość opublikowano dopiero w ciągu dwu ostatnich stuleci. Zachowały się więc pamiętniki dotyczące wojen z Moskwą za Batorego (np. Ł. Działyńskiego) czy interwencji w Rosji w początkach XVII w. (najlepszy S. Żółkiewskiego, *Początek i progres wojny moskiewskiej*, ostatnie wyd. Warszawa 1968). O wyprawie chocimskiej pisał pamiętnik czy rodzaj kroniki Jakub Sobieski, o walkach z Kozakami S. Okolski. Specjalne miejsce zajmują pamiętniki Zbiegniewa Ossolińskiego i jego syna Jerzego, późniejszego kanclerza, dla okresu 1595 - 1631 (wyd. 2, Warszawa 1976). Nieocenionym źródłem dla poznania kulisów polityki jest diariusz kanclerza litewskiego A. S. Radziwiłła, *Memoriale rerum gestarum in Polonia 1632 - 1656*. Z dziejami kontrreformacji związany jest J. Wielewickiego, *Dziennik spraw domu zakonnego OO. Jezuitów u św. Barbary w Krakowie 1579 - 1629* (wyd. w *Scriptores Rerum Polonicarum*, 1881 - 1899). Wyjątkowej wartości źródłem dla poznania zarówno mentalności szlacheckiej, jak i mobilności społecznej jest *Liber chamorum* — ułożony przez W. N. Trepkę wykaz rodzin szlacheckich plebejskiego pochodzenia: *Liber generationis plebeanorum*, wyd. pierwszy raz drukiem przez W. Dworzaczka (Wrocław 1963).

Ze źródeł innego typu wskazać można na cenne źródła kartograficzne, polskie i obce — przede wszystkim mapy i ujęcia kartograficzne B. Wapowskiego (1526), W. Grodeckiego (1570), Beauplana (ostatnia publikacja 1972). Bliższe dane zawiera pod tym względem praca K. Buczka, *Dzieje kartografii polskiej od XV do XVIII wieku* (Wrocław 1963). Informacje o zabytkach architektury, malarstwa i rzeźby znajdują się w cyklu wydawniczym *Katalog zabytków sztuki w Polsce*, którego publikacja jest w toku.

2. Rozwój gospodarki towarowo-pieniężnej — wzrost produkcji rolnej i narastanie pierwiastkowych form kapitalistycznych w mieście

a. Ugruntowanie się folwarku pańszczyźnianego

Od końca XV w. w życiu gospodarczym Polski ugruntowuje się instytucja, która przez następne trzy wieki miała wyciskać niezatarte piętno na jej strukturze. Był nią folwark pańszczyźniany. Najwcześniej zaczęły powstawać folwarki pańszczyźniane w okolicach spławnych rzek, którymi można było wywozić produkty do portów bałtyckich, oraz na obszarach, gdzie znajdowały się liczne miasta. Rozpowszechnianie się folwarku pańszczyźnianego na dalsze tereny, zwłaszcza na wschodzie Rzeczypospolitej, trwało długo, ciągnąc się jeszcze do XVIII w. Niemniej już w dobie Odrodzenia folwark pańszczyźniany stał się dominującą formą produkcji rolniczej.

Nie było to zjawisko występujące wyłącznie w państwie polsko-litewskim. Podobne procesy objęły w tymże czasie ziemie polskie pozostające w ramach obcej państwowości jak Śląsk czy Pomorze, a także znaczną część krajów sąsiednich. Na większą czy mniejszą skalę cała środkowa i wschodnia Europa wkraczała wtedy w okres gospodarki folwarczno-pańszczyźnianej i związanego z nią tzw. wtórnego poddaństwa. Procesy te nie objęły natomiast zachodniej Europy, w której nadal pogłębiał się rozwój elementów kapitalizmu, industrializacja, a w ślad za tym umacniały się wpływy mieszczaństwa. W ten sposób nastąpiło rozejście się dróg rozwojowych zachodniej i środkowo-wschodniej Europy, powstał tzw. dualizm w rozwoju gospodarczym Europy. Nie znaczy to, że zostały przerwane czy osłabione wzajemne powiązania. Przeciwnie, można by raczej mówić o wzajemnym uzależnieniu i uwarunkowaniu między obu drogami rozwoju gospodarczego. W pierwszym etapie właśnie kraje rolnicze wyciągały z tego układu więcej bezpośrednich korzyści; dopiero z czasem okazało się, że układ taki umożliwił znacznie szybszy rozwój ekonomiczny krajów zachodniej Europy i swoiste uzależnienie gospodarcze przez nie środkowej i wschodniej Europy.

Tymczasem wiek XVI był w całej niemal Europie okresem koniunktury na produkty rolne. Rozwój gospodarki towarowo-pieniężnej, wzrost bogactwa mieszczaństwa, przemiany demograficzne powodowały wzmożony popyt na artykuły żywnościowe. Jakkolwiek obserwacje ruchu cen w Polsce w tym czasie wskazują na stały wzrost cen i płac we wszystkich gałęziach produkcji, to jednak najszybszy wzrost dotyczył artykułów zbożowych, gdy tymczasem wyroby rzemieślniczo-konsumpcyjne (jak sukna, płótno, buty) charakteryzowały najsłabsze zmiany. Znamienna była przy tym wyraźna korelacja ruchu cen na zboże na najważniejszych rynkach wewnętrznych Polski, w Krakowie czy Gdańsku, z ruchem cen w Amsterdamie. Warunki rynkowe, zarówno krajowe, jak i ogólnoeuropejskie, uprzywilejowały produkcję rolną, zachęcały do bezpośredniego angażowania się w niej, zapewniającego największe zyski.

Ale nie tylko pomyślna koniunktura leżała u podstaw dokonujących się w gospodarce rolnej przemian. Bardzo istotne znaczenie miało również umocnienie się politycznej przewagi szlachty w stanowej strukturze ustrojowej, które ułatwiało jej swobodę poczynań w zapewnieniu sobie gruntów pod folwarki i taniego robotnika. W ciągu XIV i zwłaszcza XV w. przy względnie ustabilizowanym dochodzie szlacheckim zaznaczyły się tendencje do poważnego wzrostu dochodów warstw biorących bezpośredni udział w produkcji, przede wszystkim mieszczaństwa, w pewnej mierze także bogatszego chłopstwa. Groziło to względnym zubożeniem szlachty, która, jak to wykazał Jerzy Topolski, podjęła w całej niemal Europie różne inicjatywy w obronie nie tylko swej zagrożonej pozycji ekonomicznej, ale także społecznej i politycznej. Na terenie Polski, podobnie jak środkowej Europy, przejawem takiej aktywności gospodarczej była rozbudowa folwarku pańszczyźnianego. Uprzywilejowanie szlachty umożliwiało jej bowiem na tym obszarze łatwe wykorzystanie darmowej, pańszczyźnianej pracy chłopa przy produkcji rolnej, przede wszystkim zbożowej. W przeciwieństwie do krajów zachodniej Europy, gdzie interes mieszczaństwa, jako liczącej się siły politycznej, ograniczał narastanie eksploatacji poddanych przez szlachtę, w Polsce układ sił społeczno-politycznych nie stworzył jeszcze do końca XV w. takiej zapory. W tych warunkach szlachta polska zdobyła sobie nieograniczone możliwości wyzysku chłopa i wykorzystania dla siebie koniunktury na zboże.

Dawniej historycy wysuwali inne jeszcze przyczyny, które miały leżeć u podstaw rozwoju gospodarki folwarczno-pańszczyźnianej. Twierdzili więc, że rezygnacja z pospolitego ruszenia na rzecz wojska najemnego miała ułatwić szlachcie skoncentrowanie uwagi na sprawach produkcji rolnej. Inni źródło przejścia na rentę odrobkową widzieli w spadku wartości pieniądza, a w związku z tym i czynszów. Zakładaniu folwarków miały sprzyjać liczne pustki na piętnastowiecznej wsi polskiej, a później przymusowy wykup folwarków sołtysich. Wreszcie, gdy część historyków skłonna była upatrywać źródeł rozwoju folwarku w rozwoju rynku wewnętrznego, zwłaszcza miast, inni kładli szczególny nacisk na uzyskanie łatwiejszego dostępu do rynków zagranicznych poprzez odebranie z rąk Krzyżaków Pomorza Gdańskiego. Niewątpliwie sprowadzanie genezy i przyczyn rozwoju folwarku pańszczyźnianego do jednego tylko czynnika byłoby poważnym uproszczeniem. Wydaje się jednak, że wymienione wyżej przyczyny mogły mieć tylko charakter wtórny albo są podporządkowane czynnikom wskazywanym obecnie przez historyków (A. Wyczański, J. Topolski) jako zasadnicze.

W Polsce folwarki spotykało się już od dawna. We wsiach szlacheckich istniały niewielkie folwarki produkujące na potrzeby konsumpcyjne, opierające się raczej na najmie niż na pańszczyźnie. We wsiach zakładanych na prawie niemieckim potworzyły się folwarki sołtysie, nastawione chyba głównie na rosnące zapotrzebowanie miast. I w nich dominowała praca najemna, choć wiadomo, że używano do prac stałych także osadzonych na niewielkich działkach zagrodników, pociąganych do świadczeń pańszczyźnianych. Zakładano również folwarki w dobrach kościelnych, zwłaszcza klasztornych. Wiele wskazuje na to, że w nich właśnie najwcześniej zaczęto posługiwąć się na większą skalę pańszczyzną. W drugiej połowie XV w. w wielu wsiach kościelnych związanych z folwarkami pańszczyzna obejmowała już od 1 do 3 dni w tygodniu. W tymże czasie zaczęły się też zabiegi szlachty o zwiększenie pańszczyzny w jej wsiach dziedzicznych, tak że w pierwszej połowie XVI w. wynosiła ona nieraz od 1 do 2 dni tygodniowo z łanu. Na sejmach bydgoskim i toruńskim w 1520 i 1521 r. próbowano jako minimum dla wszystkich wsi wyznaczyć 1 dzień pańszczyzny tygodniowo z łanu. Praktycznie konstytucje te nie miały większego znaczenia, gdyż ani nie zmieniły sytuacji w tych wsiach, gdzie chłopi mieli zastrzeżony przywilejami niższy wymiar pańszczyzny, ani nie zahamowały dalszego podnoszenia pańszczyzny. Odtąd instytucje państwowe nie ingerowały już w sprawie ustalania ciężarów chłopskich, zostawiając całkowitą swobodę panom.

Pańszczyzna ta dotykała wszystkie warstwy ludności chłopskiej — tyle że kmiecie musieli odbywać pańszczyznę sprzężajną, gdy inne kategorie pieszą. Pańszczyzna obejmowała cały dzień — od wschodu do zachodu słońca. Obok pańszczyzny dniówkowej występowała w niektórych wsiach także tzw. „jutrzyna", przy której kmieć był zobowiązany do kompletnej uprawy (od orki do zbiorów) kawałka ziemi folwarcznej. Była to jednak forma zanikająca. Natomiast na wszystkich spadały dodatkowe robocizny, związane bądź z pilnymi pracami w polu w okresie np. żniw czy sianokosów, bądź z przewozem wyprodukowanych artykułów, jak tłoki, stróże, podwody, flis itp. Te dodatkowe ciężary stawały się z czasem dotkliwsze i bardziej rujnujące dla własnej gospodarki chłopa niż regularna stała pańszczyzna.

Praca pańszczyźniana nie pokrywała wszakże pełnego zapotrzebowania folwarku na robociznę, toteż nie ustawano w zabiegach o taniego najemnika. Starano się to osiągnąć przez zmuszenie do pracy nie mających stałej pracy ani stałego miejsca zamieszkania, a więc nie skrępowanych więzami poddaństwa osobistego ludzi luźnych. Już w 1496 r. sejm zakazał mieszczanom przyjmowania ich do pracy krótkoterminowej; zabroniono też wędrówek ludzi luźnych za pracą za granicę, głównie na Śląsk i do Prus. Wielokrotne powtarzanie później tych i podobnych zakazów świadczyło, że szlachta osiągała pod tym względem tylko częściowe wyniki.

Znaczne trudności w przeprowadzaniu tych uchwał wywołał fakt utrzymywania się wciąż folwarków opartych głównie na pracy najemnej. Wysoka dochodowość produkcji rolnej dawała w ręce posiadaczy folwarków dostatecznie wysokie kapitały pieniężne, by mogli oni dokonywać inwestycji zapewniających dalszy wzrost produkcji, jak i opłacać robociznę. Na wynikającej stąd konkurencji między posiadaczami obu typów folwarków korzystali ludzie luźni.

Ilość uzyskanej pańszczyzny czy możliwości najmu były chyba najważniejszym czynnikiem limitującym wielkość areału ziemi folwarcznej. Nie istniały bowiem poza tym szczególne względy, którymi kierowaliby się posiadacze wsi przy zdobywaniu ziemi pod folwarki. Przede wszystkim zabierali oni puste łany albo też odbierali część ziemi poddanym, przenosząc ich na gorsze grunty. Stosunkowo rzadko natomiast obejmowano nieużytki. Wiele folwarków szlacheckich powstało w drodze zagarnięcia folwarków sołtysich; wykorzystywano pod tym względem nadane już w 1423 r. szlachcie w statucie warckim prawo wykupu sołectw. W taki czy inny sposób następował stały wzrost areału ziemi folwarcznej, powstawały nowe folwarki. Wzrastał udział produkcji folwarcznej w całości produkcji rolnej i coraz większą część dochodu stąd płynącego przechwytywała szlachta.

Rozwój folwarków nastąpił przede wszystkim w dobrach szlacheckich, zwłaszcza średniej szlachty. W dobrach królewskich i duchownych, a także w posiadłościach najzamożniejszej części szlachty folwarki występowały rzadziej, co wiązało się z trudnościami bezpośredniego nadzoru. Folwark szlachecki według obliczeń Andrzeja Wyczańskiego miał przeciętnie 60 do 80 ha gruntów uprawnych. Nastawiony był przede wszystkim na produkcję zbóż, przy czym żyto zajmowało zwykle przynajmniej połowę powierzchni uprawnej, owies 1/4, gdy pszenica 1/16. Tak było w Wielkopolsce i na Mazowszu; przy lepszych glebach, w Sandomierskiem czy na Żuławach, produkcja pszenicy przybierała większe rozmiary. Próby pewnej intensyfikacji produkcji (przez staranniejszą orkę czy nawożenie) doprowadziły do zwiększenia wydajności. Przy pszenicy i życie miała ona sięgać 7 do 9 q z hektara, a przy owsie 5 do 7. Po spadku plonów w XVII w. wydajność taką osięgnięto znów dopiero w XIX w.

Hodowla miała drugorzędne znaczenie w folwarkach. Były wprawdzie regiony, gdzie rozwijał się szczególnie chów bydła (np. wołów na Podolu) czy też gdzie kwitła hodowla owiec (w Wielkopolsce). Przyjmuje się, że przeciętnie na 100 ha ziemi folwarcznej przypadało około 20 sztuk bydła, co miało pokrywać zapotrzebowanie na zwierzęta pociągowe (głównie woły), ale nie zapewniało dostatecznej ilości naturalnego nawozu. Rozwijała się także gospodarka rybno-stawowa. Zaczynano otaczać opieką lasy.

Przez cały wiek XVI folwark pozostawał przedsięwzięciem bardzo dochodowym. Według wspomnianych obliczeń A. Wyczańskiego w dobrach szlachcica jednowioskowego w połowie XVI w. 80 - 90% dochodów pochodziło z gospodarki folwarcznej. Jeden łan uprawnej ziemi folwarcznej (tj. ok. 16 ha) przynosił właścicielowi rocznie 35 do 55 złp., gdy z 1 łanu ziemi chłopskiej miał on najwyżej 2,5 do 3,5 złp.

b. Gospodarka chłopska

Byłoby uproszczeniem wyobrażać sobie, że zanika w tym okresie chłopska gospodarka towarowo-pieniężna. Chłopi bowiem również, jakkolwiek w mniejszym zakresie, zyskiwali na korzystnym układzie cen, toteż przynajmniej do połowy XVI w. obserwuje się w Polsce nieustanny niemal rozwój ich gospodarki. W pewnym stopniu było to także wynikiem dalszego postępu technicznego: rozszerzenia się zasięgu pługa, kosy, wprowadzonej obok sierpa przy żniwach, w ogóle częstszego używania części żelaznych w narzędziach rolniczych. Nie darmo szlachecki autor podręcznika ekonomiki ziemiańskiej, Anzelm Gostomski, polecał urzędnikom folwarcznym naukę gospodarowania u chłopów. Niemały wpływ miała chłonność rynku wewnętrznego, którego nie mogła zaspokoić nastawiona częściowo na eksport produkcja folwarczna. Według obliczeń Leonida Żytkowicza dochód jednołanowego gospodarstwa kmiecego w połowie XVI w. mógł sięgać 20 do 30 złp. rocznie, po uwzględnieniu potrzeb własnych i obciążeń na rzecz pana. Odpowiadało to wprawdzie tylko połowie wspomnianego wyżej dochodu z łanu ziemi folwarcznej, niemniej było kwotą na owe czasy poważną, świadczącą o ekonomicznej samodzielności zamożnego kmiecia. W miejszych bowiem gospodarstwach dochód ten znacznie się kurczył.

W początkach XVI w. na większości terenów Rzeczypospolitej renta pieniężna, zwykle w połączeniu z pewnymi naturalnymi daninami, miała jeszcze dominujące znaczenie. Zamożniejsi chłopi chętnie sami zagospodarowywali liczne w tym czasie pustki. Bywały wsie, np. w dobrach biskupstwa poznańskiego, w których chłopi kontynuowali spontaniczną akcję osadniczą. Oni też zagospodarowywali obszary nie tknięte dotąd ręką człowieka: w Beskidach (np. w Beskidzie Żywieckim czy na Orawie), w puszczach północnego Mazowsza czy w bagnistej delcie Wisły. Właśnie na wiek XVI przypadają początki osadnictwa olęderskiego, zainicjowanego wprawdzie przez emigrantów z Niderlandów na Żuławach gdańskich, ale kontynuowanego według ich wzorów i przez miejscowych osadników nad Wisłą czy w północnej Wielkopolsce.

Gospodarka chłopska była przy tym dość wszechstronna, nastawiona nie tylko na uprawę zbóż, ale i na hodowlę. Obok wołów, koni i krów znaczną część inwentarza żywego stanowiły świnie i owce. W rezultacie gospodarka chłopska stała stosunkowo mocno. Chłopi miewali tyle pieniędzy, że mogli brać udział w większych transakcjach handlowych czy też udzielać pożyczek szlachcie.

Dopiero w miarę upowszechniania się folwarku pańszczyźnianego, w drugiej połowie XVI w., pogarsza się położenie chłopa. Spadła zamożność kmieci. Gospodarstwa kmiece zaczynały kurczyć się do wielkości pół czy tylko ćwierć łana. Słabł również kontakt z rynkiem. Samodzielność gospodarczą chłopów podcięło nie tylko upowszechnienie i podwyższenie pańszczyzny, ale i zaostrzenie poddaństwa osobistego, połączone z rezygnacją ze strony władz państwowych z mieszania się do wszelkich spraw między szlachcicem a jego poddanymi. Stanowisko to znalazło już wyraz w rezygnacji przez Zygmunta Starego z rozpatrywania skarg poddanych na panów w 1518 r. Wprawdzie nie oznaczało to jeszcze pełnego podporządkowania chłopa jurysdykcji sądowej panów, ale w tym kierunku poszła późniejsza ewolucja. W ten sposób szlachta uzyskała atrybut, który stanowił zjawisko wyjątkowe nawet w tych krajach, gdzie dominowała gospodarka folwarczno-pańszczyźniana. Sprawa regulowania ciężarów chłopskich została pozostawiona samowoli szlacheckiej, co miało szczególnie dotkliwie zaważyć na położeniu mas chłopskich w okresach, gdy psująca się koniunktura pchała posiadaczy folwarków do ratowania zagrożonej dochodowości kosztem poddanych.

c. *Depresja cen i jej wpływ na rolnictwo*

Upowszechnienie się gospodarki folwarcznej w Polsce w XVI w. początkowo nie spowodowało żadnych trudności w rozwoju produkcji rolniczej, ale nawet ułatwiło jej szybki wzrost, odpowiadający potrzebom rynkowym. Według obliczeń A. Wyczańskiego i J. Topolskiego w latach sześćdziesiątych i siedemdziesiątych XVI w. roczną produkcję zbożową Małopolski, Wielkopolski i Mazowsza można szacować na około 1200 tys. ton (600 tys. ton żyta), z czego na eksport szło około 6%, głównie żyta. Na spożycie w miastach potrzeba było zapewne nie więcej jak 19% całej produkcji, reszta przypadała na konsumpcję ludności wiejskiej.

Rozwój produkcji agrarnej uległ pewnemu zakłóceniu pod koniec XVI wieku. W tym czasie, ściślej od lat osiemdziesiątych tego wieku, nastąpiło zahamowanie zwyżki cen na żywność, najpierw na mięso, potem także na zboże. Z czasem zaczęła się nawet zarysowywać zniżka cen na zboże, która najsilniej miała się zaznaczyć w drugiej połowie XVII w. Ta depresyjna tendencja cen wystąpiła najpierw w Europie Zachodniej, ale blisko powiązana z rynkami zachodnioeuropejskimi Rzeczpospolita rychło odczuła dotkliwie te zmiany. Na eksporcie płodów rolnych opierał się dodatni bilans Polski w handlu zagranicznym. Teraz tylko dalsze zwiększenie ilości produkowanego i eksportowanego zboża mogło zapobiec skurczeniu się płynących stąd dochodów, tym bardziej że depresja w mniejszym stopniu objęła wyroby rzemieślnicze i przemysłowe. Odbiło się to także — przy wysokim poziomie importu towarów luksusowych — na odpływie metali szlachetnych.

Trudności ekonomiczne szlachty pogłębił bowiem kryzys monetarny, który przeszedł około 1620 r. przez całą niemal Europę, w tym także i przez Polskę. Był on spowodowany wielkim napływem kruszców, zwłaszcza srebra, do Europy. Prowadziło to bowiem do spadku wartości kruszców, a także zmniejszenia się siły nabywczej opartego na nich pieniądza. Ustalona poprzednio relacja między monetami bitymi ze złota i ze srebra uległa zachwianiu; kurs złotych monet okazał się za niski w stosunku do ilości srebra znajdującego się na rynku, co wywołało wycofanie złotych monet z obiegu. Do tego dołączyły się spekulacje monetarne krajów powiązanych gospodarczo z Polską — Holandii, Brandenburgii, a także samego cesarza. Wywołało to wszystko wzmożony popyt na lepszą monetę polską, którą wywożono z kraju w celu przetopienia jej na monetę lichą. Nie dysponując dostatecznymi ilościami własnego srebra, Polska musiała je zakupywać z kolei za granicą. Na początku lat dwudziestych trzeba było zmniejszyć ilość srebra i w monetach polskich (o 41%), co wywołało gwałtowny skok cen i zaburzenia gospodarcze. Odbiło się to ujemnie na wszystkich dziedzinach gospodarki.

Zmiana warunków rynkowych w handlu płodami rolnymi nie pozostała bez wpływu na przekształcenia w gospodarce rolnej. Szlachta chwytała się różnych sposobów, byle rozmiary jej produktu dodatkowego nie uległy zmniejszeniu. Pierwszym krokiem w tym kierunku było zwiększenie produkcji, ale nie przez intensyfikację, wymagającą wkładu kapitałów, których teraz zaczynało brakować, lecz przez ekstensyfikację, przez poszerzenie areału ziemi folwarcznej. Z jednej strony zakładano więc nowe folwarki, których wiele powstało w końcu XVI i na początku XVII w., obejmując obszary we wschodnich częściach Rzeczypospolitej czy na Podkarpaciu, na których dotychczas folwarki występowały sporadycznie. Z drugiej strony starano się o powiększanie obszaru dawnych folwarków przez zagarnianie ziemi chłopskiej, co jednak przybrało większe rozmiary dopiero w połowie XVII w. Ponadto starano się zmniejszyć własną konsumpcję zboża czy to przez ograniczanie liczby stałych pracowników folwarcznych, którzy otrzymywali wyżywienie od dworu, czy też przez ograniczanie hodowli, co prowadziło do pogłębienia się jednostronnej monokultury zbożowej. Wreszcie przez dalsze podnoszenie ciężarów pańszczyźnianych, które już w końcu XVI w. sięgały przeciętnie do 3 dni tygodniowo z łanu, a w pierwszej połowie XVII w. wzrosły do 4 czy nawet więcej dni, usiłowano zmniejszyć własne koszty produkcji. Zabiegi te wywołały wkrótce ujemne skutki. Ograniczenie hodowli odbiło się na pogorszeniu nawożenia ziemi, oparcie się na wyśrubowanej pracy pańszczyźnianej prowadziło do niestarannej obróbki. Podobne wyniki miało przerzucenie na poddanych troski o narzędzia i inwentarz pociągowy.

Jeżeli więc doraźnie osiągano wytknięte sobie cele, na dłuższą metę powodowano wyjałowienie ziemi, spadek wysokości plonów, a więc i globalnej produkcji. Według obliczeń A. Wyczańskiego w królewszczyznach województwa sandomierskiego w okresie od 1564 do 1616 r. plony żyta spadły na folwarkach o 23%, pszenicy o 25%, owsa o 18%. Na wyjałowienie ziemi wskazuje również wzrost pustek, gruntów opuszczonych, na Mazowszu już na przełomie XVI i XVII w., w Wielkopolsce widoczny od lat trzydziestych XVII w. Niemniej w pierwszych dziesięcioleciach XVII w. produkcja rolna w Rzeczypospolitej musiała być jeszcze wysoka, skoro właśnie na ten okres przypadają największe ilości zboża eksportowanego za granicę. W pierwszej połowie XVII w. przeciętna roczna wywożonego zboża była wyższa niż w XVI w. i wynosiła 58 tys. łasztów. Maksymalne jednak wywozy przypadają na drugie i trzecie dziesięciolecie wieku. Właśnie w 1618 r. eksport zboża przez Gdańsk wynosił rekordowe 115 521 łasztów. Później liczby te zaczęły się zmniejszać. W jakiej mierze było to wynikiem obniżania się techniki w produkcji rolnej, trudno stwierdzić, tym bardziej że badania nad stanem rolnictwa w Rzeczypospolitej w tym okresie nie są jeszcze wystarczające do wydawania definitywnych sądów.

W każdym razie pierwsza połowa XVII w. zaznaczyła się negatywnymi zmianami w produkcji rolnej. Nie oznaczały one jeszcze kryzysu gospodarki folwarczno-pańszczyźnianej, uwydatniały jednak ujemne skutki hipertrofii folwarku pańszczyźnianego dla całości życia gospodarczego i przemian społecznych w Rzeczypospolitej.

d. Postęp w produkcji rzemieślniczej

Ugruntowanie się gospodarki folwarczno-pańszczyźnianej w Polsce nie mogło pozostać bez wpływu na kształtowanie się stosunków ekonomicznych w miastach. Skierowanie wysiłku olbrzymiej większości społeczeństwa na wzrost produkcji rolnej i na stworzenie jak najlepszych warunków do jej zbytu przekreślało możliwości harmonijnego rozwoju innych dziedzin. Polityka gospodarcza państwa podporządkowana została interesom szlacheckich posiadaczy folwarków. Przy słabości ówczesnego aparatu państwowego nie było to na szczęście równoznaczne z uniemożliwieniem mieszczaństwu podejmowania własnych inicjatyw gospodarczych czy kontynuowania dawniejszych dróg rozwojowych.

Tak więc na pomyślny rozwój produkcji rzemieślniczej datujący się z poprzedniego okresu, wpłynęły nowe bodźce w okresie Odrodzenia związane z ogólnym wzrostem stopy życiowej. Niezbyt korzystne dla niektórych działów rzemiosła kształtowanie się cen (np. w Krakowie i w Gdańsku ceny artykułów żywnościowych wzrosły w XVI w. o ok. 300%, gdy odzieży o 100%) miało tylko ograniczony ujemny skutek. Ewentualne straty wyrównywał wzmożony popyt ze strony ludności wiejskiej przeżywającej swe lata dobrobytu. Na razie też niewiele szkodziła kontrola szlachecka nad cenami wyrobów rzemieślniczych dokonywana za pomocą utrwalonych w 1496 r. taks wojewodzińskich, tj. taks cen układanych przez urzędników wojewódzkich zgodnie z postulatami szlacheckimi.

Oparło się całkowicie mieszczaństwo dążeniom szlachty do rozbicia organizacji cechowej, postulowanego na sejmach w latach 1538 - 1562. Konkurencja produkcji organizowanej przez szlachtę lub kler czy to po wsiach, na potrzeby własnej majętności albo najbliższego otoczenia, czy w wydzielonych spod zwierzchnictwa miejskiego obszarach zwanych jurydykami na terenie samych miast albo przedmieść, gdzie osadzano pozacechowych partaczy, nie była jeszcze groźna. Dopiero w miarę rozwoju gospodarki folwarczno-pańszczyźnianej miała ona ujemnie zaważyć na losach rzemiosła cechowego. Na razie dominowała produkcja cechowa, tradycyjna i trzymająca się dawniej ustalonych przepisów i wzorów. Najważniejsze ośrodki produkcji rzemieślniczej na ziemiach polskich stanowiły wielkie miasta, jak Gdańsk, Kraków, Poznań, poza granicami Rzeczypospolitej Wrocław i inne. Niekiedy zdarzała się zdecydowana specjalizacja jakiegoś ośrodka — słynnym centrum sukiennictwa stał się np. Biecz. Typowa była jednak produkcja wielobranżowa zarówno na potrzeby najbliższego otoczenia, jak i bardziej oddalonych regionów. W związku z tym w silniejszych ośrodkach rzemieślniczych następowała daleko idąca specjalizacja cechowa. W takim Toruniu liczba cechów wzrosła w tym okresie do 50. Rosła także liczba majstrów i czeladników. W Gdańsku, który stał się w tym okresie najpoważniejszym w Polsce ośrodkiem rzemieślniczym i gdzie rozwijało się tkactwo (zwłaszcza sukiennictwo), rzemiosło drewniane (wyrób poszukiwanych mebli gdańskich), metalowe, skórnicze, spożywcze, liczba majstrów przekraczała na przełomie XVI i XVII w. według obliczeń Marii Boguckiej 3 tys. osób. Dla porównania warto zaznaczyć, że w Krakowie było w tym czasie 700 mistrzów rzemieślniczych, we Wrocławiu około 1700.

Obok produkcji cechowej występuje również na niektórych obszarach i w niektórych dziedzinach forma nakładu. Tak np. w produkcji sukienniczej na terenie Wielkopolski obserwuje się nie tylko pogłębienie się procesu specjalizacji przez powstawanie grup rzemieślniczych — niekiedy w postaci cechów — zajmujących się produkcjami cząstkowymi w wyrobie sukna, ale występuje tam także podporządkowanie rzemieślników kupcom, którzy organizują zaopatrzenie w surowce i zbyt. W podobny sposób rozwijało się w tymże okresie sukiennictwo na Dolnym Śląsku.

Większe zakłady produkcyjne, jak folusze, farbiarnie, cegielnie, młyny, których liczba poważnie wzrastała, stanowiły zwykle własność cechu lub miasta. Wyjątkowo znajdowały się w rękach prywatnych, prowadząc niekiedy produkcję w formie manufaktury, jak wykańczalnia sukna we Wschowie kupca Baccarallego. W 1524 r. rajca krakowski Paweł Kauffman otrzymał przywilej na zakład wytwarzający drut ciągniony i blachy. Nie wiadomo jednak, czy doszło do uruchomienia tego zakładu. W sumie manufakturę w Polsce w tym okresie trzeba uznać za zjawisko wyjątkowe.

Następuje natomiast dalszy postęp techniczny. Wzrasta przede wszystkim wykorzystywanie wody jako źródła energii. Znane od XIII w. w Polsce koło wodne wchodzi w tym czasie w powszechne użycie, przy tym obok kół podsiębiernych zjawiają się koła nasiębierne. W produkcji sukiennictwa spotyka się pierwsze wzmianki o wprowadzaniu kołowrotka. Wreszcie pojawiają się nowe dziedziny produkcji rzemieślniczej, jak np. nieznane poprzednio w Polsce papiernictwo oraz drukarstwo.

e. Rozwój górnictwa i hutnictwa

Poważny rozwój nastąpił w górnictwie i hutnictwie. Na organizację produkcji w tym zakresie niemały wpływ miały kapitał i energia przedsiębiorców mieszczańskich. Masowo zakładano kuźnice. W drugiej połowie XVI w. liczba ich w Koronie sięgała 300. Najwięcej było w Zagłębiu Staropolskim w Górach Świętokrzyskich; sporo — w zagłębiu częstochowskim, powiązanym blisko z oddzielonym linią graniczną zagłębiem górnośląskim. Po obu brzegach Baryczy, na Śląsku i w Wielkopolsce, powstały kuźnice oparte na rudzie darniowej. Liczne informacje o tych kuźnicach oraz ciekawy opis pracy górnika i hutnika zawiera wydany w 1612 r. w Krakowie poemat Ślązaka Walentego Rozdzieńskiego pt. *Officina ferraria*.

Kuźnice zakładane w majątkach feudałów były budowane i kierowane przez odrębną warstwę kuźników, mającą własne przywileje i wyróżniającą się od innych warstw ludności pracującej w przemyśle. Kuźnice opierały się w znacznym stopniu na pracy najemnej. Jakkolwiek wyrób żelaza nie dorównywał wtedy ani ilościowo, ani jakościowo poziomowi w zachodniej Europie, produkcja i wydajność kuźnic stale wzrastały do początków XVII w. Wymownym świadectwem rozwoju technicznego polskiego hutnictwa było zakładanie wielkich pieców, ułatwiających wytop żelaza płynnego i wyrób stali. Pierwsze takie piece wystawił w swych dobrach pod Częstochową w latach 1610 - 1620 Mikołaj Wolski. Po pewnym czasie musiały one jednak przerwać produkcję wskutek braku opału spowodowanego nadmierną eksploatacją sąsiednich lasów. Znacznie trwalszy żywot miały wielkie piece zbudowane około 1624 r. w dobrach biskupa krakowskiego, w Bobrzy i Samsonowie, przy pomocy Włocha Caccio z Bergamo. Wytapiana w tych piecach stal i żelazo lane służyły głównie do wyrabiania broni, zwłaszcza dział.

Na mniejszą skalę rozwijało się górnictwo ołowiano-srebrne (w Olkuszu, w Krakowskiem oraz w niedalekich Tarnowskich Górach na Śląsku) oraz miedziane. Największa huta miedzi i ołowiu (7 pieców) powstała w początkach XVII w. w Białogonie pod Kielcami. Warto też zaznaczyć, że wprowadzona w początkach XVI w. nowa metoda oddzielania miedzi i srebra za pomocą ołowiu znalazła zastosowanie w całej Europie.

Opierając się na rudach pochodzenia zagranicznego rozwijała się produkcja metalurgiczna pod Gdańskiem, gdzie wykorzystywano rudę szwedzką, oraz pod Nowym Sączem, gdzie w początkach XVII w. w formie nakładu zorganizował tamtejszy kupiec, Jerzy Tymowski, produkcję sierpów ze stali węgierskiej.

Na przełomie XVI i XVII w. rozpoczęły się wszakże niekorzystne zmiany w organizacji hutnictwa. Właściciele ziemscy zaczęli wykupywać z rąk kuźników prowadzone przez nich przedsiębiorstwa, aby ciągnąć z nich dość poważne zyski. Jednocześnie zamiast pracy najemnej starali się wprowadzać w większym rozmiarze pracę pańszczyźnianą swych poddanych. Prowadziło to z czasem do niedoinwestowania i zaniedbania kuźnic i upadku tej produkcji w Polsce w drugiej połowie XVII w.

Poważnej rozbudowie uległo wydobycie soli. W Wieliczce i Bochni zwiększyła się liczba komór, z których wydobywano sól. Wprowadzono też nowe środki ułatwiające transport soli czy wydobycie wody (kierat). Nowe szyby powstały także w żupach ruskich (k. Drohobycza). O wzroście wydobycia soli wymownie świadczy fakt, że gdy w 1503 r. w Wieliczce wyprodukowano 4565 bałwanów soli, to w 1564 r. produkcja ta doszła do 15 899. Żupy solne były największym tego rodzaju przedsiębiorstwem w Polsce. W samej Wieliczce pracowało około 1000 ludzi, przeważnie z najmu. Praca pańszczyźniana obejmowała tylko niektóre prace na powierzchni i prace pomocnicze.

f. *Przemiany w organizacji handlu*

Dzieje rynku wewnętrznego w Polsce w omawianym okresie nie zostały jeszcze dokładnie zbadane. Zarówno dane o produkcji towarowej gospodarstw chłopskich jak i o wzroście produkcji rzemieślniczej świadczą o utrzymującej się przynajmniej w XVI w. tendencji rozwojowej na rynku wewnętrznym. W świetle prac Stanisława Mielczarskiego i Jana Małeckiego widać, jak ważną rolę pod tym względem odgrywał handel zbożowy. Tworzyły się silne rynki dzielnicowe. Nadrzędną rolę w stosunku do nich pełnił rynek dorzecza Wisły formujący się wokół Gdańska, jako głównego centrum spławu produktów rolnych i leśnych i zakupu towarów zagranicznych. Pełnił on rolę unifikującą, jednak o powstaniu ogólnopolskiego rynku trudno byłoby mówić.

Wielki, przeważnie tranzytowy handel pozostawał w Polsce w dobie Odrodzenia, podobnie jak w całej Europie, pod znakiem odkryć geograficznych. Stare szlaki, łączące zachodnią Europę z krajami azjatyckimi — a niemała ich część prowadziła przez Polskę — utraciły swe znaczenie. Nie chodzi przy tym o to, że ruch na nich zamarł całkowicie. Nie miał on jednak dawnego rozmachu i nie mógł się równać z natężeniem handlu na nowych szlakach. W samej Polsce w miarę wzrostu eksportu płodów rolnych zwiększało się znaczenie drogi wiślanej, w mniejszej mierze także Warty i Odry, którymi płynęły towary do portów bałtyckich. Wzrost wymiany z Moskwą przyczynił się także do większego niż poprzednio ożywienia na szlaku prowadzącym z tego miasta przez Wilno, Warszawę (lub Lublin), Poznań, Wrocław do Lipska.

Główną pozycją eksportu polskiego było zboże. Od kilku tysięcy łasztów, które wywożono w końcu XV w. przez Gdańsk, w ciągu niespełna wieku osiągnęło ono przeciętnie 46 tys. rocznie w ostatniej ćwierci XVI w. i 58 tys. w pierwszej połowie XVII w. Początkowo był to wywóz głównie żyta, z czasem wzrósł eksport pszenicy, dochodząc do 1/3 całości eksportu zboża. Znaczne rozmiary przybrał także wywóz towarów leśnych, drewna, popiołu, smoły. Wszystkie te towary eksportowano przeważnie morzem, głównie na statkach kupców holenderskich, którzy koncentrowali w swych rękach większość handlu Polski z Zachodem. Oblicza się, że ilość polskiego zboża, magazynowanego corocznie w Amsterdamie, wystarczała na wyżywienie 1/2 mln do 1 mln mieszkańców zachodniej Europy.

Lądem szły natomiast, w niemałym stopniu do krajów niemieckich, zwłaszcza na Lipsk i Norymbergę, skóry, futra (nieraz przywożone z Moskwy), wełna, len, konopie. Znaczne ilości wełny eksportowano z Wielkopolski. Natomiast z Podola i południowej Małopolski przepędzano także duże stada wołów, na przełomie XVI i XVII w. 40 do 60 tys. rocznie. Rolę pośrednika w tym handlu pełnili w poważnej mierze Ślązacy; zatrzymywali oni zresztą część towarów wywożonych lądem na swoje potrzeby. Nieraz, po przeróbce, w postaci gotowych wyrobów wracały one do Rzeczypospolitej.

W imporcie do Polski obok towarów kolonialnych i ryb dominowały produkty przemysłowe. Jak wspomniano, na potrzeby miejscowej produkcji metalurgicznej sprowadzano wiele stali. Obok tego importowano zresztą i narzędzia metalowe, noże, kosy, sierpy, przede wszystkim ze Śląska, ale także z Czech i Styrii. Poszukiwano w Polsce obcych sukien: najchętniej flandryjskich, ale także angielskich i holenderskich, sprowadzanych morzem. Lądem nadchodziło sukno z Saksonii, Łużyc, Czech i Moraw, nie mówiąc o Śląsku. Sukna te były nieco pośledniejszego gatunku, nosili je również zamożniejsi chłopi. Lądem sprowadzano ponadto płótna, barchan, jedwab itp. Importowano także pewne ilości soli, zwłaszcza dla obszarów północnych, piwa (ze Śląska) i coraz więcej wina, głównie węgierskiego.

Ogólnie biorąc przyjmuje się, że do przełomu XVI i XVII w. bilans handlowy Polski był dodatni i że wielki eksport artykułów rolnych umożliwiał stały napływ pieniądza do Rzeczypospolitej. Brak natomiast jednolitego stanowiska historyków co do momentu, kiedy ta sytuacja zmieniła się. Według Antoniego Mączaka nastąpiło to prawdopodobnie w drugiej ćwierci XVII w. W drugiej połowie XVII w. dodatni bilans handlowy należał do przeszłości.

Organizacja handlu utrzymywała się na ogół w formach wykształconych w wiekach poprzednich. Dochodziło jednak do ataków na stare przywileje, hamujące rozwój handlu lub nie odpowiadające nowym warunkom. Najczęściej występowano przeciwko prawu składu. Tak więc w rezultacie zatargów między miastami zmuszono Wrocław do rezygnacji ze swego prawa składu wobec kupców z Rzeczypospolitej. Zmniejszono również zakres prawa składu Torunia, które ograniczało swobodę transportu Wisłą. Nie powiodła się natomiast walka z prawem składu Frankfurtu nad Odrą, które utrudniało szlachcie wielkopolskiej spław zboża Wartą i Odrą do Szczecina.

Najbardziej skomplikowanym problemem stało się monopolistyczne stanowisko Gdańska w handlu przez Bałtyk. Nie chodziło przy tym tylko o to, że w Gdańsku skupiała się znaczna większość (według Marii Boguckiej do 80%) obrotów handlowych Polski z innymi krajami. Gdańsk egzekwował również swoje przywileje, które warowały mu prawo otwierania i zamykania żeglugi, narzucał jako obowiązkowe pośrednictwo gdańszczan we wszystkich transakcjach z kupcami zagranicznymi zawieranych na terenie miasta. Osobną kartę stanowiły zabiegi o uniknięcie pośrednictwa innych miast polskich w kontraktach handlowych z producentami zboża, zwłaszcza magnatami. W XVI w. nawet mniejsze miasta skupywały zboża od szlacheckich właścicieli folwarków czy chłopów i wysyłały je do Gdańska. By uniknąć dzielenia się zyskiem przy takim pośrednictwie, kupcy gdańscy sami lub przez swych agentów starali się nabywać zboże od szlachty, która także widziała w tym swój interes. W ten sposób monopolistyczne stanowisko Gdańska w handlu zagranicznym odbijało się ujemnie na pozycji ekonomicznej innych miast polskich, tym bardziej że magnaci i szlachta coraz chętniej dokonywali zakupów na potrzeby własne czy swych majętności właśnie w Gdańsku. Opierając się na tej swoistej wspólnocie interesów ze szlachtą, ufny w poparcie zagranicy (zwłaszcza Holendrów) w razie potrzeby, Gdańsk nieustępliwie bronił swych uprawnień. Nie powiodła się więc próba przyznania królowi polskiemu prawa zamykania i otwierania żeglugi na mocy przyjętych w 1570 r. statutów Karnkowskiego. Nie zdołał Stefan Batory zmusić Gdańska do ustępstw orężem. W rezultacie wszakże Gdańsk, który już w połowie XVI w. skupił blisko 50% handlu bałtyckiego i wyrósł na największe miasto Rzeczypospolitej, sięgając w XVII w. 75 tys. ludności, pozostawał ciałem autonomicznym w Rzeczypospolitej szlacheckiej i nie odegrał w jej życiu politycznym takiej roli, jaką odgrywały współcześnie inne wielkie miasta portowe w państwach północnej i zachodniej Europy.

W XVI w. wpływ Gdańska na ekonomikę polską nie był jeszcze tak dominujący. Kupcy z całej Europy zjeżdżali się nie tylko na jarmarki gdańskie, ale przybywali równie tłumnie na jarmarki do Krakowa, Lublina, Poznania czy innych miast polskich. Przy ograniczaniu prawa składu rola tych jarmarków stała się szczególnie ważna. W większych miastach następowała specjalizacja kupców. Wyodrębniała się spośród nich grupa bankierów, która poświęcała się głównie operacjom kredytowym. Wybitną pozycję mieli wśród nich patrycjusze krakowscy Bonerowie, którzy służyli pożyczkami królom, szlachcie, mieszczanom. Tworzyły się także spółki mieszczańskie, zajmujące się niekiedy handlem jednym określonym towarem. Spółki te wchodziły w kontakty handlowe i związki z najwybitniejszymi domami handlowymi ówczesnej Europy, np. Fuggerów z Augsburga. Do rozwoju handlu i unowocześnienia operacji kredytowych przyczyniło się w niemałym stopniu założenie przez Zygmunta Augusta w 1558 r. poczty państwowej. Wkrótce objęła ona najważniejsze ośrodki miejskie w kraju i służyła połączeniami z centrami środkowej Europy.

Znaczne utrudnienia w rozwoju handlu spowodował spadek wartości pieniądza oraz stanowa polityka szlachecka.

Kryzys monetarny był, jak wspomniano, zjawiskiem ogólnoeuropejskim, wywołanym znacznym dopływem kruszców z kolonii hiszpańskich. Deprecjacja pieniądza w Polsce spowodowana została zjawieniem się większej ilości pieniądza z Zachodu. W obiegu znajdowała się przede wszystkim nadal moneta srebrna, zwana groszem. W latach dwudziestych XVI w. przyjęto jako jednostkę obrachunkową 1 złoty polski, odpowiadający 30 groszom. Przez krótki czas wartość 1 złp. pokrywała się z wartością 1 dukata (monety złotej), później zaś 1 talara (grubej monety srebrnej). Wobec szybkiego obniżania się zawartości srebra w groszu wkrótce liczba groszy płaconych za 1 dukata czy 1 talara znacznie się powiększyła. Do tego dochodził zresztą i spadek wartości srebra w stosunku do złota. W rezultacie spadek wartości pieniądza był w Polsce w XVI w., jak w całej Europie, zjawiskiem stałym, a w latach dwudziestych XVII w. przybrał charakter gwałtownej inflacji, która niezmiernie skomplikowała życie gospodarcze.

Polityka szlachecka starała się nie tylko o upośledzenie mieszczan pod względem społecznym, ale usiłowała pozbawić ich dochodów płynących z handlu międzynarodowego. Tak więc szlachta czyniła wiele zabiegów, by zmonopolizować w swym ręku handel produktami rolnymi. W 1496 r. szlachta uzyskała na sejmie wolność od płacenia ceł dla towarów wiezionych „do domu" czy „z domu" tj. dla swoich produktów, jak i produktów przywożonych na potrzeby swych majątków. W 1565 r. sejm w ogóle zakazał kupcom polskim wywozu towarów za granicę (z wyjątkiem wołów) i przywożenia towarów zagranicznych. Szlachta liczyła, że w ten sposób spowoduje zniżkę cen wyrobów przemysłowych oraz ściągnie obcych kupców i pieniądze do kraju. Uchwała ta, która jak wiele jej podobnych nie weszła w życie, w pewnym stopniu, jak uważa Andrzej Wyczański, odpowiadała interesom wielkich miast, ugruntowując handel oparty na przywileju miejscowym. Pośrednim skutkiem całej tej polityki było wspomniane zmonopolizowanie handlu produktami rolnymi przez szlachtę, i kupców gdańskich.

Podobną politykę szlachty obserwuje się w tym czasie i w innych krajach. Wiadomo np., jak uporczywie zwalczała szlachta przywileje produkcyjne i handlowe miast (np. prawo jednej mili, zapewniające monopol miastu na określonym obszarze) na Śląsku i w Kłodzkiem. W wielu też państwach, zwłaszcza w środkowej Europie, nastąpiło w wyniku tej rywalizacji osłabienie pozycji mieszczaństwa. Trudno byłoby twierdzić, że w omawianym okresie sytuacja mieszczaństwa w Polsce była gorsza niż w krajach sąsiednich. Na razie rozwój stosunków produkcyjnych w rzemiośle, górnictwie, hutnictwie oraz warunki handlu nie zapowiadały katastrofy mieszczaństwa. Dawniejsza historiografia, opierając się głównie na aktach normatywnych, skłonna była dopatrywać się już w XVI w. początku upadku miast polskich. Dzisiaj nikt nie kwestionuje rozkwitu rzemiosła i handlu w Polsce w tym wieku. Wiadomo, że miasta w Polsce wzrastały w tym czasie liczebnie, wzrastała też ich ludność.

W końcu XVI w. w granicach Korony było około 1000 miast. Około 100 z nich miało powyżej 3 tys. mieszkańców, co na owe czasy nie było małą liczbą. Ponad 10 tys. mieszkańców miał Gdańsk, Kraków (28 tys.), Poznań (20 tys.), tyleż Warszawa, nieco mniej Elbląg, Toruń, Bydgoszcz, Lublin, Ryga, Królewiec, Lwów, Wilno i Mohylów. Oblicza się, że około 23% ludności Rzeczypospolitej mieszkało w miastach. Wzrastało zaludnienie miast dawnych (Poznań w końcu XV w. liczył 4 tys., w wiek później 20 tys. mieszkańców, Wrocław w początkach XVI w. miał 19 tys., u progu wojny trzydziestoletniej 32 tys.). Potrzeby rynków lokalnych powoływały do życia nowe osady miejskie. W samej Wielkopolsce w omawianym okresie założono 52 miasta. Część z nich powstała jako tzw. nowe miasta, zakładane przy dawniejszych miastach. Wśród nowo założonych miast znajdowały się ośrodki, które miały rozwinąć się szczególnie wydatnie, jak Leszno czy Rawicz. Wiele z nowo założonych miast nastawione było na produkcję sukienniczą. Oblicza się, że w Wielkopolsce w tym czasie 30% ludności mieszkało w miastach, podobnie zresztą jak w Małopolsce. Inaczej było na Mazowszu czy zwłaszcza we wschodnich częściach Rzeczypospolitej, ale i na tym terenie powstawały miasta zakładane często na potrzeby latyfundiów magnackich, jako ośrodki nie tylko gospodarcze, ale i administracyjne. Typowy przykład stanowiło założenie w 1580 r. przez kanclerza Jana Zamoyskiego Zamościa. Miasto osiągnęło 3 tys. mieszkańców, a dobrze przemyślane założenia urbanistyczne sprawiły, że stało się najpiękniejszym miastem renesansowym w Polsce.

Nie jest natomiast dotychczas wyświetlona kwestia, w jakiej mierze trudności ekonomiczne, które Polska zaczęła przeżywać od początku XVII w., zaważyły na upadku miast. Jak wskazują niektórzy historycy, nastąpiło wyraźne zahamowanie dynamiki rozwojowej, przynajmniej na pewnych obszarach. Można się jednak zastanawiać, czy było to zjawisko ogólnopolskie. Badania Maurycego Horna dotyczące miast województwa ruskiego świadczą, że na tym terenie właśnie początek XVII w. przyniósł znaczne ożywienie. Można przytaczać również przykłady dobrze prosperujących miast handlowych, jak Kazimierz nad Wisłą, Sandomierz czy Jarosław. Wtedy właśnie powstają liczne miasta na pograniczu śląsko-wielkopolskim. Chyba więc dopiero dalsze badania pozwolą na bardziej jednoznaczną, opartą na danych faktycznych, a nie apriorycznych założeniach odpowiedź.

W sumie można przyjąć, że w rozwoju miast w XVI w. i pierwszej połowie XVII w. nie nastąpiła żadna zasadnicza przemiana, odpowiadająca upowszechnieniu się folwarku pańszczyźnianego. Proces akumulacji pierwotnej przebiegał w ograniczonych rozmiarach. W skromnej postaci występowały nowe elementy w zakresie stosunków produkcyjnych. To utrzymywanie się dotychczasowego kierunku rozwoju powodowało jednak wzrost rozbieżności między tendencjami rozwojowymi na wsi i w mieście, co nie mogło nie oddziaływać rozkładowo na całokształt stosunków gospodarczych w Polsce, podobnie jak i w sąsiednich krajach.

3. Społeczeństwo polskie doby Odrodzenia i wczesnego Baroku — jego struktura, mentalność i warunki bytowe

a. Terytorium i zaludnienie

Społeczeństwo polskie w omawianym okresie odznaczało się silnym dynamizmem demograficznym. Polska stała się w tym czasie nie tylko jednym z największych, ale i najludniejszych krajów Europy. Po włączeniu Inflant i rozejmie w Jamie Zapolskim w 1582 r. Rzeczpospolita polsko-litewska obejmowała obszar 815 tys. km². Największy rozwój terytorialny przypadł wszakże na lata po pokoju polanowskim w 1634 r., kiedy obszar państwa z lennami sięgał miliona km² (dokładnie 990 tys. km²). W Europie tylko państwo rosyjskie miało większe terytorium.

Od czasu unii lubelskiej i włączenia do Korony znacznych obszarów Wielkiego Księstwa Litewskiego w 1569 r. Polska zapewniła sobie przewagę terytorialną w dwuczłonowej Rzeczypospolitej. Na ziemiach Korony mieszkała też większa część ludności, którą w sumie oblicza się na 8 do 10 mln. Są to liczby szacunkowe, oparte głównie na danych z rejestrów podatkowych. Dokładniejsze obliczenia przeprowadziła ostatnio Irena Gieysztorowa dla Wielkopolski, Małopolski i Mazowsza. Zaludnienie tych prowincji ocenia ona dla 1580 r. na 3,1 mln, a dla 1650 r. na 3,8 mln. Oznaczałoby to roczny przyrost 0,33%, stosunkowo wysoki jak na ten okres. Przyjmuje się, że w połowie XIV w. gęstość zaludnienia w tych prowincjach wynosiła 6 do 8 osób na km². Pod koniec XVI w. wzrosła niemal trzykrotnie (do 21 osób na km²), w połowie następnego stulecia wynosiła 26 osób na km². Następował więc szczególnie dynamiczny wzrost ludności polskiej, należący do największych w ówczesnej Europie. Na ziemiach wschodnich Rzeczypospolitej zaludnienie było niższe. Przypuszcza się np., że zaludnienie Ukrainy nie wynosiło w drugiej połowie XVI w. więcej niż 3 osoby na km².

Można do tego jeszcze dodać, że Śląsk liczył w początkach XVII w. około 1,5 mln ludzi, Pomorze Zachodnie około 300 tys. W sumie można szacować liczbę ludności polskiej w początkach XVII w. na 5 do 6 mln.

W samej Rzeczypospolitej Polacy stanowili w tym czasie zapewne około 50% ludności. Rzeczpospolita miała bowiem charakter państwa wielonarodowościowego. Obok Polaków najliczniejszą grupę stanowiła ludność „ruska", jak wtedy mówiono (ukraińska i białoruska), litewska, niemiecka (zwłaszcza w zachodniej Wielkopolsce i w Prusach Królewskich), łotewska (w Inflantach), żydowska. Dużą żywotność przejawiały także mniejsze grupy narodowościowe, jak Ormianie czy Tatarzy. Mimo dzielących te narodowości różnic językowych, religijnych, obyczajowych, niekiedy umacnianych przez różnego rodzaju instytucje autonomiczne, utrwalało się w nich (i to nie tylko u szlachty) poczucie przynależności do wspólnej organizacji państwowej — Rzeczypospolitej.

Dla ogółu ludności większe znaczenie od tej więzi ogólnopaństwowej miały różne więzi regionalne, obejmujące zwłaszcza ziemie czy prowincje, a także więzi bliskiego sąsiedztwa z parafią na czele. Istotne były wreszcie więzy wewnętrznostanowe, łączące (nie zawsze w sposób w pełni uświadomiony) zbliżone zawodem oraz uprawnieniami lub ograniczeniami warstwy społeczne. Na te struktury zwrócimy teraz szczególną uwagę. Najliczniejszą taką grupę w Rzeczypospolitej stanowili chłopi; w początkach XVII w. można ich oceniać na blisko 70% ludności. Mieszkańcy miast przekraczali w tym czasie 20%. Szlachta i kler zapewne nie sięgali 10%.

b. Chłopi

Znamienną cechą struktury społecznej w Polsce XVI w. była ewolucja od społeczności otwartej, gdzie przechodzenie z jednej warstwy ludności, czy dokładniej z jednego stanu do drugiego, jakkolwiek trudne, było wszakże możliwe, do społeczności zamkniętej, w której urodzenie miało na całe życie decydować o pozycji w hierarchii społecznej. Wprawdzie pełne zamknięcie barier międzystanowych nie było nigdy możliwe, ale prawodawcy szlacheccy postarali się o jak najstaranniejsze ich umocnienie.

Proces ten objął przede wszystkim chłopów jako wynik dążenia do przypisania poddanych do ziemi i w ten sposób zapewnienia sobie pańszczyźnianych rąk do pracy na folwarku. W 1496 r. zabroniono więcej niż jednemu chłopu opuszczać w ciągu roku wieś, oczywiście z warunkiem wywiązania się ze wszystkich swych powinności. Tylko jednemu dziecku chłopskiemu wolno było szukać zajęcia czy nauki poza wsią, i to musiało wykazać się świadectwem wolnego odejścia uzyskanym od pana. Szereg dalszych konstytucji (od 1501 do 1543 r.) ograniczył nawet te możliwości uzależniając je całkowicie (z wyjątkiem na razie małżeństw córek chłopskich) od zgody pana.

Obostrzenia powyższe miały w zamierzeniach szlacheckich objąć nie tylko osiadłych poddanych, ale i trudniących się dorywczą pracą ludzi luźnych. Starano się przede wszystkim uniemożliwiać im przenikanie do miast. W 1496 r. stanowczo więc zakazano miastom przechowywania ludzi utrzymujących się z najmów krótkoterminowych. Wobec oporu mieszczaństwa późniejsze sejmy musiały zrezygnować z tak rygorystycznie stawianego postulatu. Sejm z 1519 r. żądał tylko, by wszyscy luźni po przybyciu do danej miejscowości w ciągu 3 dni przyjmowali służbę lub wstępowali do rzemiosła. Nowe zarządzenia w tej sprawie wprowadzono dopiero pod koniec XVI w. W 1593 r. województwa wielkopolskie otrzymały specjalną uchwałę sejmu (rozszerzoną w następnych latach na całą niemal zachodnią i środkową Polskę), narzucającą luźnym obowiązek najmowania się do całorocznej pracy i nakazującą miastom całkowite usunięcie luźnych ze swych terenów, z wyjątkiem komorników mieszkających w nich dłużej niż rok. Do likwidacji tej warstwy niezależnych wyrobników miały służyć także wysokie podatki, które na nich nakładano.

Przez przypisanie poddanych do ziemi szlachta nie tylko ograniczała znacznie możliwość przenikania do miast, ale utrudniała również przenoszenie się z jednej wsi do drugiej, starając się tworzyć małe społeczności wiejskie, mające minimalne kontakty z otoczeniem, uzależnione w pełni od pana. Pełne urzeczywistnienie takiego programu nie było możliwe w ramach ówczesnej organizacji społeczeństwa. Tworzyły się raczej nieco większe układy społeczne oparte na przynależności do jednego klucza dóbr, do wspólnej parafii i rynku lokalnego. Chłopi z najbliższej okolicy mieli zawsze możliwość częstego spotykania się w kościele parafialnym lub na targu w najbliższym miasteczku. Powstała w ten sposób więź bliskiego sąsiedztwa obejmowała od kilku do kilkunastu wsi, skoro w mających najgęstszą sieć parafialną Prusach Królewskich na jedną parafię przypadało przeciętnie 52 km² i ok. 750 mieszkańców, a w rozległej diecezji krakowskiej parafia obejmowała około 60 km² i 1334 mieszkańców. Nie badano bliżej zasięgu targów cotygodniowych, wydaje się jednak, że miały one podobne cechy stabilności, jak organizacja parafialna w Kościele rzymskokatolickim. W sumie integrujące oddziaływanie tych dwu elementów mogło istotnie osłabić izolacyjne tendencje narzucane przez dwór szlachecki. Brakowało jednak instytucji, które ułatwiałyby procesy integracyjne wśród chłopów na szerszych obszarach.

Utrudniał natomiast takie procesy fakt znacznego zróżnicowania położenia poddanych w zależności od kategorii dóbr, w których się znajdowali. Inne było położenie w dobrach królewskich, w odniesieniu do których utrzymały się jako najwyższe instancje sądy królewskie, tzw. referendarskie, rozpatrujące sprawy między poddanymi a dzierżawcami i administratorami królewszczyzn, inne w dobrach kościelnych, inne wreszcie w prywatnych, zwanych ziemskimi. W tych ostatnich istniały również różnice w sytuacji poddanych w latyfundiach magnackich i w dobrach średnich czy drobnych właścicieli. Historycy nie są zgodni co do tego, w której z tych kategorii położenie chłopów było najbardziej znośne. Na dobra królewskie, w których uprawnienia chłopskie powinny być przede wszystkim przestrzegane, spadały największe obciążenia podatkowe. Duże znaczenie miało postępowanie samego właściciela czy dzierżawcy. Zwłaszcza ci ostatni, jeśli nie liczyli na dłuższe sprawowanie dzierżawy, nie cofali się przed posunięciami rujnującymi gospodarkę chłopską, byleby wyciągnąć dla siebie jak największe zyski. W większości wypadków zresztą stosunki między panem a poddanymi opierały się nie na prawie spisanym, ale zwyczajowym, którego interpretacja zależała w znacznym stopniu od pana.

Przy wprowadzeniu nowych ograniczeń i obciążeń szlachta musiała się też liczyć z rosnącym oporem chłopskim przeciwko grożącemu upośledzeniu. Ponieważ niemal nie pozostawiono chłopom możliwości walki o swe prawa w drodze legalnej, podejmowali ją dostępnymi sobie środkami, przeciwstawiając dawne nabyte zwyczajowo prawo narzuconym ustawom szlacheckim.

Zbrojnych ruchów chłopskich było niewiele w tym czasie. W początkach XVI w. mamy wiadomości o otwartych wystąpieniach chłopskich w starostwach małopolskich oraz w podkrakowskich dobrach klasztornych. Z początków XVII w. najbardziej znane są wystąpienia chłopskie na Podhalu w starostwie nowotarskim w 1633 r. Od końca XVI w. zaczęły się mnożyć wystąpienia chłopskie na ziemiach ukraińskich — inicjatywę do tych ruchów dawali zwykle Kozacy (zob. cz. 1, s. 137), do których coraz bardziej masowo przyłączali się chłopi. Ogólnie biorąc tego typu zbrojne wystąpienia chłopów przeciwko panom zdarzały się raczej sporadycznie i nie obejmowały większych obszarów. Jednakże nie ta forma, ale odmawianie wypełniania nowych narzuconych obowiązków i ciężarów, a zwłaszcza masowe zbiegostwo, były najczęstszym przejawem oporu chłopskiego. Już współcześni dostrzegali nienawiść, jaką budziło postępowanie szlachty u poddanych. Nie darmo Andrzej Frycz Modrzewski pisał o panach: „jak wiele mają poddanych, tak wiele nieprzyjaciół". Wydawały też sejmy coraz ostrzejsze przepisy o oddawaniu zbiegłych poddanych — od 1511 r. każdy chłop, który opuścił bez zgody pana jego majętność, traktowany był jak zbieg. Mimo to ucieczki chłopów nie ustawały, a liczne pustki, o których mówią źródła, są wymownym dowodem nieustannych migracji wewnętrznych. Były one częściowo tylko związane z nowym osadnictwem w Karpatach, w puszczach mazowieckich czy — zwłaszcza w drugiej połowie XVI w. i pierwszej XVII w. — na Ukrainie. Zwykle chłopi szukali po prostu lepszych warunków bytowania.

Rzecz zastanawiająca, że w tym okresie gruntownych przemian w stosunkach wiejskich nie doszło w Polsce do wielkich ruchów zbrojnych, jakie wystąpiły w tym czasie i w zbliżonych warunkach w Niemczech czy na Węgrzech. Dotarły wprawdzie do Polski jakieś echa powstania Dozsy, a także wojny chłopskiej w Niemczech, ale poza sporadycznymi wystąpieniami na Śląsku czy w Prusach Książęcych nie spowodowały poważniejszych następstw. Prawda, że w obu wypadkach poza motywami społeczno-ekonomicznymi dołączyły się inne: obrony przed Turkami na Węgrzech czy radykalno-religijne w Niemczech. Jednakże jak dotąd historycy nie wyjaśnili w sposób przekonywający przyczyn tego stanu rzeczy. Być może, pewną formą wyładowania niechęci było masowe zbiegostwo, na które szlachta nie umiała znaleźć odpowiednich środków wobec rozciągłości państwa i niedowładu aparatu administracyjnego, a może i nie chciała, gdyż odpowiadało to jej potrzebom osadniczym. Większość badaczy jest także dzisiaj zgodna co do tego, że mimo wszelkich ograniczeń i obciążeń położenie chłopa, przynajmniej do połowy XVI w., a może i do końca tego wieku, nie uległo jeszcze ekonomicznemu pogorszeniu; przeciwnie — wzrastał poziom jego zamożności.

W stopniu zamożności chłopa istniały wyraźne różnice zależnie od terytorium czy warstwy, z której się wywodził. Do zamożniejszych dzielnic należało Pomorze oraz zachodnia Małopolska, Krakowskie i Sandomierskie. O ile jednak na Pomorzu gospodarstwa chłopskie były stosunkowo niezależne, przeważała renta pieniężna i chłopi okazywali dużo inicjatywy ekonomicznej, o tyle w Małopolsce silniej już ciążył nad chłopami folwark pańszczyźniany.

Na wsi w stosunkowo najlepszej sytuacji znajdowały się grupy ludności uprzywilejowanej. Należeli do nich przede wszystkim sołtysi, rzadko wprawdzie pojawiający się w dobrach ziemskich, ale występujący nadal w królewszczyznach i dobrach kościelnych, wybrańcy i lemani (w Prusach Królewskich) w królewszczyznach, zobowiązani do służby wojskowej i z tego względu zwolnieni od ciężarów feudalnych, a także młynarze i karczmarze, którzy należeli do najlepiej zarabiających grup ludności rzemieślniczej na wsi, a przy tym byli stosunkowo nisko obciążeni rentą feudalną. Pozostali rzemieślnicy wiejscy łączyli zwykle swój fach z pracą na roli. Spośród pozostałych warstw ludności chłopskiej najlepiej powodziło się kmieciom, którzy w tym okresie stanowili zapewne także najliczniejszą grupę. Przeważali wśród nich nadal posiadacze 1 łana (przeważnie ok. 16,8 ha), jakkolwiek w Prusach Królewskich obszar gospodarstwa gburskiego (tzn. kmiecego) sięgał 3 łanów, gdy w Małopolsce bardzo liczni byli już kmiecie półłanowi. Byli oni wprawdzie zobowiązani do pańszczyzny sprzężajnej, ale posiadali dobrze wyposażone w inwentarz żywy i sprzęt gospodarstwa, a nierzadko, zwłaszcza gdy rodzina nie była zbyt rozrodzona, posługiwali się i pracą najemną. Niższy był poziom życia zagrodników, którzy gospodarowali najwyżej na ćwierćłanie, czy mających tylko niewielkie działki chałupników. Istniała także na wsi warstwa ludności bezrolnej, komorników, utrzymujących się z pracy najemnej podobnie jak ludzie luźni, krążący między wsiami i nie mający stałego miejsca zamieszkania.

W zależności od przynależności do danej warstwy warunki bytowania chłopa były więcej lub mniej skromne. Zabudowania chłopskie obejmowały zwykle w jedną całość skupioną część mieszkalną i gospodarską. Wznoszono je z drewna, często z drewna uzupełnianego chrustem i gliną. Dachy kryto słomą — gonty należały do rzadkości. W okna wstawiano pęcherze zwierzęce, szyby zdarzały się wyjątkowo. Piece spotykało się w północnej i zachodniej Polsce, w Małopolsce utrzymywały się paleniska kurne. Układ pomieszczeń mieszkalnych był amfiladowy: przedsionek, izba i komora. Meble były proste. Najważniejszym z nich bywała skrzynia drewniana na odzież, coraz częściej na wzór miejski malowana. Łóżka znajdowały się u najzamożniejszych. Zwykle bowiem sypiano na zapiecku.

Urozmaiceniu uległa odzież chłopska. Obok starego stroju roboczego, składającego się ze zgrzebnych portek i koszuli, wyrzuconej na wierzch i przypasanej paskiem, zjawiają się odświętne kaftany, długie sukmany ze stojącym kołnierzem, fałdowane siermięgi. Używa się fantazyjnych nakryć głowy — filcowy, stożkowy kapelusz, czapa barania lub kapelusz ze słomy. Obowiązkowym uzupełnieniem ubioru staje się obuwie — nie tylko chodaki czy kierpce, ale buty skórzane, często wysokie. Kobiety trzymają się na ogół płóciennej białej odzieży — koszul i spódnicy — ale i do nich trafiają nowe fasony i kolory za przykładem najbliższych miast; pojawiają się również wełniane suknie. Zachowane przekazy mówią wreszcie o obfitości ówczesnego pożywienia. Ogólnie biorąc, warunki bytowania chłopskiego były lepsze niż przez dwa następne wieki. Bogatego chłopa trudno było po samym stroju odróżnić od mieszczanina czy nawet szlachcica.

Niewiele wiemy o umysłowości chłopstwa tej doby. O dobrej znajomości własnego zawodu — rolnictwa — była już mowa. Przez karty ksiąg sądów wiejskich skłonni jesteśmy patrzeć na ówczesną wieś jako na zamkniętą, tradycyjną społeczność. Tymczasem chłop ówczesny był bardziej ruchliwy, niż wskazywałyby na to przepisy o przywiązaniu do ziemi. Była już mowa o wędrujących po całym kraju ludziach luźnych czy o falach migracyjnych w postaci zbiegostwa. Również obowiązki pańszczyźniane zmuszały nieraz chłopa do dalekich podróży — z flisem do Gdańska, z podwodą do któregoś z wielkich miast. W ten sposób konieczności gospodarcze jak gdyby zmuszały go do poznania kraju. Niezależnie jednak od tego w chłopach tkwiła swoista ciekawość poznawcza. Wymownie o niej świadczy fakt, że młodzież wiejska garnie się do szkół, których sieć w początkach XVI w. znacznie wzrasta (w samej diecezji gnieźnieńskiej jedna szkoła parafialna przypadała wtedy na 2,25 parafii). Nadal spotyka się dzieci chłopskie na wyższych uczelniach. Chłopi znajdują się zresztą nie tylko wśród odbiorców, ale i wśród współtwórców kultury polskiego Odrodzenia, by wymienić choćby znakomitego poetę łacińskiego Klemensa Janickiego. Wprawdzie ten pęd do wiedzy podcinają coraz bardziej rygorystyczne ograniczenia, ale jeszcze w początkach XVII w. zjawiają się drukowane „lamenty chłopskie na pany", wyraz postawy chłopów.

Uderzające jest natomiast stosunkowo nikłe zainteresowanie chłopów sprawami przemian religijnych, jakie przechodzi w tym czasie społeczeństwo polskie. Być może, miał rację brat czeski Turnowski, gdy opowiadał w kazaniu o chłopie, który pytany, dlaczego nie rzuca „rzymskiego obłędu", odpowiedział: „Azaż nam się czego chce w tej niewoli? Nie mamyć my czasu i o Bogu myśleć. — Już nas z tej ciężkiej niewoli ani Bóg, ani diabeł nie wybawi". Potwierdzają tę opinię badania Wacława Urbana, chociaż wskazują na sporadyczne przejęcie się zasadami luteranizmu czy kalwinizmu. Można było i w Polsce na wsi usłyszeć pewne oddźwięki haseł anabaptystycznych, a później ruch braci polskich przez pewien czas z postulatu sprawiedliwości dla chłopów uczynił jedno ze swych haseł sztandarowych. Jednakże ogólnie biorąc reformacja nie poruszyła polskich chłopów, co później przyniosło tym łatwiejszy sukces katolicyzmu.

c. *Mieszczaństwo*

W nieco odmienny sposób niż z chłopstwa usiłowała szlachta tworzyć z mieszczaństwa stan zamknięty. Na przełomie XV i XVI w. różnice między szlachtą a mieszczaństwem nie rysowały się jeszcze zbyt ostro. Wielu bogatych mieszczan sięgało po klejnoty szlacheckie, nie brakło ich wśród protoplastów rodzin magnackich. Patrycjusze chętnie nabywali dobra ziemskie, widząc w tym środek do nobilitacji. Natomiast uboższa szlachta, np. mazowiecka, osiadała w miastach, „bawiąc się" handlem i rzemiosłem.

Rychło wszakże szlachta uznała taką sytuację za niedogodną dla siebie i podjęła kroki, by pozbyć się konkurencji mieszczańskiej przez wprowadzenie większego zróżnicowania między obu stanami i pozbawienie mieszczan części prerogatyw gospodarczych. Zakazano więc mieszczanom nabywania i posiadania ziemi poza obrębem miast. Zakaz taki wprowadziła już konstytucja z 1496 r. Faktycznie zaczęto go przestrzegać od ponawiającej uchwały z 1538 r. Starano się też ograniczyć dostęp nieszlachty do urzędów, zarówno świeckich, jak i kościelnych. Natomiast zajęcia mieszczańskie uznano za „niegodne" szlachcica. W latach 1505 i 1550 wydano na sejmach odpowiednie zakazy grożące utratą praw szlacheckich. Czy były w pełni skuteczne, można wątpić, jeśli w 1633 r. ponowiono te dawne zakazy, dodając, że za zajmowanie się handlem po osiedleniu się w mieście i przyjmowanie urzędów miejskich grozi utrata praw szlacheckich, zwłaszcza do nabywania dóbr ziemskich. Z ograniczonym powodzeniem usiłowała również szlachta odebrać mieszczaństwu uprawnienia produkcyjne i handlowe, jak o tym już była mowa. Trzeba przy tym zaznaczyć, że i przywiązanie chłopa do ziemi miało z kolei odciąć dopływ ludności ze wsi do miast.

Celem tych poczynań było doprowadzenie do takiego stanu, w którym mieszczaństwo, pozbawione dopływu z zewnątrz i możliwości awansu społecznego, nie byłoby zdolne do skutecznej konkurencji. W rzeczywistości w stopniu znacznie wyższym, niż w odniesieniu do chłopstwa, postanowienia szlacheckie nie były respektowane i wpływ ich na strukturę mieszczaństwa był na razie ograniczony, zwłaszcza w miastach większych. Nie został także zahamowany dopływ ludności do miast.

Jeśli chodzi o strukturę mieszczaństwa, to nie uległa ona poważniejszym zmianom. Wprawdzie żywe zainteresowanie przemysłem i górnictwem ze strony kupiectwa, przenikanie kapitału handlowego do różnych dziedzin produkcji, w tym także rzemieślniczej, spowodowały pewien podział wśród patrycjatu, gdzie prócz tradycyjnego, opartego na feudalnych przywilejach, zaczynała powstawać — podobnie jak w innych krajach europejskich — warstwa nowego mieszczaństwa kupiecko-rzemieślniczego, był to jednak proces słaby i ograniczony do paru tylko ośrodków. Dominujący głos w miastach utrzymał stary patrycjat, wykorzystujący swe przywileje i przewagę ekonomiczną. Na barki średniego mieszczaństwa (pospólstwa, jak go wtedy nazywano) i plebsu zrzucał patrycjat ciężary miejskie i państwowe, zabierając dla siebie intratne dzierżawy i w wysokim stopniu przywłaszczając sobie dochody miejskie. Na tym tle w wielu miastach doszło do zatargów wewnętrznych, przybierających charakter procesów sądowych albo otwartych walk. W walkach tych opozycja mieszczańska spotykała się z poparciem władcy i szlachty, która w patrycjacie widziała swego najpoważniejszego konkurenta w zabiegach o przywileje ekonomiczne czy polityczne, i podkopując jego stanowisko zwiększała dystans między sobą a mieszczaństwem. W rezultacie pospólstwo wywalczyło sobie dostęp do władzy w miastach i powoływało kilkudziesięcioosobowe reprezentacje, które miały uprawnienie do kontrolowania poczynań rady. Dochodziło także do walk między plebsem a uprzywilejowanymi warstwami miejskimi. Najczęściej burzyli się czeladnicy przeciwko narzucanym im przez mistrzów ograniczeniom czy wyzyskowi. Powstawały bractwa czeladników, które zabiegały o polepszenie warunków pracy. Czeladnicy organizowali zbiorowe odmowy pracy, bojkoty mistrzów, udzielali też sobie pomocy w razie choroby korzystając ze specjalnych kas brackich.

Nie brakło wszakże i szerszych ruchów rewolucyjnych całej biedoty miejskiej, jak np. w Gdańsku, gdzie w 1525 r. pospólstwo i plebs miejski obaliły starą radę, ustanowiły nowe władze i próbowały realizować reformy, tzw. artykuły gdańskie, przypominające postulaty wysuwane współcześnie w Niemczech w toku wojny chłopskiej. Wprowadzony został luteranizm jako wyznanie oficjalne. W sprawy gdańskie interweniował wtedy sam Zygmunt I. W kwietniu 1526 r. wkroczył z wojskiem do miasta, polecił ściąć przywódców pospólstwa i przywrócił dawne władze. Zreorganizował wtedy ustrój miejski powołując do władzy obok rady i ławy tzw. trzeci ordynek, reprezentację pospólstwa.

Słabość mieszczaństwa w Rzeczypospolitej nie była wszakże rezultatem owych walk wewnętrznych w miastach, które wskazywały raczej na dojrzewanie nowych sił społecznych. Istotne znaczenie miał natomiast brak współdziałania między miastami. Jeżeli nawet miasta zdobywały się na wspólne wystąpienia, jak w Prusach Królewskich, to nie wykraczało to poza ramy dzielnicowe. Zresztą i na tym terenie uwydatniały się przeciwieństwa między drobnymi miastami a Gdańskiem, Elblągiem i Toruniem, które miały głos decydujący. W stosunkach między miastami dominowało ciasne pojmowanie interesów miejskich i rywalizacja ekonomiczna.

Osłabiało pozycję miast również silne zróżnicowanie narodowościowe. W żadnym innym wypadku wielonarodowościowy charakter państwa polsko-litewskiego nie wystąpił chyba tak jaskrawo jak w odniesieniu do miast. Większych miast o wyłącznie polskiej ludności niemal nie było, a jedynie na niektórych obszarach (np. Mazowsze) mniejsze miasta miały tylko polskich mieszkańców. Nie wszędzie także Polacy przeważali wśród bogatszego mieszczaństwa. W zachodnich prowincjach nadal mniej lub więcej licznie występowała ludność niemiecka, utrzymująca np. na Pomorzu swe uprzywilejowane stanowisko. Na wschodzie Rzeczypospolitej masę mieszczańską tworzyli Litwini, Białorusini, Ukraińcy. W kilku miastach, np. we Lwowie, Kamieńcu Podolskim czy w Zamościu, były większe skupiska Ormian. Dość licznie napływali do miast, szczególnie do Krakowa, Włosi. W wielu miastach mieli swe odrębne gminy (kahały) Żydzi. Ludność żydowska zwiększyła swą liczebność w XVI w. do 150 tys. wskutek napływu nowych grup Żydów uciekających przed prześladowaniami w środkowej Europie. Mimo opozycji mieszczaństwa uzyskali oni przywileje królewskie zapewniające im swobodę handlu w całym państwie (1532). Stworzyli też centralny organ reprezentacyjny, tzw. *waad*, rodzaj zjazdu przedstawicieli prowincji, który miał władzę ustawodawczą i porozumiewał się z królem w sprawach skarbowych.

Rozbicie narodowościowe zaostrzało walkę wewnętrzną w miastach, powodując dodatkowe antagonizmy między przedstawicielami tych samych branż czy warstw. Przy przyjmowaniu do cechów stosowano niekiedy ograniczenia dotyczące narodowości lub wyznania. Utrudniało to konsolidację miast i wystąpienia na zewnątrz. W miarę rozwoju poczucia narodowego czynnik ten miał odgrywać coraz większą rolę.

Pod wpływem otoczenia i atrakcyjności Polski następowały procesy polonizacyjne, szczególnie silnie wśród bogatszego mieszczaństwa, zwłaszcza patrycjatu, który chętnie wchodził np. w związki rodzinne z polską szlachtą czy nawet magnatami. W miastach, w których poprzednio utrzymało się lub wytworzyło polskie średnie mieszczaństwo, odwoływało się ono niekiedy w czasie walk z obcym patrycjatem do haseł narodowych, domagając się pełnych praw dla języka polskiego we władzach miejskich. Wskutek tego elementy polskie wybijały się w życiu miast o wiele bardziej wyraziście niż w poprzednim okresie. Procesy te nie przebiegały wszędzie z jednakowym natężeniem i równie szybko. Znamienne, że obejmowały także ziemie polskie znajdujące się poza granicami Rzeczypospolitej. Tak np. na Śląsku występowały w tym czasie podobne zjawiska repolonizacyjne, przejawiające się we wprowadzaniu języka polskiego do cechów, sądów, kościoła (językiem urzędowym władz był niemiecki i czeski), w stałym wzroście procentowym ludności polskiej, w szerzeniu się znajomości mowy polskiej wśród niemieckiej części mieszczaństwa.

Nie bez znaczenia dla tych procesów polonizacyjnych na ziemiach etnicznie polskich był także nieustanny napływ polskich chłopów czy drobnej szlachty do miast: napływu tego nie zdołały powstrzymać żadne ustawy.

Istnieją podstawy do przypuszczeń, że w drugiej połowie XVI w. osłabło nasilenie procesów polonizacyjnych wśród mieszczaństwa w Rzeczypospolitej. Pewien wpływ na to miała polityka szlachecka, odcinająca się od stanu mieszczańskiego, a także przebieg reformacji, który w ostatecznym rozrachunku pogłębił różnice narodowościowe.

Jakkolwiek wiek XVI nie był „złotym wiekiem" mieszczaństwa w Rzeczypospolitej, to jednak wraz z całym krajem przeżywało ono czasy dobrobytu. Prawda, że między poszczególnymi warstwami istniały znaczne pod tym względem różnice, podobnie zresztą jak między większymi i mniejszymi miastami. Podczas gdy biedota poziomem swego życia nie sięgała i zamożniejszego chłopstwa, gnieżdżąc się w najgorszych warunkach, bogate mieszczaństwo szukało dla siebie wzorów na dworach możnowładców czy nawet królów. Nie tylko wzrosła poważnie liczba domów murowanych, ale powstawały kamienice kryte blachą miedzianą, ozdobione godłami, fasadami, attyką. Buduje się kamienice szersze, nie na jednej, jak dawniej, ale na paru działkach budowalnych. Na rynkach pojawiają się podcienia, chroniące od deszczu i śniegu. Mieszkania pełne były ozdobnych mebli, stołów, szaf, kredensów, skrzyń; najchętniej poszukiwano wyrobów gdańskich lub nawet niemieckich czy holenderskich. Jednym z głównych elementów ozdoby wnętrz były kominki i piece, budowane z kunsztownie malowanych, czasem rzeźbionych kafli. Skromniejsze bywały mieszkania średniego mieszczaństwa, z meblami miejscowego pochodzenia, zwykle malowanymi. Jednakże i tu ściany bywały obite szpalerami, a okna zaopatrzone w szyby.

Okres wewnętrznego pokoju sprzyjał również swoistej ekspansji terytorialnej miasta na zewnątrz. Rozbudowują się przedmieścia, na których powstają zarówno letnie rezydencje bogatych patrycjuszy, otoczone nierzadko starannie prowadzonym ogrodem, jak i skromne budynki, w których biedota miejska może znaleźć lepsze warunki mieszkaniowe niż w zatłoczonych śródmieściach.

W strojach bogate mieszczaństwo sadziło się na zbytek i bezskuteczne okazywały się liczne ustawy, zabraniające noszenia jedwabiów czy szkarłatów lub zbytnich ozdób, zastrzegając je dla szlachty. Właśnie patrycjat chętnie chodził w złotogłowiach i jedwabiach, lubował się w klejnotach, którymi się obwieszali zarówno mężczyźni, jak i kobiety. Moda zresztą zmieniała się często; z równym zapałem szukano przy tym wzorów zachodnich, włoskich czy niemieckich, jak i wschodnich, węgierskich, tureckich, nawet wielkoruskich.

Poziom umysłowy mieszczaństwa wzrósł znacznie w dobie Odrodzenia.

Nie ustępowało ono pod tym względem szlachcie. Wymownym przejawem tego stanu była obecność mieszczan wśród najwybitniejszych twórców polskiego Odrodzenia. Ale i Barok, przynajmniej do połowy XVII w., wiele ma do zawdzięczenia mieszczańskim uczonym, pisarzom, artystom, oraz — co warte podkreślenia — mecenasom. W domach zamożnych mieszczan poczesne miejsce zajmowały książki i obrazy. W miastach powstawały gimnazja humanistyczne, charakteryzujące się wysokim poziomem. Synów mieszczańskich spotyka się nie tylko licznie na Akademii Krakowskiej, ale i w peregrynacjach zagranicznych, na uniwersytetach włoskich, niemieckich, z czasem holenderskich. Doniosłe znaczenie miała mieszczańska myśl społeczna, blisko powiązana ze szczytowymi osiągnięciami humanizmu i reformacji. Nie zabrakło zresztą mieszczan i wśród najwybitniejszych działaczy kontrreformacji katolickiej.

Żywy udział mieszczaństwa w życiu kulturalnym Polski nie mógł pozostać bez wpływu na kształtowanie się nowych poglądów w całym społeczeństwie na otaczający świat. Rytm pracy mieszczanina nie przypomina pracy rolnika. Zasięg jego kontaktów wychodzi daleko poza bliskie sąsiedztwo, charakteryzujące stosunki na wsi. Mieszczanin nie mieścił się w wąskich horyzontach rejowskiego „człowieka poczciwego". Swą aktywnością odkrywał nowe perspektywy, tkwiące przed człowiekiem, wprowadzał wartości burzące spokój agrarnego społeczeństwa.

d. *Szlachta*

Klasa rządząca — szlachta — uzyskała swoje podstawowe przywileje już w ciągu XIV i XV w. Jak była o tym mowa, zasadnicze dążenia jej związane były z utrzymaniem zdobytej pozycji. Stan szlachecki miał stać się stanem ściśle zamkniętym. Szlachta starała się więc jak najbardziej ograniczyć dopuszczanie do stanu szlacheckiego, czyli nobilitacje, uzależniając je od zgody samej szlachty. W 1578 r. sejm zastrzegł, że król może nadawać szlachectwo nie w dowolnym momencie, jak bywało poprzednio, ale tylko w czasie sejmu. Wyjątek mogła stanowić nobilitacja za męstwo wojenne. Konstytucja z 1601 r. ograniczała króla jeszcze bardziej: odtąd nadanie szlachectwa mogło się odbywać wyłącznie za zgodą sejmu, przy czym poddani szlacheccy musieli uzyskać jeszcze aprobatę swego pana. Wreszcie w 1641 r. sejm postanowił, że również dopuszczanie zagraniczej szlachty do polskiego szlachectwa, czyli tzw. indygenat, będzie można otrzymywać tylko na sejmie.

Mimo tych wszystkich uchwał praktycznie ani wtedy, ani potem nie zdołano skutecznie zamknąć dostępu do stanu szlacheckiego, zwłaszcza dla majętniejszych mieszczan, a nieraz i chłopów. W latach trzydziestych XVII w. szlachcic z Krakowskiego Walerian Nekanda Trepka sporządził spis szlachty, która bezprawnie podszyła się pod klejnot szlachecki. Spis ten objął kilka tysięcy nazwisk. *Liber chamorum*, jak nazwano to zestawienie, nie jest wprawdzie źródłem w pełni wiarygodnym, zawiera jednak wiele informacji o metodach podszywania się pod szlachectwo. Nie było to zbyt skomplikowane. W Polsce nie prowadzono rejestrów szlachty, rzadko sprawdzano szlachectwo, nietrudno było podawać się za szlachcica.

Wykonywanie uchwał o ścisłym ograniczeniu dostępu do stanu szlacheckiego było niemożliwe choćby ze względu na wyjątkową w stosunkach europejskich liczebność szlachty w Polsce (do 10% ludności) i znaczne wśród niej dysproporcje. Dawne powiązania rodowe ulegają w tym czasie zanikowi — dominuje mała rodzina, ograniczona do rodziców i dzieci. Kontakty utrzymywano tylko z bliższymi krewnymi. Wymownie uwydatnia się to w przypadającym na XVI wiek tworzeniu nazwisk szlacheckich, które odpowiadały takim właśnie rodzinom. Warto przy tym dodać, że nie stroniono jeszcze od małżeństw mieszanych, szlachecko-mieszczańskich czy wcale nierzadkich wśród drobnej szlachty szlachecko-chłopskich. Liczba takich małżeństw zmniejszyła się dopiero wtedy, gdy ustawy szlacheckie ograniczyły uprawnienia dzieci pochodzących z takich rodzin.

Jednym z naczelnych haseł demokracji szlacheckiej była równość, co szczególnie zaczęto podkreślać od końca XVI w. Rzeczywiście — w odróżnieniu od większości krajów europejskich — w Polsce nie było prawnego podziału na utytułowaną arystokrację, „panów" i niższą szlachtę. Występowały wszakże olbrzymie różnice w materialnym położeniu „braci szlachty". Dno tej drabiny zajmowała „gołota" — szlachta nie posiadająca ziemi, w XVI w. często żyjąca w miastach i trudniąca się lichwą, kupiectwem lub rzemiosłem, z czasem wstępująca na służbę głównie u magnatów czy u zamożnej szlachty. Gołota nie była dopuszczana do urzędów ziemskich ani funkcji sejmikowych. Jednakże gdy taki nieposesjonat nabywał czy wydzierżawiał dobra ziemskie, odzyskiwał pełne prawa szlacheckie. Nie stosowano takich ograniczeń do szlachty zagrodowej, która posiadała niewielki płacheć gruntu i sama uprawiała swą rolę, nie mając poddanych. Szlachta ta zamieszkiwała szczególnie licznie Mazowsze i Podlasie, ale występowała także w Wielkopolsce, Małopolsce i na Pomorzu. Jej pozycja gospodarcza zbliżała ją do chłopów — płaciła zresztą nawet podatki jak oni. Natomiast świadomość społeczna wiązała ją całkowicie z pozostałą szlachtą.

Większość szlachty stanowili wszakże posiadacze od jednej wsi (czy tylko jej części) do kilkunastu — tzw. szlachta średnia, która w XVI w. nadawała ton życiu politycznemu kraju. Wyodrębnienie tej warstwy nie jest łatwe. Niektórzy historycy skłonni są dzielić ją na mniejsze grupy (poczynając właśnie od szlachty cząstkowej po zamożnych posiadaczy kilkunastu wiosek). Niemniej ta niejednorodność społeczna nie przeszkadzała jej w przejawianiu wielkiej aktywności gospodarczej, politycznej i kulturalnej, w tworzeniu wzorców postępowania.

Wreszcie szczyt drabiny zajmowała magnateria, posiadacze kilkudziesięciu czy kilkuset wsi, miast i miasteczek, których fortuna mogła być porównywana z niejednym państwem czy księstwem Rzeszy niemieckiej. Należeli do niej bądź potomkowie możnowładczych rodzin w Polsce, bądź dawni książęta z terenów Litwy i Rusi (ks. Konstanty Ostrogski posiadał np. około 100 miast i zamków oraz prawie 1300 wsi), wreszcie ludzie, którzy własnym wysiłkiem, ale i przy pomocy łaski królewskiej (dzięki przekazywaniu im w dożywotnią dzierżawę licznych majętności królewskich), dochodzili do zamożności, jak np. Jan Zamoyski, średni szlachcic z pochodzenia, który zgromadził w swym ręku 11 miast, 200 wsi jako dziedziczne posiadłości, a ponadto dzierżył w królewszczyznach 112 miast i 612 wsi — razem terytorium około 17,5 tys. km^2. Magnatom przypadały najważniejsze urzędy państwowe i kościelne, oni wchodzili głównie w skład senatu. W XVI w. chętnie przybierali cudzoziemskie tytuły książąt czy hrabiów (od cesarza lub papieża), póki w 1638 r. sejm nie zabronił przyjmowania wszelkich tytułów i ich używania; wyjątek stanowiły rodziny, które z tytułem podpisały akt unii lubelskiej. Magnateria — i to bardziej polska niż litewska czy ruska — przeżywała swoisty kryzys w XVI w. Stare rody możnowładcze nie mogły się przystosować do nowych warunków i wymierały albo ulegały swoistej degeneracji. Spotkało to Tęczyńskich, Tarnowskich, Kmitów, Górków i innych. Na ich miejsce wyrosły spośród średniej szlachty nowe rody — w Wielkopolsce Opalińskich i Leszczyńskich, w Małopolsce, częściowo dzięki możliwościom, które otwierały się na przyłączonych do Korony ziemiach ukrainnych, Potockich, Zamoyskich, Koniecpolskich, Lubomirskich. Ten awans społeczny mógł objąć tylko niewielką grupę, świadczył jednak o mobilności wewnętrznej stanu szlacheckiego.

W każdym razie wobec istniejącego zróżnicowania zasadę równości trzeba ograniczyć do braku formalnych barier między poszczególnymi warstwami szlacheckimi, co otwierało możliwości awansu społecznego dla całej klasy oraz do korzystania z tych samych (lub prawie tych samych) uprawnień społecznych i politycznych. Tak więc szlachta miała wyłączne prawo do aktywnego uczestniczenia w sejmach i sejmikach, do obsadzania urzędów państwowych, do elekcji króla. Tylko szlachcic mógł nabywać ziemię, od 1573 r. zapewniono mu także prawo do wydobywania z gruntów doń należących kruszców, soli i siarki, co było dotąd przywilejem króla. Szlachcica nie można było więzić bez wyroku sądowego, dom jego był nietykalny, grunty wolne od stałych podatków (prócz szlachty zagrodowej), towary należące do niego nie podlegały cłom (prócz rzadko uchwalanego cła generalnego); otrzymywał wreszcie po niższej cenie sól. Będąc obowiązany tylko do udziału w rzadko zwoływanym pospolitym ruszeniu, szlachcic musiał wysoko cenić te „wolności”, które stawiały go w sytuacji wyjątkowo korzystnej, nie mającej niemal równej w Europie. Zrazu odpowiedzią szlachty na te wywalczone przywileje było pewne poczucie obowiązku publicznego, które doprowadziło do wytworzenia przez średnią szlachtę swoistego wzorca działacza politycznego, gotowego do dość bezinteresownej działalności na sejmikach, sejmach, w sądach, na urzędach, wzorca jakże dalekiego od kwietyzmu chwalonego przez Reja ziemiańskiego żywota. Z czasem jednak, a dzieje się tak przynajmniej od początków XVII w., wzorzec ten spadł do roli sloganu bez pokrycia, a utrzymanie wolności szlacheckich stało się dla szlachty najważniejszym celem, który utożsamiała z interesem państwa. Zamiast bezinteresowności rozpanoszyła się prywata, której zresztą nigdy naprawdę nie wyrugowano z życia publicznego.

Wspólne dla całego stanu szlacheckiego przywiązanie do wolności nie powstrzymywało poszczególnych warstw od walki o hegemonię w państwie. Walka ta między magnaterią a średnią szlachtą stała się głównym motorem polityki wewnętrznej w XVI i w pierwszej połowie XVII w. Szlachta w Rzeczypospolitej nie była w tym czasie jednolita ani pod względem narodowościowym, ani religijnym. Wprawdzie na ziemiach etnicznie polskich w Rzeczypospolitej szlachta polska stanowiła jedyną liczącą się siłę — niewielkie grupy szlachty czeskiej czy węgierskiej nie odgrywały większej roli, a jedynie w Prusach Królewskich można było mówić o bardziej wpływowych grupach szlachty pochodzenia niemieckiego. Można raczej podkreślić istnienie skupisk szlachty polskiej poza granicami Rzeczypospolitej — na Górnym Śląsku, gdzie dopiero wojna trzydziestoletnia zniszczyła rdzenną warstwę szlachty polskiej, czy w Prusach Książęcych, których południowe rejony zaludniała szlachta mazowiecka. Natomiast na wschodzie Rzeczypospolitej istniała cała mozaika szlachty litewskiej, białoruskiej i ukraińskiej, która dopiero po unii lubelskiej miała ulec silniejszym procesom polonizacyjnym. W przeciwieństwie do miast moment narodowościowy nie grał wśród szlachty większej roli w tym okresie. Wolności, które miała szlachta polska, stały się magnesem ściągającym ku niej szlachtę Wielkiego Księstwa Litewskiego (co zaznaczyło się szczególnie podczas unii lubelskiej), a także szlachtę Prus Książęcych. Poważniejsze znaczenie miał w tym czasie podział religijny, zwłaszcza rozbicie samej szlachty polskiej na grupę kalwińską, luterańską, ariańską i katolicką. Szermowanie hasłami reformacji stało się zwłaszcza bronią szlachty średniej, nadając jej wystąpieniom pozory radykalizmu. Zarówno jednak w stosunkach narodowościowych, jak i religijnych dominowała ostatecznie zasada tolerancji. Jak słusznie podkreśla Jarema Maciszewski, do końca XVI w. ani religia, ani narodowość nie miały wpływu na możliwość osiągnięcia urzędu — obojętne, ziemskiego czy centralnego — ani na zasiadanie w sejmie czy też na otrzymanie nadań królewskich. Dzięki temu uzyskane wolności i związana z nimi aktywność polityczna stały się elementem integrującym szlachtę w całej Rzeczypospolitej. Następowała swego rodzaju uniformizacja szlachty. Ułatwiona przez to została polonizacja i przyjęcie katolicyzmu czy powrót do niego olbrzymiej większości szlachty w XVII w.

Szlachta doby Odrodzenia była warstwą bardzo żywotną, zdolną do odgrywania kierowniczej roli w życiu kraju. Podobnie jak nie wahała się nadstawiać ucha na nowinki religijne, tak interesowała się rozwojem ówczesnej wiedzy i kultury, w licznych podróżach zagranicznych nabywając ogładę i wykształcenie. Zetknięcie się z różnymi społecznościami i sposobami myślenia — zarówno w kraju, jak i za granicą, wyrabiało w niej tolerancję, którą słusznie może się szczycić Polska tego okresu w porównaniu z wielu innymi państwami. Budziło ono także pęd twórczy lub przynajmniej zamiłowanie do piękna i sztuki. Stąd też szlachta wycisnęła tak przemożne piętno na całości życia kulturalnego „złotego wieku".

Śladem humanistów szlachta szukała dla siebie wzoru w starożytności. Znalazła go w rzymskiej republice, z którą chętnie porównywała stosunki panujące w Rzeczypospolitej. Wzięte stamtąd wąsko pojmowane hasła wolności i miłości ojczyzny stały się ważkim argumentem w licznych wystąpieniach publicznych. W togę rzymskiego senatora czy ekwity drapował się chętnie szlachcic, zapominając, że ta rzymska wolność podporządkowana była interesom państwa i sprawiedliwości.

W starożytności również szukała szlachta antenatów. Znalazła ją w Sarmatach. Początkowo widziała w nich przodków całej Słowiańszczyzny, zgodnie z wskazówkami Marcina Kromera. Wkrótce zaczęto stosować nazwę Sarmacja dla państwa Jagiellonów. Stąd był już tylko krok do wyszukiwania podobieństwa między Sarmatami a szlachtą polską i ograniczenia do tej ostatniej sarmackiego rodowodu. Nastąpiło to w pierwszej połowie XVII w. i posłużyło do wywyższania szlachty polskiej nie tylko ponad inne stany, ale i ponad inne narody. Od cudzoziemców szlachta oczekiwała uznania dla polskiego ustroju i jako niesłuszne traktowała wszelkie zarzuty dotyczące samowoli szlacheckiej czy ucisku chłopów. Gdy nie dostawało innych środków, starano się uzyskiwać poklask przepychem, który miał świadczyć o bogactwie kraju. Stąd sławny wjazd Jerzego Ossolińskiego do Rzymu, w czasie jego poselstwa do papieża, kiedy konie gubiły złote podkowy, a między ludność rozrzucano perły i dukaty, czy podobny wjazd Opalińskiego do Paryża.

Trudno zresztą nie przyznać, że wzrastający dobrobyt pozwalał szlachcie na znaczne podniesienie poziomu życia — i to bez charakterystycznego dla późniejszych czasów naruszania podstaw własnej egzystencji. Najwyraźniej można to obserwować w odniesieniu do średniej szlachty i magnaterii. Obok dworków drewnianych coraz częściej pojawiały się murowane, początkowo jeszcze obronne, potem mniej warowne (zwłaszcza w centralnej Polsce), zapewniające większą wygodę mieszkańcom. Magnateria przebudowuje stare gotyckie zamki na renesansowe albo wznosi nowe pałace. Za wzorem Wawelu ozdabia się je krużgankami, rozbudowuje skrzydła otaczające dziedziniec arkadowy. Wnętrza wyposażano w zbytkowne meble, dywany. Na ścianach pojawiały się zwierciadła i obrazy. Do ogrzewania służyły coraz częściej kaflowe piece zamiast kominków. Oświetlano za pomocą dość kosztownych świec, rzadziej łuczywa.

Żywe przemiany przechodził strój szlachecki. Oddziaływały nań różne wzory i dopiero w drugiej połowie XVI w. wykształcił się ostatecznie pod przemożnym wpływem wschodnim w sposób, który utrzymał się aż do czasów Oświecenia. Składał się z żupana, kontusza, delii; na głowie noszono kołpak albo czapkę futrzaną. Spodnie do tego były obcisłe, długie, buty kolorowe. Strój przyozdabiała szlachta bogato, starając się o kosztowne materiały; chętnie pokazywała się w klejnotach. Półszlachetnymi kamieniami zdobiła szlachta również broń, zwłaszcza nieodzowne uzupełnienie stroju — karabele (szable typu wschodniego). W miarę wzrostu dobrobytu kraju szlachta otaczała się coraz większym zbytkiem, który stał się z czasem nieodzownym atrybutem pozycji społecznej. Oczywiście szlachta uboga ubierała się w sposób bardziej zbliżony do chłopów czy mieszczan, ale nawet najmizerniejszy szlachcic zagrodowy obnosił się ze swą szablą, choćby zawieszoną na konopnym sznurku.

Stół był wystawny. Wprowadzona w początkach XVI w. kuchnia włoska w ograniczonym stopniu wpłynęła na jego charakter. Obok potraw mącznych dominowało mięso, przede wszystkim chyba wołowe, rzadziej wieprzowe, uzupełniane drobiem i dziczyzną. W dni postne (a było ich niemało) obowiązywały ryby. Na jakość posiłków wpływały przyprawy, tzw. korzenie, sprowadzane w dość dużych ilościach, ale chyba tylko na dwory bogatszych. Jadano wtedy tak obficie, że budziło to zdumienie cudzoziemców. Jako trunków używano miejscowego piwa i miodu; gorzałka zjawiła się na stołach szlacheckich dopiero w końcu XVI w. Często pito natomiast wina zagraniczne, sprowadzane zwłaszcza z sąsiednich Węgier. Ten wystawny tryb życia, jakkolwiek niecała szlachta mogła sobie na niego pozwolić, stał się przecież wzorem dla większości, a nawet dla zamożniejszych mieszczan czy chłopów.

4. Reformacja i zwycięstwo kontrreformacji w Polsce

a. Podłoże reformacji w Polsce

Na rozwój stosunków w Rzeczypospolitej doniosły wpływ miały nie tylko przemiany w strukturze ekonomicznej i społecznej kraju. W dobie Odrodzenia szczególnie silnie zaznaczyło się również oddziaływanie elementów ideologicznych, zwłaszcza reformacji i humanizmu. Bez omówienia ich rozwoju trudno byłoby więc przystępować do przedstawienia dziejów wewnętrznych tego okresu.

Podłoże, na którym rozwinął się ruch reformacyjny w Polsce, było podobne jak w Niemczech czy innych krajach europejskich. Buntujący się przeciwko średniowiecznym stosunkom człowiek śmiało uderzał w Kościół rzymski i jego ideologię, by pozbawić obrońców starego porządku nimbu świętości i nadprzyrodzoności. Nie oznacza to, by odrzucał objawienie: samodzielna interpretacja Biblii miała przysporzyć mu argumentów na uzasadnienie proponowanych czy wprowadzanych zmian, nadać im charakter sakralny jako budowie Nowej Jerozolimy czy Bożego Królestwa na ziemi. Błędem byłoby przy tym sprowadzanie dziejów reformacji do zatargów o dogmaty religijne. Były one nieraz (choć nie zawsze) przykrywką dla głębokich konfliktów społecznych. W celu obalenia wpływów ideologicznych Kościoła konieczne było także obalenie jego potęgi materialnej, podważenie uprzywilejowanej pozycji kleru w społeczeństwie.

Sytuację ułatwiał w Polsce, podobny jak w innych krajach, rozkład wewnętrzny w samym Kościele. Powszechne było lekceważenie obowiązków, upadek dyscypliny, folgowanie rozpustnemu życiu. Przepaść istniała między poziomem oraz warunkami życia wyższego i niższego duchowieństwa. Pierwsze, wywodzące się zwykle z bogatej szlachty czy magnaterii (od końca XV w. bardzo utrudniono dostęp plebejów do wyższych godności kościelnych), było prawie całkowicie zeświecczone. Duchowni ci uganiali się za dostatkami, nie cofając się przed symonią i przekupstwem, zabiegali o godności i wpływy w państwie. Wykorzystując swe uprawnienia starali się podporządkowywać sobie szlachtę. Krańcowym przykładem stały się losy szlachty sieluńskiej w Płockiem, która spadła do roli wasali swego proboszcza, co w stosunkach polskich było zjawiskiem niesłychanym. Wymownym świadectwem tej sytuacji była instrukcja dla delegatów kapituły krakowskiej na synod w 1551 r., wielki akt oskarżenia biskupów, opatów i plebanów. Jeżeli nawet zawarte w tej instrukcji oceny nie były pozbawione wyraźnej przesady i odnosiły się do diecezji najbardziej narażonej na występowanie negatywnych z punktu widzenia Kościoła katolickiego zjawisk, trudno byłoby zaprzeczyć, że wśród wyższego duchowieństwa nie brakło w pierwszej połowie XVI w. ludzi, dla których sprawy religijne były właściwie obojętne. Niemal nikt z nich nie związał się z ruchem reformacyjnym, ale też niewielu umiało, jak Stanisław Hozjusz, biskup warmiński, włączyć się do prac nad odnową Kościoła. Wśród biskupów nie brakowało zresztą ludzi sympatyzujących po cichu z reformacją, udzielających protekcji „heretykom". Przed otwartym wystąpieniem powstrzymywały ich jedynie względy utylitarne.

Niższy kler, rekrutujący się w niemałym stopniu z mieszczan czy chłopów, odsuwany od bogatych prebend; trzymany w ciemnocie i zacofaniu, stawał się elementem niezadowolonym, którego związki z Kościołem katolickim były równie formalne jak i wyższej hierarchii.

W tych warunkach, jeżeli nawet przestrzegano praktyk religijnych, to wśród ogółu ludności przesądy i zabobony przesłaniały zasady wiary. Poziom jej wiedzy religijnej był bardzo niski. Zakładając nawet, że resztki pogaństwa utrzymywały się tylko w niektórych zakątkach Litwy, można mieć wątpliwości, jak daleko sięgała świadoma chrystianizacja wsi. Więcej niż o swe obowiązki duszpasterskie dbał kler o przywileje. Zabezpieczały one pozycję duchowieństwa, czemu daremnie usiłowała przeciwdziałać od XV w. szlachta. Nie podlegał więc kler służbie wojskowej; prócz łanowego, danin w zbożu i gdzieniegdzie stacji nie płacił podatków, chyba że uchwaliła je szlachta, ale i wtedy w formie dobrowolnej ofiary (*subsidium charitativum*). Utrzymywał się obowiązek składania dziesięcin na rzecz Kościoła, szczególnie dotkliwie odczuwany przez wieś; jurysdykcja kościelna rozszerzyła się na sprawy świeckie (w 1433 r. otrzymała pomoc w postaci egzekucji starościńskiej). Jeszcze w 1543 r. sejm szeroko wytyczył jej kompetencje: świeccy mogli dobrowolnie poddawać się jej orzecznictwu. Poważne wpływy polityczne Kościoła katolickiego najlepiej obrazował fakt zasiadania biskupów i arcybiskupów diecezjalnych w senacie, do czego nie dopuszczono przedstawicieli innych wyznań.

Posiadane przez Kościół przywileje były jedną z głównych przyczyn niechęci, jaką okazywała mu szlachta. Znalazło to wyraz już w piętnastowiecznych wystąpieniach, związanych z oddziaływaniem husytyzmu. Korzyści z tego wyciągnął król, który wywalczył sobie prawo nominacji na biskupstwa diecezjalne, formalnie przyjmowanej przez kapitułę i zatwierdzanej przez papieża, prawo oficjalnie przyznane dopiero w 1589 r. Szlachta zdołała tylko nieco ograniczyć bogacenie się Kościoła. W 1510 r. sejm zabronił przekazywania w testamencie na rzecz Kościoła nieruchomości. Gdy wszakże dalszych postulatów szlacheckich nie uwzględniano, obóz średnioszlachecki zaczął zajmować stanowisko coraz wyraźniej wrogie przywilejom kościelnym i klerowi. Szlachta nie zamierzała dzielić się swymi atrybutami, chciała Kościoła taniego i bardziej zależnego od siebie. Podobne dążenia rysowały się ze strony mieszczaństwa, któremu przepisy kościelne hamowały niekiedy normalny rozwój gospodarczy, szczególnie przy transakcjach kredytowych, utożsamianych z lichwą, ograniczały inicjatywę. Wreszcie wśród mas ludowych, biedoty miejskiej i chłopstwa tendencje antyfeudalne wiązały się z dążeniami do stworzenia własnego Kościoła, który wziąłby w obronę najbardziej uciskane warstwy.

Trzeba przy tym przypomnieć, że w początkach XVI w. Polska, a w jeszcze większym stopniu Litwa nie były krajami jednolitymi religijnie. Wśród szlachty i możnowładztwa, nie mówiąc o innych stanach, liczną grupę stanowili prawosławni, co zresztą nie wpływało w sposób zasadniczy na ich uprawnienia. Powstawała w ten sposób okazja do porównań i do bardziej krytycznego ustosunkowania się do postaw reprezentowanych przez Kościół rzymski. Wpływ prawosławia na rozwój kultury, a zwłaszcza myśli religijnej w Polsce w XV i XVI w., nie został jeszcze w sposób obiektywny przedstawiony. Jednakże przy rozpatrywaniu czynników ułatwiających oddziaływanie reformacji na Polskę i ten element nie może być pominięty.

b. *Rozprzestrzenianie się luteranizmu*

Wystąpienie Lutra spotkało się w krótkim czasie z oddźwiękiem na ziemiach polskich. Grunt był już nieco przygotowany przez husytyzm, który do początków XVI w. zachował mniej czy więcej jawnych zwolenników w Polsce. Kontaktowali się oni z umiarkowanymi husytami czeskimi, braćmi czeskimi, którzy, nawiasem mówiąc, po rozpętaniu represji przez Habsburgów szukali z czasem, w latach 1546 - 1551, schronienia w Wielkopolsce, wzmacniając tym samym miejscowy ruch reformacyjny.

Hasła Lutra przyjmowane były najszybciej przez te rejony i warstwy, które albo znajdowały się w bliskich stosunkach z Niemcami, albo też w których Niemcy stanowili stosunkowo silny element. Stąd luteranizm rozprzestrzeniał się głównie w miastach zachodniej i północno-zachodniej Polski, na Śląsku, w Wielkopolsce i na Pomorzu. Już w 1521 r. otworzył swe bramy dla luteranizmu Wrocław, który stał się jednym z głównych ośrodków oddziaływania protestantyzmu na ziemie polskie. Nieco później opowiedziały się za nową nauką miasta pomorskie. Na tym tle doszło w Gdańsku w 1525 r. do wspomnianych walk społecznych (por. cz. 1, s. 45), na które Zygmunt I zreagował wyjątkowo ostro. Działo się to wkrótce po sekularyzacji Prus Książęcych, która nastąpiła zarówno za zgodą króla polskiego, jak i jego doradców, m. in. paru biskupów. Zygmunt I interwencją w Gdańsku starał się poprawić swą opinię wśród katolików. Nie zrównoważyło to jednak skutków sekularyzacji. Pod opieką Albrechta Hohenzollerna luteranizm stanął od razu silną stopą w Królewcu. Prusy Książęce stały się wkrótce centralą propagandy protestanckiej na całą północną Polskę i Litwę. Na niedawno założonym uniwersytecie królewieckim kształcili się masowo protestanci polscy. W Królewcu wydano pierwszą Biblię w języku polskim, stąd też rozchodziły się dziesiątki druków protestanckich po całej Koronie i Litwie.

Nawiasem mówiąc, o ile decyzja Zygmunta I w sprawie Prus Książęcych zapadła w okresie, gdy sprawa rozłamu w Kościele nie została definitywnie zdecydowana, o tyle nie mógł mieć podobnych wątpliwości Zygmunt August, gdy w 1561 r. w identyczny sposób rozwiązywał sprawę Inflant i umożliwiał ugruntowanie się luteranizmu w sekularyzowanym księstwie Kurlandii.

Stosunkowo bez poważniejszych oporów wprowadzony został luteranizm na Pomorzu zachodnim; ostatecznie został przyjęty przez tamtejszy sejm w 1534 r. Z większymi trudnościami spotkał się protestantyzm na Śląsku. Wprawdzie uzyskał tutaj zarówno poparcie większości mieszczan, jak i świeckich feudałów, m. in. opowiedzieli się za nim książęta piastowscy w Legnicy, Brzegu i Cieszynie, jednak opór władz habsburskich udaremnił pełny sukces luteranizmu w tej dzielnicy i doprowadził z czasem do trwałego podziału religijnego Ślązaków na protestantów i katolików. Podział ten dotyczył zarówno polskiej, jak i niemieckiej części ludności.

W każdym razie trwałym efektem rozprzestrzeniania się luteranizmu na ziemiach polskich było przyjęcie tego wyznania przez większość ludności polskiej mieszkającej w Prusach Książęcych i na Pomorzu Zachodnim oraz przez znaczną część ludności polskiej na Śląsku, zwłaszcza Dolnym. Jakkolwiek też nie można luteranom polskim na tym obszarze odmówić poważnej troski i skutecznych często zabiegów o podtrzymanie mowy i kultury ojczystej, przy późniejszych procesach integracyjnych narodu polskiego ten fakt religijnego wyodrębnienia oddziaływał wyraźnie hamująco, zwłaszcza gdy Niemcy starali się przekształcać luteranizm w narzędzie asymilacji i germanizacji.

Natomiast nie miały na tych obszarach sukcesów bardziej radykalne kierunki reformacji, chociaż zarówno wśród biedniejszych warstw w mieście, jak i na wsi dość prędko zorientowano się, że luteranizm wykorzystuje się do rozgrywek wśród klasy posiadającej. Stąd znajdowała, sporadycznie zresztą raczej, oddźwięk nauka anabaptystów czy unitarianów. Zwolenników jej spotyka się na Śląsku, w Kłodzkiem, a także w Prusach Książęcych. Jednakże ostre prześladowania, które ich dotykały, bezwzględne stłumienie powstania chłopów sambijskich w 1525 r. udaremniły szersze rozprzestrzenianie się tych kierunków.

Na terytorium państwa polskiego reformacja nie występowała początkowo zbyt śmiało. Zygmunt I prędko wypowiedział się przeciwko „nowinkom religijnym". W 1520 r. ukazał się jego pierwszy edykt zakazujący głoszenia nauki Lutra i wyjazdów za granicę do centrów objętych przez jego zwolenników. Kościół uzyskał prawo do cenzury prewencyjnej książek. Praktycznie nie wyciągano poważniejszych konsekwencji w stosunku do naruszających te zakazy, w każdym razie nie w stosunku do szlachty. Niemniej do 1543 r. mnożyły się edykty i zakazy hamujące jawne rozprzestrzenianie się reformacji. Przecież stale przenikali do Rzeczypospolitej działacze reformacji, a miasta pruskie, jak Gdańsk, Toruń czy Elbląg, były luterańskie na długo przedtem, zanim Zygmunt August zagwarantował im w latach pięćdziesiątych wolność wyznania luterańskiego. Podobną wolność uzyskały zresztą całe Prusy Królewskie w 1559 r. Szlachta wykorzystywała już za czasów Zygmunta I niejednokrotnie propagandę protestancką w celu podejmowania ataków na kler, jakkolwiek sama powstrzymywała się przed angażowaniem się po stronie reformacji.

c. *Walka o Kościół narodowy*

Od lat czterdziestych osłabły groźby i represje wobec protestantów. Ostatecznie dopiero śmierć starego króla ułatwiła rozprzestrzenianie się reformacji w Polsce. Zygmunt August był nastawiony o wiele bardziej tolerancyjnie do nowinek religijnych. Nie wahał się trzymać na swym dworze zdeklarowanych zwolenników reformacji — znalazł się między nimi nawet jego kaznodzieja. Wprawdzie jeszcze w 1550 r. ukazał się edykt królewski nakazujący szlachcie pod najwyższymi karami porzucenie wszelkich herezji, jednak do wykonania go już nie doszło. W tym czasie największe wpływy w Rzeczypospolitej zdobywał sobie kalwinizm.

Luteranizm, który utrzymał się ostatecznie głównie w miastach Prus Królewskich i zachodniej Wielkopolski, nie trafił szerzej do szlachty. Grupy jego zwolenników były nieliczne, dość rozproszone i poza Prusami Królewskimi pozbawione większych wpływów politycznych. Być może, doświadczenia najbliższego sąsiedztwa, brandenburskiego czy pruskiego, gdzie luteranizm wzmocnił władzę monarchy, budziły obawy przed podobnymi skutkami w Polsce. Nie przyjął się również wśród szlachty, poza Wielkopolską, umiarkowany husytyzm braci czeskich, których idee społeczne bliższe były plebejom.

Inaczej przedstawiały się możliwości kalwinizmu, który zdobył sobie zwolenników zarówno wśród szlachty, jak i pomiędzy magnatami. W ograniczonym zakresie wiązało się to z wprowadzeniem przez kalwinizm nowej, pełnej energii postawy życiowej. Tylko najświatlejsze umysły wśród mieszczan i szlachty poruszało racjonalistyczne jądro ukryte w tej nauce. Natomiast odpowiadały szlachcie demokratyczne tendencje kalwińskie (oczywiście z ograniczeniem ich do jednej warstwy szlacheckiej) i decentralistyczne założenia. Podobnie jak we Francji, kalwinizm miał sie stać czynnikiem scalającym opozycję przeciwko faktycznym czy urojonym tendencjom absolutystycznym dworu królewskiego, podkreślając potrzebę uzależnienia władzy państwowej od reprezentacji społeczeństwa i przyznając ostatniemu prawo oporu przeciwko nadużyciom władzy przez monarchę. Były to idee drogie szlachcie, stanowiące ideologiczne uzasadnienie jej aspiracji. W połowie XVI w. kalwinizm rozszerzył się dość szybko wśród szlachty, zwłaszcza w Małopolsce i na Litwie; przyłączyli się doń co poważniejsi magnaci. Powszechnie zamieniano kościoły na zbory, przestawano oddawać dziesięciny, lekceważono sądy kościelne. Nowe wyznanie starano się również narzucać poddanym, co dało jednak ograniczone rezultaty. Chłopi, jak o tym była mowa, częściowo zniechęceni przymusem, częściowo nie widząc w tym własnej korzyści, nie poparli reformacji. Jedynie w nielicznych ośrodkach, w Księstwie Zatorsko-Oświęcimskim i na Pogórzu Beskidzkim, ujawnili żywsze zainteresowanie „nowinkami religijnymi".

Kalwini nadali swemu wyznaniu zwartą organizację, a w 1552 r. wystąpili z projektem utworzenia polskiego Kościoła narodowego. W ten sposób doszłoby do podporządkowania Kościoła państwu, a zarazem stworzone by zostały dodatkowe przesłanki do wzmocnienia procesów integracyjnych w Rzeczypospolitej, Kościół narodowy miałby bowiem zjednoczyć wszystkie wyznania chrześcijańskie, łącznie z prawosławiem. Za wzorem Anglii zamierzano utrzymać dotychczasową hierarchię kościelną oraz większość obrzędów, głową Kościoła zostałby jednak monarcha, a najwyższą władzą sobór narodowy. Kalwini podjęli więc przygotowania do zjednoczenia kościołów protestanckich, nad czym pracował przybyły do Polski Jan Łaski, który poprzednio wyróżnił się jako wybitny działacz reformacyjny we Fryzji i w Anglii. Na sejmie 1555 r. posłowie wystąpili z propozycją zwołania soboru narodowego, który doprowadziłby do zakończenia rozbicia religijnego. Zarówno król, jak i biskupi katoliccy przyjęli tę propozycję. Zygmunt August wysłał do papieża posła, który domagał się zezwolenia tak na zwołanie soboru, jak i na odprawianie mszy w języku polskim, komunię pod dwoma postaciami i zniesienie celibatu księży. Postulaty te zostały odrzucone, po czym król zrezygnował z dalszych zabiegów.

Niemniej starania o utworzenie Kościoła narodowego miały pozytywne skutki dla samej reformacji. Już w 1551 r. biskupi musieli zgodzić się na zawieszenie jurysdykcji w sprawach wiary, którą z czasem formalnie przejął król. W latach 1563 - 1565 zniesiona została egzekucja starościńska dla sądów duchownych. Zapanowała więc tolerancja religijna. Ponadto osłabieniu uległo uzależnienie Kościoła polskiego od papieża. Znalazło to wyraz w zaprzestaniu płacenia świętopietrza i przekazaniu annat, czyli rocznych opłat z wakującego beneficjum, do dyspozycji monarchy. Nie zaprzestali również protestanci na późniejszych sejmach ataków na wyższy kler, co pewien czas ponawiali projekty stworzenia Kościoła narodowego, nigdy nie były one jednak tak bliskie realizacji, jak w 1555 r. Uderzający jest jednak przy tym brak zdecydowanych dążeń do konfiskaty dóbr kościelnych. W przeciwieństwie do sytuacji w krajach Europy Zachodniej sprawa ta nie odgrywała poważniejszej roli w wystąpieniach protestanckiej szlachty. Przyczyna takiej postawy nie została dotąd w pełni wyjaśniona przez historyków. Wysuwany argument, że w Polsce nie było „głodu ziemi" i że Kościół posiadał stosunkowo nieduży odsetek gruntów uprawnych (do 12%), nie jest przekonywający, gdy się zważy, że dobra kościelne skoncentrowane były w centralnej Polsce, w dogodnych dla produkcji rynkowej rejonach. W każdym razie fakt, że Kościół katolicki w Rzeczypospolitej wyszedł z krytycznego dla siebie okresu bez poważniejszych strat materialnych, niemało zaważył na późniejszych sukcesach kontrreformacji.

d. *Bracia polscy i walka o tolerancję religijną*

Wkrótce doszło zresztą do rozłamu w samym kalwinizmie. Obok szlachty skupiał on także elementy plebejskie, poczynając od średniego mieszczaństwa, a kończąc na grupkach chłopów. Nie były one zadowolone z umiarkowanego społecznie charakteru kalwinizmu, domagając się dalszej radykalizacji religii. Mimo pozornego demokratyzmu gmin kalwińskich, przewagę w nich miała szlachta, co także budziła niechęć innych warstw. Zresztą i pośród samej szlachty istniało ugrupowanie podkreślające konieczność walki z niesprawiedliwościami społecznymi.

Do rozłamu doszło na tle sporu o dogmaty. Poddany został zwłaszcza krytyce dogmat istnienia Trójcy św., przy czym dokonano rewizji interpretacji Biblii z pozycji zbliżonych do racjonalistycznych. Z nowymi poglądami teologicznymi związały się i radykalne postulaty społeczne. Pewien impuls do nich dały kontakty z anabaptystami, nie tyle na terenie samej Rzeczypospolitej, jakkolwiek i tutaj występowali oni sporadycznie, ile z gminami braci morawskich, anabaptystów, którzy usunięci z Rzeszy, znaleźli schronienie na Morawach. Tych „komunistów" morawskich odwiedzali związani z nurtem plebejskim reformatorzy polscy, jak Piotr z Goniądza, który za ich wzorem przypasał sobie drewniany miecz przy boku, by zamanifestować swą niechęć do wszelkich form przemocy. Nie bez znaczenia dla rozwoju arianizmu, jak nazywano nowy kierunek, był także wpływ braci czeskich oraz dzieł wielkich humanistów, zwłaszcza Erazma z Rotterdamu. Poglądy jego dały impuls do uformowania się postaw etycznych braci polskich. Wreszcie bezpośrednio na powstanie arianizmu polskiego oddziałali włoscy antytrynitarze, których część przybyła do Polski po spaleniu w Genewie Michała Serweta.

Dysputy między tym radykalnym skrzydłem reformacji, w którym rej wodzili duchowni (zwani tu ministrami) pochodzenia plebejskiego, a całym obozem protestanckim zaczęły się już w latach pięćdziesiątych. Dopiero jednak w 1562 r. doszło do rozłamu, który doprowadził do powstania zboru kalwińskiego, i mniejszego — ariańskiego. Skupili się w nim plebeje, mieszczanie, rzadziej chłopi; nie zabrakło jednak szlachty, nawet zamożnej. Także wśród niej bywały jednostki, które gorąco przejmowały się głoszonymi hasłami i usiłowały je wcielać w życie, jak Jan Niemojewski, który złożył sprawowany urząd, królowi oddał trzymane królewszczyzny, dobra dziedziczne sprzedał, by rozdać pieniądze ubogim, a sam został rzemieślnikiem. Większość tej szlachty usiłowała jednak godzić swe interesy klasowe z postulatami etycznymi głoszonymi przez arian i traktowała poddanych podobnie jak inni.

Podstawą ideologii społecznej arian była zasada, że wszyscy ludzie są braćmi, że nikt nie powinien korzystać z cudzej pracy ani z cudzej krwi. Konsekwencją takiego stanowiska były postulaty: odmawiania służby wojskowej czy państwowej, zwalniania chłopów z poddaństwa, wspólnego użytkowania ziemi. Wspomniany Piotr z Goniądza wypowiedział się w 1566 r. zdecydowanie przeciwko własności prywatnej i przeciw różnicom stanowym. Na synodzie w 1568 r. wzywano szlachtę, by wyrzekła się majętności, które jej przodkowie zyskali za wysługę wojenną, by je sprzedała, a pieniądze obróciła na ubogich. Najbardziej radykalni próbowali realizować utopijny komunizm. Na jego podstawach została zorganizowana założona w 1569 r. w Rakowie gmina ariańska, która zgromadziła rzemieślników, ministrów ariańskich i część szlachty. Uprawiano ziemię własnymi rękami, zajmowano się rzemiosłem albo poświęcano się pracy w szkolnictwie lub innej pracy umysłowej.

Wszelkie te zasady w różnym stopniu realizowane były przez członków zboru, zwłaszcza szlacheckich, którzy usiłowali osłabić bezkompromisowy radykalizm plebejski, nie zmieniali też zbytnio swego trybu życia. Nastąpił podział wśród braci polskich na skrzydło umiarkowane i radykalne. W końcu XVI w. zdecydowaną przewagę zdobyło pierwsze, zwłaszcza gdy przybyły z Włoch Faust Socyn zmodyfikował doktrynę społeczną i polityczną arian i nadał ruchowi większą spoistość organizacyjną. Niemniej radykalizm arianizmu w sprawach społecznych, niezależnie od sporów o dogmaty, powodował, że był on prześladowany i zwalczany nie tylko przez katolicyzm, ale i przez inne kierunki reformacyjne. Daremnie domagali się bracia polscy, żeby mówiąc słowami ich katechizmu „każdemu powinno być wolno sądzić o sprawach religijnych wedle własnego rozumu".

Niechętne arianom stanowisko protestantów polskich znalazło swe odbicie m.in. w ugodzie sandomierskiej. W 1570 r. doszło do zawarcia porozumienia w Sandomierzu, którego tekst przedstawiono sejmowi. Ugoda ta, która ku podziwowi całej Europy doprowadzała do kompromisu i współpracy między wyznaniami protestanckimi, objęła jednak tylko kalwinów, luteran i braci czeskich. Arianie nie zostali do niej dopuszczeni. Ugoda sandomierska miała zresztą charakter raczej obronny wobec nasilania się kontrreformacji. Wspomniane wyznania zobowiązywały się do odbywania wspólnych synodów, na których ustalanoby taktykę postępowania, dyskutowano nad sprawami szkolnictwa, moralności itp. Ugoda sandomierska stała się wzorem dla narastających w protestantyzmie europejskim tendencji irenistycznych. Była ona parokrotnie odnawiana i jakkolwiek od początków XVII w. osłabły związki między kalwinizmem a luteranizmem, do zasad ugody sandomierskiej powracali dysydenci polscy jeszcze w XVIII wieku. Podobnie bowiem jak tolerancja religijna, tak i tendencje irenistyczne były dość typowe dla postaw polskich protestantów. Jeszcze w połowie XVII w. myślano o pokojowym zjednoczeniu wszystkich wyznań. Cel taki przyświecał tzw. *colloquium charitativum* zorganizowanemu w Toruniu w 1645 r., nie bez inicjatywy Władysława IV, kiedy zjechali się na wspólne dysputy teologowie katoliccy z kalwińskimi i luterańskimi, bez większego zresztą rezultatu.

Ugoda sandomierska wzmocniła pozycję protestantów wobec katolicyzmu. Wprawdzie nie powiodła się polityka społeczna, zalecana na jednym z najbliższych wspólnych synodów, w 1573 r., który dla pozyskania chłopstwa wzywał do niepowiększania pańszczyzny i zahamowania dalszego ciemiężenia poddanych, lecz sukcesem skończyły się zabiegi o zapewnienie swobody i tolerancji religijnej. Zawiązując na sejmie konwokacyjnym 1573 r. generalną konfederację warszawską szlachta zagwarantowała sobie m.in. wieczny pokój między różniącymi się w wierze. Oznaczało to, że wszelkie spory religijne powinny być rozwiązywane w drodze pokojowej, że każdy szlachcic ma swobodę wyznawania religii. Ta tolerancja religijna, rzadkie zjawisko w podzielonej na zwalczające się obozy religijne ówczesnej Europie, objęła wszystkie wyznania, łącznie z braćmi polskimi. Protestanci mieli odtąd zapewnioną swobodę działania w zakresie spraw religijnych i w życiu politycznym. Nie oznaczała wszakże całkowitej wolności sumienia z prawem do odrzucania wszelkiej wiary. Ateizm, jak w całej Europie, był surowo karany.

Nie ma natomiast w nauce historycznej jednolitego stanowiska co do tego, w jakiej mierze tolerancja dotyczyła również mieszczan i chłopów. Dyskusyjne jest zwłaszcza, czy na wzór interim augsburskiego można było poddanym narzucać swoją religię. Tekst konfederacji nie jest w tej sprawie jasny. Wydaje się, że otwierała ona pod tym względem pewne możliwości, bo praktyka odnotowała nawet ze strony protestantów próby narzucania poddanym wyznania.

Ogólnikowość sformułowań konfederacji warszawskiej spowodowała zresztą w końcu XVI i w początkach XVII w. liczne zabiegi dysydentów o uściślenie zawartych w niej postanowień i lepsze zagwarantowanie ich realizacji. Starania te nie przyniosły jednak rezultatów.

Niemniej konferedacja warszawska była zaprzysięgana przez każdego nowo obranego monarchę i jakkolwiek nie zapobiegła fanatycznym poczynaniom kontrreformacji, to jednak ogólnie biorąc zapewniła w Rzeczypospolitej na dłuższy czas tolerancję religijną, w stopniu rzadko spotykanym w ówczesnej Europie. Warto się powołać przy tym na zdanie francuskiego historyka, specjalisty od zagadnień reformacji, Josepha Leclera, który pisał, że „sytuacja religijna w Polsce jest dla Europy z drugiej połowy XVI wieku zjawiskiem nieporównywalnym. Ten katolicki kraj stał się według powiedzenia kardynała Hozjusza przytuliskiem heretyków. Chroniły się w nim zwłaszcza sekty najbardziej radykalne, które ścigano i prześladowano we wszystkich krajach świata chrześcijańskiego. Anabaptyści oraz antytrynitarze cieszyli się w tym katolickim królestwie takim pokojem i wolnością, jakich nie znaleźli w żadnym innym kraju".

e. *Początki akcji kontrreformacyjnej*

W szczytowym okresie rozwoju reformacji w Rzeczypospolitej, w końcu XVI w., oblicza się liczbę zborów protestanckich (odpowiadających w pewnym przybliżeniu parafiom) na około tysiąca, przy czym blisko połowę stanowiły kalwińskie. W pół wieku później stan ten skurczył się o połowę — największe straty poniósł przy tym szlachecki kalwinizm i arianizm, gdy mieszczański luteranizm wyszedł bardziej obronną ręką. W jaki sposób do tego doszło, skoro w Polsce nie było ani wojen religijnych, ani państwo nie współdziałało z Kościołem w zwalczaniu innych wyznań, jak to bywało w innych krajach europejskich? Historycy nie wypowiedzieli się jednolicie w tej kwestii, wskazując raczej na różne czynniki, które o tym zdecydowały. Należał do nich przede wszystkim brak szerszego poparcia ze strony chłopów, a także mieszczan polskich, postawa królów, sprzyjających raczej katolicyzmowi, słabe w gruncie rzeczy zaangażowanie w sprawy religijne szlachty, która po uwolnieniu się od jurysdykcji kościelnej uznała swój program za zrealizowany w najważniejszym punkcie. Nie bez znaczenia było wewnętrzne rozbicie protestantyzmu i jego niezbyt sprawna organizacja. Szczególna rola przypadła wreszcie intensywnej akcji propagandowej, rozwiniętej przez polski Kościół katolicki.

Stosunkowo późne rozpowszechnienie się reformacji wśród szlachty polskiej spowodowało, że największy jej rozwój zbiegł się z początkami ruchu kontrreformacyjnego. Doprowadziło to do ożywionej i prowadzonej na wysokim poziomie walki ideologicznej między obu obozami, wpływającej twórczo na rozwój całego życia kulturalnego. Zarazem jednak Kościół katolicki mógł dokonać dość prędko reorganizacji swych sił i przejść do kontrofensywy, tym łatwiejszej, że mimo wysiłków obozu protestanckiego Kościół nie został pozbawiony ani większości swych zasadniczych przywilejów, ani bazy materialnej, jeśli pominie się opodatkowanie dziesięcin w 1563 r.

Palącą sprawą była wewnętrzna reforma Kościoła. Nieodzowne było podniesienie poziomu samego kleru, zaostrzenie wewnętrznej dyscypliny, by móc skutecznie oddziaływać na wiernych. Odpowiednie decyzje zapadły na soborze trydenckim (1545 - 1563), który nie tylko nadał kierunek akcji kontrreformacyjnej, ale i wytyczył drogę dalszej ewolucji Kościoła. Zakładała ona m.in. ścisłą kontrolę wewnętrzną organizacji kościelnej oraz rygorystyczną reglamentację postępowania wiernych. Ustawy soboru zostały przyjęte w Polsce przez ogólnokrajowy synod w 1577 r., chociaż już w 1564 roku opowiedział się za nimi synod archidiecezji lwowskiej. Faktycznie dopiero od synodu prowincjonalnego w 1589 r. zaczęto je wprowadzać w życie. Realizacja ich, jak w niektórych krajach europejskich, miała potrwać do XVIII w. Nie znaczy to, by już wcześniej nie podejmowano zabiegów o reformę wewnętrzną Kościoła. W 1551 r. na zlecenie synodu prowincjonalnego opracował biskup warmiński Stanisław Hozjusz katolickie wyznanie wiary „Confessio fidei catholicae christianae". Hozjusz należał jednak pod względem gorliwości religijnej do wyjątków wśród ówczesnych biskupów. Nie od nich też, ale od średniego kleru, zwłaszcza od kapituł, wychodził ruch reformatorski w polskim katolicyzmie. Według gruntownych badań Wiesława Müllera dopiero na przełomie XVI i XVII w. rządy diecezjami dostały się w ręce biskupów „reformatorów", w większości wykształconych w Rzymie. I dopiero w tym czasie zwiększa się liczba wizytacji kościelnych, synodów diecezjalnych, seminariów kształcących księży, zaostrza się dyscyplina kleru. Zbiega się to także z gwałtownym nasileniem akcji kontrreformacyjnej, rewindykacją kościołów i uposażeń parafialnych, wprowadzaniem powszechnej katechizacji, która ułatwiała uwydatnianie różnic między katolikami a innowiercami.

Główny ciężar propagandy kontrreformacyjnej spoczywał wszakże nie na klerze świeckim, ale na jezuitach. O sile tego zakonu decydowała prężna, scentralizowana organizacja oraz staranna selekcja kandydatów i ich przygotowanie do pracy. Z tych przyczyn dość wcześnie biskupi polscy podjęli starania o sprowadzenie jezuitów do Rzeczypospolitej, uwieńczone w 1564 r. założeniem dla nich przez Hozjusza pierwszego kolegium w Braniewie. W następnym roku Zygmunt August wziął jezuitów w opiekę. Do początków XVII w. jezuici posiadali już w Rzeczypospolitej 16 kolegiów i rezydencji, w których pracowało około 400 zakonników. Były one zakładane w większości wypadków w ośrodkach krzewiącego się protestantyzmu. W połowie XVII w. liczba kolegiów i rezydencji przekroczyła 40, a zakonników 1000. Wśród jezuitów polskich wielu było ludzi głęboko wykształconych, pochodzenia nie tylko szlacheckiego, ale i mieszczańskiego. Oblicza się, że w pierwszym pokoleniu jezuitów mieszczanie stanowili ponad 50% zakonników. Właśnie ci plebejskiego pochodzenia jezuici, wywodzący się z rodzin głęboko religijnych i tradycyjnie katolickich, należeli do najbardziej żarliwych.

Jezuici zdobyli sobie szybko poważne wpływy w państwie, zwłaszcza na dworze królewskim. Trafili także dzięki wszechstronnie dobieranym środkom oddziaływania do najszerszych warstw ludności. Dla pozyskania chłopów nie wahali się np. żądać ograniczenia wymiaru pańszczyzny do 3 lub 4 dni tygodniowo oraz ułatwienia poddanym opuszczania wsi. Równie dobrze zresztą umieli podburzać mieszczan przeciwko protestanckim bogaczom, jak pozyskiwać sobie szlachtę i magnatów. Kolegia ich, umiejętnie wykorzystujące zdobycze pedagogiki humanistycznej, zdobywały sobie łatwo słuchaczy. Dzięki nim katolicyzm mógł skutecznie rywalizować z najlepiej postawionymi szkołami protestanckimi. Duży wpływ mieli jezuiccy kaznodzieje oraz pisarze, wśród których nie brak tak wybitnych postaci, jak Piotr Skarga czy tłumacz Biblii Jakub Wujek.

Propaganda kontrreformacyjna starała się pozyskać posłuch przez wprowadzenie bogatszych środków oddziaływania niż te, które były stosowane dawniej przez katolicyzm czy protestantyzm. Posługiwano się zarówno żywym słowem (przez szkołę, kontakty osobiste czy z kazalnicy), jak i sztuką, muzyką, literaturą, teatrem itp. Pomocna była nowo wprowadzona metodyczna katechizacja, rekolekcje, nabierające znów znaczenia procesje, pielgrzymki, kult świętych, który tworzył zalecane przez Kościół wzorce postępowania, np. św. Izydora dla rolników czy św. Stanisława Kostki dla młodzieży. W miarę rozwoju polskiej świadomości narodowej i kultury nasilał się również proces polonizacji katolicyzmu, tolerowany przez Kościół. Wzrastała rola elementów ludowych w obrzędowości, starano się przybliżyć świat wierzeń i pojęć religijnych do mentalności i warunków życia ówczesnej Polski. Kontrreformacja — jak wykazał Janusz Tazbir — „postulatom kościoła narodowego przeciwstawiła dalsze unarodowienie katolicyzmu, który w ciągu XVII stulecia stał się bardziej rodzimym niż przez kilka poprzednich wieków".

Szczytowy moment nasilenia propagandy kontrreformacyjnej w Polsce przypadł na przełom XVI i XVII w. Na tronie zasiadł wtedy Zygmunt III, który opierając się na kontrreformacji usiłował wzmocnić prerogatywy władzy monarszej. Współdziałał więc blisko z popierającymi jego dążenia jezuitami oraz grupą biskupów „reformatorów". Już w 1592 roku została przywrócona egzekucja starościńska przy sądownictwie kościelnym, co ułatwiało akcje rewindykacyjne. Na wyższe urzędy starał się król powoływać tylko katolików. W miastach zaczęły się mnożyć, chyba nie bez inspiracji jezuickiej, tumulty antyprotestanckie, które doprowadziły do burzenia zborów w Poznaniu, Krakowie, Lublinie. Decydująca w tym okresie próba sił, rokosz sandomierski, nie odbyła się wszakże pod znakiem antagonizmów religijnych, jakkolwiek protestanci poparli masowo opozycję antykrólewską. Powstrzymało to Zygmunta III przed podobną rozprawą z protestancką szlachtą, jaką w tym czasie zaprezentowali Habsburgowie austriaccy w walce z protestanckimi stanami. Niemniej losy polskiej reformacji zostały wtedy przesądzone. Właśnie na początek XVII w. przypada wielka fala powrotów szlachty do katolicyzmu, której nie udało się już zahamować.

f. Unia brzeska i jej skutki

Jak słusznie podniósł ostatnio Paweł Skwarczyński, jedną z przyczyn ostatecznego niepowodzenia reformacji na ziemiach Rzeczypospolitej było również niepodjęcie przed końcem XVI w. współpracy między protestantyzmem a prawosławiem. Inicjowane w tym kierunku próby nie przyniosły poważniejszych rezultatów. Wprawdzie Kościół prawosławny także przechodził kryzys wewnętrzny, ale rozwiązania go upatrywano bądź to w odwołaniu się do własnych tradycji, bądź w nawiązaniu do podejmowanych nie tak dawno prób unii z katolicyzmem. Postulaty reformacji były bowiem już w jakiejś mierze na terenie prawosławia zrealizowane (małżeństwo księży, komunia pod dwoma postaciami, język narodowy w nabożeństwach). Nieprzypadkowo też spotkać się można na terenach wschodnich z innym zjawiskiem — przyjmowaniem wyznania protestanckiego przez szlachtę czy magnatów prawosławnych. Dla wielu z nich była to, jak się okazało, droga do katolicyzmu.

W tej sytuacji nie może budzić zdziwienia doprowadzenie w Rzeczypospolitej do unii katolicyzmu z Kościołem prawosławnym, do unii brzeskiej. Zabiegi o nią były zarówno wynikiem starań Rzymu o podporządkowanie sobie „schizmatyków", jak i obawy przed dalszym uzależnieniem biskupów prawosławnych od patriarchy konstantynopolitańskiego, co mogło pociągnąć za sobą groźne skutki wobec zaostrzającego się konfliktu z Turcją. W jeszcze wyższym stopniu możliwość wykorzystania prawosławia dla obcych celów politycznych spotęgowało powołanie patriarchatu moskiewskiego (1589). Nie bez znaczenia były i osobiste nadzieje Zygmunta III, że przez unię z prawosławiem wzmocni swą pozycję w Rzeczypospolitej przez skupienie swych zwolenników w jednym kościele. Wydaje się natomiast, że zarówno szlachta polska, jak i większość kleru katolickiego odnosiła się do tego projektu dość obojętnie, jakkolwiek rozbudowujący na wschodzie swe latyfundia magnaci czy działająca tam szlachta katolicka mogli przypuszczać, że w ten sposób uzyskają pełniejsze podporządkowanie sobie prawosławnych poddanych. W samym Kościele wschodnim znajdowali się zarówno zwolennicy, jak i przeciwnicy unii. Właśnie w toku rokowań brzeskich na protestanckim synodzie w 1595 r. zjawili się pierwszy raz przedstawiciele prawosławia, inicjując współdziałanie z protestantami na gruncie ugody sandomierskiej.

Unia brzeska, ogłoszona uroczyście w październiku 1596 r., nie doprowadziła do całkowitego połączenia się obu wyznań, ale do utworzenia na ziemiach Rzeczypospolitej obok dotychczasowego obrządku rzymskokatolickiego także tzw. obrządku greckiego, który zachował pewne odrębności Kościoła wschodniego, uznając jednak władzę papieża. Reformy tej nie przeprowadzono w pełni, nie doszło do zrównania obu obrządków w prawach, m.in. nie dopuszczono biskupów greckokatolickich, czyli jak ich odtąd nazywano unickich, do senatu. W ten sposób już w swym założeniu unia nie spełniała zasadniczych nadziei, które mogli z nią wiązać wyznawcy, zwłaszcza szlacheccy, Kościoła wschodniego.

Z punktu widzenia interesów Rzeczypospolitej unia brzeska wpłynęła tylko na pogłębienie się rozbicia religijnego w państwie i spowodowała silny wzrost antagonizmów religijnych na obszarach zamieszkanych w większości przez ludność białoruską i ukraińską. Gdy antagonizmy te połączyły się z przeciwieństwami klasowymi i narodowościowymi, zaostrzyło to niesłychane walki wewnętrzne w Rzeczypospolitej, przyczyniając się do podważenia jej potęgi. Już bowiem w toku rokowań w Brześciu okazało się, że przeważająca grupa przedstawicieli Kościoła wschodniego jest przeciwna unii. Wystąpiło przeciwko niej duchowieństwo zakonne, większość mieszczaństwa, a także znaczna część szlachty, zwłaszcza z terenów Korony. Negatywne stanowisko wobec unii zajęły bractwa cerkiewne, będące głównym czynnikiem reformy wewnętrznej w Kościele wschodnim w Rzeczypospolitej Bractwa te, które rozwinęły się pod koniec XVI w., pełniły funkcje organizatora ludności prawosławnej.

Za unią opowiedziała się natomiast większość biskupów Kościoła wschodniego oraz podporządkowany im kler świecki. Oni też zostali uznani przez Zygmunta III za jedyne legalne władze Kościoła wschodniego. Przeciwnikom unii, zwanym dyzunitami, król odmawiał praw do posiadania własnej organizacji kościelnej. Walkę o przywrócenie praw podjęła szlachta prawosławna kierowana przez ks. Konstantego Ostrogskiego. Pod jej naciskiem przyjęte zostały konstytucje sejmowe (w 1607 i 1609 r.), które przywróciły prawa prawosławiu i jego wyznawcom. Poważniejsze trudności napotkało odtworzenie wyższej hierarchii kościelnej. Walka o nią przeszła od szlachty i magnatów, którzy coraz częściej przechodzili na unię lub katolicyzm, w ręce mieszczaństwa, zorganizowanego we wspomniane wyżej bractwa, oraz Kozaków, którzy zdecydowanie opowiedzieli się za pełną restytucją prawosławia. Wprawdzie przeprowadzone w 1620 i 1621 r. tajne wyświęcanie biskupów prawosławnych nie zostało uznane przez władze Rzeczypospolitej, jednak w czasie elekcji Władysława IV zobowiązał się on wznowić prawosławną metropolię kijowską i inne biskupstwa oraz zapewnić tak prawosławnym, jak i unitom swobodne wyznawanie wiary.

Przyznane dyzunitom prawa zostały zatwierdzone przez sejm w 1635 r. i od tego momentu nastąpił legalny podział Kościoła wschodniego w Rzeczypospolitej na dwie równorzędne metropolie. Stan taki, jakkolwiek miał się utrzymać do końca XVII w., budził poważne zastrzeżenia z obu stron, przy czym na razie bardziej ofensywny był Kościół prawosławny dążąc nadal do likwidacji unitów. Prawosławny metropolita kijowski Piotr Mohyła przyczynił się do znacznego wzrostu poziomu kleru, zorganizował w Kijowie akademię, której wychowankowie mieli z czasem wpłynąć na reformę Kościoła prawosławnego w Rosji. Walka między unitami i dyzunitami o prymat na wschodnich terenach Rzeczypospolitej ciągnęła się jeszcze w XVIII w.

Mimo sukcesów kontrreformacji nie udało się jej więc doprowadzić do zjednoczenia religijnego Rzeczypospolitej. Jakkolwiek w połowie XVII wieku olbrzymią większość ludności polskiej i litewskiej stanowili katolicy, w miastach Pomorza i Wielkopolski poważną siłę reprezentowali nadal protestanci, zwłaszcza luteranie, a na wschodnich obszarach państwa utrzymywał się podział na unitów i dyzunitów. Tego rodzaju podział religijny był nie do uniknięcia w państwie wielonarodowościowym, jakim była Rzeczpospolita polsko-litewska. Niebezpieczne dla państwa było natomiast zaostrzanie się związanych z tym przeciwieństw i narzucanie rozwiązań, których realizacja przekraczała jego możliwości.

5. Rozkwit kulturalny

a. Kultura polska między Wschodem a Zachodem

Świetność „złotego wieku" przejawia się najdobitniej nie tyle w rozwoju gospodarczym, jaki przeżywała Polska w XVI w., czy w znaczeniu politycznym, które zyskała sobie w Europie, ile w rozkwicie kulturalnym. Polska stała się jednym z czołowych ośrodków kultury Odrodzenia.

Odrodzenie przeżywała Polska jako aktywny członek wielkiej wspólnoty społeczności europejskiej: nie tylko przyswajając sobie zdobycze innych, ale i wzbogacając je własnymi osiągnięciami oraz zabarwiając je rodzimym kolorytem. Podobnie jak inne narody, najwięcej czerpała Polska z Odrodzenia włoskiego. Wielu Polaków jeździło do Włoch — tam kierował się główny nurt podróży zagranicznych, na włoskie uniwersytety zapisywała się licznie młodzież polska — i to nie tylko w celu zdobycia wiedzy, ale i w celu zaznajomienia się z całym tamtejszym życiem. Także nad Wisłę przybywało wielu artystów i myślicieli włoskich, współdziałając z Polakami nad uformowaniem nowych poglądów (co szczególny wyraz znalazło w arianizmie) i nadawaniem nowych kształtów dziełom sztuki. Pisarze szukali źródeł natchnienia we włoskiej literaturze, mężowie stanu znajdowali wzorce w ówczesnych republikach włoskich, zwłaszcza w Rzeczypospolitej Weneckiej. Zresztą i ustrój Polski budził żywe zainteresowanie we Włoszech, a książęta włoscy wysuwali swe kandydatury do tronu Rzeczypospolitej.

Stosunki z Włochami, choć i poprzednio żywe, nie były nigdy dotąd tak masowe. Mimo odległości między obu krajami, odmienności ludzi i obyczajów, nawiązała się właśnie wtedy mocna nić, która miała odtąd łączyć oba narody. Przez dwór królewski, zwłaszcza obu ostatnich Jagiellonów, przez dwory magnatów i szlachty czy patrycjuszy rozpowszechniała się moda naśladowania Włochów we wszystkich dziedzinach życia. Ten wpływ włoski, który utrzymywał się i w XVII w., miał swe dodatnie i ujemne strony, na które skarżyli się i współcześni. Z pozytywnych najważniejsze było porzucenie pośredników, którzy dotąd często oddzielali Polskę od świata zachodniego, i zdobycie umiejętności czerpania doświadczeń bezpośrednio ze źródeł zasilających rozwój kultury europejskiej.

W tych warunkach zmniejszyła się rola Niemiec i Czech, niegdyś przemożna. Mniej więcej w połowie XVI w. kończy się wpływ literatury czeskiej na polską, która dotąd była bardzo zależna od czeskiej. Odkąd Czechy znalazły się pod panowaniem habsburskim, związki kulturalne z nimi osłabły, by w toku wojny trzydziestoletniej, tak katastrofalnej dla tego kraju, ulec całkowitemu niemal przecięciu. Kontakty z Niemcami, z ich silnymi ośrodkami humanistycznymi i reformacyjnymi, nie ustają, tracą jednak swą poprzednią intensywność. Coraz mniej Polaków wyjeżdża na studia do Niemiec, podobnie też coraz mniej Niemców studiuje na Akademii Krakowskiej. Kończy się poważniejsza migracja niemiecka do Polski. Pod tym względem wiek XVI stanowił prawdziwy przełom. Pod koniec tego wieku przemiany kulturalne, jakie przeżywała Polska, skierują ku niej znów oczy Niemców, ale będą to przybysze zaciekawieni rozwojem polskiego arianizmu czy też wielbiciele literatury polskiej, która stała się w XVII w. jednym ze źródeł natchnienia dla niemieckich poetów, zwłaszcza ze Śląska. A gdy w toku wojny trzydziestoletniej przybysze z Niemiec znów pojawili się w Rzeczypospolitej, ściągały ich tolerancja, dobrobyt i spokój, które niejednemu zapewniły możliwość twórczej pracy.

Pozostawała Polska wszakże stale jednym z europejskich łączników między Zachodem a Wschodem. Związana z tym działalność kulturalna zarówno w XVI, jak i XVII w. jest znana niestety dość jednostronnie. Dawniej historycy rozpatrywali ją głównie z punktu widzenia tzw. „misji cywilizacyjnej" Polski na Wschodzie, która miała polegać na przekazywaniu zdobyczy kultury zachodnioeuropejskiej bądź to ludności, która znalazła się w granicach Rzeczypospolitej, bądź jej sąsiadom wschodnim. Nie negując historycznej roli, jaką pod tym względem spełniła Polska zwłaszcza w XVI i XVII w., trudno byłoby akceptować interpretację tego rodzaju procesu jako jednokierunkowego. O tym, że tak nie było, świadczy choćby rozwój sztuki polskiej okresu Odrodzenia i szczególnie Baroku, kiedy dokonuje się na ziemiach Rzeczypospolitej swoiste stopienie elementów sztuki Zachodu i Wschodu. Wiele mówi także fakt, że dzieła polskich geografów czy historyków były jednym z najważniejszych dla Europy Zachodniej źródeł wiedzy o europejskim Wschodzie. Dotychczasowe badania nie wyjaśniają jednak w sposób pozwalający na uogólnienia ani roli ludności z ziem wschodnich Rzeczypospolitej w tworzeniu wspólnej dla całego państwa kultury doby Odrodzenia czy Baroku, ani oddziaływania na Polskę kultury jej wschodnich sąsiadów. Dostrzeżona przez niektórych badaczy, zwłaszcza Tadeusza Mańkowskiego, orientalizacja gustów i smaków artystycznych w Polsce XVII w. wskazywałaby na wzrost w ciągu omawianego okresu znaczenia wzorów płynących ze Wschodu.

b. *Odrodzenie i wczesny Barok*

Omawiany okres nie stanowi w dziejach kultury jednolitej epoki. Obejmuje bowiem z jednej strony prawie cały okres polskiego Odrodzenia, z wyjątkiem jego fazy wstępnej, przypadającej na koniec XV w., a z drugiej dobę wczesnego Baroku, który jako kierunek dominujący w kulturze będzie trwał do połowy XVIII w. Wytyczenie granicy między tymi dwoma epokami nie jest zadaniem łatwym i wywołuje do ostatnich czasów dyskusje między specjalistami. W nauce historycznej w Polsce Ludowej początkowo przeważała tendencja do przesuwania granicy końcowej Odrodzenia w XVII wiek, po lata dwudzieste, czy nawet dalej. Wiązało się to z wąskim i dość negatywnym spojrzeniem na Barok. Z czasem jednak zaczęły się budzić wątpliwości przeciwko takiej cezurze i ostatnio wysuwa się lata osiemdziesiąte XVI w. jako datę graniczną (Czesław Hernas).

Już te różnice w ocenach pozwalają spojrzeć na przełom XVI i XVII w.

jako na epokę przejściową, w której elementy obu wielkich kierunków kulturalnych występują obok siebie albo się przeplatają. Barok przy tym nie wyodrębnił się, jak to się niekiedy zdarza, na zasadzie podkreślania i wyolbrzymiania przeciwieństw, dzielących go od poprzedniej epoki. Można powiedzieć, że wyłonił się w jakiś sposób z Odrodzenia, starając się kontynuować osiągnięcia tej epoki, ale zarazem powiązać je z tym, co ówcześni ludzie uważali za najważniejsze w dorobku średniowiecza.

W Polsce, gdzie Odrodzenie zaczęło się stosunkowo późno, uległo ono swoistej kumulacji, nawarstwiając tendencje i kierunki, które w innych krajach rozkładały się na dłuższe okresy. Rezultatem była niesłychana, jak na stosunkowo krótki okres rozkwitu, bujność kultury renesansowej oraz jej żywotność w momencie, gdy już zaczął kształtować się Barok. Wszystko to pozwala na zbliżenie i wspólne rozpatrywanie czasów Odrodzenia i wczesnego Baroku, jakkolwiek trzeba pamiętać o różnicach w spojrzeniu na świat i w rozwiązaniach formalnych dzielących te epoki. W Polsce wiązała je wreszcie nieprzerwana erupcja talentów i twórczości, łącząc w wielką epokę rozkwitu kultury staropolskiej.

Odrodzenie było okresem, który zrywał z pojęciem hierarchicznego i jednolitego układu świata, akceptowanym w dobie średniowiecza, i starał się odkryć odrębności jednostki ludzkiej wobec otaczającego ją świata przyrodzonego i nadprzyrodzonego, umożliwiając w ten sposób pełnię rozwoju indywidualności ludzkiej i uzasadniając przodujące miejsce człowieka we wszechświecie. Oparcie dla tych starań miał stanowić renesans kultury starożytnej, uchodzącej za szczytowe osiągnięcie ludzkości. Do antyku sięgano więc bezpośrednio, pomijając Kościół czuwający w średniowieczu nad recepcją wzorów starożytnych, czy wprost przeciwstawiając się próbom ingerencji z jego strony. W antyku znaleziono ideał klasycznego piękna, harmonii i jasności, który przyświecał wszelkiej twórczości renesansowej. Wiedza, udoskonalona przyswojeniem sobie metod zaczerpniętych z najlepszych wzorów antyku, doprowadziła do podważenia panujących poprzednio kryteriów wartości postępowania ludzkiego, wysuwając nowe wzorce etyczne, w których wykorzystanie życia w celu uwydatnienia tkwiących w człowieku możliwości znalazło się na pierwszym miejscu. Opadły rygory, jednostka uzyskała niebywałą od stuleci swobodę wypowiadania poglądów i poczynań.

Szczególna rola w tych warunkach przypadła humanistom, którzy pierwsi w swych dążeniach do zapewnienia swobody i rozwoju myśli ludzkiej zaczęli przeciwstawiać autorytety starożytności autorytetom średniowiecznej scholastyki. W Polsce humanizm zaczął się rozwijać w XV w. Wielu humanistów skupiło się wokół Akademii Krakowskiej i dworu królewskiego. Tworzyły się koła literacko-naukowe. Do najwcześniej powstałych należało koło literackie na dworze arcybiskupa lwowskiego Grzegorza z Sanoka. Później założył podobne koło w Krakowie Kallimach, a wkrótce po nim niemiecki humanista Konrad Celtis zorganizował pierwsze w tej części Europy humanistyczne towarzystwo literackie Sodalitas Litteraria Vistulana. Wiele podobnych kół istniało w Polsce w ciągu XVI w. Do ważniejszych należało koło naukowe Jerzego Joachima Retyka, matematyka i astronoma, oraz Andrzeja Dudycza, działające w Krakowie w latach 1554 - 1575.

Nie należy sądzić, by krąg humanistów był liczny w ówczesnej Polsce. Był natomiast dość zróżnicowany społecznie, obejmował zarówno szlachtę, jak i mieszczan, pisarzy, uczonych, artystów, ale także mecenasów nauki i sztuki, zainteresowanych antykiem, gruntownie wykształconych, próbujących parać się piórem czy przynajmniej utrzymujących korespondencję z humanistami w całej Europie, którzy tworzyli jedną społeczność, ogarniętą podobnymi celami. Wielki wpływ na nich wszystkich zdobył sobie zwłaszcza Erazm z Rotterdamu, którego dzieła były czytywane i komentowane przez cały XVI w.

Gdy do głosu doszła w Polsce druga generacja twórców renesansowych, która zdolna była — po tym pierwszym okresie asymilacji antyku — położyć większy nacisk na rozwój pierwiastków narodowych, Odrodzenie europejskie znalazło się już w swej fazie schyłkowej. Reformacja i kontrreformacja nie tylko doprowadziły do rozbicia wewnętrznego wśród humanistów, ale i starały się ponownie podporządkować antyk doktrynie chrześcijańskiej. Następował kryzys świadomości społecznej, konieczność ponownej weryfikacji stosunku do świata. Nadzieje, które obudził Renesans co do możliwości samodzielnej, racjonalistycznej interpretacji pozycji człowieka we wszechświecie, okazały się przedwczesne. Nieosiągalna stała się realizacja wizji harmonijnego rozwoju człowieka na zasadzie godzenia wartości ziemskich i wiecznych. Budziła się potrzeba stworzenia nowego systemu wartości, choćby u podstaw jego miały znów znaleźć się przesłanki religijne, a nad wcielaniem go w życie miał czuwać Kościół. Ale godząc się i przyjmując dyrektywy Kościoła, czyż można było przejść do porządku nad wszystkim, co ożywił i pobudził Renesans? Konflikt wewnętrzny jednostki, która w dogmatyzmie usiłuje znaleźć rozwiązanie trapiących ją sprzeczności, leży u podstaw twórczości barokowej, zwłaszcza w jej wczesnym okresie. Stąd bierze się w poważnej mierze wielokierunkowość proponowanych rozwiązań, stąd poszukiwanie skomplikowanej, wymyślnej czy udziwnionej formy.

W Polsce te wewnętrzne wątpliwości i rozdarcia barokowych twórców występowały przez pewien czas jeszcze równolegle z twórczością kontynuatorów renesansowego klasycyzmu. Ani jedno, ani drugie nie odpowiadało kontrreformacji, której zwycięstwo ograniczyło w końcu możliwości swobody twórczej. Oczyszczając programy szkolne ze sprzecznych z doktryną dzieł antycznych, wprowadzając indeks książek zakazanych (w Polsce od 1617 r.), zaostrzając działalność cenzury kościelnej, nie cofając się przed paleniem potępianych dzieł, Kościół prostował kręte ścieżki twórców wczesnego Baroku. W połowie XVII w. Rzeczpospolita była już mocno zakotwiczona na stojących wodach sarmatyzmu i zelotyzmu religijnego.

W pierwszej połowie XVII w. zarysował się ponadto niebezpieczny dla rozwoju kulturalnego kraju podział. O ile w dobie Odrodzenia można mówić o formowaniu się kultury ogólnonarodowej przy współudziale szlachty i mieszczan, których jako twórców nie dzieliły poważniejsze różnice, o tyle już z końcem XVI w. uwydatnia się kształtowanie kręgów kulturowych związanych nie tylko z różnymi dzielnicami, ale i z pochodzeniem społecznym twórców. Powstają odrębne kultura mieszczańska i kultura szlachecka, których drogi rozchodzą się wyraźnie. Jeżeli uwzględni się przy tym istnienie chłopskiej kultury ludowej z jej zróżnicowaniem regionalnym i samoistnymi tendencjami rozwojowymi, dość luźno powiązanymi z ogólnymi kierunkami przemian kulturalnych, trudno nie dostrzec, że to różnicowanie się kulturalne musiało hamować proces integracji narodowej, stosunkowo silny w dobie Odrodzenia.

c. *Upowszechnienie czytelnictwa i oświaty*

O rozwoju kultury decyduje nie tylko krąg jej twórców, ale i odbiorców. I pod tym względem nastąpiły w omawianym okresie wyraźne zmiany, które przejawiły się w znacznym powiększeniu tej grupy. Zasadnicze ułatwienie w rozprzestrzenianiu się nowych zdobyczy kulturalnych stanowił wynalazek druku, który wielokrotnie poszerzył krąg czytelników. Pierwsze oficyny drukarskie założono w Krakowie w 1473 r. Po polsku pierwsze słowa wydrukowano jednak we Wrocławiu w 1475 r. w oficynie Kaspra Elyana. Ostatecznie głównym ośrodkiem drukarstwa polskiego stał się Kraków, gdzie w końcu XVI w. działało 8 oficyn drukarskich. Wysoki poziom utrzymywały również drukarnie gdańskie i toruńskie, a także założona w końcu XVI w. akademicka drukarnia w Zamościu. Oblicza się, że na przełomie XVI i XVII w. działało w Rzeczypospolitej około 20 drukarń. Ważną rolę w rozwoju piśmiennictwa polskiego odegrały także drukarnie królewieckie. W pierwszej połowie XVII w. stan ten nie uległ jeszcze poważniejszym zmianom; na podkreślenie zasługuje wszakże zwiększenie się wtedy liczby drukarń kościelnych, szczególnie zakonnych, które powoli zaczęły wypierać prywatnych drukarzy.

Oficyny drukarskie bywały różnej wielkości. Liczba ich publikacji waha się od kilkudziesięciu do kilkuset w toku całej działalności. Nakłady nie bywały wysokie, wyjątkowo sięgały 1000 egzemplarzy. Mimo to książka docierała coraz szerzej, przestała być monopolem kleru czy bogatej szlachty. Powstawały biblioteki. Bogate księgozbiory posiadała Akademia Krakowska, król Zygmunt August, ale i w mniejszych dworach, w szkołach, nawet w domach mieszczańskich uczono się gromadzić książki.

Wzrosło także upowszechnienie oświaty. Wbrew stanowisku dawniejszych historyków, którzy gotowi byli widzieć w początkach XVI w. pewien regres w stosunku do XV w., w świetle ostatnich badań, zwłaszcza Eugeniusza Wiśniewskiego, można przyjąć, że w początkach wieku liczba szkół parafialnych była wysoka, a na przełomie XVI i XVII w. pokrywała się niemal z liczbą parafii. Niewątpliwie szkoły tego typu istniały w każdym miasteczku. Dzięki temu szkoły stały się bardziej dostępne dla wszystkich warstw, jakkolwiek chyba najwięcej skorzystali na tym mieszczanie. Poziom tych szkół był bardzo nierówny i na ogół nie wychodziły one poza naukę pisania, czytania i rachowania. Czy w rezultacie tego rozwoju szkolnictwa można przyjąć, że ten zakres wiedzy zdobywało w Polsce około ¼ ludności męskiej, jak sugeruje Andrzej Wyczański, nie jest pewne. Niemniej można się zgodzić, że w XVI w. nastąpił stosunkowo poważny jak na te czasy spadek liczby analfabetów.

W miastach zaznaczyły się też dążenia do zmiany programu szkół i przystosowania ich do nowych osiągnięć wiedzy o człowieku i świecie. Już w początkach XVI w. powstały nowe szkoły o poziomie akademickim, jak Akademia Lubrańskiego, założona w Poznaniu w 1519 r. Dalszy impuls dała reformacja, która kształcenie młodzieży uznała za jeden z najlepszych sposobów pozyskiwania sobie zwolenników. Do najwcześniejszych szkół związanych z reformacją należało gimnazjum w Pińczowie, początkowo kalwińskie (1551), później ariańskie. Była to właściwie pierwsza w Polsce średnia szkoła humanistyczna. W ślad za nią powstały inne szkoły protestanckie. Założono gimnazja luterańskie w Gdańsku (1558) i w Toruniu (1568), które wkrótce osiągnęły wysoki poziom i ściągały uczniów nie tylko z Rzeczypospolitej, ale i z okolicznych krajów. Masowo kształciła się np. w Toruniu w XVII w. protestancka młodzież Śląska. Europejski rozgłos zdobyła sobie szkoła ariańska w Rakowie, zwana Atenami Sarmackimi: rektorowali jej znakomici arianie, Polacy i Niemcy, do zamknięcia przez sejm w 1638 r., spowodowanego profanacją krzyża przez uczniów tej szkoły. Równie wybitną pozycję w dziejach szkolnictwa zdobyła sobie prowadzona przez braci czeskich szkoła w Lesznie. Rektorował jej m.in. wielki pedagog czeski, Jan Ámos Komenský, który tu wcielał swe nowatorskie pomysły pedagogiczne i tu wydał swój pierwszy elementarz *Janua linguarum reserata* (1631). Szkoła w Lesznie upadła w czasie najazdu szwedzkiego, gdy w 1656 r. Leszno zostało odebrane z rąk szwedzkich, a sam Komenský, związany z królem szwedzkim Karolem X Gustawem, musiał opuścić Rzeczpospolitą.

Stosunkowo szybko katolicyzm zaczął przeciwdziałać skupianiu się zdolniejszej młodzieży w szkołach protestanckich. W 1590 r. jezuici mieli już 11 kolegiów, rozrzuconych po całej Rzeczypospolitej. Do połowy XVII w. liczba ich, jak wiadomo, zwiększyła się niemal czterokrotnie. Były one nastawione na kształcenie przede wszystkim młodzieży szlacheckiej (ale z wszystkich warstw szlachty), w mniejszym stopniu mieszczańskiej. Dzięki humanistycznym programom nauczania, stosunkowo nowoczesnym podręcznikom, dobrym nauczycielom stały się one wkrótce groźną konkurencją dla szkół protestanckich. Jak szybko wzrastała liczba uczniów, może świadczyć fakt jej podwojenia w kolegium poznańskim i wileńskim między 1573/1574 a 1590 r. (z 300 do 600).

Nie pozostawała obojętna wobec szkolnictwa średniego również Akademia Krakowska. Założyła ona rodzaj gimnazjów, tzw. kolonie akademickie, w których przygotowywano młodzież do studiów uniwersyteckich, prowadząc zajęcia oparte na programie humanistycznym. Szkoły te, działając m.in. w samym Krakowie (Gimnazjum Nowodworskiego), Gnieźnie, Tucholi, Białej Podlaskiej, miały dobrych nauczycieli i cieszyły się niezłą frekwencją, przyciągając uczniów pochodzenia tak szlacheckiego, jak i mieszczańskiego. Założenie tych szkół było w niemałej mierze wynikiem konkurencji między Akademią Krakowską a jezuitami.

Uniwersytet Krakowski przeżył okres swej świetności na przełomie XV i XVI w. Wysoki poziom krakowskiej matematyki, astronomii i geografii ściągał do Akademii nie tylko liczną młodzież z kraju, ale i ze Śląska, z Niemiec, Czech, Węgier, Słowacji. Wielu profesorów związało się w tym czasie z humanizmem, a wykłady, wprowadzające nowe elementy do nauki języka łacińskiego, literaturę rzymską i grecką, język grecki, a nawet hebrajski cieszyły się dużym zainteresowaniem. Rozwój ten uległ zahamowaniu w czwartym dziesięcioleciu XVI w. Na uniwersytecie zaczęły przeważać tendencje zachowawcze, ograniczano zakres przedmiotów humanistycznych. Mimo to frekwencja uczniów nadal była duża, w tym zwiększał się udział dzieci mieszczańskich. Można śmiało powiedzieć, że cała niemal elita kulturalna i polityczna Polski XVI w. przeszła przez studia w Akademii Krakowskiej. Zmniejszyła się jednak liczba cudzoziemców, nie zabiegano także o tytuły naukowe, do których potrzebne były studia scholastyczne. Przez całą drugą połowę XVI w. toczyła się walka o gruntowną reformę studiów, myślano o sprowadzeniu wybitnych specjalistów z zagranicy, zwłaszcza z Włoch, zresztą i wśród profesorów krakowskich nie brakowało ludzi śledzących rozwój nauki i nie naginających się do narzuconych schematów myślenia. Skończyło się na połowicznych reformach, które wprawdzie uzupełniły dotychczasowe kadry nowymi, ale nie zapobiegły temu, że w 1603 r. uczelnia krakowska wróciła znów do metod średniowiecznych w zakresie filozofii i teologii. W niewielkim też zakresie udało się podnieść niewystarczające uposażenie Akademii. Traciła ona zresztą na znaczeniu, gdyż w XVII w. coraz mniej synów magnatów i bogatej szlachty przybywało w jej progi.

Kłopoty Uniwersytetu Krakowskiego zamierzali wykorzystać jezuici. Założone przez nich w 1579 r. kolegium w Wilnie uzyskało prawa akademii. Ale już w tym okresie jezuici szykowali się także do podporządkowania sobie i reorganizacji Uniwersytetu Krakowskiego. Spowodowało to silne napięcie między zakonem a uczelnią, które trwało jeszcze w XVII w., kiedy jezuici rozbudowywali swe szkolnictwo w Krakowie. Doszło do ostrych polemik, których ostatnim aktem stało się publiczne spalenie antyjezuickiego pamfletu profesora Akademii Jana Brożka. Akademia zdołała utrzymać swą niezależność, co jednak nie powstrzymało jej ówczesnego upadku.

Próbował zaradzić trudnościom kanclerz w. kor. Jan Zamoyski, gdy w 1594 r. powoływał akademię w założonym przez siebie Zamościu. Miała to być nie tyle szkoła teologiczna, ile raczej polityczna, kształcąca obywateli. Faktycznie Akademia Zamoyska została zbyt słabo wyposażona, kanclerzowi nie udało się ściągnąć do niej wybitniejszych uczonych i po jego śmierci funkcjonowała raczej jako gimnazjum.

W tych warunkach często zakończeniem studiów stawała się peregrynacja, wędrówka po obcych uczelniach. Jak już była o tym mowa, najwięcej Polaków kierowało się w tym czasie na uniwersytety włoskie, szczególnie do Rzymu, Bolonii i Padwy, w której w XVI w. studiowało 1,5 tys. Polaków. Nadal wszakże, aż do początków wojny trzydziestoletniej, były odwiedzane uniwersytety niemieckie, zwłaszcza Frankfurt nad Odrą, Wittenberga, Lipsk, kalwiński Heidelberg, a także Bazylea w Szwajcarii. Raczej sporadycznie spotykało się studentów polskich na uniwersytetach francuskich czy angielskich; zainteresowanie uniwersytetami holenderskimi wzrosło dopiero w XVII w. W najbliższym sąsiedztwie, gdy zawiodły próby założenia uniwersytetu we Wrocławiu (1505), jeżdżono częściej na założony przez Albrechta Hohenzollerna uniwersytet w Królewcu. Rychło jednak i on podupadł i w XVII w. służył tylko kształceniu ministrów protestanckich.

W peregrynacjach uczestniczyła nie tylko bogatsza szlachta, ale i synowie mieszczańscy. Niejeden z tych podróżników jeździł nie na własny koszt, ale dzięki pomocy magnata czy innego bogatego opiekuna, nieraz w towarzystwie jego dzieci.

Omawiany okres jest bowiem dobą wielkiego mecenatu. Przykład dawał dwór królewski. Gromadził wokół siebie elitę intelektualną Zygmunt I, wszechstronną opiekę nad pisarzami i artystami sprawował Zygmunt August, w dobie Baroku, jako mecenasi sztuki (ale i nauki, by przypomnieć zamiłowania alchemiczne Zygmunta III) zasłynęli pierwsi Wazowie. Naśladowali pod tym względem monarchów co zamożniejsi feudałowie duchowni (jak choćby biskupi krakowscy) czy świeccy (by wymienić opiekuna Mikołaja Reja Piotra Kmitę). Nie pozostawali za nimi w tyle patrycjusze, bogaci mieszczanie Krakowa (jak Bonerowie czy Decjuszowie), Gdańska, Torunia i innych miast. Opiekowali się przede wszystkim pisarzami i artystami, z uczonych najczęściej filologami czy historykami. Wymowne były pod tym względem losy Akademii Krakowskiej, dla której nie znalazły się odpowiednie środki finansowe. Jeżeli ten i ów z mecenasów interesował się jeszcze humanistami, to na badania przyrodnicze skąpił pieniędzy, co odbijało się na całym życiu naukowym.

d. Rozwój nauki

Tymczasem w pierwszej połowie XVI w. nauka polska osiągnęła swój szczytowy punkt rozwoju w dawnej Rzeczypospolitej. Była ona zarazem świadectwem znacznego poszerzenia się horyzontów intelektualnych całego społeczeństwa. Uczono się inaczej patrzeć nie tylko na człowieka, ale i na otaczające go zjawiska, na ziemię, na cały wszechświat. Jeżeli nie zawsze trafnie rozwiązywano istotę tych fenomenów, to przynajmniej poddawano gruntownej krytyce dotychczasowe, wywodzące się najczęściej ze średniowiecza, poglądy na nie i starano się zastępować je bardziej racjonalistycznymi, bardziej zgodnymi z rozumem.

Najwspanialszym wykwitem polskiej myśli odrodzeniowej jest słynne dzieło Mikołaja Kopernika (1473 - 1543) *De revolutionibus orbium coelestium*, ogłoszone w Norymberdze w 1543 r. Atakując teorię, że ziemia jest centrum wszechświata, genialny astronom podważył w najważniejszym punkcie cały średniowieczny feudalny układ wartości, wyzwalając z tych okowów człowieka i jego myśl badawczą. Mikołaj Kopernik, syn toruńskiego mieszczanina (przybyłego tam zresztą z Krakowa), odbył studia we wszechnicy krakowskiej i na włoskich uniwersytetach Ale właśnie w Krakowie zetknął się zarówno z żywym środowiskiem humanistycznym, jak i wysoko postawionymi badaniami matematycznymi i astronomicznymi, co umożliwiło rozwój jego wielkiego talentu.

Mikołaj Kopernik był zresztą sam pięknym przykładem wszechstronności renesansowych umysłów. Potrafił układać udane wiersze łacińskie, uczył, jak zapobiegać psuciu monety. Wywiódł przy okazji całe prawo ekonomiczne o usuwaniu lepszej monety przez gorszą, które z czasem miało przybrać nazwę prawa Greshama, od swego późniejszego angielskiego odkrywcy. Kopernik był nie tylko uczonym, pogrążonym przez długie lata w zaciszu Fromborka nad swymi badaniami. Był także mężem czynu: zarządzał kluczem kapituły warmińskiej, aktywnie uczestniczył w sejmikach pruskich, bronił Olsztyna przed wojskami Albrechta Hohenzollerna.

Epokowa rola Mikołaja Kopernika w rozwoju myśli ludzkiej nie jest przez nikogo kwestionowana.

Wysoki poziom matematyki i astronomii w Polsce można obserwować nie tylko w początkach XVI w., kiedy obok Kopernika działał np. profesor Akademii Krakowskiej Marcin Biem z Olkusza, który zaprojektował trafną reformę kalendarza. Ale i w pierwszej połowie XVII w. w tejże Akademii wykładał wspomniany poprzednio Jan Brożek (1582 - 1652); dotrzymywał on kroku europejskiej czołówce, propagował nowo odkryte logarytmy i sam wprowadził do nauki ważne ustalenia dotyczące teorii liczb. Mimo że dzieło Kopernika znalazło się w tym czasie na indeksie kościelnym (1616), Brożek bronił genialnego astronoma przed swymi zacofanymi kolegami i zbierał pozostałe po nim materiały. Współpracownik Brożka, Stanisław Pudłowski, również świetny matematyk i fizyk, proponował zastosowanie wahadła sekundowego jako powszechnej miary długości. Starano się także wykorzystywać matematykę do celów użytkowych. Stanisław Grzepski ogłosił dziełko *Geometria to jest miernicka nauka*, które miało pomagać przy pomiarach pól.

Specjalny dział techniki stanowiła sztuka fortyfikacyjna. Studiowali ją Polacy za granicą, ale sprowadzano również specjalistów do Rzeczypospolitej, jak np. inżyniera nadwornego Władysława IV Getkanta.

Z ostatnimi zainteresowaniami związane były także częściowo badania geograficzne, szczególnie kartografia. Służyła ona zresztą nie tylko celom militarnym, ale i lepszemu poznaniu własnego kraju. Podziw budziła wielka mapa Polski wykonana przez Bernarda Wapowskiego (1526), oparta na szczegółowych badaniach. Z XVII w. bardzo cenne są materiały kartograficzne Beauplana. Interesowano się także sąsiadami i odleglejszymi krajami. Wprawdzie Polacy nie brali udziału w odkryciach geograficznych, ale już w 1506 r. Jan z Głogowa, profesor Akademii Krakowskiej, podał pierwszą wiadomość o odkryciu Ameryki, a w 1512 r. dokładniej o wszelkich dokonanych odkryciach nowych lądów informował Jan ze Stobnicy. Jego *Introductio in Ptholomei Cosmographiam* zawierało jedną z najciekawszych informacji naukowych tego typu. Bardziej samodzielną rolę odegrała polska geografia w pogłębianiu europejskiej wiedzy o Wschodzie. Największą wartość pod tym względem miał wydrukowany w 1517 r. *Tractatus de duabus Sarmatiis, Asiana et Europiana (Traktat o dwóch Sarmacjach,* tłum. pol. 1535) rektora krakowskiej wszechnicy Macieja Miechowity. Dzieło to oparte na własnych badaniach i relacjach uzyskanych od podróżników doczekało się w XVI w. 11 wydań. Było też tłumaczone na języki włoski, niemiecki i holenderski.

Wzrastające zainteresowanie człowiekiem znalazło swe odbicie przede wszystkim w pracach zajmujących się jego strukturą fizyczną i miejscem w społeczeństwie. Stąd rozwój medycyny — prawda, że raczej jako wiedzy stosowanej niż nauki, ale nie brakło takich wybitnych lekarzy, jak Józef Struś (Struthius), profesor padewski i medyk miejski poznański, którego dzieła, zwłaszcza *Sphygmicae artis, iam mille ducentos annos perditae et desideratae libri V,* dotyczące badania tętna, zasłynęły w całej Europie.

Życiem społecznym zajmowali się głównie prawnicy. Na ich działalność niemały wpływ wywarło z jednej strony prawo rzymskie, które usiłowano przeciwstawić średniowiecznemu, a z drugiej dążenia tych warstw społecznych, które pragnęły zreformować ustrój państwa, zapewnić mu większą centralizację i ujednolicenie wewnętrzne. Na tym tle wyłoniły się dążenia do kodyfikacji prawa. W 1523 r. na zlecenie sejmu ustalono jednolite dla całego kraju prawo procesowe. Wkrótce potem przygotowano pierwszy projekt kodyfikacji dalszych działów prawa polskiego, znany pod nazwą korektury Taszyckiego, od nazwiska jednego z jej twórców Mikołaja Taszyckiego, sędziego krakowskiego. Projekt ten został odrzucony przez sejm, gdyż zdaniem szlachty zbyt wzmacniał stanowisko magnatów i króla. Podobny los spotkał też projekt Jakuba Przyłuskiego (1553) *Leges seu statuta ac privilegia Regni Poloniae.* Zadowalano się później skróconym zbiorem statutów, wydanym po polsku przez Jana Herburta (1570), też nie mającym aprobaty sejmu. Zresztą posługiwano się raczej jego pierwotną, łacińską wersją. Dokonano także kodyfikacji prawa mazowieckiego, pruskiego, litewskiego (statuty litewskie), ormiańskiego.

Dla rozwoju prawa samorządowego w miastach i wsiach istotne znaczenie miało tłumaczenie tzw. prawa magdeburskiego i *Zwierciadła saskiego*, dokonane wraz z komentarzami przez pisarza sądu wyższego prawa niemieckiego w Krakowie, Bartłomieja Groickiego (1558). Stało się ono bardziej przystępne dla mieszczan i chłopów, służąc aż do XVIII w.

Do największych teoretyków myśli politycznej w Europie w dobie Odrodzenia należy Andrzej Frycz Modrzewski (ok. 1503 - 1572). Jego myśl teoretyczna opierała się na doskonałej znajomości poglądów wysuwanych zarówno w starożytności, jak i współcześnie oraz na wnikliwej obserwacji życia. Stąd też jego dzieło było wielokrotnie publikowane w XVI w., tłumaczone na inne języki i wywarło poważny wpływ na rozwój europejskiej myśli politycznej, m. in. na Hugo Grotiusa. Dziełem tym były *Commentariorum de republica emendanda libri quinque* (polski tytuł: *O naprawie Rzeczypospolitej*) wydane w Krakowie w 1551 r. Zawierało ono nie tylko krytykę stosunków feudalnych i scholastycznej teologii, ale i szeroki program ułożenia stosunków społecznych, przystosowany do warunków Rzeczypospolitej. Poglądy te znalazły odbicie i w pomniejszych pismach.

Krytykując istniejące stosunki Modrzewski upomniał się przede wszystkim o zachowanie równości całego społeczeństwa wobec prawa. Z tego względu protestował przeciwko uciskowi chłopa i narzucaniu mu coraz nowych ciężarów. Był zwolennikiem gospodarki czynszowej. Mieszczan chciał widzieć w najwyższym sądownictwie i na urzędach. Uważał, że powinni mieć prawo do nabywania ziemi. Natomiast polityka skarbowa miałaby forytować, a nie upośledzać handel i zwłaszcza rzemiosło. Modrzewski nie proponował zniesienia podziałów stanowych, chciał jednak zmniejszyć różnice między stanami.

Modrzewski był zwolennikiem silnej, scentralizowanej władzy królewskiej, opartej na średniej szlachcie i mieszczaństwie. Ustalanie prawa należałoby do kompetencji króla, który by dokonywał kodyfikacji przy pomocy uczonych. Sejm zezwalałby na podatki i kontrolował politykę zagraniczną. Kościół powinien zostać zdaniem Modrzewskiego, podporządkowany państwu i wyzbyty zależności od Rzymu. Deklarował się wreszcie Modrzewski jako przeciwnik niesprawiedliwych, agresywnych wojen. Gorący rzecznik pokoju między narodami, był także zwolennikiem rozwiązań irenistycznych w sporach wyznaniowych.

Nacechowana realizmem myśl polityczna Andrzeja Frycza Modrzewskiego zamykała najszlachetniejsze tendencje polskiego Odrodzenia. Nikt ze współczesnych w Polsce nie dorównał mu pod tym względem. Popularny wśród szlachty, znakomity stylista Stanisław Orzechowski zdobył sobie sławę jako ideolog szlachetczyzny i jej wolności. W swych dziełach, zwłaszcza *Quincunx, to jest wzór Korony Polskiej* (1564) Orzechowski bronił uprzywilejowanej pozycji szlachty i duchowieństwa i utożsamiał Rzeczpospolitą ze szlachtą i magnaterią. Deklarował się również jako zwolennik utrzymania prymatu Kościoła katolickiego i autorytetu papieża w Polsce. Wytyczał w ten sposób drogę szlacheckiej myśli politycznej XVII w. Nie był to jednak jedyny nurt, który miał się utrzymywać w tym okresie. Znajdowali się w Rzeczypospolitej także zwolennicy doktryn absolutystycznych, jak Krzysztof Warszewicki, Piotr Skarga czy Szymon Starowolski, którzy wzmocnienie władzy monarszej wiązali wprawdzie z poprawą położenia mieszczan i chłopów, ale i z likwidacją tolerancji wobec akatolików.

Mniejszymi osiągnięciami cieszyła się myśl filozoficzna. Wpływy humanizmu nie zaznaczyły się pod tym względem trwalej; od końca XVI w. dominowała znów filozofia średniowieczna. Wyjątkowe znaczenie miało w tej sytuacji wystąpienie Sebastiana Petrycego z Pilzna, profesora Akademii Krakowskiej, zmarłego około 1626 r., który nie tylko spolszczył dzieła Arystotelesa, *Etykę* i *Politykę*, ale i uzupełnił je komentarzem opierając się zresztą na pracach swych poprzedników w Akademii. Komentarz ten zamienił się w rodzaj traktatu politycznego, w którym autor ujmował się m. in. za mieszczaństwem i chłopami, opowiadał się za mocną władzą monarszą ale i nie był przeciwny przewadze magnaterii nad szlachtą. Najważniejszym osiągnięciem myśli filozoficznej tego okresu były dzieła braci polskich. Przyjmując za prawdę to, co dało się logicznie wyprowadzić, bracia polscy kładli podwaliny pod racjonalistyczne myślenie. Domagali się też swobody słowa, wolności sumienia i pokoju. Bracia polscy mieli bliskie kontakty z postępowymi ośrodkami naukowymi na Zachodzie. W Holandii opublikowano też ich najważniejsze dzieła w *Bibliotheca Fratrum Polonorum* (1660). Dzięki temu filozofia ariańska odegrała istotną rolę w rozwoju myśli filozoficznej na Zachodzie, torując drogę racjonalizmowi.

Stosunkowo dobrze rozwijała się filologia. Na uwagę zasługuje wydanie w 1564 r. w Królewcu wielkiego słownika łacińsko-polskiego Jana Mączyńskiego. Najpoważniejszym wydarzeniem była wszakże opublikowanie przez jezuitę G. Knapskiego słownika naukowego polsko-łacińsko-greckiego (1621). Wydano także pomniejsze słowniki łacińsko-, niemiecko-, węgiersko- czy włosko-polskie. Na potrzeby szkolnictwa ukazały się we Wrocławiu pierwsze wprowadzenia do nauki języka polskiego i niemieckiego. Mnożyły się też prace komentatorskie i edytorskie (np. Andrzeja Nideckiego). Filologia orientalna może się poszczycić tłumaczeniem perskiego poematu *Ogrodu różanego*, dokonanym przez Samuela Otwinowskiego, oraz Koranu (ok. 1640) przez Piotra Starkowieckiego.

Historia była dziedziną, którą w całości niemal opanowali dziejopisowie szlacheccy. Największy rozgłos w Europie zdobyła sobie *Polonia* (1577) Marcina Kromera, biskupa warmińskiego, opisująca stosunki ustrojowe, gospodarcze i kulturalne Polski. Przez długie lata za najlepsze opracowanie dziejów Polski do początków XVI w. uchodziły też jego *De origine et rebus gestis Polonorum* (1555). O ile Kromer występował jako zwolennik monarchii, o tyle drugi najwybitniejszy historyk tego okresu, Marcin Bielski, autor pierwszej po polsku wydanej *Kroniki wszytkiego świata* (1550), był rzecznikiem ideałów szlacheckich, toteż dzieła jego czytywano chętnie i w XVII w. Dla poznania dziejów wschodnich sąsiadów Polski nieoceniona była *Kronika* Macieja Stryjkowskiego (1582). Spora zresztą była liczba kronikarzy, którzy starali się kontynuować dzieło Długosza. Dla XVII w. charakterystyczne były publikacje polihistora Szymona Starowolskiego, dotyczące dziejów literatury, muzyki i sztuki wojennej. Historiografię szlachecką cechował brak krytycyzmu i kierowanie się fantazją, zwłaszcza przy odtwarzaniu czasów dawniejszych. Miała ona w dużym stopniu służyć gloryfikacji przeszłości szlacheckiej i wyszukiwaniu genealogii szlachty w czasach najdawniejszych.

Na potrzeby szlacheckie rozwijała się też literatura rolnicza tej doby.

Najciekawszym jej dziełkiem był podręcznik *O sprawie, sypaniu, wymierzaniu i rybieniu stawów* (1573) Olbrychta Strumieńskiego, jeden z najlepszych w ówczesnej literaturze europejskiej. Chętnie korzystano z *Gospodarstwa* Anzelma Gostomskiego (1588), podręcznika mającego charakter instruktarza ekonomicznego. Autor propagował folwark pańszczyźniany i radził, jak zorganizować w nim pracę w sposób najbardziej intratny.

Działalność naukowa w tej epoce nie miała charakteru zorganizowanego. Jakkolwiek Akademia Krakowska odegrała poważną rolę w rozwoju badań, nie stanowiła ona ośrodka, wokół którego koncentrowałoby się ówczesne życie naukowe. Nie bez znaczenia były inne szkoły, czy to o charakterze akademii (Zamość), czy gimnazjów, dwory mecenasów, gdzie niekiedy zbierały się grupki uczonych. Ogólnie jednak charakterystyczna była pewna dezyntegracja środowiska naukowego, rozproszenie go po całym niemal kraju, co nie przeszkadzało zresztą częstym kontaktom osobistym czy korespondencji.

Drugą charakterystyczną cechą życia naukowego była rosnąca przewaga mieszczan wśród uczonych. Od końca XVI w. zarysował się nawet swoisty podział na uczonych szlacheckich i mieszczańskich. Pierwsi koncentrowali swe zainteresowania na historii, ekonomice użytkowej związanej z rolnictwem, technice wojennej, pozostałe działy uprawiali mieszczanie. To odsuwanie się szlachty od nauki miało zaważyć ujemnie na jej stanie w okresie załamania się mieszczaństwa po katastrofach wojennych w połowie XVII w.

e. Rozkwit literatury w dobie Odrodzenia

Czasy Odrodzenia miały przełomowe znaczenie dla literatury polskiej, która w swej nowoczesnej formie sięga właśnie XVI w. Scaleniu uległ język polski; dojrzał język ogólnonarodowy, wspólny dla warstw wykształconych. Wkroczył on w tym czasie nie tylko do literatury, ale i do wszelkich dziedzin życia, do Kościoła, do urzędów (także w miastach), do życia sejmikowego i sejmowego, do kancelarii królewskiej, zwyciężając (jakkolwiek nie rugując całkowicie) panującą jeszcze co najmniej do połowy XVI w. łacinę. Jednocześnie język ulega wzbogaceniu, przystosowuje się do potrzeb życia, a w literaturze osiąga szczytowe dla dawnej Polski formy.

Początkowo literatura Odrodzenia w Polsce jest literaturą łacińską. Pisał więc wiersze łacińskie syn chłopski Klemens Janicki, którego papież uwieńczył laurem poetyckim; pisał mieszczanin gdański Jan Dantyszek; po łacinie wypowiadał swe myśli dworzanin Bony Andrzej Krzycki. Po polsku zjawiały się tłumaczenia przytowywane na potrzeby ludzi niewykształconych w łacinie i to chyba głównie mieszczan. Wyjątkową pozycję stanowi wśród nich twórczość Biernata z Lublina, który zwłaszcza w swym *Żywocie Ezopa Fryza* (1522) dał gruntownie przerobiony w stosunku do oryginału zbiór bajek, przepojony radykalizmem społecznym. Dopiero jednak wpływ reformacji, dążenia do sięgnięcia ze swymi ideami do jak najszerszych warstw, doprowadziły do zasadniczego przełomu, którego najświetniejszym przejawem były utwory Mikołaja Reja z Nagłowic (1505 - - 1569).

Zwolennik reformacji i zarazem obozu średnioszlacheckiego, opublikował w 1543 r. *Krótką rozprawę między trzema osobami, Panem, Wójtem i Plebanem*, pierwszą oryginalną satyrę w języku polskim, nie pozbawioną postępowego charakteru społecznego — autor wystąpił w niej bowiem jako obrońca chłopa przed księdzem i szlachcicem. W dalszych jego utworach zanikły te akcenty radykalizmu, Rej stawał się coraz wyraźniej wielbicielem życia ziemiańskiego, na pewno przenikniętego humanizmem, ale wykorzystującego swą uprzywilejowaną w społeczeństwie pozycję. Kreśląc więc *Żywot człowieka poczciwego* (*Zwierciadło*, 1568) na swego bohatera wybrał szlachcica-ziemianina. Była to pochwała życia spokojnego, ziemskiego, nie obojętnego przecież na obowiązki publiczne. Obok tego Rej nie zaprzestawał wytrwale walczyć w imię haseł reformacyjnych. Podjął też jedną z licznych w tym czasie prób stworzenia polskiej pieśni religijnej, opartej głównie na tematyce psalmów.

Twórczość Reja, bardzo różnorodna i bardzo obfita, stała się najbardziej trafnym dowodem na jego stwierdzenie, „iż Polacy nie gęsi, iż swój język mają". Na prawdziwe szczyty mieli wprowadzić język polski jednak dopiero jego następcy: w prozie Łukasz Górnicki, w poezji — Jan Kochanowski.

Łukasz Górnicki, nobilitowany mieszczanin, zasłynął przede wszystkim jako autor *Dworzanina polskiego* (1566), nad wyraz udanej przeróbki znanego dzieła Baltazara Castiglione. Ideały dworskiego życia humanizmu włoskiego Górnicki trafnie przystosował do polskich warunków, nadając utworowi szatę językową i stylistyczną, która wytrzymuje porównanie z włoskim oryginałem.

Największym poetą polskim doby Odrodzenia był Jan Kochanowski (1530 - 1584). Siła jego oddziaływania polegała nie tylko na głębokości myśli i przeżyć, którymi dzielił się z czytelnikami, ale przede wszystkim na doskonałości formy, umiłowaniu piękna, które potrafił oddać jak nikt przed nim i mało kto po nim w polskiej literaturze. Zamożny szlachcic z pochodzenia, odbył w młodości liczne podróże zagraniczne do Włoch, Francji i Niemiec, przez pewien czas był sekretarzem królewskim, po czym osiadł w swej wsi dziedzicznej — w Czarnolesie. Kochanowski był poetą wszechstronnym: napisał liczne wiersze epickie, jak *Satyr*, w którym krytykował reformację: w znakomitych *Fraszkach* i *Pieśniach* odmalował realistycznie swe otoczenie dworskie; pod koniec życia próbował i dramatu pisząc *Odprawę posłów greckich*, w której wyraził swe obawy o przyszłe losy Polski. Najświetniejsze były wszakże jego liryki, czy to religijne, jak *Psałterz Dawidów*, najwybitniejsze w polskim języku opracowanie tego wątku biblijnego, czy horacjańska *Pieśń świętojańska o Sobótce*, czy wreszcie tragiczna opowieść o przeżyciach wywołanych śmiercią ukochanego dziecka — *Treny* (1580), zaliczane do arcydzieł literatury światowej.

Kochanowski był pierwszym wielkim poetą polskim, którego dzieła spotkały się z żywym oddźwiękiem w Europie. Niemały wpływ wywarł on na powstanie w literaturze niemieckiej śląskiej szkoły poetyckiej. Dzieła jego były przez mistrzów tej szkoły tłumaczone na język niemiecki. Do ostatnich czasów ukazują się przekłady jego utworów, zwłaszcza *Trenów*, w językach: francuskim, włoskim czy angielskim. Wpływ Kochanowskiego na dalszą twórczość poetycką w Polsce był ogromny. Na poezji jego kształciły się całe pokolenia, znalazł wielu naśladowców i mniej czy więcej udatnych kontynuatorów.

Treny są utworem stojącym już jakby na granicy dwu epok. Jak zauważył Jerzy Ziomek, są one bowiem „reakcją nie tylko na osobiste nieszczęście, ale przede wszystkim artystycznym i nieharmonijnym wybuchem rozczarowania do młodzieńczej doktryny humanistycznej". Postawa ta wiązała Kochanowskiego z następną generacją twórców, co do których związków z Odrodzeniem i Barokiem toczą się wspomniane poprzednio spory między specjalistami. Na tym miejscu, idąc za ostatnim badaczem tych problemów, Czesławem Hernasem, włączymy ich do wczesnego Baroku.

f. Literatura i teatr wczesnego Baroku

Pytania, które stawiają sobie twórcy przełomu XVI i XVII w., nawiązują jeszcze do tradycji renesansowych, ale sposób odpowiedzi, a także zastosowane środki wyrazu, od tych tradycji odbiegają. Przykładem takiej twórczości są przede wszystkim dzieła poetów, których Hernas nazwał metafizycznymi, polemizujących z humanistyczną koncepcją życia. „Pokój — szczęśliwość, ale bojowanie — byt nasz podniebny" — mówi najwybitniejszy przedstawiciel tej grupy, Mikołaj Sęp-Szarzyński (ok. 1550 - 1581), którego tomik *Rytmy albo Wiersze polskie*, wydany pośmiertnie w 1601 r., był dziełem znakomitego mistrza małych form poetyckich, a przy tym twórcy o wysokim poziomie intelektualnym. W poszukiwaniu filozofii człowieka towarzyszył Sępowi-Szarzyńskiemu inny pełen oryginalności poeta tej doby, Sebastian Grabowiecki, w swym *Setniku rymów duchownych* (1590), który jednak rozwiązania szukał nie w walce, ale w kwietyzmie wynikającym z bezradności i bierności wobec świata. Dalsza ewolucja tego kręgu, znajdującego się pod silnym wpływem doktryny katolickiej, kierowała się ku płytkiej dewocji i nie przyniosła już dzieł tak znakomitych.

Obok tej intelektualnej twórczości poetyckiej szczególne miejsce w literaturze tego okresu zajmuje twórczość mieszczańsko-plebejska. Wczesny Barok zaznaczył się zróżnicowaniem między kulturą mieszczańską a szlachecką, przy czym ta pierwsza była bardzo żywotna aż do połowy XVII w. Jej wspólną cechą była krytyczna postawa wobec istniejącego porządku społecznego, łączne traktowanie problemów jednostki i społeczeństwa. Krzywda i niepowodzenie jednostki nie były rezultatem wytyczonego przez

Stwórcę, więc niezmiennego mechanizmu świata, ale wynikały z absurdów układu społecznego.

Stanowisko takie wyraźnie zajmuje najciekawszy poeta tego nurtu, ukrywający się pod pseudonimem Jana z Kijan. W swych utworach opublikowanych w początkach XVII w. stworzył on postać bohatera plebejskiego, Nowego Sowizdrzała, krytycznego zarówno wobec układów społecznych w Rzeczypospolitej, jak i głoszonych przez katolicyzm czy protestantyzm programów wewnętrznej odnowy jednostki. Tego rodzaju twórczość anonimowych rybałtów, ostro krytykująca możnych i śmiało odtwarzająca życie najuboższych warstw, rozmnożyła się w tym czasie nieoczekiwanie, póki jej nie zahamowała cenzura kościelna.

Poeci kierunku mieszczańskiego najsilniej także chyba nawiązywali do tradycji renesansowych. Na pograniczu między obu epokami znajduje się twórczość burmistrza lubelskiego Sebastiana Klonowicza, moralisty. Jego poemat *Flis* (1595), przedstawiający żeglugę Wisłą do Gdańska, miał symbolizować wędrówkę doczesną człowieka. Jednocześnie poeta umiał dostrzec piękno wysiłku fizycznego flisaków. Inny poeta tego okresu wspomniany już kuźnik śląski, Walenty Roździeński (por. cz. 1, s. 32) opisał po raz pierwszy po polsku pracę górników i hutników w swym poemacie epickim *Officina ferraria* (1612). Znalazł się tam także opis dziejów górnictwa i kuźnictwa i techniki obróbki żelaza. Przez długi czas było to jedyne tego rodzaju dzieło w literaturze polskiej. Inny poeta mieszczański Szymon Szymonowicz w swych *Sielankach* przedstawił bez upiększeń ciężką dolę chłopa pańszczyźnianego. Natomiast dla Szymona Zimorowicza, mieszczanina lwowskiego, który w swych *Roksolankach* zawarł ujmujący opis Rusi, tematyka ludowa posłużyła tylko za tło dla rozważań o miłości. Natomiast bliższa szlacheckim postawom i zainteresowaniom była epika Samuela ze Skrzypny Twardowskiego.

Proza tego okresu to przede wszystkim, jak przystało na dobę kontrreformacji, wspaniałe kaznodziejstwo Piotra Skargi, który w swych *Kazaniach sejmowych* (1597) poddał surowej krytyce szlachtę i państwo, występując jako rzecznik silnej władzy monarszej i wysuwając wzór rycerza-bojownika o wiarę jako najwznioślejszy wzorzec postawy jednostki. Z powodzeniem rozwijała się także ta forma, która swe szczyty miała osiągnąć właśnie w XVII w. — pamiętnikarstwo. Pojawiają się opisy podróży (najgłośniejszy to Mikołaja Radziwiłła, zwanego Sierotką, *Peregrynacja do Ziemi Świętej*), rodzą się relacje wojenne (ze znakomitym dziełem *Początek i progres wojny moskiewskiej* Stanisława Żółkiewskiego na czele) czy wreszcie opisy dość przeciętnych żywotów. Humor staropolski zachował się w niedrukowanych na ogół zbiorach anegdot czy facecji. Najprzedniejsze związane są z tzw. Rzecząpospolitą Babińską, założoną w XVI w. we wsi Babin pod Lublinem przez miłośników krotochwil, którzy za najlepsze anegdoty przyznawali fikcyjne urzędy w swej „Rzeczypospolitej".

Mimo rozwoju twórczości w języku polskim, nie zanikło i pisarstwo łacińskie. Pod wpływem nauki szkolnej zaczął się przy tym wykształcać zwyczaj wprowadzania wtrętów łacińskich do polszczyzny, nadawania łacińskich form gramatycznych wyrazom polskim lub odwrotnie. Ten makaronizm językowy — dość powszechny również w ówczesnej niemczyźnie — stał się jednym ze zjawisk charakterystycznych dla piśmiennictwa siedemnastowiecznego. Szczególnie natrętnie przejawiał się w prozie. Zresztą z zasady dzieła naukowe, ale także teologiczne, polityczne, diariusze itp., pisywano po łacinie. Kwitła również poezja łacińska. Najwybitniejszym jej przedstawicielem stał się poeta jezuicki Maciej Sarbiewski (1595 - 1640). Zdobył on sobie sławę europejską zarówno jako liryk, jak i teoretyk poezji. Jego utwory łacińskie były powszechnie czytywane, porównywano go z Horacym. O popularności jego poezji świadczy przeszło sześćdziesiąt wydań jego liryków w całej niemal Europie.

Na okres wczesnego Baroku przypadł w Polsce rozwój teatru. Nie była to przypadkowa zbieżność chronologiczna. Widowisko teatralne, przez swą umowność, dekoracyjność, a także dramatyzm odpowiadało założeniom Baroku, którego twórcy chętnie wypowiadali się w tej formie. W Polsce teatr nabrał żywotności w drugiej połowie XVI w., co wynikało z nasilenia się propagandy religijnej i z dążeń do oddziaływania wychowawczego. Okazje do widowisk teatralnych dawały przede wszystkim uroczystości kościelne. Tak np. forma jasełek czy szopki rozwinęła się w związku z obchodami Bożego Narodzenia, a misteria z Wielkanocą — jak np. widowisko kalwaryjskie organizowane w ufundowanej przez Mikołaja Zebrzydowskiego Kalwarii Zebrzydowskiej. Starano się zbliżyć te widowiska do mentalności widzów przez ludową stylistykę, wprowadzanie postaci i sytuacji z bliskiego otoczenia. W jakiejś mierze związana z tego typu widowiskami była komedia rybałtowska, sięgająca do tematów z życia plebejskiego i nie pozbawiona elementów satyry. Największą popularnością cieszyły się dwie sztuczki o klesze Albertusie i jego doświadczeniach militarnych: *Wyprawa plebańska* i *Albertus z wojny*, które dały początek obfitej u progu XVII w. komedii sowizdrzalskiej.

Obok tego teatru ludowego do rozprzestrzeniania się widowisk teatralnych poważnie przyczynił się teatr szkolny, zarówno protestancki, jak i katolicki. W obu wypadkach chodziło o oddziaływanie wychowawcze na młodzież, a także o pozyskiwanie jej rodzin. Stąd tematyka przeważnie moralizatorska. Ze szkół protestanckich w sposób najbardziej trwały prowadziły widowiska teatralne gimnazja w Gdańsku, Toruniu i Lesznie. W szkolnictwie katolickim prym wiedli jezuici. W XVII w. dysponowali oni 29 scenami szkolnymi, na ogół starannie wyposażonymi technicznie. Grywano zwykle sztuki łacińskie, przeplatano je jednak polskimi intermediami, które często sięgały do motywów ludowych. Właśnie do takich intermediów należały również najwcześniejsze „chłopskie lamenty na pany".

Dopiero natomiast w XVII w. poważniejsza rola przypadła teatrowi dworskiemu. Jakkolwiek na dworze królewskim, a także niektórych magnatów, sporadycznie odbywały się i w XVI w., i za panowania Zygmunta III widowiska teatralne czy zjawiały się zagraniczne trupy aktorskie (np. angielska ze sztukami Szekspira), to jednak dopiero założenie w 1637 r. przez Władysława IV pierwszej stałej sali teatralnej na Zamku Królewskim w Warszawie otwarło możliwość trwałego kontaktu z ówczesnym europejskim, czy ściślej mówiąc włoskim życiem teatralnym. Teatr Władysława IV nastawiony był głównie na widowiska operowe i baletowe. Opierał się przede wszystkim na repertuarze włoskim. Włosi tworzyli także najważniejszą część zespołu aktorskiego, choć wśród kapeli połowę stanowili Polacy. Tylko epizodycznie występowały inne trupy, np. angielska.

Ośrodek teatralny na dworze królewskim wytrzymuje śmiało porównanie z innymi tego typu ośrodkami powstałymi w pierwszej połowie XVII w. w Europie, na północ od Alp. Stał się on poważnym ogniwem oddziaływania kultury włoskiej na polską. Jakkolwiek sprawy te nie są jeszcze dokładniej zbadane, można się dopatrywać wpływu tego ośrodka na rozwój teatru szkolnego, na piśmiennictwo dramatyczne, na teatr magnacki wreszcie. O tym, że i na dworach magnackich zdarzały się ciekawe inicjatywy teatralne, może świadczyć pojawienie się komedii Piotra Baryki *Z chłopa król*, utrzymanej w tonie maskarady karnawałowej.

Cały ten dobrze zapowiadający się rozkwit życia teatralnego został zahamowany w połowie XVII w. przez klęski wojenne.

g. Muzyka

Prócz literatury najwyższy poziom osiągnęła w dobie Renesansu muzyka polska. Istniało dla niej dobre podłoże. Wielkim mecenasem muzyki był przede wszystkim dwór królewski, wokół którego skupiali się co wybitniejsi muzycy. W 1543 r. Zygmunt I założył na Wawelu stały chór — kolegium śpiewaków nazwanych rorantystami. Utrzymywali także inni władcy doskonałe kapele dworskie. Nie brakowało ich i na innych dworach czy w miastach. Dużą podnietą dla rozwoju życia muzycznego stała się reformacja, która wprowadziła na wielką skalę śpiewy zespołowe w kościele w języku narodowym. Zresztą także dla kontrreformacji muzyka stała się wygodnym narzędziem w walce o odzyskanie wpływów na ludność.

Muzyka polska rozwijała się w tym czasie równolegle do muzyki europejskiej. Nowe formy, wprowadzane zwłaszcza we Włoszech, znajdowały prędko oddźwięk i przyjęcie w Polsce. Nie zabrakło wszakże kompozytorów, którzy umieli przepoić je polskimi właściwościami muzycznymi, zaczerpniętymi w dużym stopniu z muzyki ludowej, tańców i pieśni. Najwybitniejszym polskim kompozytorem tej doby był Mikołaj Gomółka (zm. 1609), którego melodie do przetłumaczonych przez Kochanowskiego psalmów, przeznaczone dla szerszych odbiorców, odznaczają się prostotą, a zarazem doskonałym wyczuciem charakteru polskiej muzyki ludowej. Międzynarodową sławę zyskał sobie Mikołaj Zieliński, który przyswoił muzyce polskiej styl wokalno-instrumentowy i polifoniczną technikę szkoły weneckiej. Wielu Polaków zasłynęło w charakterze wirtuozów za granicą. Ale i do Polski zjeżdżali muzycy z Niemiec czy Włoch, znajdując tutaj dobre warunki do rozwoju swego talentu.

Wpływy włoskie, nadal powszechne w całej Europie, zaznaczyły się również mocno w muzyce polskiej doby wczesnego Baroku. Nastąpiło natomiast silniejsze, niż w poprzednim okresie, podporządkowanie muzyki potrzebom Kościoła. Wszelkie uroczystości religijne z zasady były upiększane muzyką. W kościołach upowszechniło się używanie organów. Budowano je w kraju, znakomite, by wspomnieć organy oliwskie o światowej sławie. Powstawały liczne kapele i chóry, np. słynny chór katedry krakowskiej. Na potrzeby Kościoła tworzyli kompozytorzy swe dzieła.

Muzyka świecka rozwijała się jednak nadal. Wiadomo o istnieniu nadal licznych kapel na dworach magnackich, a zwłaszcza na dworze królewskim. W całej Europie słynny był 60-osobowy zespół muzykantów Zygmunta III. Instrumenty muzyczne wędrowały także pod dachy dworków szlacheckich. Do ciekawszych utworów polskich kompozytorów tej doby należą kantaty, canzony i koncerty Adama Jarzębskiego, muzyka kapeli królewskiej obu pierwszych Wazów. Miał zresztą Jarzębski i talent literacki, którego dowód zostawił w *Gościńcu albo Krótkim opisaniu Warszawy* (1643), poemacie-przewodniku opiewającym urodę architektoniczną Warszawy. Koncert innego członka tejże kapeli królewskiej, Marcina Mielczewskiego, znalazł się w niemieckim wydawnictwie poświęconym najgłośniejszym kompozytorom XVII w.

Trzeba wreszcie przypomnieć, że teatr Władysława IV był przede wszystkim ośrodkiem muzyki operowej, która w ten sposób została przeszczepiona na ziemie polskie. Nie brakło bowiem prób tworzenia tego rodzaju dzieł muzycznych i w Polsce tej doby.

Badania nad muzyką polską doby Baroku są dopiero w toku. Ostatnie lata przyniosły wiele poważnych odkryć pod tym względem. Pozwalają one oceniać muzykę polską tej doby wyżej, niż to dotąd czyniono. O umuzykalnieniu społeczeństwa w tym okresie najlepiej świadczy opublikowanie w 1647 r. popularnego podręcznika *Tabulatura muzyki albo zaprawa muzykalna* przez Jana Aleksandra Gorczyna, sekretarza królewskiego.

h. Sztuki plastyczne epoki Odrodzenia

Od początku XVI w. architektura, rzeźba i malarstwo znalazły się w orbicie silnych wpływów renesansu włoskiego. Do Polski przybywało wielu artystów włoskich, którzy pomagali w przyswajaniu nowych form, opartych na sztuce starożytnej. Mecenat króla, magnatów i patrycjuszy związanych z humanizmem pozwalał im na tworzenie dzieł o nieprzemijającej wartości. Wyjątkową rolę odegrał pod tym względem ośrodek krakowski, który miał tę przewagę nad pozostałymi, że przybyli doń artyści toskańscy, reprezentujący najbardziej rdzenne źródło renesansu włoskiego.

Byli to przy tym ludzie świadomi swojej nowatorskiej roli w rozprzestrzenianiu nowej teorii artystycznej. Pozycja ich była o tyle trudna, że przybywali do kraju, w którym architekturę czy malarstwo traktowano jako rzemiosła, gdzie właśnie organizowały się cechy murarsko-kamieniarskie czy malarskie i dominował gotyk. Wprawdzie stanowisko artystów królewskich zabezpieczało ich niezależność od ingerencji władz miejskich, nie zmieniało jednak w sposób zasadniczy ich pozycji społecznej, nie zapewniało także zainteresowania dla reprezentowanych przez nich wartości artystycznych. W tych warunkach dzieła ich musiały mieć charakter wyjątkowy, odbijający się od typowych dla ówczesnej Polski form sztuki, i dopiero z czasem można mówić o ich głębszym oddziaływaniu.

Przełom rozpoczął się na Wzgórzu Wawelskim. Już w latach 1502 - 1505 sprowadzony z Węgier Franciszek Florentczyk wykonał renesansową oprawę architektoniczną grobowca króla Olbrachta. Tenże artysta wraz ze swym rodakiem Bartłomiejem Berreccim z Pontesieve koło Florencji przy pomocy budowniczego Benedykta zwanego Sandomierzaninem kierował przebudową zamku królewskiego na Wawelu (1507 - 1536). Dziedziniec został ozdobiony arkadami na dole i na obu piętrach, marmurowe schody prowadziły do wielkich sal. W najokazalszej z nich, Poselskiej, sufit ozdobiły kasetony z 193 głowami rzeźbionymi w drewnie. Wnętrza, o szerokich, harmonijnie rozmieszczonych oknach, zdobiły liczne freski, barwne piece itp. Na zamówienie Zygmunta Augusta wykonano w Brukseli blisko 200 arrasów z wyobrażeniami scen biblijnych, zwierząt, godła państwowego, które uzupełniły wyposażenie sal. Berrecci wraz z 30 innymi artystami wybudował na Wawelu drugie arcydzieło sztuki renesansowej — kaplicę Zygmuntowską, mauzoleum ostatnich Jagiellonów (1517 - 1533). Niezwykle szczęśliwe proporcje i umieszczenie kopuły pokrytej pozłacaną łuską miedzianą przykuwa uwagę już z zewnątrz. We wnętrzu na pierwszy plan wybijają się pomniki królów Zygmunta I i Zygmunta Augusta.

Wspaniałe dzieła renesansowe na Wawelu wywołały naśladownictwa zwłaszcza na terenie Małopolski. Magnaci — jak Stanisław Szafraniec w Pieskowej Skale (ok. 1578) czy Leszczyńscy w Baranowie — mniej czy więcej udatnie budowali zamki o regularnym założeniu i arkadowym dziedzińcu. Na Śląsku książęta piastowscy w Brzegu nadali swej rezydencji formę przypominającą założenia wawelskie. Także niektórzy mieszczanie krakowscy starali się w miarę swych możliwości upodobnić swe domy do budowli wawelskiej, wprowadzając np. krużganki arkadowe. W kościołach powstawały kaplice — mauzolea biskupie.

Jeśli chodzi o budownictwo miejskie, to na uwagę zasługuje przebudowa pod kierunkiem J. M. Padovano sukiennic krakowskich, w których za pomocą attyki zakryto spadzistość dachu gotyckiego. Podobne zresztą attyki budowano na domach mieszczańskich lub zamkach zarówno w Rzeczypospolitej, jak i na Śląsku czy Pomorzu. Stanowią one jedną z charakterystycznych form renesansowych w polskim budownictwie. W wielu miastach podjęto przebudowę ratuszy. Przełomową rolę odegrało pod tym względem wystawienie ratusza w Poznaniu (1550 - 1560) przez Giovanniego Battistę di Quadro z Lugano. Ozdobiony loggiami i renesansową wieżą stał się wzorem dla wielu podobnych budowli.

Przy wprowadzeniu form renesansowych do budownictwa istotną rolę odegrali kamieniarze, którzy zwłaszcza od połowy XVI w. przybywali na Śląsk i do Rzeczypospolitej z pogranicza Włoch i Szwajcarii. W tym czasie także miejscowi kamieniarze coraz częściej wprowadzali nowe wzory. Stąd w drugiej połowie XVI w. w rozprzestrzenianiu form renesansowych na mniejsze zwłaszcza miejscowości dominowali artyści miejscowi. Do najwybitniejszych należał krakowianin Gabriel Słoński.

Do ostatniej ćwierci XVI w. nie można jednak jeszcze mówić o pełnym przyjęciu się budownictwa renesansowego w Polsce. Na znacznych obszarach kraju przeważało budownictwo gotyckie, które jakby współistnieje z renesansowym, często posługując się jego formami. Szczególnie wyraźnie rysuje się taki stan na północnych obszarach Rzeczypospolitej, gdzie poprzednio kwitło ceglane budownictwo gotyckie i gdzie do połowy XVI w. powstały tylko dwie budowle niewątpliwie renesansowe — mauzoleum prymasa Łaskiego w Gnieźnie i przebudowana katedra w Płocku. Niemniej w pierwszej połowie XVI w. rozbudowa miast polskich przebiegała jeszcze w znacznym stopniu w ramach wytyczonych przez tradycję gotycką, nawet jeśli dom mieszczański poszerzał się czy rósł w górę. W podobny sposób rozrastały się obwarowania miejskie. Przełom XV i XVI w. przyczynił się do przeprowadzenia robót fortyfikacyjnych w ważniejszych ośrodkach miejskich w Rzeczypospolitej z Krakowem na czele. Mimo wielkiej troski zarówno o zwiększenie zabezpieczenia militarnego, jak i o stworzenie należycie reprezentacyjnego wjazdu do miasta (barbakan i jego otoczenie w Krakowie) trzymano się wzorów średniowiecznych. Podobnie postępowano przy budowie większości zamków w pierwszej połowie XVI w. Do wyjątków należała w tym czasie próba wprowadzenia fortyfikacji bastionowych w Rożnowie. Przełom pod tym względem będą stanowiły dopiero fortyfikacje Gdańska, budowane w latach sześćdziesiątych, a zwłaszcza klasyczne bastiony, którymi został otoczony nowo zbudowany Zamość.

Również budowa Zamościa przypada na okres, kiedy ostatecznie załamały się gotyckie koncepcje sztuki w Polsce. W okresie między 1580 a 1600 r., kiedy na zlecenie Jana Zamoyskiego wenecki architekt Bernardo Morando wzniósł miasto odpowiadające ideowym i artystycznym założeniom swego mecenasa, a stanowiące najbardziej konsekwentne dzieło renesansowej urbanistyki w Polsce, sztuka polska wkroczyła już w nowy etap swego rozwoju, wyzbywając się późnogotyckich tradycji.

Wraz z architekturą przejmowała wzory renesansowe rzeźba, która znalazła zastosowanie w wyposażeniu wnętrz domów mieszczańskich czy szlacheckich, ale rozwijała się nadal i rzeźba nagrobna. I w tym zakresie niemała rola przypadła Włochom, np. Janowi Marii Padovano, twórcy nagrobków dwu biskupów: Tomickiego i Gamrata, w katedrze krakowskiej, a także Niderlandczykom (na Pomorzu). Z Polaków wyjątkową pozycję zdobył sobie Jan Michałowicz z Urzędowa (zm. ok. 1583 r.), który wykonał liczne rzeźby nagrobkowe w Krakowie i Poznaniu, zwłaszcza dla wielkich dygnitarzy kościelnych (kaplice nagrobne biskupa Zebrzydowskiego i Padniewskiego w katedrze krakowskiej). Obok nagrobków magnackich często spotyka się też w tym czasie nagrobki mieszczańskie. Specyficzną cechą polskich nagrobków stało się wtedy występowanie nagrobków piętrowych (np. małżeńskich).

Najwolniej cechy renesansowe zjawiały się chyba w malarstwie. Najwybitniejsze dzieło tego okresu, tzw. *Kodeks Behema*, iluminowany przez nieprzeciętnego mistrza (nieustalonego pochodzenia) rękopis pisarza krakowskiego z początków XVI w., mimo świetnej tematyki, wyraźnie świeckiej, oddającej życie ówczesnych rzemieślników, powstał pod zdecydowanymi wpływami sztuki gotyckiej. Rewelacją było pojawienie się około 1520 r. portretu, bardziej dbającego zresztą o dekoracyjne szczegóły (np. ozdobne szaty) niż odtworzenie cech psychicznych portretowanego człowieka. W malarstwie cechowym przez długi czas dominowały wpływy niemieckie. Zresztą w samym Krakowie osiedli tacy malarze niemieccy, jak brat słynnego Albrechta — Hans Dürer, Hans Sues von Kulmbach, pierwszy z nich jako malarz królewski, drugi jako malarz Bonerów. Spośród malarzy miejscowych wybił się jako miniaturzysta i polichromista w klasztorze cystersów w Mogile Stanisław Samostrzelnik. W drugiej połowie wieku na wyróżnienie zasługuje unowocześnienie techniki portretowej. Doskonałe portrety władcy malował wrocławianin z pochodzenia, Mikołaj Kober, który pracował na dworze Batorego. Inny malarz polski tego okresu Jan Ziarnko zamieszkał w Paryżu, gdzie zasłynął jako rysownik i rytownik.

i. *Sztuka wczesnego Baroku*

Historycy sztuki nie są zgodni co do charakteru okresu obejmującego ostatnią ćwierć XVI i pierwszą XVII w. Jedni widzą w nim okres późnego Renesansu, wyodrębnianego niekiedy jako samodzielna epoka w sztuce pod nazwą manieryzmu, inni gotowi są za jego cechę dominującą uważać narastanie Baroku, który ugruntuje się jako zasadniczy kierunek w sztuce po 1620 r. Podobnie jak w literaturze, tak i w sztuce jest to więc typowy okres przejściowy, w którym współistnieje parę kierunków. Przyjmując dla poprzedniego okresu w zbliżonej sytuacji nazwę Odrodzenia, można więc tym razem zastosować nazwę wczesnego Baroku, zdając sobie sprawę z nieprecyzyjności takiego usystematyzowania.

W okresie tym Polska znalazła się pod szczególnym wpływem dwu ośrodków kulturalnych. Jednym z nich były nadal Włochy, z punktem ciężkości przesuniętym już z Florencji czy to do Wenecji, czy zwłaszcza do Rzymu, który w pierwszej połowie XVII w. stał się głównym ogniskiem Baroku w Europie. Drugim takim ośrodkiem stały się Niderlandy, których oddziaływanie wzrastało w miarę rozkwitu kulturalnego Zjednoczonych Prowincji i utrwalania się ich więzi ekonomicznych z Rzecząpospolitą.

Wpływy te na terenie Polski ulegały przemieszczaniu i ostatecznie stopiły się w całość z rodzimymi tendencjami dając oryginalną, polską postać Baroku.

Wobec braku wielkich indywidualności twórczych w ówczesnej sztuce polskiej poważną rolę w rozprzestrzenianiu się różnych kierunków sztuki odgrywały zainteresowania i gust mecenasów. W przeciwieństwie do poprzedniego okresu jako niezwykle aktywny zaznaczył się mecenat Kościoła, który w walce z reformacją używał z powodzeniem dzieł sztuki jako środków oddziaływania propagandowego, wykorzystując swe wielkie zasoby materialne. Istotne znaczenie miał także mecenat dworu królewskiego — obaj Wazowie zwłaszcza byli wielkimi miłośnikami sztuki. Monarchów naśladowali magnaci i bogata szlachta. Wreszcie mieszczaństwo, zwłaszcza patrycjat, odgrywało do połowy XVII w. samodzielną rolę w inicjowaniu twórczości artystycznej przystosowanej do jego gustów i potrzeb.

Tak więc Kościół podjął nowe budownictwo, którego celem było pozyskanie wiernych ogromem kościoła i bogactwem jego wystroju. Monumentalna fasada, centralnie umieszczona kopuła, panująca nad całym budynkiem, przykuwający uwagę rozmiarami i dramatyzmem ołtarz główny oraz kazalnica umieszczona w sposób najlepiej umożliwiający kaznodziei oddziaływanie na zebranych, charakteryzowały założenia nowej architektury. Wzorem jej stał się rzymski kościół Il Gesù, powielany przez jezuickich budowniczych w całej katolickiej Europie. Pierwsze tego rodzaju kościoły zaczęto budować w Rzeczypospolitej w latach osiemdziesiątych XVI w. — w Nieświeżu i w Lublinie. Najwybitniejszym osiągnięciem tego budownictwa stał się kościół Św. Piotra i Pawła w Krakowie, wystawiony w pierwszym dziesiątku następnego wieku przez królewskiego architekta Jana Trevano. Te pierwsze kościoły jezuickie odznaczały się jeszcze pewną surowością wnętrz, jaka przystała walczącej kontrreformacji. W miarę sukcesów rosła ilość ozdób, symbolizujących radość Kościoła triumfującego. Przybierały one formy typowe dla Baroku. Tak np. kościoły wzniesione w Wiśniczu na zlecenie wojewody krakowskiego Stanisława Lubomirskiego przez innego wybitnego architekta królewskiego, Macieja Trapolę, miały wnętrza ozdobione stiukami w postaci girland, putti (aniołków), obłoków, wieńców. W podobny sposób zaczęto ozdabiać wnętrza innych kościołów i pałaców.

Różnego rodzaju elementy barokowe występowały coraz częściej zarówno w dawnych kościołach (np. mauzoleum Św. Stanisława w katedrze krakowskiej), jak w nowo stawianych, opartych jeszcze na założeniach gotyckich (bryła), uzupełnianych detalami renesansowymi. Ten typ budownictwa, znamienny dla Polski centralnej, rozwijał się bowiem jeszcze w tym okresie, co najlepiej charakteryzuje wielokierunkowość sztuki w ówczesnej Rzeczypospolitej.

Przed mecenatem królewskim stanęło ważne zadanie przystosowania Zamku Warszawskiego do potrzeb przeniesionej tam rezydencji monarszej. Do 1611 r. dokonano więc przebudowy starego zamku, dodając trzy nowe skrzydła. Powstała ciężka i surowa bryła, o kształcie nieregularnego pięcioboku z dziedzińcem pośrodku i wielką wieżą przelotową. Ten w miarę udany twór architektoniczny nie wpłynął poważniej na budownictwo w Rzeczypospolitej. Natomiast wzorem dla wielu pałaców magnackich stał się wzniesiony w latach dwudziestych pałac w Ujazdowie. Miał on kształt zamkniętego czworoboku z dziedzińcem, o dwu kondygnacjach i wieżach na narożnikach.

Z królewskim mecenatem artystycznym usiłowali rywalizować magnaci. W Warszawie powstały liczne pałace, nierzadko otoczone barokowymi ogrodami z fontannami, rzeźbami i altanami; pałace takie budowano również w innych miastach, w których zwykli rezydować magnaci. Tak np. biskupi krakowscy wybudowali sobie pałac w Kielcach, Radziwiłłowie w Białej Podlaskiej. Obok tego utrzymywał się typ zamku obronnego, zabezpieczonego fosami i wieżami, jak zamek Krasickich w Krasiczynie. W celu zwiększenia obronności zamków wprowadzano również umocnienia bastionowe — przykładem może być rezydencja Lubomirskich w Wiśniczu czy Ossolińskich (Krzyżtopór). Wbrew panującej powszechnie opinii właśnie w pierwszej połowie XVII w. starano się wprowadzić nowoczesne wtedy fortyfikacje bastionowe w celu zabezpieczenia rezydencji co potężniejszych magnatów.

Natomiast stosunkowo rzadko stosowano te fortyfikacje w celu wzmocnienia obronności miast. Nie zaniedbał zabezpieczyć Zamościa siedmiu bastionami kanclerz Zamoyski. Dobrze rozwinięte były także fortyfikacje bastionowe miasta Brody na Rusi Czerwonej (przez hetmana Koniecpolskiego) i Słucka na Białorusi. Wprowadzono rozległe umocnienia bastionowe wokół Warszawy, stosunkowo zaś najstaranniejsze miały miasta pruskie, zwłaszcza Gdańsk. W zasadzie jednak w tym okresie, kiedy miejski ruch budowlany osiągnął największe w dawnej Rzeczypospolitej rozmiary, więcej dbano o wygodę niż o bezpieczeństwo. Można zaobserwować dwa typy kamienic miejskich. Jeden, charakterystyczny dla południowej Polski, przy którym następował rozrost wszerz — dla wyrównania proporcji wprowadzano przy tym wysokie attyki. Takie kamienice charakteryzowały zabudowę Lwowa, Lublina, Kazimierza nad Wisłą. Drugi typ, rozpowszechniony w północnej Polsce, zwłaszcza na Pomorzu, ale także w Wielkopolsce, odznaczał się kunsztowną ornamentacją partii szczytowych.

Rzeźba barokowa odgrywała rolę raczej pomocniczą, wypełniając monumentalne wnętrza, ozdabiając fasady i portale. Nowe formy przybrała rzeźba nagrobna. W początkach XVII w. pojawiły się nagrobki z postaciami klęczącymi, charakterystyczne dla nowej postawy religijnej. Nagrobki takie wznoszono nie tylko dla duchownych, ale i dla magnatów, szlachty, a nawet mieszczan (np. Wojciecha Oczki w Lublinie). Jako materiałem posługiwano się chętnie białym marmurem, niekiedy kontrastowanym z czarnym, który zaczęto wydobywać pod Dębnikiem.

Najsłynniejszą rzeźbą z tego okresu jest umieszczony na kolumnie posąg Zygmunta III, wykonany przez artystów włoskich z brązu ze zdobytych dział. Łączy on elementy antyczne z barokowymi. Po odsłonięciu pomnika w 1644 r. stał się jednym z symboli Warszawy.

Widoczne przemiany nastąpiły w malarstwie. Kościół chętnie posługiwał się malowidłami, by oddziaływać na tych wiernych, na których nie mogło działać słowo pisane. Dlatego starał się, by obrazy były zarówno programowe, jak i realistyczne. Przy pomocy całych cyklów obrazów rozwijano kult świętych, formowano wzorce postępowania. Zresztą cenzura kościelna czuwała nad najdrobniejszymi szczegółami obrazów, tępiąc zwłaszcza wszelkie przejawy „grzesznej" nagości ciała ludzkiego. Zwalczano przede wszystkim tematykę mitologiczną w sztuce. Dochodziło do tego, że marszałek Wolski postanowił przed śmiercią spalić swą galerię malarstwa włoskiego, by nie szerzyć zgorszenia.

Galeria Wolskiego nie była jedyną. Wielu magnatów sadziło się na to, by zabłysnąć zbiorami sztuki, nawet bogaci mieszczanie krakowscy czy gdańscy starali się o obrazy artystów włoskich lub niderlandzkich. Przykład szedł od monarchy. Zarówno Zygmunt III, jak i Władysław IV byli zapalonymi kolekcjonerami i dokonywali zakupów w całej zachodniej Europie. Zasługą Zygmunta III było sprowadzenie w końcu XVI w. z Wenecji Tomasza Dolabellego (zm. 1650), który większość swego życia spędził w Krakowie. Był on artystą bardzo płodnym, wykształcił także całe zastępy uczniów. Dolabella malował zarówno obrazy religijne, jak i na zamówienie monarchów sceny historyczne związane z panowaniem Wazów. Niewiele z tych dzieł dotrwało do naszych czasów (najwybitniejsze w kościele dominikanów w Krakowie), niemniej formowały one wyobraźnię współczesnych, tym bardziej że pod wpływem Dolabelli znalazł się cały krąg malarzy krakowskich, których obrazy przetrwały w licznych kościołach Małopolski, a także w ocalałych pałacach (np. w Kielcach).

Drugim ważnym ośrodkiem malarskim stał się w tym czasie Gdańsk. Znaleźli się tam przybysze ze Śląska, Herman Han z Nysy i Bartłomiej Strobel z Wrocławia, którzy poświęcili się malarstwu religijnemu na potrzeby pomorskich klasztorów i kościołów, podporządkowując się w zakresie tematyki swym mecenasom, ale wprowadzając przy tym nowe elementy formalne (efekty światłocieniowe). Obok tego rozwijało się świeckie malarstwo manierystyczne, pod wyraźnymi wpływami niderlandzkich imigrantów. Tematyka tego malarstwa obejmowała obok portretów sceny historyczne i rodzajowe, niekiedy na potrzeby władz miejskich (np. dekoracja sal Dworu Artusa w Gdańsku). Doskonale rozwinęło się rytownictwo gdańskie — słynnymi byli graficy Wilhelm Hondius i Jeremiasz Falk.

Pierwsza połowa XVII w. nie zahamowała więc tego rozkwitu kultury, który charakteryzował wiek XVI. Można by powiedzieć, że dopiero wtedy dokonuje się rozpowszechnienie tych postaw kulturalnych i zamiłowań estetycznych, które w XVI w. obejmowały przez długi czas stosunkowo wąską elitę. Upowszechnienie to obejmowało nie tylko szlachtę, ale i mieszczan, czy ściślej mówiąc zarówno pewne warstwy szlachty, jak i mieszczaństwa. Mimo bowiem swej politycznej słabości mieszczaństwo nie przestaje odgrywać bardzo aktywnej roli kulturalnej, w niektórych dziedzinach (nauka) górując nad szlachtą. Wartości, które reprezentowała twórczość mieszczańska tej doby (czy opierająca się na mecenacie mieszczańskim), stanowiły istotne uzupełnienie kultury szlacheckiej, a zarazem jej przeciwwagę, umożliwiając tym samym dalszy rozwój kultury ogólnonarodowej. Fakt, że ten rozwój dokonuje się w zmienionej konwencji artystycznej, w ramach barokowej teorii estetycznej, nie może wpływać pejoratywnie (jak często się to zdarzało) na ocenę tego okresu. Nawet zresztą oddziaływanie zreformowanego Kościoła katolickiego wniosło ożywienie twórcze i wzbogaciło kulturę polską tej doby, jakkolwiek w ostatecznym rachunku kontrreformacja przez swe dążenie do uniformizacji postaw osłabiła wielokierunkowość rozwoju kulturalnego Rzeczypospolitej. W pierwszej połowie XVII w. Polska przodowała w wielu dziedzinach kultury w Europie środkowej i zdolna była promieniować na sąsiadujące z nią kraje. Dopiero klęski wojenne z połowy XVII w. miały podważyć to stanowisko.

6. Ukształtowanie się Rzeczypospolitej szlacheckiej

a. Sytuacja wewnętrzna u progu XVI w.

Podobnie jak przed dwoma wiekami zjednoczenie, tak w XVI w. centralizacja państwa stała się zasadniczym problemem polityki wewnętrznej. Chodziło przy tym z jednej strony o wyrównanie różnic między poszczególnymi dzielnicami, jak i z drugiej o takie wzmocnienie centralnego ośrodka władzy, by był on zdolny ukrócić panoszące się możnowładztwo świeckie i duchowne. Na kim mogło się oprzeć przeprowadzenie tego dzieła?

Sytuacja przedstawiała się mniej korzystnie niż w większości krajów zachodniej Europy. Stosunkowo ograniczona była swoboda manewru politycznego, gra bowiem toczyła się wyłącznie niemal w kręgu klasy feudałów. Mieszczaństwo, którego rola w podobnych procesach w krajach zachodnich była niewspółmiernie wyższa, w Polsce dalekie było od wewnętrznej zwartości, ponadto z obcym etnicznie w znacznej mierze patrycjatem. Gdy w połowie XVI w. wzrosły siły mieszczaństwa polskiego, wykorzystanie w polityce tej zmiany sytuacji było już bardzo utrudnione. Na przełomie bowiem XV i XVI w. częściowo w wyniku świadomej polityki szlachty i możnowładztwa, częściowo wskutek bierności i obawy przed zmajoryzowaniem przez szlachtę we wspólnych organach mieszczaństwo nie tylko nie znalazło się wśród członków sejmów i sejmików, ale i zostało pozbawione dostępu do wyższych urzędów. Wydaje się, że szczególnie ujemnie pod tym względem musi być oceniona rola mieszczaństwa krakowskiego, które mimo bliskości dworu królewskiego nie wywalczyło sobie takiej pozycji, jaką cieszyli się mieszkańcy większości stolic europejskich w tym okresie. Kraków nie wykorzystał ani swego prawa do obsyłania sejmów (posłowie krakowscy rychło spadli do roli obserwatorów z prawem głosu w sprawach miejskich, miernie zresztą wyzyskiwanym), ani faktycznie istniejących możliwości sprawowania urzędów (obdarzani nimi mieszczanie starali się szybko stopić ze szlachtą) w celu zapewnienia sobie trwałego wpływu na politykę państwową i zdobycia uprawnień dla szerszej reprezentacji mieszczańskiej. Przykładem mogły być stosunki choćby w Prusach Królewskich, gdzie większe i mniejsze miasta miały prawo zasiadania na sejmiku generalnym, a więc w ówczesnych warunkach w odpowiedniku sejmu w Koronie. Ale to nie nastąpiło i ewolucja poszła w innym kierunku: gdy dokonało się stopienie sejmu koronnego i pruskiego, nie znalazło się w nim miejsca dla delegatów miast pomorskich.

Wśród feudałów, jeśli pominie się związane z dworem królewskim grupy możnowładców, ku polityce centralistycznej mogła się skłaniać średnia szlachta. U progu XVI stulecia nie stanowiła ona jeszcze ani całkowicie skrystalizowanej, ani świadomej swych celów politycznych warstwy. Dopiero dalszy jej rozwój ekonomiczny i intelektualny miał uczynić z niej wartościowego partnera w rozgrywce politycznej. Na razie była wprawdzie niechętna wykorzystującemu ją politycznie i ekonomicznie możnowładztwu, ale i niezdolna do jakiejkolwiek samodzielnej akcji. W świeżo zorganizowanym za panowania Olbrachta sejmie reprezentanci jej znaleźli się w izbie poselskiej w zdecydowanej mniejszości wobec parokrotnie przeważającego liczebnie senatu. Dopiero w latach dwudziestych XVI w. średnia szlachta wywalczyła sobie pełne prawo wyboru swej reprezentacji, która w tym czasie uległa znacznemu powiększeniu (z 34 posłów w 1511 r. do 88 w 1528 r.). Średnia szlachta w tym okresie mogła być pomocna w rozgrywkach między monarchą a możnowładztwem, przechylając się zresztą to na jedną, to na drugą stronę. Dla monarchy nie był to sojusznik dostatecznie silny ani zbyt wygodny. Jego aspiracje odbiegały w niejednym przypadku od interesu królewskiego. Daleka była zwłaszcza szlachta od popierania tendencji absolutystycznych. Królowie zatem, preferując związanych ze sobą wielmożów, bez zapału przystępowali do współpracy ze szlachtą.

Niemało w tej sytuacji zależało od osoby władcy, jego energii, konsekwencji i wytrwałości w osiąganiu postawionych celów. Cech tych brakowało na ogół ostatnim Jagiellonom. Ten niedostatek wybitnych indywidualności władczych w pierwszej połowie XVI w. ostatecznie spowodował, że w dziele centralizacji państwa na czoło wysunął się sejm. Zanim to jednak nastąpiło, szlachta średnia musiała dojrzeć do sprawowania funkcji kierowniczej w państwie. Utrudniało to niepomiernie poczynania obu ostatnich Jagiellonów, a zwłaszcza Zygmunta I.

b. Opozycja szlachecka w dobie współdziałania króla z możnowładztwem

Powołany na tron przez sejm piotrkowski Zygmunt I (1506 - 1548) miał już za sobą rządy na Śląsku, gdzie jako namiestnik (od 1501 r.) wyróżnił się sprawną administracją. Zygmunt I łączył wysoko rozwinięte poczucie godności monarszej z przystępnością. Ceniąc wyżej możnowładztwo niż zwykłą szlachtę, nie odmawiał jej wszakże prawa do swobody słowa. W polityce kierował się rozwagą i przezornością, miewał jednak trudności z samodzielnym podejmowaniem decyzji. Był hojnym mecenasem i miłośnikiem sztuki, a swemu dworowi nadał prawdziwie humanistyczny charakter.

Zadania, jakie czekały go w Polsce, były bardzo skomplikowane. W toku rywalizacji między starym możnowładztwem a młodym, kierowanym przez kanclerza Jana Łaskiego i popieranym przez średnią szlachtę, doszło do wprowadzenia przez sejm zakazu odstępowania czy sprzedawania królewszczyzn bez zgody całego senatu, a także zakazu łączenia pewnych wyższych urzędów w jednym ręku (tzw. *incompatibilia*). W 1505 r. słynna konstytucja *nihil novi* uzależniała od wspólnej zgody króla, senatu i izby poselskiej nie tylko decyzje podatkowe, ale i prawodawcze, dotyczące wolności i praw szlacheckich. Wreszcie w celu uporządkowania stosunków prawnych dokonano zestawienia zbioru statutów i przywilejów, który pod nazwą Statutów Łaskiego został wydrukowany (1506) i rozesłany po sądach całej Polski, ułatwiając ujednolicenie i centralizację państwa. Te właśnie Statuty Łaskiego miały z czasem stać się podstawą prawną dla ruchu średnioszlacheckiego, który domagając się ich przestrzegania i wykonywania, egzekucji praw, rozwinie się w pierwszej połowie XVI w. Zygmunt I nie zdecydował się na kontynuowanie tej polityki. Bliższe mu było stare możnowładztwo. Powołanie Jana Łaskiego na arcybiskupstwo gnieźnieńskie umożliwiło mu nową obsadę urzędu kanclerskiego. Właściwymi kierownikami polityki zewnętrznej i wewnętrznej stali się wkrótce kanclerz Krzysztof Szydłowiecki i podkanclerzy Piotr Tomicki. W sprawach wojskowych decydujący głos zdobył sobie hetman Jan Tarnowski. Zygmunt I, monarcha gospodarny i starannie wykształcony, ale mało energiczny, łatwo dawał im posłuch, znajdując oparcie także u innych wpływowych rodzin możnowładczych — u Tęczyńskich w Małopolsce, u Górków w Wielkopolsce. Byli to przeważnie ludzie, którzy myśleli głównie o własnych interesach i korzyściach. W tych warunkach każdy projekt reformy skarbowo-wojskowej musiał napotykać opór nie tylko szlacheckiej opozycji, ale i możnowładczego otoczenia monarchy, które czuło się zagrożone wszelkimi próbami wzmocnienia władzy króla. W tym tkwiło źródło niepowodzeń polityki wewnętrznej Zygmunta I.

Na początku rządów Zygmunta I państwo znajdowało się w trudnej sytuacji. W rezultacie lekkomyślnej polityki szafowania pieniędzmi królewski skarb nie tylko przyświecał pustkami, ale w 1509 r. ciążyło na nim blisko 100 tys. długu. Brakowało pieniędzy na utrzymanie stałego zaciężnego żołnierza, bez którego już wtedy nie można się było obejść. Zygmunt I rozpoczął zabiegi o uporządkowanie spraw domeny królewskiej: dóbr ziemskich, które obejmowały $1/_4$ całości ziem ornych w Polsce, żup solnych. i ceł. Podobnie jak w innych krajach, uzyskiwane stąd dochody mogły zapewnić znaczną niezależność pozycji monarchy. Był to jednak proces długofalowy, którego skutki dały się odczuć dopiero w drugiej połowie rządów Zygmunta I. Bardziej doraźne znaczenie miała reforma monetarna, podjęta przy pomocy mieszczaństwa. Za radą patrycjusza krakowskiego Jana Bonera król wznowił działalność mennicy krakowskiej. Inny mieszczanin, przybyły z Alzacji Justus Decjusz, ekonomista i historyk, objął z czasem jej kierownictwo (wraz z toruńską i królewiecką) i nadał jej postać małej manufaktury.

Palącą sprawą stało się zdobycie środków na utrzymanie parotysięcznej armii zaciężnej, która zapewniłaby bezpieczeństwo Podola i Rusi Czerwonej zagrożonych przez powtarzające się najazdy tatarskie, a zarazem stanowiłaby trzon armii rozbudowanej w razie wojny. Ta tzw. wtedy „obrona potoczna" wskutek braku odpowiedniego zabezpieczenia finansowego wahała się od kilkuset do ponad 3 tys. wojska, głównie jazdy. Wobec trudności związanych z powoływaniem i wykorzystywaniem pospolitego ruszenia powstał projekt zastąpienia go stałym podatkiem płaconym przez szlachtę wyłącznie na utrzymanie wojska zaciężnego. Propozycje w tej sprawie były wysuwane na sejmach w latach 1512 - 1527. Ostatecznie cała sprawa upadła, gdy okazało się, że konieczne w takim wypadku powszechne oszacowanie majątków wywołało zasadnicze sprzeciwy szlachty małopolskiej, popartej zresztą przez możnowładców, których takie otaksowanie mogłoby najbardziej dotknąć. Istota rzeczy polegała także na tym, że szlachta chciała utrzymać dawny zwyczaj obciążania króla kosztami obrony pogranicza. Szlachta obawiała się, że uregulowanie skarbowości przez wprowadzenie stałych, stosunkowo wysokich podatków uniezależni króla od sejmu i otworzy drogę do absolutyzmu.

Wydaje się, że rzeczywiście Zygmunt I i jego doradcy zamierzali w ten sposób pozbyć się konieczności odwoływania się do izby poselskiej. Odżyła pamięć o radach Kallimacha, postulującego zniesienie ograniczeń krępujących władzę króla. Zresztą takie przykłady dawała prawie cała ówczesna Europa. Zamysły absolutystyczne wzrosły od momentu zaślubienia przez Zygmunta I córki mediolańskiego księcia Bony Sforza. Zdobyła ona sobie znaczny wpływ na króla i podjęła kroki, które miały wzmocnić pozycję dynastii. Dawniej historiografia skłonna była przeceniać rolę Bony w Polsce, zarówno jeśli chodzi o jej oddziaływanie kulturalne, jak i polityczne. Pamiętając, że kierowała się głównie dość wąsko pojętym interesem osobistym czy dynastycznym, trudno przecież nie dostrzec, że z pozyskiwanych sobie rozdawnictwem urzędów, beneficjów i majątków zauszników umiała stworzyć grupę podporządkowanej dworowi nowej magnaterii. Bona zabiegała o powiększenie majętności królewskich, by uniezależnić się finansowo od szlachty. Za przywiezione ze sobą pieniądze skupywała dobra. Królewszczyzny pod jej staranną opieką zaczęły dawać znaczne dochody. Dodatkowe wpływy miała królowa z opłat uzyskiwanych od kandydatów na wysokie urzędy kościelne i państwowe. W ten sposób doszło do koncentracji w jej ręku poważnych kapitałów.

W polityce wewnętrznej istotne skutki miały zabiegi Bony o zapewnienie dziedziczności obieralnego dotąd wśród dynastii jagiellońskiej tronu. Z tego punktu widzenia trzeba spojrzeć na wymuszoną w 1529 r. na sejmie w Piotrkowie elekcję jej małoletniego syna Zygmunta Augusta na króla polskiego. Sprawa ta dla dynastii nie miała jednak większych konsekwencji, natomiast zobowiązania, jakie opozycji szlacheckiej złożył w związku z tym Zygmunt I, otworzyły drogę do powszechnego udziału szlachty w wolnych elekcjach.

Współdziałanie Zygmunta I z możnowładztwem, a także majątkowe zabiegi Bony i jej ingerencja w liczne decyzje starzejącego się monarchy powodowały wzrost niezadowolenia wśród szlachty. Próbował uciszyć je Zygmunt I idąc na drugorzędne ze swego punktu widzenia ustępstwa, przede wszystkim akceptując ograniczenia chłopów i mieszczan. Trudno było jednak uzyskać pod tym względem wiele więcej niż to, co zdobyła szlachta w końcu XV w. Szlachta przecież domagała się od początku lat dwudziestych zwołania „sejmu sprawiedliwości", na którym spisano by wszystkie prawa i ustalono sposób wprowadzania ich w życie, czyli na którym by nastąpiła całkowita „egzekucja praw". Niektórym i to nie wystarczało. Wzywali oni do zebrania całej szlachty na wzór węgierski na zjazd, tzw. rokosz, na którym rozprawiono by się z możnymi. Żądania te powtarzano w rozmaitej formie na licznych sejmach, które były stałym miejscem rozgrywek między szlachtą a popieranym przez króla możnowładztwem. Właśnie dlatego szlachta zwiększała stale liczbę swych reprezentantów w sejmie (póki w 1540 r. sejm nie zakazał wysyłania posłów ponad określoną liczbę). W toku tych rozgrywek nastąpiło m. in. odrzucenie tzw. korektury Taszyckiego (por. cz. 1, s. 176), która budziła, jak każdy owoc kompromisu, zastrzeżenia obu stron.

Pod wpływem „nowinek" religijnych, nie uzewnętrzniając wszakże swych przekonań ze względu na nietolerancyjne stanowisko Zygmunta I, coraz częściej posłowie wysuwali zarzuty przeciwko klerowi. Domagali się więc na sejmach zwiększenia jego udziału w podatkach, oddania części dóbr kościelnych na potrzeby obronne państwa, ograniczenia zakresu sądownictwa i zaprzestania wysyłania annat i innych opłat do Rzymu.

Zgodnie z postawą magnackich doradców król systematycznie odrzucał zarówno te, jak i inne postulaty szlacheckie, co w końcu doprowadziło do otwartego niezadowolenia. Wyładowało się ono podczas tzw. wojny kokoszej. Gdy Zygmunt I zwołał w 1537 r. pospolite ruszenie przeciwko Mołdawii, zebrana tłumnie pod Lwowem szlachta ogłosiła rokosz. Część szlachty upominała się o zagrożone rzekomo prawa i wolności, krytykując za Mikołajem Taszyckim politykę dworu. Innymi kierowały niespełnione ambicje i nie zaspokojone pretensje majątkowe; wśród tych ostatnich nie brakło możnowładców, Zborowskich czy Piotra Kmity, ukrytej sprężyny całego ruchu. Wysłani do Zygmunta I deputaci szlacheccy żądali zaprzestania skupywania dóbr przez Bonę, kodyfikacji praw, reformy skarbu, uwolnienia od ciężarów na rzecz Kościoła. Nie pominięto także zgoła prywatnych postulatów. W toku rokowań okazało się, że zjazd nie zajmował jednolitej postawy, a przywódcy skłonni byli do kompromisu z dworem. Gdy wystąpiła sprawa podatku, który zastąpiłby nieudane pospolite ruszenie, szlachta rozjechała się bez uchwał.

Dopiero w czasie dwu następnych sejmów w 1538 i 1539 r. wyłonił się ponownie program egzekucji. Zygmunt I próbował wystąpić na nich z pozycji siły: pozwał przywódców rokoszowych przed sąd sejmowy. Gdy przybyli w zbrojnej asyście, król nie zdecydował się na ryzyko rozlewu krwi. Skończyło się więc na kompromisie; szlachta uchwaliła podatki (podobnie jak to robiła na wielu poprzednich sejmach), a Zygmunt I zaręczył, że nie naruszy w przyszłości praw polskich, zwłaszcza że utrzymana będzie zasada wolnej elekcji. Na tym sprawa absolutyzmu Zygmunta I została definitywnie pogrzebana. Zwycięstwo opozycji było dość problematyczne. Wprawdzie nastąpiło dalsze ograniczenie władzy monarszej (np. do wybierania podatków szlachta miała sama wyznaczyć poborców), na chłopów i mieszczan spadły nowe ograniczenia, nie o to przecież chodziło średniej szlachcie. Na sejmie krakowskim w 1538/39 r. posłowie szlacheccy wystąpili z konkretnym programem reform, dalekim od demagogicznej frazeologii: godzili się na oszacowanie swych majątków, domagali się ściślejszego zespolenia Korony z Litwą, Prusami i księstwami śląskimi, żądali ograniczenia uprawnień Gdańska, podniesienia poziomu szkół, kazali spisywać ustawy po polsku (z łacińskim tłumaczeniem). O budzącym się wśród szlachty lepszym zrozumieniu potrzeb państwa świadczy i ówczesna publicystyka, która ożywi się znacznie, przynosząc pierwsze wypowiedzi Mikołaja Reja (*Krótka rozprawa*) i Andrzeja Frycza Modrzewskiego (*O karze za mężobójstwo*). Ale do podjęcia tych propozycji nie był zdolny dwór królewski ani za życia starego króla, ani w początkach panowania jego następcy. Szlachta nadal pozostawała w opozycji i musiała jeszcze blisko dwadzieścia lat czekać na przychylne dla swych dążeń stanowisko dworu. Odbiło się to fatalnie na możliwościach finansowych i obronnych państwa.

Pierwsze lata rządów Zygmunta Augusta (1548 - 1572) pogłębiły tylko konflikt między królem a szlachtą. Zygmunt August, który według słów Wł. Konopczyńskiego łączył „litewski upór dziadka Kazimierza z włoską subtelnością Sforzów; gospodarność matki i babki z jagiellońską hojnością i polskim humanitaryzmem", dzięki wczesnej elekcji i powołaniu go na stanowisko namiestnika Litwy (1544) miał dobre warunki, by przed objęciem tronu uzyskać już pełne rozeznanie w potrzebach państwa. Podobne jak u ojca niezdecydowanie, a w jeszcze większym stopniu skłonność do odkładania postanowień i działań (król „dojutrek") zaważyły przecież ujemnie na jego rządach. Początkowo o wpływ na króla toczyły się walki między klikami możnowładców w związku z potajemnym małżeństwem Zygmunta Augusta z Barbarą Radziwiłłówną. Zarówno Bona, jak i magnaci koronni przypuszczali, że w ten sposób zdobędzie sobie przemożny wpływ na króla rodzina litewskich magnatów Radziwiłłów, zwłaszcza Mikołaj Czarny Radziwiłł, późniejszy kanclerz litewski. Bona widziała przy tym w zaślubieniu Barbary osłabienie nie tylko własnej pozycji, ale i autorytetu dynastii. Przeciwko uznaniu tego małżeństwa rozpoczęła się ostra kampania, do której wciągnięto także szlachtę. Zygmunt August potrafił jednak pohamować zamiary sejmu pragnącego zdobyć kontrolę nad postępowaniem monarchy, i wykorzystując niesnaski między magnatami zdołał przeforsować swoje stanowisko. Barbara została koronowana. Wprawdzie wkrótce potem zmarła, ale skutki konfliktu przetrwały dłużej. Nigdy nie wróciła do poprzednich wpływów Bona. Po zerwaniu z synem wyjechała do Włoch, gdzie poprzednio ulokowała swój majątek. Zmarła tam wkrótce w Bari, prawdopodobnie otruta, zaś o pozostały po niej spadek, tzw. sumy neapolitańskie, toczyli mniej czy bardziej udane starania wszyscy niemal późniejsi królowie polscy. Zygmunt August skierował zaś swe zainteresowania przede wszystkim na sprawy litewskie i bałtyckie, pozostawiając w Koronie wolną rękę magnatom. Niechętny stosunek króla do szlachty odsuwał możliwości realizacji programu egzekucji praw. Próby wciągnięcia Zygmunta Augusta do współdziałania, choćby przy okazji dyskusji nad Kościołem narodowym (zob. cz. 1, s. 58), nie dały większych efektów. Tymczasem w kraju pogłębiało się rozprzężenie. Niedomagał wymiar sprawiedliwości, brakowało pieniędzy na potrzeby państwowe. Szlachta na kolejnych sejmach ponawiała krytyki i żądała rozpoczęcia reform. Rozbrat między nią a królem osiągnął punkt szczytowy na sejmie 1559 r., kiedy posłowie odmówili podatków na kampanię inflancką. Zygmunt August wyjechał na Litwę i przez cztery lata nie zwoływał sejmu.

c. *Sejm walny i sejmiki*

W czasie panowania Zygmunta I utrwaliła się zgodnie z konstytucją *Nihil novi* pozycja sejmu walnego i ustaliła jego organizacja. Sejm walny składał się z trzech „stanów sejmujących": króla, senatu i izby poselskiej. W skład senatu wchodzili najwyżsi dostojnicy Kościoła rzymsko-katolickiego, główni urzędnicy wojewódzcy i ziemscy, oraz urzędnicy zawiadujący kancelarią (tzn. prowadzący politykę zewnętrzną i wewnętrzną państwa), dworem królewskim i skarbem. Byli to więc arcybiskupi i biskupi diecezjalni, wojewodowie, kasztelanowie i tzw. ministrowie: kanclerz, podkanclerzy, marszałek wielki, marszałek nadworny oraz podskarbi. Skład ten ustalił się za panowania Zygmunta I, toteż w senacie nie zasiadali z racji sprawowania swego urzędu hetmani i podskarbi nadworny. Urzędy ich ustabilizowały się bowiem lub powstały dopiero w okresie późniejszym. Członkowie senatu pełnili swe funkcje dożywotnio. Byli to przede wszystkim wielcy możnowładcy świeccy i duchowni, przedstawiciele najzamożniejszych rodów. Wprawdzie wśród senatorów, zwłaszcza między kasztelanami, nie brakowało również średniej szlachty, nie istniały bowiem żadne formalne przepisy ograniczające szlachcie dostęp do senatu, niemniej dominująca rola przypadała w nim magnatom. Gdy po unii lubelskiej w skład senatu weszli również odpowiedni urzędnicy i biskupi z Wielkiego Księstwa Litewskiego, ugruntowało to tylko pozycję możnowładztwa w senacie. Nie powiodły się też podejmowane przez średnią szlachtę w toku walki o władzę w państwie próby ograniczenia znaczenia i kompetencji senatu. Senat bywał przy tym zwoływany nie tylko jednocześnie z izbą poselską na sejm walny, ale jako pozostałość dawnej rady królewskiej mógł na wezwanie króla zbierać się przy jego boku również poza obradami sejmu.

Izba poselska składała się z posłów, wybieranych na sejmikach przedsejmowych w województwach czy ziemiach przez ogół szlachty, w tym także przez senatorów. Za Zygmunta I na tle nieporozumień między szlachtą i senatorami dochodziło niekiedy w Wielkopolsce do odrębnego wyboru połowy posłów przez senatorów, a drugiej połowy przez szlachtę. Praktyka ta wywołała sprzeciwy szlachty i została zaniechana. Liczba wysyłanych posłów ulegała początkowo wahaniom, ostatecznie utrwaliła się zwyczajowo. Nie była ona proporcjonalna do wielkości czy zaludnienia danego obszaru, ale każde województwo czy ziemia miały ją ustaloną odrębnie dla siebie. Po 1569 r. w składzie sejmu walnego znaleźli się również posłowie Prus Królewskich oraz Wielkiego Księstwa Litewskiego. Izba poselska liczyła wtedy ok. 170 posłów, gdy w senacie zasiadało 140 senatorów.

Posłowie byli uważani nie za reprezentantów ogółu szlachty całej Rzeczypospolitej, lecz poszczególnych województw czy ziem. Samodzielność posłów krępowały instrukcje, które od czasów Zygmunta I stają się nieodłącznym zjawiskiem przy pełnieniu funkcji poselskiej. Instrukcje spisywała szlachta zbierająca się na sejmiku przedsejmowym, zwoływanym z zasady przez króla. Na sejmiki takie przyjeżdżali legaci królewscy, którzy przedstawiali powody zwołania sejmu. Instrukcja sejmikowa stanowiła początkowo zbiór wskazówek, jakie stanowisko mają posłowie zajmować w sprawach wysuwanych przez króla. Z czasem szlachta zaczęła dorzucać również własne postulaty, o charakterze ogólnym czy nawet prywatnym i już pod koniec XVI w. pojawiały się ogromne, liczące kilkadziesiąt punktów instrukcje. Coraz rzadziej wysyłały natomiast sejmiki swych posłów bez konkretnych wskazówek, ale z tzw. „zupełną mocą", zapewniającą im swobodę działania, czy ograniczając instrukcję tylko do niektórych, wybranych spraw.

Swego rodzaju kontrolą zastosowania się do instrukcji były sprawozdania z przebiegu obrad sejmowych, które składali posłowie na sejmikach. W końcu XVI w. ustalił się zwyczaj zwoływania w tym celu specjalnych sejmików, zwanych relacyjnymi. Sejmiki te stały się ważnym elementem w życiu parlamentarnym Rzeczypospolitej, stanowiąc swego rodzaju uzupełnienie sejmu, nierzadko podejmując zwłaszcza w sprawach skarbowych ostateczne, szczegółowe decyzje, ogólnie tylko wyrażone w uchwałach sejmowych. Niejednokrotnie zresztą w XVI w., gdy sejmy nie podejmowały uchwał odpowiadających życzeniu króla, ten zwracał się bezpośrednio do sejmików.

Zarówno sejm jak i sejmiki były instytucjami zdecydowanie szlacheckimi. Duchowieństwo miało swych przedstawicieli w senacie; biskupi diecezjalni uczestniczyli także w posiedzeniach sejmików. Natomiast ogół duchowieństwa mógł udzielać zezwolenia na podatki na synodach prowincjonalnych. Stałe prawo zasiadania w sejmiku generalnym miały miasta

Prus Królewskich; przedstawicieli ich jednak nie wysyłano jako posłów na sejm. Jedynie Kraków, a po 1569 r. także Wilno miały prawo wysyłania na sejm dwu posłów, zwanych ablegatami. Rola ich była ograniczona do asystowania obradom, bez prawa głosowania. W późniejszym okresie podobne uprawnienia uzyskał także Lwów, Kamieniec Podolski i Lublin. Jeżeli na sejmikach zdarzali się jeszcze w charakterze obserwatorów czy petentów mieszczanie, to nie słychać, by kiedykolwiek pojawiali się na nich chłopi. Natomiast Żydzi wysyłali swych przedstawicieli na ogólne zjazdy żydowskie, zwane waadami, zbierające się osobno dla Korony, osobno dla Litwy. Podstawa społeczna parlamentaryzmu w Rzeczypospolitej była więc węższa niż w większości europejskich monarchii stanowych, co ujemnie zaważyło zarówno na późniejszych losach sejmu jak i państwowości polskiej. Nie zmienia tego fakt, że wobec liczebności szlachty procent ludności uprawnionej do uczestniczenia w życiu parlamentarnym należał w porównaniu z innymi krajami do stosunkowo wysokich. W rzeczywistości udział szlachty w obradach sejmikowych, który był uprawnieniem ale nie obowiązkiem, był skromny: zjeżdżało się na nie zwykle w województwach czy ziemiach nie więcej jak paręset osób, i to raczej szlachty zamożniejszej. Jedynie w wyjątkowych sytuacjach, podczas konfederacji czy bezkrólewia, szlachta uczestniczyła tłumnie w zjazdach.

Sejmy zwoływał początkowo król w dowolnych terminach, zgodnie z potrzebą. On też ustalał cel obrad. Dopiero od 1573 r. przyjęto za zasadę zwoływanie sejmu raz na dwa lata na okres 6 tygodni. Sejmy takie nazywano zwyczajnymi. Gdy tego wymagały okoliczności król mógł zwołać również dwutygodniowy sejm nadzwyczajny (ekstraordynaryjny). Za zgodą posłów okres obrad sejmu mógł zostać przedłużony: takie przedłużenie nazywano prolongacją. Miejscem obraz początkowo bywał najczęściej Piotrków i Kraków. Od unii lubelskiej obrady sejmu Rzeczypospolitej Obojga Narodów odbywały się zwykle w Warszawie; jedynie stałym miejscem sejmu koronacyjnego pozostał Kraków.

Powoli ustalił się tryb obrad sejmowych, ujęty w ramowe przepisy regulaminowe dopiero w XVII w. Sejm zaczynał się od mszy św., poczem w izbie poselskiej następowała weryfikacja mandatów poselskich, tzw. rugi. Po ich zakończeniu następował wybór marszałka i izba poselska łączyła się z senatem, dla powitania króla oraz wysłuchania propozycji królewskiej i wotów senatorów. Potem izba poselska obradowała znów oddzielnie, przygotowując uchwały sejmowe, tzw. konstytucje. Dopiero w końcowym okresie sejmu (z czasem ustalono, że na 5 dni przed końcem obrad) izba poselska odbywała ponownie wspólne posiedzenia z senatem i królem, na których zapadały ostateczne postanowienia dotyczące konstytucji. Uchwały wymagały zgody wszystkich trzech sejmujących stanów. Zasada jednomyślności, przez którą rozumiano brak otwartego sprzeciwu, obowiązywała zwłaszcza w izbie poselskiej, gdzie tylko rugi i wybór marszałka dokonywany bywał większością. Nie była ona w XVI w. stosowana zbyt rygorystycznie, jeżeli oponenci byli nieliczni. Niemniej już wtedy zdarzały się wypadki rozchodzenia się sejmu bez powzięcia uchwał, gdy przez 6 tygodni nie udało się uzgodnić stanowisk. W tych warunkach sejm stawał się znakomitą szkołą kompromisu, umiejętności godzenia bardzo różnych stanowisk. W wielonarodowościowej Rzeczypospolitej była to umiejętność niezbędna i jej opanowanie dobrze świadczy o kulturze politycznej szlachty w tym okresie. Nie starczyło jej wszakże na dłużej, niż na parę pokoleń. Od połowy XVII w. zamiast dochodzić do kompromisu szlachta wolała zrywać sejmy bez względu na konsekwencje, jakie mogło to mieć dla państwa. W tej dobie uniformizacji oduczono się wszakże szanować prawo do posiadania odmiennych poglądów i różnego zdania.

Konstytucje sejmowe odczytywano wprawdzie na ostatnich posiedzeniach jednak ostateczna ich redakcja następowała już po zakończeniu obrad. Król, w którego imieniu ogłaszano konstytucje, miał wtedy możliwość dokonywania wygodnych dla siebie poprawek. Musiał się jednak liczyć z tym, że konstytucje podawane są do wiadomości całej szlachty i że w razie zbyt dużych rozbieżności napotka na opór sejmików.

W ciągu XVI wieku sejm wzrastał do roli decydującego organu władzy w państwie. Do kompetencji jego należało nie tylko uchwalenie podatków czy wyrażanie zgody na pospolite ruszenie, ale również podejmowanie zasadniczych postanowień wytyczających kierunek polityki zewnętrznej, a także kontrolowanie działalności ministrów (zwłaszcza podskarbiego) i samego króla. W 1578 r. sejm zastrzegł sobie prawo nobilitacji. Odbywający się pod przewodnictwem króla sąd sejmowy rozpatrywał sprawy najwyższej wagi, obrazy majestatu, zbrodni stanu czy przestępstwa urzędnicze. Uprawnienia te wzrosły w XVII w. W rezultacie sejm zdobył sobie stanowisko, jakiego nie posiadał żaden podobny organ przedstawicielski w tej części Europy. Od sprawności jego funkcjonowania i zdolności wprowadzania w życie uchwał sejmowych zależały dalsze losy Rzeczypospolitej.

Wobec wzrostu znaczenia sejmu sejmiki pozostawały jakby na drugim planie. Niemniej, zwłaszcza pod koniec XVI w., szlachta zbierała się na nich coraz częściej i poszerzała ich kompetencje. Obok tradycyjnych sejmików przedsejmowych, wybierających posłów na sejm i układających dla nich instrukcje, oraz sejmików elekcyjnych, wybierających 4 kandydatów na ziemskie urzędy sędziowskie, utrwalił się posejmowy sejmik relacyjny, wprowadzony został coroczny sejmik deputacki, na którym wybierano deputata na Trybunał, pojawił się w dobie bezkrólewia sejmik kapturowy, zajmujący się organizacją konfederacji i sądów. W coraz silniejszym stopniu sejmikom przypadała rola zasadniczego organu samorządu lokalnego. W ten sposób położone zostały fundamenty pod rządy sejmikowe, które nastąpiły w XVII w. w miarę postępującego rozkładu sejmu. Na razie przecież, w połowie poprzedniego wieku właśnie sejm miał decydować o charakterze przemian, które doprowadziły do ukształtowania się Rzeczypospolitej Obojga Narodów.

d. *Zwycięstwo ruchu „egzekucji praw"*

Tymczasem ruch egzekucyjny średniej szlachty tak dalece okrzepł i nabrał sił, że był już zdolny samodzielnie ująć ster spraw w swoje ręce. Pogłębienie się siły i zwartości obozu egzekucyjnego było w dużym stopniu wynikiem przenikania do Polski ideologii humanizmu i reformacji. Sukcesy reformacji — choćby przez podważenie pozycji możnowładców duchownych — były zarazem sukcesami tego obozu szlacheckiego. Pod wpływem tych prądów rozwinęła się również myśl polityczno-społeczna. Wprawdzie postępowe idee Andrzeja Frycza Modrzewskiego (zob. cz. 1, s. 77) podchwytywała tylko niewielka, najszlachetniejsza grupa egzekucjonistów, a program egzekucyjny, o który walczyła szlachta na sejmach szóstego i siódmego dziesięciolecia XVI w., był umiarkowany i podporządkowany klasowym interesom średnioszlacheckim, ale tym łatwiej było walczyć na sejmach o jego przeprowadzenie, im dalsze perspektywy ukazywała publicystyka typu Modrzewskiego czy radykalna publicystyka ariańska.

Egzekucjoniści domagali się więc reformy kościelnej, przeprowadzenia rewindykacji dóbr królewskich, zagarniętych i trzymanych przez magnatów, uporządkowania sądownictwa, usprawnienia aparatu fiskalnego i wojskowego, unifikacji państwa. Innymi słowy, zamierzali doprowadzić do wzmocnienia władzy centralnej i zapewnienia hegemonii średniej szlachcie. Wprawdzie w ten sposób uległyby zahamowaniu odśrodkowe tendencje reprezetowane przez magnaterię, zarazem jednak utrzymać się miało upośledzenie mieszczan i chłopów. Nie zadbali przy tym egzekucjoniści o uczynienie z sejmu, któremu przypaść miała rola dominującego organu państwowego, ciała dostatecznie sprężystego i zdolnego do funkcjonowania, co z czasem zaważyć miało ujemnie na całym charakterze przeprowadzonej reformy.

Obóz egzekucyjny nie stanowił zwartego stronnictwa w sensie nowoczesnym. Skupiał w sobie luźno powiązane bardzo różnorodne elementy. Jak wykazały ostatnio badania Ireny Kaniewskiej nad składem społecznym izby poselskiej za panowania ostatniego Jagiellona, dominującą pozycję miała w niej zamożna szlachta średnia, o statusie majątkowym zbliżonym do magnaterii. Byli to przeważnie ludzie dobrze przygotowani do działalności politycznej, często z wykształceniem prawniczym, z długą praktyką parlamentarną, piastujący zwykle urzędy ziemskie. Przeważali wśród nich zwolennicy reformacji, jakkolwiek ruch egzekucyjny popierali również katolicy. Kierowanie obozem egzekucyjnym wymagało niemałych umiejętności. Mogli się nimi wszakże wykazać przywódcy szlacheccy, powoływani na marszałków izby poselskiej, nadający ton całej prowincji. Tak więc szlachcie małopolskiej przewodził Hieronim Ossoliński, wielkopolskiej — Rafał Leszczyński. Podobnych im działaczy nie zabrakło w każdym niemal województwie. Górował nad wszystkimi rozwagą i stanowczością ideolog demokracji szlacheckiej, podkomorzy chełmski Mikołaj Sienicki, wielokrotny marszałek izby poselskiej.

Główne ostrze ruchu egzekucyjnego skierowane było przeciwko możnowładztwu jako tej grupie, która zdobyła sobie przewagę polityczną i majątkową i stanowiła najważniejszą zaporę w dążeniu średniej szlachty do hegemonii. W sytuacji, w której król opierał się na możnowładztwie, krytyka tej grupy musiała uderzać i w niego. Nie leżało jednak w interesie średniej szlachty umacnianie tego związku. Przeprowadzenie jakichkolwiek reform poza królem, choćby w imię egzekucji starych praw, nie było w ówczesnych warunkach możliwe. Zadaniem tej krytyki było więc pozyskanie poparcia monarchy dla ruchu szlacheckiego, wykazanie, że współdziałanie z możnowładztwem pociąga za sobą ujemne skutki zarówno dla państwa, jak i samego władcy. Decydujące okazały się wszakże wydarzenia z początku lat sześćdziesiątych, które zmusiły Zygmunta Augusta do rewizji swego stanowiska. Nie powiodła się bowiem próba opanowania Inflant siłami samej Litwy. Stojąc w obliczu ciężkiej wojny z Iwanem IV Zygmunt August przekonał się, jak niewystarczające było poparcie magnatów, którzy zresztą nie mogli dać sobie rady z rosnącym wzburzeniem szlachty. W 1562 r. król zdecydował się zmienić sojusznika i związał się z szlachtą. Rozprawa z magnatami nastąpiła na sejmie w Piotrkowie na przełomie 1562 i 1563 r. Zygmunt August przybył nań nie w swym zwykłym włoskim ubraniu, lecz w stroju szlacheckim. W propozycji od tronu padły zdecydowane zdania o konieczności podjęcia egzekucji. Dzieło reformy rozpoczęto od uporządkowania domeny królewskiej i zapewnienia funduszu na wojsko zaciężne. Ogłoszono więc „egzekucję dóbr" — wszystkie królewszczyzny rozdane bezprawnie po 1504 r. miały zostać zwrócone skarbowi królewskiemu, dokonać się miała powszechna weryfikacja granic i dochodów królewszczyzn. Realizacja tego postanowienia w całej rozciągłości wkrótce przerosła możliwości króla i szlachty. Nad sprawą tą dyskutowano jeszcze na następnych sejmach „egzekucyjnych" w latach 1563 - 1564, 1565, 1566 i 1567. Na ostatnim sejmie wskutek oporu ze strony senatu sejm zgodził się wyłączyć część dóbr od przeprowadzenia egzekucji albo odsunąć jej wykonanie w stosunku do niektórych wierzycieli królewskich nadłuższy okres. Najważniejszy punkt programu szlacheckiego nie został więc w pełni przeprowadzony: nie złamano najważniejszej podstawy przewagi gospodarczej magnaterii. Niemniej, jak słusznie zauważyła Anna Sucheni-Grabowska, ustawy te zakończyły proces przekształcania dóbr królewskich w państwowe. Król nie mógł swobodnie rozdawać czy zastawiać dóbr domeny, a wpływy z nich znalazły się pod kontrolą sejmu, który m.in. wyznaczał komisje lustracyjne ustalające aktualne dochody królewszczyzn. W ten sposób, gdy Polska przestała być monarchią dziedziczną, zapewniono przecież stabilność domeny jako mienia publicznego.

Połowiczność uchwały o „egzekucji dóbr" nie pozostała jednak bez wpływu na inne postanowienia. Nie udało się powiększyć liczby stałego wojska ponad 4 tys. Nie było to wprawdzie mało w porównaniu z innymi stałymi armiami w Europie w XVI w., wobec rozmiarów państwa okazało się jednak wkrótce niewystarczające. Był to rezultat stanowiska szlachty, która nie chciała wypuszczać z rąk najważniejszego środka oddziaływania na monarchę — zgody na opodatkowanie, i obciążyła kosztami obrony potocznej króla. Mianowicie dochody z królewszczyzn podzielono w ten sposób, że $^1/_5$ zatrzymywał aktualny tenutariusz, $^3/_5$ szły do skarbu królewskiego, a $^1/_5$ (czyli czwarta część dochodu królewskiego stąd nazwa kwarta) przeznaczono na utrzymanie wojska, zwanego odtąd kwarcianym. Kwartę przekazywał tenutariusz bezpośrednio do specjalnego skarbu w Rawie, tak by nie mogła być użyta na inne cele.

Całkowicie nie powiodło się natomiast zmienić zasad obsadzania urzędów w Rzeczypospolitej. Wrócono wprawdzie do zasady niełączenia (*incompatibilitas*) określonych urzędów centralnych i ziemskich (a także kościelnych) w jednym ręku, nie powiodło się jednak na sejmie 1565 r. wprowadzenie urzędu instygatorów prowincjonalnych, którzy byliby wybierani corocznie przez szlachtę dla kontroli wyższych urzędników. Przeciwko tej innowacji zaoponował król, który nie chciał tak dalece angażować się po stronie średniej szlachty przeciwko senatowi, wybierając sobie rolę arbitra. Nie bez znaczenia było także stanowisko szlachty, odrzucającej udział króla w powoływaniu instygatorów. Cała ta sprawa wskazywała, na jak niepewnych podstawach oparte było współdziałanie króla ze szlachtą.

Mimo tych rozdźwięków obozowi egzekucyjnemu powiodła się realizacja innego ważnego punktu swego programu: unifikacji i centralizacji państwa. Problem unifikacji dotyczył dwu kategorii zjawisk. Z jednej strony chodziło o ściślejsze zespolenie w ramach Korony Polskiej ziem, które wskutek odmiennej przeszłości zachowały pewne odrębności prawno-ustrojowe, a więc Prus Królewskich, Mazowsza i drobnych terenów śląskich. Z drugiej strony sprawa zjednoczenia oznaczała ustalenie stosunku do siebie państwa polskiego i litewskiego, połączonych dotychczas unią personalną, która wobec bezpotomności Zygmunta Augusta mogła rychło wygasnąć.

Bez większego trudu dokonana została tzw. inkorporacja księstw śląskich, oświęcimskiego i zatorskiego, w latach 1563 i 1564. Stały się one powiatami województwa krakowskiego, zachowując jednak odrębny sejmik. Rozciągnięto na nie przywileje i prawo sądowe polskie, zamiast czeskiego wprowadzono język polski jako urzędowy. Utrzymywała się natomiast odrębność księstwa siewierskiego jako własności biskupów krakowskich.

Pewien opór napotkano przy ograniczaniu autonomii, którą dotychczas posiadały Prusy Królewskie. Magnateria i patrycjat pruski, niechętne hegemonii średniej szlachty, starały się wykorzystać odrębność utrojową Prus w celu utrzymania swej zagrożonej pozycji. Popierając związki polityczne i gospodarcze z Koroną magnaci i bogate miasta usiłowały utrzymać przede wszystkim sejm pruski jako autonomiczne ustawodawcze ciało prowincji. Pod naciskiem jednak własnej średniej szlachty, po części i mieszczaństwa, oraz pod wpływem stanowiska samego króla tendencje te zostały złamane. W 1569 r. zapadła decyzja o zamianie sejmu pruskiego na organ samorządu prowincjonalnego, a posłowie i senatorowie pruscy (z wyjątkiem miejskich) zostali włączeni do sejmu Rzeczypospolitej. Nie zniesiono jednak wtedy wszystkich odrębności Prus — utrzymały one własny skarb i odrębne prawo sądowe. Zachowało swe uprawnienia także biskupstwo warmińskie.

Odrębnym problemem na Pomorzu było uprzywilejowane stanowisko Gdańska, wykorzystującego swe dawne uprawnienia i wyjątkową pozycję ekonomiczną. W latach sześćdziesiątych doszło do zatargu między Gdańskiem a Zygmuntem Augustem w związku z rozbudową przez króla polskiego floty wojennej i powołaniem (w 1568 r.) Komisji Morskiej, której podporządkowane zostały sprawy obrony wybrzeża, żeglugi i handlu morskiego. Gdańsk uznał swe monopolistyczne stanowisko wobec handlu morskiego Polski za zagrożone i nie cofnął się przed bezpośrednimi atakami na okręty i marynarzy królewskich. Zygmunt August uzyskał jednak w tej sprawie poparcie sejmu. Do Gdańska wysłano komisję z biskupem włocławskim Stanisławem Karnkowskim na czele, która opracowała poparte na sejmie 1570 r. tzw. *Statuta Carncoviana*, oddające władzę zwierzchnią nad żeglugą królowi polskiemu i regulujące zwierzchnictwo Polski nad Gdańskiem.

Powoli uległa likwidacji także odrębność Mazowsza, ściśle tej jego części, która dopiero w 1526 r. po wygaśnięciu Piastów została bezpośrednio włączona do Korony. Początkowo istniały znaczne różnice co do ustroju społecznego, politycznego oraz prawa sądowego. Jeszcze w 1532 r. doszło do spisania odrębnego prawa mazowieckiego, jakkolwiek już wtedy nastąpiło pewne upodobnienie ustroju politycznego Mazowsza do innych ziem Korony. Ostateczna rezygnacja z odrębnego prawa sądowego nastąpiła dopiero w 1576 r., nadal jednak Mazowszanie zachowali pewne własne przepisy sądowe (tzw. ekscerpta mazowieckie). Utrzymał się także sejmik generalny mazowiecki jako organ zwierzchni nad sejmikami ziemskimi księstwa.

e. Unia Polski z Litwą

Unifikując ziemie Korony nie zadbano wszakże w poważniejszym stopniu o odzyskanie ziem wchodzących w skład Polski piastowskiej. Najwięcej może przejmowano się jeszcze losami Śląska pod panowaniem habsburskim. Wprawdzie zabiegi księcia legnickiego Henryka XI o uzyskanie następstwa tronu po Zygmuncie Auguście nie przyniosły powodzenia, ale szlachta snuła w tym czasie plany odzyskania Śląska — choćby przez obiór Habsburga na tron polski. Najlepszy wyraz tym nastrojom dał kronikarz M. Stryjkowski, pisząc, iż „przedtem z dawna Śląsko Polskiemu Królestwu należało, ale to nasi niedbale przespali". Zdarzały się też słowa współczucia dla Ślązaków pozbawionych wolności oraz ojczystego języka, zwyczajów i urządzeń narodowych. Żadne jednak konkretne czyny nie poszły za tym utyskiwaniem, zresztą i ze strony samych Ślązaków o zdecydowanych dążeniach do powrotu do macierzy nie było słychać. Zjawiły się one do-

piero w czasie wojny trzydziestoletniej jako wynik łupiestw wojennyc
i bezwzględnego nacisku kontrreformacyjnego ze strony Habsburgów.

Brakowało także większego zainteresowania Pomorzem Zachodnim chociaż właśnie książęta pomorscy czynili pewne starania o uzyskanie protekcji Polski. Z okazji tej nie skorzystano (co wyzyskała Brandenburgia) zadowalając się odnowieniem zależności lennej książąt pomorskich z Lęborka i Bytowa w 1526 r. Więcej uwagi poświęcała szlachta świeżo naby temu lennu pruskiemu. Jednakże nawet w okresie największych sukcesów ruchu egzekucyjnego nie zdołała zapobiec temu, że Zygmunt August kierując się potrzebami wojny z Moskwą i w celu odsunięcia pretensj do Inflant dopuścił w 1563 r. linię elektorską Hohenzollernów do dziedziczenia lenna pruskiego. W 1569 r. zatwierdził tę decyzję sejm walny, otwierając w ten sposób drogę do groźnego dla przyszłości Polski połączeni w ręku jednego władcy Prus Książęcych i Brandenburgii. Niemniej gd doszło do konfliktu między Albrechtem a Stanami Pruskimi, Zygmunt August na sejmie 1566 r. wyłonił specjalną komisję królewską, która przywróciła porządek i wzięła poddanych w obronę przed księciem i jeg zausznikami. Wprowadzono wtedy także pewne zmiany ustrojowe na wzó Rzeczypospolitej (sejmiki przedsejmowe, wybór sędziów). Zabezpieczy także Zygmunt August w 1569 r. przez pisemne orzeczenie swoje uprawnie nia jako zwierzchnika Prus, m.in. dotyczące apelacji. Polityki tej jedna nie kontynuowali jego następcy.

Ruch egzekucyjny nie podjął problemu pełnego zjednoczenia zie polskich, natomiast główny wysiłek obrócił na scalenie z Polską państw litewskiego. Dążenia te wychodziły zarówno ze strony polskiej, jak i litewskiej. Dla szlachty polskiej unia realna z Litwą oznaczała poważn ułatwienia politycznej i gospodarczej ekspansji na wschód. Wprawdzi część egzekucjonistów myślała raczej o ugruntowaniu pozycji Polski na Bałtykiem, ale większość uważała za korzystniejsze i wymagające mniej szego wysiłku finansowego oraz militarnego rozprzestrzenienie się na zie mie litewsko-ruskie.

Litwa przechodziła w pierwszej połowie XVI w. głębokie przemian wewnętrzne, które zbliżały jej ustrój społeczny i ekonomiczny do stosun ków panujących w Polsce. Polegały one na ograniczeniu uprzywilejowani możnowładztwa litewskiego i formowaniu się stanu szlacheckiego, w któ rym nastąpiło zresztą zrównanie bojarów litewskich z bojarami i kniaziam ruskimi. Zarazem zanikały różnice pomiędzy różnorodnymi warstwam ludności chłopskiej, z których ukształtowała się jednolita pod względe sytuacji społeczno-prawnej klasa. Istotne znaczenie miała pod tym wzglę dem kodyfikacja praw dokonana po raz pierwszy w 1529 r. przez wydani Statutu litewskiego, uzupełniona później wydaniem drugiego Statut (1565), zwiększającego uprawnienie polityczne szlachty, i trzeciego Statut litewskiego, wprowadzającego przywiązanie chłopa do ziemi i poddanie g władzy sądowej pana (1588). Przekształcenie stosunków wiejskich przyspie szyła reforma rolna nazwana pomiarą włóczną, rozpoczęta w latach pięć dziesiątych XVI w. Polegała ona na wprowadzeniu jednolitej jednost gospodarczej ziemi — włóki (ok. 30 mórg). Jednocześnie następowało wprowadzenie pełnej trójpolówki przy zwiększeniu obszaru ziemi folwarcznej (kosztem chłopskiej) oraz podniesienie ciężarów chłopów, zwłaszcza pańszczyzny. Mimo że nadal najbardziej wpływową grupę stanowiło kilkadziesiąt rodzin możnowładczych, coraz bardziej liczył się głos szlachty, która w 1565 r. otrzymała sejmiki powiatowe z prawem wysyłania z nich posłów na sejm, a wkrótce potem szeroki udział w sądownictwie na wzór szlachty polskiej. Wprowadzono także podział kraju na województwa.

W miarę umacniania się pozycji ekonomicznej szlachty poprzez upowszechnianie się folwarku pańszczyźnianego, a także w miarę upodabniania się do Polski pod względem ustrojowo-politycznym, rosło i na Litwie łążenie do emancypacji spod hegemonii o wiele potężniejszego niż w Koronie możnowładztwa. Ścisłe związki z Polską zdawały się zapewniać realizację tego dążenia. Ale i samo możnowładztwo litewskie, widząc trudności samodzielnego oparcia się rewindykacyjnym tendencjom państwa moskiewskiego, skłonne było pójść na kompromis i związać się z Polską, by wzmóc swą siłę odporną. Było to tym bardziej konieczne, że bezpotomna śmierć Zygmunta Augusta mogła doprowadzić do zerwania więzów łączących oba państwa. Sam król, początkowo niechętny takiemu rozwiązaniu, które musiało prowadzić do osłabienia stosunkowo silnej pozycji władzy na Litwie, pod koniec swego życia nie bez wpływu doświadczeń z wojny z Iwanem IV stał się zdecydowanym rzecznikiem unii realnej.

Rokowania polsko-litewskie rozpoczęły się na sejmie 1563 - 1564 r., gdzie Zygmunt August przelał swe prawa dziedziczne do Litwy na Koronę. Początkowo pertraktacje nie dały jednak rezultatu. Magnateria litewska, nie chcąc tracić swej dominującej pozycji, godziła się tylko na luźny związek. Rozstrzygnięcie zapadło na wspólnym sejmie polsko-litewskim w Lublinie w 1569 r. Gdy niezadowoleni magnaci litewscy przerwali toczone tam rokowania i wrócili na Litwę, Zygmunt August ogłosił wcielenie do Korony pogranicznych obszarów skolonizowanego przez drobną szlachtę mazowiecką Podlasia, a także Wołynia i Naddnieprza, województwa kijowskiego i bracławskiego. Szlachta tych ziem zrównana została w prawach ze szlachtą koronną, wprowadzony został ustrój polski. W obliczu tego aktu i pod wzrastającym naciskiem średniej szlachty magnaci litewscy wrócili do Lublina, gdzie 1 lipca zaprzysiężono unię między obu państwami.

Unia lubelska przewidywała posiadanie wspólnego, razem wybieranego władcy, wspólny sejm, senat i monetę tej samej wartości (choć wybijaną oddzielnie na Litwie i w Koronie). Oba kraje miały prowadzić wspólną politykę zagraniczną i wojskową, jakkolwiek pozostały odrębne dla Litwy urzędy, włącznie z najwyższymi, odrębne wojsko, skarb i sądownictwo. Utrzymały się także liczne odrębności ustrojowe. Natomiast szlachta polska i litewska mogła na terenie całego państwa swobodnie nabywać dobra i osiedlać się. W ten sposób z Polski, Litwy i opanowanych przez nie ziem ruskich stworzono wielonarodowościową Rzeczpospolitą, w której wyłącznie szlachta mogła się cieszyć pełną swobodą i wolnościami.

Pośrednim skutkiem unii był też awans Warszawy do roli stolicy Rze
czypospolitej polsko-litewskiej. Jakkolwiek Kraków, a w pewnej mierz
również Wilno zachowały uprawnienia miast stołecznych, w Warszawi
odtąd zbiera się systematycznie sejm, tutaj odbywa się elekcja, a od prze
łomu XVI i XVII w. rezyduje król ze swym dworem i doradcami. O awan
sie Warszawy zdecydowało przede wszystkim jej położenie — jako cen
trum rzemieślniczo-handlowe ustępowała kilku innym miastom polskim
a mieszczaństwo jej przez długi jeszcze czas nie było zdolne do odgrywani
poważniejszej roli politycznej (co zresztą było wygodne dla szlachty)

Unia lubelska spotkała się z wielu rozbieżnymi ocenami w literaturz
historycznej, zarówno polskiej, jak i obcej. Większość historyków polskic
kładła dawniej nacisk na dobrowolność związku i jego trwałość, widzą
w unii polsko-litewskiej przykład rozwiązania problemu państwa fede
racyjnego, które nie miało sobie równych w ówczesnej Europie, opierające
tego rodzaju związki na zasadach dynastycznych. Krytyka unii, zarówn
ze strony części historyków polskich, jak i rosyjskich, ukraińskich, biało
ruskich czy litewskich, dotyczyła głównie jej aspektów narodowych i kla
sowych. Chodziło przede wszystkim o to, że unia miała ściśle szlacheck
charakter i była przeprowadzona wyłącznie w interesie tej klasy, co po
ciągnęło za sobą wzmożony ucisk chłopstwa, zwłaszcza na terenach litew
sko-ruskich. Wskutek tego, a także wskutek masowej polonizacji warstw
panującej unia miała się przyczynić do osłabienia i opóźnienia rozwoj
ludności ruskiej, w pewnej mierze także litewskiej. Przyjmowano ponad
to, że negatywnym skutkiem unii dla polskiego rozwoju narodowego był
nadmierne zaangażowanie i rozproszenie elementu polskiego na wscho
dzie oraz zahamowanie procesu centralizacji państwa, utrudnionego prze
jego dwuczłonowość.

Dyskusja na ten temat nie została jeszcze w nauce historycznej zakoń
czona, a ostatnio brak prac, które by ten problem w sposób gruntown
podjęły. Niewątpliwie błędne byłyby zarówno jednostronne apologie, ja
i przesadny krytycyzm. W każdym razie nie wydaje się słuszne traktowa
nia na jednej płaszczyźnie unii realnej z Litwą i wcielenia ziem ruskic
do Korony. Właśnie włączenie tych olbrzymich połaci wschodnich do Ko
rony postawiło Polskę przed problemami, których nie zdołała rozwiąza

Przede wszystkim chodziło o miejsce ludności ruskiej w federacyjny
państwie. Wcielenie bowiem zamieszkanych przez tę ludność obszarów d
Korony zamiast zapewnienia im miejsca odrębnego członu doprowadził
w XVII w. do długotrwałego kryzysu, którego nie była zdolna opanowa
Rzeczpospolita ani siłą, ani przez nową, proponowaną, lecz nie dającą si
już zrealizować unię. Ponadto wyłoniła się znów sprawa pozycji magna
terii w państwie. Od dawna bowiem tereny te, zwłaszcza Wołyń i Nad
dnieprze, stanowiły domenę wpływów wielkich magnatów pochodzeni
ruskiego. Siły magnaterii w Koronie zostały znacznie wzmocnione, c
ważniejsze — otworzyły się możliwości dalszego ich wzrostu. Naddniepr
stało się bowiem obszarem ożywionej działalności kolonizacyjnej, orga
nizowanej najczęściej przez magnatów z całej Rzeczypospolitej lub pr

wadzącej do wytworzenia się na bezpańskich nieraz terenach nowych, wielkich latyfundiów magnackich. Wzmogło to niesłychanie potęgę ekonomiczną, a z nią i wpływy polityczne magnaterii w Polsce. Współdziałanie zaś szlachty w tej akcji osadniczej prowadziło tylko w trudnych warunkach kresowych do jej większego uzależnienia się od magnaterii. Rozwiązanie tego problemu było, jak się wydaje, możliwe tylko przy wykorzystaniu i zorganizowaniu osadnictwa kozackiego, jako przeciwwagi wobec wielkich latyfundiów. Wymagało to jednak całkowitej rewizji stosunku szlachty do uprawnień kozackich, łącznie z nadaniem przywilejów szlacheckich. Zdobyła się na to szlachta znów zbyt późno i połowicznie. Chociażby więc z tych przyczyn trzeba uznać sposób włączenia i organizacji ziem ukrainnych w ramach Korony w 1569 r. za jeden z najistotniejszych powodów przyszłego kryzysu Rzeczypospolitej szlacheckiej.

Nie wydaje się natomiast, by taką samą ocenę można było zastosować do unii z Litwą. Była ona oparta na zasadzie kompromisu i porozumienia między obu partnerami, z których każdy wynosił pewne zyski i straty. Nastąpił niewątpliwy wzrost siły militarnej i autorytetu Rzeczypospolitej obojga narodów w polityce europejskiej. Zahamowane zostało zagrożenie Litwy ze wschodu. Polska opłacała to skoncentrowaniem głównych wysiłków nad problemami odległymi od dotychczasowych jej zasadniczych zainteresowań międzynarodowych, wciągnięciem jej w wir rywalizacji na wschodzie, podporządkowaniem w znacznym stopniu swych interesów litewskim. W ograniczonym stopniu niedogodności te wyrównywał fakt, że Litwa odtąd nie mogła prowadzić samodzielnej polityki i stawiać Korony przed faktami dokonanymi. Z czasem ujemne skutki unii miały się odbijać coraz silniej, zwłaszcza gdy opozycja litewska utrudniała jednolitość wystąpień państwa polsko-litewskiego. Niemniej związek polsko-litewski okazał się tworem wyjątkowo trwałym i doprowadził do znacznego upodobnienia struktury społeczno-politycznej i kulturalnej obu krajów. Nie można zaprzeczyć, że działo się to w dużym stopniu kosztem samodzielnego rozwoju Litwy, wkład bowiem jej mieszkańców w życie kulturalne i polityczne Polski był bardzo poważny.

f. Ugruntowanie się ustroju demokracji szlacheckiej w czasie pierwszego bezkrólewia

Lata sześćdziesiąte przebiegały pod znakiem współdziałania monarchy ze średnią szlachtą. Jakkolwiek nie dowierzała ona zbytnio królowi i podejrzewała go o zakusy absolutystyczne, pozycja Zygmunta Augusta, opierającego się zarówno na dziedzicznych prawach do Litwy, jak i na tradycjach dynastycznych w Polsce, była dostatecznie silna, by mogła stanowić jeden z trzonów dążeń centralistycznych. Niemniej, jak była o tym mowa, po paru latach współpracy zarysowały się rozbieżności między sojusznikami. Zygmunt August był niezadowolony z ograniczonych skutków pociągnięć fiskalnych, które nie zapewniały mu szybkich dochodów na potrzeby toczonej wojny. Ze swej strony szlachta w swym dążeniu do przekształcenia sejmu w organ decydujący o wszelkich ważniejszych poczynaniach w państwie musiała zetknąć się z oporem króla, który nie zamierzał wraz ze swymi ministrami spaść do roli wykonawcy polityki szlacheckiej. Kiedy posłowie na sejmie 1569 r. po podpisaniu unii lubelskiej, zażądali od Zygmunta Augusta rozrachowania się z kwarty, gdyż nie była ona użyta zgodnie z przeznaczeniem, jakie wytyczył sejm, rozpoczął się rozbrat między królem a obozem egzekucyjnym, który trwał do śmierci Zygmunta Augusta. Odsunął on załatwienie dwu szczególnie pilnych spraw: reformy sądownictwa i formy elekcji. Przy pierwszej chodziło o przekształcenie sądownictwa apelacyjnego. Dotychczas znajdowało się ono w gestii króla, który jednak nie był w stanie wywiązywać się z tego obowiązku. W rezultacie tysiące spraw czekało latami na załatwienie, co podważało wymiar sprawiedliwości w kraju. Szlachta dążyła do powołania własnych sądów apelacyjnych, natomiast król był gotów przekazać swe uprawnienia senatowi. Sprawa upadła, podobnie jak kwestia władzy w czasie bezkrólewia i formy elekcji. I w tym wypadku senat uważał się za jedyny organ, który mógłby przejąć tę władzę, powołując się na dawne zwyczaje.

W tych warunkach śmierć Zygmunta Augusta 7 lipca 1572 r. postawiła Rzeczpospolitą przed najcięższym kryzysem, jaki przyszło jej przeżywać w XVI w. Trzykrotnie żonaty król odszedł bezpotomnie. Ostatni z Jagiellonów nie pozostawił wskazówek ani co do następcy, ani co do organizacji państwa w czasie bezkrólewia. Dawne tradycje w tym zakresie nie odpowiadały sytuacji lub były zgoła zapomniane. Kraj był ponadto rozdarty wzrostem napięcia między magnatami a średnią szlachtą. Pod koniec panowania Zygmunta Augusta zaczęły się bowiem pojawiać rysy na dość zwartym poprzednio obozie egzekucyjnym. Część jego dotychczasowych przywódców zaspokoiła swe ambicje osobiste awansem na krzesła senatorskie i zaczęła solidaryzować się z magnaterią. Dodało to sił obozowi senatorsko-dygnitarskiemu, a dezorientacja ogółu szlachty w dobie bezkrólewia sprzyjała próbom odzyskania dawnych pozycji. Trudna była również międzynarodowa sytuacja Rzeczypospolitej wskutek niezakończenia wojny z Moskwą.

Pierwszym odruchem szlacheckim było podkreślenie wzajemnej solidarności. Służył temu celowi kaptur, zawiązane po ziemiach i województwach konfederacje, które miały zadbać o porządek i bezpieczeństwo publiczne. Sądownictwo przekazane zostało specjalnym sądom kapturowym, których członków wyznaczała szlachta. Władza prowincjonalna znalazła się więc w ręku średniej szlachty. Inaczej jednak przedstawiała się sprawa w skali ogólnopaństwowej. W trakcie walki o stanowisko zastępcy króla, tzw. interrexa, któremu miała przypaść część atrybutów monarszych do chwili zaprzysiężenia nowego władcy, katoliccy magnaci przeparli swego kandydata — prymasa Jakuba Uchańskiego. Zarazem senat, jedyny stały organ władzy centralnej, ujął w swe ręce kierownictwo przygotowaniami do elekcji. Z kół magnackich padła najpierw demagogiczna propo zycja powszechnego udziału szlachty w elekcji, czyli tzw. elekcji viritim. W ten sposób wyeliminowana została możliwość elekcji przez sejm, w czasie której głos doświadczonej szlachty z izby poselskiej mógł być szczególnie ważki. Propozycję elekcji viritim podchwycili także egzekucjoniści; Sienicki, czy zaczynający swą wielką karierę polityczną, wówczas sekretarz królewski, Jan Zamoyski, który żądał przy tym jednak głosowania większością. Wszystkim — senatorom i egzekucjonistom, katolikom i innowiercom — wydawało się, że ta forma elekcji przechyli szalę na ich stronę. Praktycznie zarówno na tej, jak i na późniejszych elekcjach największe korzyści z zasady głosowania viritim wyciągała magnateria, łatwo podporządkowując sobie uboższą szlachtę.

Wyznaczony na styczeń 1573 r. sejm konwokacyjny przeszedł pod znakiem kompromisu między zwalczającymi się obozami. Przyjęto na nim zasadę elekcji viritim, wyznaczono jej termin i miejsce. Zarazem zawiązano konfederację całej Rzeczypospolitej, która nawiązywała do kapturów wojewódzkich, zobowiązując przy tym szlachtę do utrzymywania pokoju i tolerancji religijnej. Elekcja, na którą zjechała się w kwietniu tłumnie (obliczana przesadnie na 50 tys.) szlachta do wsi Kamień pod Warszawą, dała wynik nieoczekiwany. Królem wybrano brata króla francuskiego, Henryka ks. Andegaweńskiego, jakkolwiek wśród możnowładców dużą popularnością cieszył się kandydat habsburski, arcyksiążę Ernest, a średnią szlachtę litewską pociągała kandydatura Iwana IV. Chociaż Henryk Walezy wmieszany był w krwawe wydarzenia niedawnej nocy św. Bartłomieja w Paryżu (kiedy doszło do wymordowania hugenotów), nawet innowiercy woleli go od Habsburga. Obawiano się jednak, by nowy monarcha nie usiłował wprowadzać na wzór francuski absolutyzmu do Polski, toteż w formie artykułów, zwanych odtąd henrykowskimi, szlachta spisała najważniejsze zasady ustrojowe Rzeczypospolitej, których zaprzysiężenia i dotrzymywania domagała się zarówno od niego, jak i od wszystkich następnych elektów.

Artykuły henrykowskie miały charakter norm podstawowych dla ustroju Rzeczypospolitej szlacheckiej i opierały się przeważnie na dawnym prawie spisanym lub zwyczajowym, a częściowo wnosiły nowe ustalenia. Tak więc zawierały przede wszystkim zasadę powoływania królów wyłącznie w drodze wolnej elekcji. Na królu spoczywał obowiązek zwoływania co dwa lata na 6 tygodni sejmu walnego. Bez zgody sejmu nie wolno było królowi zwoływać pospolitego ruszenia, nakładać nowych ceł i podatków. Od zgody senatu miały zależeć posunięcia dyplomatyczne, a szczególnie decyzje o wojnie i pokoju. Utworzono przy tym specjalną radę przy boku króla: składała się ona z 16 senatorów, tzw. rezydentów, powoływanych na sejmie co dwa lata. Mieli oni, zmieniając się co pół roku, w składzie 4 osób przebywać przy królu, stanowiąc organ zarówno doradczy, jak i kontrolny. Nie powiodły się przy tym starania szlacheckie, by wśród rezydentów znajdowali się także posłowie szlacheccy — uzyskano tyle, że senatorowie rezydenci mieli składać sprawozdania ze swych czynności na sejmach. Ponadto artykuły henrykowskie przypominały dawny zakaz nieodpłatnego wyprowadzania pospolitego ruszenia za granicę i obowiązek utrzymywania wojska kwarcianego przez króla. Wprowadzono do nich również postanowienia konfederacji warszawskiej dotyczące tolerancji religijnej. Wreszcie w artykułach znalazło się zastrzeżenie, że w razie nieprzestrzegania przez króla praw krajowych szlachta może wypowiedzieć mu posłuszeństwo.

Artykuły henrykowskie kładły więc kres powstałemu w ciągu pierwszej połowy XVI w. systemowi władzy: władza królewska podporządkowana została w najważniejszych sprawach sejmowi (z wyjątkiem rozdawnictwa urzędów). Nie przynosiły one natomiast rozwiązania w konflikcie między szlachtą a magnaterią. Jakkolwiek uprawnienia senatu uległy pewnemu wzmocnieniu, zwyciężył duch kompromisu między obu obozami. Na przyszłość kompromis ten otwierał wszakże lepsze perspektywy dla magnaterii, która osłabiwszy pozycję jednego ze swych zasadniczych przeciwników, tj. monarchy, mogła liczyć na powodzenie w likwidacji hegemonii średniej szlachty.

Przed przyjazdem do Polski zaprzysiągł Henryk w Paryżu przedstawione mu artykuły oraz rodzaj umowy między nim a wyborcami, tzw. pakta konwenta (*pacta conventa*), obejmujące osobiste zobowiązania nowo wstępującego monarchy, jak obietnicę wprowadzenia na Bałtyk eskadry floty francuskiej (przeciwko carowi), doprowadzenia do przymierza polsko-francuskiego, podźwignięcia Akademii Krakowskiej, ożywienia handlu itp. Po przybyciu do Krakowa Walezy nie zamierzał jednak stosować się do przyjętych ograniczeń i usiłował wzmocnić zakres swej władzy. Nie dało to oczekiwanych rezultatów wobec oporu całej szlachty i krótkotrwałości panowania. Kiedy bowiem nadeszła wieść o śmierci króla francuskiego, Henryk Walezy w nocy z 18 na 19 czerwca 1574 r. opuścił potajemnie Kraków, by objąć tron francuski. Szlachta nie zgodziła się na połączenie w jego osobie dwu odległych królestw i po roku oczekiwania na powrót przystąpiła w 1575 r. do nowej elekcji. Była to decyzja szczęśliwa. Henryk Walezy był zarówno ambitnym jak i nie przebierającym w środkach politykiem, któremu trudno byłoby się dostosować do zasad, jakimi musiała się kierować Rzeczpospolita Obojga Narodów. Polska pozostawała dla niego, i jego francuskiego otoczenia krajem obcym; obserwując jego późniejsze poczynania na tronie francuskim trudno sobie nawet wyobrazić, jak wyglądałyby jego rządy w Krakowie.

Obóz magnacki powrócił do kandydatury habsburskiej, forsując tym razem wybór samego cesarza Maksymiliana II. Szlachta, wsparta przez część senatorów, była zdecydowanie przeciwna tej kandydaturze, m.in. z obawy, by nie wciągnęła ona Polski w wojnę z Turcją. Mikołaj Sienicki postulował elekcję Polaka-Piasta, który uporządkowałby sprawy wewnętrzne. Nie znaleziono jednak odpowiedniego kandydata i wtedy egzekucjoniści opowiedzieli się za księciem siedmiogrodzkim, Stefanem Batorym, który właśnie pokonał u siebie partię prohabsburską. Doszło do podwójnej elekcji. Najpierw prymas Uchański ogłosił wybór Maksymiliana (12XII 1575), a w parę dni później Sienicki jako przywódca szlachecki proklamował królem siostrę Zygmunta Augusta, leciwą Annę Jagiellonkę, przydając jej za męża Stefana Batorego (15XII). Batory, którego poparło pospolite ruszenie szlacheckie zebrane pod Jędrzejowem, opanował Kraków i koronował się na króla (1576 - 1586). Rychła śmierć Maksymiliana zapobiegła walce domowej.

g. Ostatnie osiągnięcia obozu egzekucji

Panowanie Stefana Batorego kończy dobę rozkwitu obozu egzekucyjnego. Król, znakomity wódz i dalekosiężny polityk, czuł się przede wszystkim Węgrem i interesy węgierskie starał się wysuwać na plan pierwszy. Po polsku nie umiał, na polski parlamentaryzm patrzył ze sceptycyzmem, przez pryzmat stosunków węgierskich czy siedmiogrodzkich. Stąd niełatwo mu było porozumieć się z egzekucjonistami; jego rychły spór z Mikołajem Sienickim świadczy o tym wymownie. Batory nie był zainteresowany w dalszym realizowaniu programu egzekucyjnego. W swej polityce wewnętrznej opierał się chyba raczej na ugrupowaniach magnackich niż na szlachcie, ale problem ten nie został wystarczająco zbadany. Na swego najbliższego doradcę powołał Jana Zamoyskiego (1542 - 1605), jedną z największych i jednocześnie najbardziej dyskusyjnych postaci tej doby. Gruntownie wykształcony, po studiach we Włoszech, zamiłowany humanista, jeszcze w dobie pierwszego i drugiego bezkrólewia występował jako „trybun ludu szlacheckiego". O popularność i wpływy wśród szlachty dbał zresztą do końca życia, nie stroniąc od czystej demagogii. Przy boku Batorego staje się coraz bliższy magnaterii, uzyskując godności podkanclerzego kor. (1576), kanclerza (1578), wkrótce potem i hetmana w. (1580). On to wraz z Batorym układał wielkie plany polityczne, jego talenty wojskowe przyczyniły się do sukcesów w wojnie inflanckiej. Ale też jego stanowisko zaważyło szczególnie ujemnie na losach dalszych reform. Sam Zamoyski stał się przykładem kumulowania królewszczyzn i urzędów. Kto w tych warunkach miał przestrzegać wprowadzonych przez egzekucjonistów zasad?

Polityka wewnętrzna Stefana Batorego przyniosła też wkrótce istotne cofnięcie się ze zdobytych pod koniec panowania ostatniego Jagiellona pozycji. Dotkliwą porażką skończyły się próby realizacji uprawnień monarszych w stosunku do Gdańska. Gdańsk w czasie drugiej elekcji opowiedział się za Habsburgiem i nie chciał uznać Batorego bez obalenia Statutów Karnkowskiego. Król zaszachował najpierw Gdańsk przyznaniem przywilejów dla Elbląga, a później przystąpił do blokady miasta. Wobec poparcia Gdańska przez Duńczyków blokada okazała się nieskuteczna i król musiał się zgodzić na kompromis (1577). Za wysoką kontrybucję i uznanie jego elekcji Batory zawiesił wykonanie Statutów Karnkowskiego, a pod koniec swego panowania zniósł je całkowicie. Ujemne skutki tej decyzji dla gospodarki polskiej w XVII w. są niewątpliwe.

Powiodło się natomiast szlachcie przeprowadzenie reformy sądownictwa apelacyjnego. Nie obeszło się wprawdzie bez oporu ze strony monarchy, który właśnie w związku z tą sprawą rzucił szlachcie słynne słowa: „Jestem waszym królem rzeczywistym a nie malowanym. Chcę panować i rozkazywać i nie ścierpię, żeby kto nade mną panował... nie pozwolę, żebyście byli bakałarzami moimi i senatorów moich". Chodziło wtedy o uprawnienia utworzonych w czasie bezkrólewia sądów wojewódzkich. Ostatecznie jednak w związku z potrzebami finansowymi król ustąpił, zrezygnował ze swych praw do najwyższego sądownictwa i zgodził się na powstanie sądu szlacheckiego. Na sejmie 1578 r. powołany został Trybunał Koronny, do którego należały apelacje od sądów szlacheckich w sprawach cywilnych i karnych. Jedynie sprawy o zdradę stanu i przestępstwa urzędnicze rozpatrywane były przez sąd sejmowy pod przewodnictwem króla.

W skład Trybunału Koronnego nie wchodzili sędziowie zawodowi, ale corocznie wybierani na sejmikach deputaci szlacheccy, a także deputaci duchowni występujący w sprawach, gdy jedną ze stron był duchowny. Trybunał Koronny miał przez pierwszą połowę roku sesję dla Małopolski w Lublinie, przez drugą dla Wielkopolski w Piotrkowie. W 1581 r. za przykładem Korony poszła Litwa, organizując na podobnych zasadach swój Trybunał.

Utworzenie Trybunału uszczupliło władzę monarchy, nie przyczyniło się jednak do spadku jego prestiżu. Położyło bowiem kres ustawicznym skargom na niedołęstwo sądownictwa królewskiego. Stanowiło przy tym istotny krok w drodze do unowocześnienia struktury władzy, odsuwając sprawy sądownicze od kompetencji organów ustawodawczych czy wykonawczych. Jest kwestią dyskusyjną, w jakim stopniu ta forma usprawnienia sądownictwa przyczyniła się do wzrostu poczucia prawnego w kraju.

Jakie trudności nastręczała ta kwestia, może wskazywać sprawa Zborowskich, ścięcia ujętego na polecenie Zamoyskiego banity Samuela Zborowskiego i skazania przez sąd sejmowy za spiskowanie przeciwko królowi na banicję i konfiskatę dóbr Krzysztofa Zborowskiego (1585). Surowe potraktowanie Zborowskiego wywołało burzę w Rzeczypospolitej, a historiografia do dnia dzisiejszego nie jest pewna, jakie było faktyczne podłoże tej sprawy, czy chodziło o ukrócenie nadmiernie rozpasanych magnatów, czy też o rozgrywkę między dwoma fakcjami magnackimi.

Z okresem panowania Stefana Batorego wiąże się jeszcze jedna ważna reforma, tym razem z inicjatywy monarchy: utworzenie piechoty wybranieckiej. Mianowicie na sejmie 1578 r. zapadła uchwała, że z każdych 20 łanów z dóbr królewskich ma być wystawiany 1 wybraniec, gotów w razie potrzeby do służby wojskowej. Uzyskiwano w ten sposób około 3 tys. stałego żołnierza, przy czym szlachta, niechętna wojsku złożonemu z samych chłopów, pilnowała, by siła ta nie mogła być wykorzystywana na rzecz poczynań monarchy. Nie zgodziła się także szlachta, by reforma objęła dobra ziemskie i kościelne.

Jakkolwiek egzekucjoniści nie zaprzestali wysuwania dalszych propozycji reform, dotyczących m. in. spraw skarbowych czy uporządkowania sejmu, nie miały już one doczekać się realizacji. Sam obóz egzekucyjny ulegał rozkładowi i siła jego oddziaływania coraz bardziej słabła.

Ewolucja jaką przeszedł obóz egzekucyjny, a wraz z nim większość średniej szlachty w okresie po śmierci Zygmunta Augusta, była niekorzystna dla dalszego rozwoju Rzeczypospolitej. Cały zapał reformatorski wyczerpywał się na ograniczaniu władzy królewskiej, nie zadbano natomiast o usprawnienie działania najważniejszego obecnie organu — sejmu. Przeciwnie: utrwalały się w nim te cechy, które miały zdecydować o słabości tej instytucji w następnym stuleciu, tj. jednomyślne podejmowanie uchwał (chociaż w pewnych momentach zasada większości głosów miała szanse realizacji), nieustalony dokładnie porządek obrad, krępujące samodzielność posłów instrukcje od sejmików (owoc niefortunnych zabiegów Zygmunta I). Ponadto ruch, który głosił hasła egzekucji, a więc wykonywania istniejących praw, nie zatroszczył się o powołanie instytucji, które by skutecznie wprowadzały w życie konstytucje sejmowe i czuwały nad ich realizacją. Instytucje takie zjawiały się już w tym czasie w innych państwach europejskich, szlachta jednak nie chciała o nich słyszeć, łącząc je z absolutyzmem. Być może, rolę taką mogliby pełnić instygatorzy wojewódzcy — powołanie tej instytucji budziło jednak trudne do przezwyciężenia spory kompetencyjne między sejmem a monarchą. W tych warunkach ciężar wykonawstwa, a więc i główny punkt ciężkości władzy, spadał na dość chaotycznie działające sejmiki (wokół których nie uformowały się jednak żadne stałe organa) albo na improwizowany aparat władzy, jakim były konfederacje. Odtąd też brak należycie funkcjonującej administracji czy szerzej biorąc władzy wykonawczej stał się jednym z głównych niedomagań Rzeczypospolitej aż do końca jej istnienia, kto wie, czy nie ważniejszym niż rwące się sejmy.

Pozornie pozycja średniej szlachty była mocniejsza niż poprzednio. W istocie — wskutek niedokończenia procesu centralizacji państwa i zadowolenia się połowicznymi rozwiązaniami — całe dzieło obozu egzekucyjnego skazane było wcześniej czy później na upadek, a zapobiegliwie wywalczane prawa i wolności szlacheckie miały stać się pomostem, za pomocą którego po hegemonię sięgnęła ponownie magnateria. Rzecz zadziwiająca, że to zatrzymanie się w połowie drogi, ten swoisty odpływ energii wystąpił w okresie największego chyba rozkwitu dobrobytu i potęgi państwa. Być może, odniesione sukcesy wywoływały złudne wrażenie zbędności dalszych reform. Ustrój Rzeczypospolitej osiągnął formy, które zarówno współczesnym, jak i późniejszym pokoleniom zdawały się najdoskonalsze, najbardziej odpowiadające szlacheckiemu ideałowi wolności. Ustrój ten budził zresztą także uznanie i chęć naśladownictwa w krajach sąsiedzkich. Niewątpliwie też powstanie polskiej demokracji szlacheckiej zajmuje w dziejach nowożytnej Europy ważne miejsce wśród najwcześniejszych koncepcji, z których wywodzi się późniejsza monarchia konstytucyjna. Trudno się dziwić, że przez cały XVII i XVIII w. powtarzały się w Rzeczypospolitej liczne głosy wzywające do naprawienia tego, co faktycznie czy rzekomo uległo zepsuciu, do powrotu do czasów „złotego wieku". Nie zdawano sobie sprawy, że zalążek zła tkwi już w modelu nie dokończonym przez egzekucjonistów.

7. Walka o dominium Maris Baltici

a. Pozycja międzynarodowa Polski w początkach XVI w.

Sytuacja międzynarodowa w początkach XVI w. postawiła Polskę przed skomplikowanymi zadaniami. Pozornie mogło się zdawać, że preponderancja Jagiellonów w środkowej Europie, czy ściślej mówiąc na obszarze od Dźwiny do Dunaju, jest mocno ugruntowana i że w tych warunkach położona centralnie Polska nie tylko może czuć się względnie bezpieczna, ale i odgrywać rolę kierowniczą. W rzeczywistości w najbliższym sąsiedztwie państw jagiellońskich zachodziły przemiany zagrażające rzekomej stabilizacji. Miały one w ciągu stosunkowo krótkiego czasu doprowadzić do zasadniczego przekształcenia otoczenia Polski i postawić ją przed koniecznością zmiany dotychczasowych założeń politycznych.

Interesy państwa polskiego zostały zagrożone przez wzrost ekspansji Turcji i krajów od niej uzależnionych, przez dążenia Habsburgów do restauracji uniwersalistycznej władzy dawnych cesarzy, przez nieuregulowanie kwestii Zakonu Krzyżackiego i wreszcie, wskutek związków z Litwą, przez program zjednoczenia dawnych ziem ruskich wysuwany przez Moskwę.

Polski w początkach XVI w. nie było stać na pomyślne rozwiązanie wszystkich wyłaniających się w związku z tym problemów. Byłoby to możliwe, gdyby dało się zespolić działania wszystkich państw znajdujących się we władaniu Jagiellonów. Ale ani Władysław, *rex bene*, bezsilny wobec nacisków magnaterii i szlachty na Węgrzech i w Czechach, ani Zygmunt I nie mogli sprostać temu zadaniu. Nawet współdziałanie Polski i Litwy napotykało poważne przeszkody. W tych warunkach trzeba było liczyć na własne siły. Tymczasem mimo rozwoju ekonomicznego Polski jej potencjał militarny przedstawiał się w tym czasie dość skromnie. Pospolitego ruszenia całego kraju można było używać tylko w ostateczności. Nie reprezentowało ono już większej wartości militarnej, z wyjątkiem może powoływanego najczęściej pospolitego ruszenia województw południowo-wschodnich, narażonych na najazdy tatarskie. Wskutek tego działania wojenne musiały opierać się przede wszystkim na żołnierzu zawodowym czy dokładniej mówiąc — zaciężnym. Środki, którymi dysponowało państwo na utrzymanie stałego żołnierza, były skromne. Obrona potoczna, jak o tym była mowa, nie przekraczała początkowo 3 tys., po wprowadzeniu kwarty — 4 tys. wojska. W razie wojny konieczne było każdorazowe uchwalanie podatków przez szlachtę. W rezultacie Polska rzadko wystawiała w tym czasie więcej niż 5 do 15 tys. wojska zaciężnego, dopiero za czasów Zygmunta Augusta i Stefana Batorego zdobywano się na większe wysiłki.

Nie znaczy to, by do takich liczb ograniczał się cały wysiłek wojenny Polski. W połączeniu z wojskami litewskimi, przy wykorzystywaniu chorągwi nadwornych magnackich i częściowo pospolitego ruszenia Rzeczpospolita bywała zdolna do wystawiania znacznie większych armii. W bitwie pod Orszą (1512) armia polsko-litewska liczyła około 35 tys., podobnie w kampanii starodubskiej w 1535 r. Dopiero jednak za panowania Batorego zbierano na kampanię do 60 tys. wojska. Jeżeli nawet przyjmiemy, że chodzi tu o liczbę wojska wystawioną jedynie w okresie największego wysiłku, była ona wystarczająca, aby skutecznie przeciwstawić się każdemu z sąsiadów Polski oddzielnie.

Trzeba do tego dodać, że jakościowo żołnierz polski wypadał dobrze na tle innych armii europejskich, a polska taktyka wojenna umożliwiała mu sukcesy nawet w walce ze znacznie przeważającym nieprzyjacielem. Trzon wojska polskiego stanowiła nadal jazda, z tradycyjnym wyposażeniem w broń białą i łuki (na wzór tatarski) przy niewielkiej liczbie rusznic. Rozwój jej szedł wyraźnie w kierunku zapewnienia większej ruchliwości — stąd znacznie lżejsze uzbrojenie ochronne jazdy ciężkiej, zwanej husarzami (według wzorów serbsko-węgierskich), a także pojawienie się pierwszych chorągwi kozackich w połowie XVI w. W piechocie, znacznie mniej licznej, główny nacisk położony był na wyposażenie w broń palną, początkowo rusznice, później arkebuzy, jakkolwiek nadal część jej stanowili kopijnicy, osłaniający strzelców. Piechota, w przeciwieństwie do zachodnioeuropejskiej, zachowywała większą zdolność manewru. Wiele troski poświęcono rozbudowie artylerii. Powstały ludwisarnie wyrabiające działa w większych miastach Polski, zakładano arsenały. Artyleria odegrała ważną rolę już w bitwie pod Orszą. Rozwinął ją jednak najbardziej Zygmunt August, który już w 1557 r. zabrał ze sobą na wyprawę inflancką 68 dział. Jakkolwiek większość wojen prowadzonych przez Polskę miała charakter wojen ruchomych, toczonych w otwartym polu, pewne postępy uczyniła również sztuka oblężnicza. Sukcesy wyprawy z 1535 r. czy kampanii Batorego były w niemałym stopniu oparte na wykorzystaniu korpusu inżynieryjnego i nowoczesnej techniki zdobywania twierdz.

Skład społeczny oddziałów polskich bywał bardzo zróżnicowany — nie miały one bynajmniej szlacheckiego charakteru, ale występowały w nich wszystkie warstwy. Niektóre rodzaje broni, np. artyleria, której obsługa uważana była za rodzaj rzemiosła, były obsadzone wyłącznie przez mieszczan, ale ogólnie biorąc nie było jeszcze podziału na bronie uprzywilejowane i plebejskie. Wśród kadry dowódczej natomiast przeważała szlachta, zaś hetmani, wielcy i polni, którzy pojawiają się w tym okresie, pochodzili zwykle z magnaterii. Było wśród nich kilku wodzów o wyraźnym talencie strategicznym i organizacyjno-wojskowym, jak Konstanty Ostrogski na Litwie czy Jan Tarnowski w Koronie. Dobrą szkołą dla dowódców stały się częste walki z najazdami tatarskimi, z których wyrósł typ żołnierza-zagończyka.

W celu prowadzenia skutecznej polityki międzynarodowej konieczne stało się w tym okresie obok posiadania silnej armii dysponowanie również sprawną dyplomacją. I pod tym względem można zaobserwować głęboką zmianę w Polsce: właśnie w tym czasie tworzy się w Polsce organizacja służby dyplomatycznej na dobrym poziomie europejskim. Głównie spośród pracowników kancelarii królewskiej i jej sekretarzy powstaje kadra dyplomacji, ludzi dobrze obeznanych z problematyką międzynarodową, gruntownie wykształconych (często humanistów). Chodziło przy tym nie tylko o utrzymywanie kontaktów z przedstawicielami innych państw w Polsce, napływających wtedy coraz częściej do Krakowa, ale i o pełnienie funkcji dyplomatycznych za granicą, niekiedy trwających przez kilka lat, najczęściej jeszcze doraźnych, związanych z określoną misją. Wśród dyplomatów polskich tej doby nie brak wybitnych indywidualności, jak Jan Dantyszek, wielokrotnie posłujący do Rzymu, Anglii i do cesarza Karola V, przy boku którego przez kilka lat pełnił funkcję ambasadora polskiego, czy Hieronim Łaski, wojewoda sieradzki, poseł do cesarza, do Francji, a potem doradca Jana Zapolyi i Ferdynanda.

Formy działania dyplomacji były podobne jak w innych krajach europejskich. W korespondencji dyplomatycznej wprowadza się używanie szyfrów. Niemałą rolę odgrywają pieniądze, przy czym chodzić tu mogło zarówno o subwencjonowanie działań innych państw (np. taki charakter miały w pewnej mierze tzw. upominki tatarskie, pieniądze wysyłane na Krym nie tylko w celu zabezpieczenia Rzeczypospolitej przed najazdami, ale także w celu skierowania ataków tatarskich na Moskwę), jak i pozyskiwanie wpływowych dygnitarzy. Zresztą i w Polsce dwory obce zdobywały sobie w ten sposób popleczników — tak właśnie m. in. ugruntowali swe wpływy Habsburgowie w otoczeniu ostatnich Jagiellonów.

Niełatwo jest w świetle dotychczasowych badań, a także posiadanych źródeł odpowiedzieć, w jakim stopniu poprzez polską dyplomację dwór królewski był zorientowany w sytuacji międzynarodowej i w polityce różnych dworów europejskich. Wydaje się, że zarówno dzięki działalności dyplomatów, jak i zbieraniu informacji innymi drogami orientacja ta w stosunku do krajów sąsiadujących z Polską była jak na owe czasy dobra, co pozwalało na skuteczne przeciwstawienie się niebezpiecznym dla Polski sojuszom (np. Maksymiliana I z Wasylem III) czy na wykorzystywanie słabych stron przeciwnika (np. w rokowaniach z Albrechtem). Ta skuteczność działania dyplomatycznego ograniczała się jednak tylko do pewnego rejonu i nie miała charakteru stałego. Ze strony polskiej niewiele też było szerszych inicjatyw politycznych, a zawierane sojusze miały przeważnie charakter koniunkturalny.

W sumie więc można powiedzieć, że zarówno możliwości militarne Polski ostatnich Jagiellonów, jak i charakter działania służby dyplomatycznej narzucały ograniczenie zakresu jej aktywności politycznej i skoncentrowanie wysiłków na jednym odcinku. Stało się nim umocnienie pozycji Polski nad Bałtykiem. Polityka ta przyniosła Polsce najistotniejsze sukcesy międzynarodowe, została jednak okupiona biernością czy rezygnacją na innych terenach.

b. *Walka z Zakonem i pokój krakowski*

Najważniejszym problemem polityki polskiej na początku XVI w. było uregulowanie sprawy Zakonu Krzyżackiego. Pokój toruński nie przyniósł pełnej likwidacji Zakonu, który nie zaprzestawał dążeń do uniezależnienia się od Polski i starań o odzyskanie utraconej pozycji. Wielcy mistrzowie występowali przeciwko królom polskim i wstrzymywali się od nakazywanego hołdu. Do zaognienia stosunków doszło po wyborze na wielkiego mistrza Albrechta Hohenzollerna (1511), zresztą siostrzeńca Zymunta I. Podjął on zbrojenia i zabiegał o poparcie cesarza, a później w. ks. moskiewskiego, Wasyla III, znajdującego się w tym czasie w stanie wojny z Litwą. W 1517 r. Albrecht zawarł z nim przymierze skierowane przeciwko Zygmuntowi I. Zamiast pomocy wojskowej otrzymał wprawdzie Albrecht z Moskwy tylko subsydia, niemniej wystąpił z żądaniem zwrotu wszystkich należących do Zakonu ziem i szykował się do zbrojnej rozprawy. W celu zapewnienia sobie spokoju z tej strony Polska rozpoczęła w 1519 r. wojnę z Zakonem. W pierwszej fazie wojny wojska polskie postąpiły pod Królewiec i Brunsbergę, później jednak z Rzeszy wtargnęli na Pomorze najemnicy Albrechta — po spustoszeniu kraju wycofali się w obliczu odsieczy polskiej do Niemiec. Wtedy narzucił się ze swą mediacją cesarz Karol V, roszczący sobie prawa zwierzchnictwa nad Zakonem, i Polska zgodziła się na rozejm w 1521 r. Trudna sytuacja w Rzeszy, gdzie wszczęły się pierwsze walki związane z reformacją, uniemożliwiła Albrechtowi zyskanie dalszej poważniejszej pomocy. Ale i Polska znajdowała się w trudnym położeniu. Próba zaszachowania Karola V przy pomocy sojuszu Zygmunta I z królem francuskim Franciszkiem I w 1524 r. nie przyniosła oczekiwanych rezultatów. Klęska francuska pod Pawią przekreśliła nadzieje na osłabienie pozycji cesarza. Zarazem groźna nawała turecka zbierała się nad Węgrami.

W tej sytuacji strona polska zgodziła się na kompromisowe rozwiązanie wysunięte przez Albrechta. Za namową Marcina Lutra Albrecht decydował się przeprowadzić sekularyzację Zakonu i utworzyć państwo świeckie, które odtąd miało stać się lennym księstwem, zależnym od Polski, w dziedzicznym posiadaniu Albrechta i jego potomków. Rozwiązanie takie zostało przyjęte w traktacie krakowskim, zawartym 8 kwietnia 1525 r. Dalsze jego warunki zobowiązywały księcia pruskiego do udzielania pomocy wojskowej i finansowej Polsce. Przewidywano także utworzenie specjalnego trybunału, który by sądził spory między księciem a poddanymi. Zarezerwowano też dla Albrechta miejsce w senacie polskim. W dwa dni później odbył się na rynku w Krakowie uroczysty hołd nowego księcia pruskiego.

Traktat krakowski wywołał doraźne protesty cesarza i papieża, a także Zakonu Krzyżackiego. Niezadowolenie to kierowało się w znacznej mierze przeciwko Albrechtowi, który — obłożony przez cesarza banicją w Rzeszy — tym mocniej musiał wiązać się z Polską. Doraźnie traktat krakowski wzmacniał więc pozycję Polski nad Bałtykiem. Próba całkowitej likwidacji państwa krzyżackiego mogła wciągnąć Polskę w niebezpieczną wojnę z sąsiadami, a sekularyzacja Zakonu i warunki układu zdawały się trwale wiązać Prusy Książęce (jak odtąd nazywano ziemie Zakonu) z Polską. Wzmacniały ten związek procesy osadnicze. W południowych częściach księstwa licznie osiedlali się koloniści mazurscy. Pociągało to za sobą znaczną polonizację tej prowincji, co znalazło swój wyraz także w rozwoju stosunków kulturalnych na tym terenie.

Dawna historiografia polska uważała traktat krakowski za poważny błąd polityczny. Stanowisko takie wynikało, jak podkreślił Władysław Pociecha, z przesadnej oceny możliwości strony polskiej. Na traktacie zaciążył przecież fakt lekceważenia Hohenzollernów przez ówczesną dyplomację polską. Można było bowiem przypuszczać, że dalsza ewolucja nastąpi w kierunku ściślejszego scalenia Księstwa Pruskiego z Polską. Jeżeli stało się odwrotnie, było to zarówno wynikiem nowych błędów polityki polskiej, jak i aktywności polityki dynastycznej Hohenzollernów. Obsadzenie na tronie książęcym członka tego rodu pociągnęło groźne dla państwa polskiego skutki. Władający Brandenburgią Hohenzollernowie dążyli bowiem wyraźnie do rozszerzenia swych wpływów na ziemiach polskich. Już w 1455 r. wykupili z rąk krzyżackich Nową Marchię. Później skierowali swe zainteresowania na Pomorze Zachodnie. Przez pewien czas Polska zdołała powstrzymać ich agresywne dążenie na tym terenie. Za panowania jednego z potężniejszych władców Pomorza Szczecińskiego, Bogusława X, zarysowały się tendencje do zjednoczenia jego państwa z Polską. Poślubił on córkę Kazimierza Jagiellończyka, a w 1513 i 1518 r. wystąpił z propozycją zjednoczenia czy wieczystego przymierza z Polską. Myśl tę popierał prymas Jan Łaski wraz ze szlachtą wielkopolską, jednak przeważyło stanowisko magnatów małopolskich, zwłaszcza Szydłowieckich, obawiających się, że może to naruszyć dobre stosunki z cesarzem, a także margrabiami brandenburskimi. Negatywna decyzja ułatwiła wzrost wpływów brandenburskich. W 1529 r. Pomorze Szczecińskie musiało zawrzeć układ dynastyczny z Brandenburgią, przewidujący, że w przypadku wygaśnięcia miejscowej dynastii księstwo przejdzie we władanie Hohenzollernów. Jeżeli dodać do tego powołanie w 1539 r. na arcybiskupa ryskiego brata Albrechta, Wilhelma Hohenzollerna, widać, jak silna stawała się pozycja Hohenzollernów już w pierwszej połowie XVI w. w tej części wybrzeża bałtyckiego, która szczególnie interesowała Polskę i Litwę.

Podobne sukcesy uzyskali Hohenzollernowie na terenie Śląska. Opanowali tutaj drogą kupna kolejno Krosno, a potem księstwo karniowskie (1523). Jerzemu Hohenzollernowi powiodło się także zawrzeć układ z Janem Opolskim, przewidujący sukcesję Hohenzollerna w razie bezpotomnej śmierci Piastowicza (1523). Na tej podstawie Jerzy trzymał też księstwo opolskie w swym ręku w latach 1532 - 1552. Wreszcie podobny układ na przeżycie zawarł w 1537 r. margrabia Joachim z księciem legnickim Fryderykiem. Wprawdzie porozumienie to zostało wkrótce jednostronnie unieważnione przez cesarza, ale stanowiło punkt wyjścia dla pretensji Hohenzollernów do Śląska w XVII i XVIII w.

Można dostrzec swoisty paradoks w fakcie, że w XVI w. nie Rzeczpospolita, ale Hohenzollernowie reprezentowali tendencję do skumulowania zachodnich ziem polskich w swym ręku. Na tym tle uwydatnia się dobitnie niebezpieczeństwo zawarte w układzie krakowskim. Przeoczyła je wszakże ówczesna dyplomacja polska, o czym świadczą koniunkturalne, spowodowane przejściowymi trudnościami w polityce wschodniej, ustępstwa królów polskich na rzecz Hohenzollernów: dopuszczenie ich do następstwa w Prusach w 1563 r., potwierdzone przez sejm lubelski w 1569 r. po śmierci Albrechta. Kontynuowali tę politykę i późniejsi królowie. Rezultatem tych krótkowzrocznych posunięć było nadanie lenna pruskiego w 1611 r. elektorowi Janowi Zygmuntowi. Mimo że starano się wykonywać władzę zwierzchnią nad Księstwem, m. in. przez wysyłanie specjalnych komisji, mimo pewnego wzmocnienia uprawnień króla polskiego, mimo wreszcie tego, że i ludność Prus Książęcych w większości była skłonna do bliższego powiązania się z Polską, choćby ze względu na istniejące w niej wolności, te kolejne decyzje oznaczały rezygnację z szans wcielenia Księstwa do Rzeczypospolitej, którą otwierał traktat krakowski, i przyczyniały się do osłabienia wpływów polskich na tym terenie.

c. Rezygnacja z preponderancji Jagiellonów w środkowej Europie

Umocnienie pozycji Polski nad Bałtykiem zbiegło się w czasie z definitywnym przekreśleniem dążeń dynastycznych Jagiellonów do odgrywania pierwszorzędnej roli w środkowej Europie. Na wydarzenie to wpływ Polski był ograniczony. Było ono przede wszystkim wynikiem rozbieżności interesów państw rządzonych przez Jagiellonów.

Gdy Polska przygotowywała się do rozwiązania sprawy Zakonu Krzyżackiego, Litwa znajdowała się pod silnym naciskiem ze strony państwa moskiewskiego. Z chwilą, gdy Moskwa zaczęła akcję jednoczenia ziem ruskich, siłą rzeczy musiała skierować się przede wszystkim przeciwko państwu litewskiemu, w którego granicach znalazły się największe obszary dawnej Rusi. Litwa nie miała dostatecznych sił, by przeciwstawić się samodzielnie temu dążeniu, zwłaszcza że nie mogła liczyć na poparcie ludności ruskiej. Większość pogranicznych feudałów wahała się między Litwą a Moskwą, zdarzały się wypadki przechodzenia nawet wybitnych osobistości (jak Michała Glińskiego, faworyta Aleksandra) to na jedną, to na drugą stronę. Już na przełomie XV i XVI w. w wyniku długoletniej wojny Moskwa uzyskała znaczne terytoria na wschód od Dniepru. Litwini starali się więc o uzyskanie wydatniejszych posiłków ze strony polskiej. Wykorzystywali również napięcia między Krymem a Moskwą, by zachęcać chanów tatarskich do dywersji. Ci napadali wszakże to na Litwę, to na Moskwę, tak rozdzielając swe ciosy, by żadna strona nie zyskała przewagi, która mogłaby stać się niedogodną dla Krymu. Ale i Moskwa potrafiła sięgać po sojuszników, których wystąpienie ograniczyłoby pomoc polską. W toku nowej wojny litewsko-moskwiewskiej (1512 - 1522) Wasyl III zawarł sojusz z cesarzem Maksymilianem I, po czym zdobył Smoleńsk (1514), który nie mógł doczekać się odsieczy. Opanowanie tej twierdzy otworzyło Wasylowi bramę do Litwy — tymczasem jednak dyplomacja polska zdołała powstrzymać cesarza przed wystąpieniem; wysłane zaś na Litwę posiłki polskie wraz z wojskami litewskimi umożliwiły hetmanowi w. lit. Konstantemu Ostrogskiemu odniesienie świetnego zwycięstwa pod Orszą (1514). Powstrzymano w ten sposób postępy Moskwy. Dalsze działania wojenne, mimo wspomnianego sojuszu Wasyla III z Albrechtem, nie przyniosły zmian i w 1522 r. Litwa zawarła rozejm, decydując się na pozostawienie w ręku Moskwy Smoleńszczyzny i Siewierszczyzny. Walki rozgorzały na nowo w latach 1534 - 1537. Przy pomocy posiłków polskich pod dowództwem hetmana Jana Tarnowskiego padł Homel i zacięcie broniony Starodub; na tym jednak wyczerpały się sukcesy litewskie. Nowy rozejm zawarty na podobnych jak poprzedni warunkach (Litwa tylko utrzymała Homel, a Moskwa założony w czasie wojny Siebież) ustabilizował na okres blisko ćwierćwiecza granicę i pokojowe stosunki między Litwą a państwem moskiewskim.

Rozbicie groźnego dla Jagiellonów sojuszu Maksymiliana I z Wasylem III z 1514 r. możliwe było dzięki ustępstwom, na jakie zdecydowali się Jagiellonowie na rzecz Habsburga. Na podjęcie walki na dwu frontach Jagiellonowie byli za słabi, przy tym trzeba się było liczyć stale z możliwością ataku tureckiego na Węgry. Wyzyskano więc trudności Habsburgów na zachodzie, udział w wojnach włoskich i zaproponowano kompromis, który miał osłabić rywalizację między obu dynastiami i odsunąć na pewien czas jej rozstrzygnięcie.

W 1515 r. doszło do zjazdu z Maksymilianem w Wiedniu. Zygmunt I i Władysław czesko-węgierski zgodzili się na zawarcie układu dynastycznego z cesarzem. Przewidywano w nim podwójne małżeństwo: syna Władysława Ludwika z wnuczką cesarza Marią oraz wnuka cesarza Ferdynanda z córką Władysława Anną, co w razie wygaśnięcia tej linii jagiellońskiej otwierało Habsburgom drogę do tronu czeskiego i węgierskiego. W zamian Jagiellonowie uzyskali obietnicę cesarza nieudzielania poparcia Zakonowi Krzyżackiemu i jego antypolskiej kampanii i rezygnację ze współdziałania z państwem moskiewskim.

Układ ten nie doprowadził jeszcze do współdziałania między dworem polskim a cesarskim. Jagiellonowie nie uważali układu wiedeńskiego za rezygnację z panowania w Czechach i na Węgrzech. Rychła śmierć Władysława (1516) dała okazję elementom narodowym w obu krajach do podkreślenia, że wiążą swe nadzieje z Jagiellonami i Polską. Po elekcji Karola V na cesarza Zygmunt I, któremu nie udało się wytargować żadnych ustępstw Habsburga w zamian za poparcie jego wyboru, podjął sięgającą aż do Francji aktywną politykę antyhabsburską, spowodowaną częściowo stanowiskiem Karola V wobec wojny Polski z Zakonem. Jednakże i Habsburgowie nie ustawali w naciskach w Czechach i na Węgrzech, a także w Polsce, gdzie dyplomacja cesarska miała wpływowych popleczników w najbliższym otoczeniu królewskim (Szydłowieckich i Tomickiego).

Decydujący cios pozycji Jagiellonów w środkowej Europie miała jednak zadać Turcja. Objęcie władzy przez Solimana Wspaniałego otworzyło nowy okres ekspansji tureckiej w Europie. W 1521 r. w ręce sułtana wpadła twierdza belgradzka, osłaniająca do tej pory południowe Węgry. Prośby o pomoc, skierowane od Ludwika do Zygmunta I, pozostały bezowocne. Polska była zdecydowanie niechętna wszelkim konfliktom z Turcją. Wystarczały kłopoty z lennikami sułtana, Gierejami krymskimi, których zagonom nie mogły przeciwdziałać skutecznie nieliczne wojska zaciężne. Zresztą podobnie było i tym razem: w celu zneutralizowania Polski Soliman skierował na jej ziemie wojska tatarsko-tureckie, które w 1524 r. doszły do Sanu. Wysłane do Stambułu poselstwo polskie zobowiązało się do utrzymania pokoju przez najbliższe lata. W tych warunkach Zygmunt I nie mógł udzielić bratankowi pomocy wojskowej. Najazd turecki na Węgry w 1526 r. zastał więc Jagiellonów nie przygotowanych do odparcia grożącego ciosu. Rozstrzygająca bitwa pod Mohaczem skończyła się klęską, w której poległ młodociany Ludwik.

Zygmunt I wystąpił ze swymi pretensjami do spadku po nim, jednak szybsi i skuteczniejsi w działaniu byli Habsburgowie. W Pradze Ferdynand bez trudu uzyskał koronę czeską, wraz z którą pod panowanie habsburskie przeszedł także Śląsk. Na Węgrzech doszło do wewnętrznego rozbicia: szlachta wybrała na króla kandydata narodowego Jana Zapolyę, spowinowaconego z Zygmuntem I przez jego pierwszą żonę Barbarę Zapolyankę. Natomiast magnaci w większości opowiedzieli się za Ferdynandem i przeprowadzili elekcję na sejmie. Między obu elektami doszło do walki, fatalnej w skutkach dla przyszłości Węgier.

Stanowisko Polski wobec tego konfliktu było skomplikowane. Dwór królewski, zgodnie z polską racją stanu, sprzyjał Zapolyi. Jednakże oficjalne zaangażowanie się po jego stronie nie było możliwe, choćby ze względu na represje, jakie w zamian spaść mogły na włoskie posiadłości Bony (księstewka Bari i Rossano). Ponadto część doradców króla, znana z prohabsburskiego stanowiska, nakłaniała raczej do utrzymania neutralności, najwyżej ofiarowania mediacji na Węgrzech. Takie było ostatecznie oficjalne stanowisko Polski. Obok tego jednak na Węgry udali się ochotnicy do oddziałów Zapolyi. Jan Tarnowski udzielił mu gościny i ułatwił reorganizację armii, gdy wojska habsburskie zadały klęskę jego oddziałom. Hieronim Łaski, działając jako doradca Zapolyi, pozyskał mu poparcie Solimana i w pewnej mierze przyczynił się do wielkiej wyprawy tureckiej na Wiedeń w 1529 r. Dopiero po układzie między Zapolyą a Ferdynandem w Wielkim Waradynie dwór krakowski ujawnił swą życzliwość dla narodowego króla, wydając za Zapolyę w 1539 r. Izabelę Jagiellonkę, córkę Bony i Zygmunta. Rychła śmierć Zapolyi uniemożliwiła wykorzystanie tego małżeństwa dla stabilizacji jego tronu. Gdy spadek po nim chciał przejąć Ferdynand, wmieszali się ponownie Turcy. Wcielili oni większość kraju do swego państwa, wydzielając tylko rejon Siedmiogrodu jako lenne księstwo pod władzą małoletniego syna Jana i Izabeli, Jana Zygmunta Zapolyi.

Możliwość interwencji tureckiej hamowała już poprzednio wszelkie poczynana polskie na tym obszarze. Jednym bowiem z kanonów polityki polskiej w XVI w. było unikanie konfliktów z tym państwem. Wystąpiło to bardzo wyraźnie na tle sprawy mołdawskiej. Hospodarzy mołdawscy starali się bowiem nie tylko wykorzystać napięcia istniejące między ich sąsiadami w celu zapewnienia sobie faktycznej niepodległości, ale próbowali również zająć część województwa ruskiego położoną nad górnym Prutem, zwaną Pokuciem. Pokusił się o nie hospodar mołdawski Bogdan w 1509 r., poniósł jednak dotkliwą porażkę w czasie odwrotu przez Dniestr. Nie rozwiązało to jednak sporu. Gdy tron mołdawski objął Piotr Raresz zwany Petryłą, zapewnił sobie poparcie sułtana i wtargnął na Pokucie. Wysłany przeciwko niemu z niewielkimi siłami (6 tys. ludzi) hetman Jan Tarnowski najpierw rozbił pod Gwoździcem okupującą Pokucie armię mołdawską, po czym w świetnie przeprowadzonej bitwie obronnej pod Obertynem (1531), wykorzystując taktykę walki taborowej, rozgromił samego hospodara. Jednakże ze względu na sułtana wojska polskie nie wykorzystały zwycięstwa i nie wtargnęły do Mołdawii, by tam narzucić ostateczny pokój. Dyplomacja polska postarała się natomiast o zawarcie z Turcją w 1533 r., „wiecznego pokoju" i przyjaźni. Wyłamywała się w ten sposób Polska spod przyjętej przez kraje chrześcijańskie Europy solidarności wobec Turków, ale podobnie czyniły w tym czasie Wenecja czy Francja, zrywając ze średniowiecznym podziałem na świat chrześcijański i „niewiernych". Porozumienie z Turcją wykorzystała Polska przeciwko Mołdawii. W obliczu najazdu tureckiego, spowodowanego przez Polskę, hospodar mołdawski w 1538 r. zrezygnował z pretensji do Pokucia zawierając pokój z Polską. Nie zapobiegło to ostatecznemu podporządkowaniu sobie Mołdawii przez Turków. Granica Polski z państwem osmańskim miała przebiegać więc wzdłuż Karpat i Dniestru.

Aktywna polityka Jagiellonów w basenie naddunajskim zakończyła się więc niepowodzeniem. Myśl stworzenia bloku litewsko-polsko-czesko-węgierskiego nie wytrzymała próby życia. Nie udało się utrzymać niezależności Czechów od Niemców ani ocalić Węgier przed rozbiorem. Załamały się wpływy polskie w Mołdawii i na Wołoszczyźnie. Sytuacja międzynarodowa Polski uległa znacznemu pogorszeniu — i to nie tylko z uwagi na bezpośrednie zetknięcie się wzdłuż długiej linii granicznej z państwem tureckim, bo jak się wydaje, Turcy osiągnęli zasadnicze cele swej ekspansji na tym terenie i Polska mogła czuć się z tej strony względnie bezpieczna, ale i z powodu usadowienia się wzdłuż południowo-zachodniej granicy Habsburgów. Znajdujące się w ich rękach państwo czesko-węgierskie mogło stać się punktem wyjścia nowej akcji zaczepnej przeciwko Polsce. Dysproporcja sił między obu stronami powodowała, że Polska miała teraz przejść na długie lata do biernej polityki na tym terenie, nie upominając się żywiej o Śląsk ani nie próbując ingerować w sprawy czeskie, gdzie miejscowa szlachta była w coraz silniejszym stopniu podporządkowywana absolutystycznym tendencjom habsburskich władców. Bierność ta znalazła swój najwymowniejszy wyraz w układach z Habsburgami, w małżeństwie Zygmunta Augusta z Elżbietą Habsburżanką (1543) oraz w zawartym przez tego właśnie władcę w 1549 r. przymierzu z Ferdynandem, w którym obie strony zobowiązały się do wzajemnej pomocy przeciwko obcym potęgom i buntującym się poddanym.

Rezygnacja z preponderancji w środkowej Europie i wycofanie się z aktywnej polityki u południowo-zachodnich granic były w niemałym stopniu uwarunkowane również skierowaniem polityki polskiej na inne tereny. Związane to było w pewnym stopniu ze wzrostem zainteresowania polityki polskiej sprawami wschodnimi, ku którym ciągnęła Polskę zacieśniającą się unią z Litwą. Ale na tym obszarze zadowalano się za panowania Zygmunta I dążeniem do utrzymania litewskiego stanu posiadania. Natomiast głównym rejonem zainteresowania polityki polskiej staje się basen morza bałtyckiego. Jakkolwiek w zakresie zewnętrznej polityki decydujący głos, przynajmnniej do połowy XVI w., miał dwór królewski i garść związanych z nim magnatów, głównie małopolskich i litewskich, to przecież nie bez znaczenia były i zainteresowania szlacheckie. Po załamaniu się dynastycznej polityki Jagiellonów wpływ postawy szlachty na politykę państwa miał przybrać na sile. Otóż zainteresowania szlachty, a także znacznej części ówczesnej magnaterii, kierowały się nad Bałtyk, do portów, przez które przechodziły za granicę ich produkty. Inna rzecz, że między tym zainteresowaniem a zaktywizowaniem polityki państwowej nie było łatwo znaleźć odpowiedniego łącznika. Szlachta bowiem niechętnie ustosunkowywała się do wszelkich akcji, które pociągały za sobą wzrost obciążeń podatkowych. Najważniejsze dla niej były sprawy wewnętrzne. W tym też tkwi źródło ujemnego w gruncie rzeczy bilansu polityki zewnętrznej Zygmunta I, a także trudności, jakie napotykał jego syn przy rozwiązywaniu sprawy inflanckiej.

d. Opanowanie Inflant

Sekularyzacja Zakonu Krzyżackinego w Prusach przyspieszyła kryzys Zakonu Kawalerów Mieczowych w Inflantach. Wywołały go wzrastające wpływy reformacji oraz konflikty wewnętrzne, przypominające konflikty w dawnym państwie krzyżackim. Szlachta i mieszczaństwo inflanckie burzyło się przeciwko władzy Zakonu. Zwalczające się grupy oglądały się za pomocą zewnętrzną, co nadało walce o przyszłość Inflant charakter konfliktu międzynarodowego. Jakkolwiek dalszy los Inflant miał istotne znaczenie dla ich dwu najbliższych sąsiadów — Litwy i Moskwy, przede wszystkim z uwagi na rolę ekonomiczną, jaką odgrywały w stosunku do obu tych państw, do walki o spadek po Zakonie wmieszały się również Szwecja i Dania, dążące do zapewnienia sobie uprzywilejowanej pozycji handlowej na Bałtyku, w mniejszym stopniu również Hanza i cesarz, który rościł sobie pretensje do zwierzchnictwa nad tymi obszarami. W walce tej, w której sprawy narodowościowe nie grały istotniejszej roli (nikt bowiem nie myślał o prawie ludności estońskiej czy łotewskiej do posiadania własnego państwa, zresztą warstwy uprzywilejowane na tym terenie stanowili głównie Niemcy), dominowały względy fiskalno-ekonomiczne i strategiczne. Przez Inflanty przechodziły bowiem ważne szlaki handlowe łączące zachodnią i północną Europę ze Wschodem, które zapewniały wysokie zyski zarówno uczestniczącemu w tym pośrednictwie mieszczaństwu, jak i władzy państwowej.

Momenty te zaważyły szczególnie na zainteresowaniu Litwy Inflantami. Inflanckie porty nadbałtyckie, zwłaszcza Ryga, były naturalnymi pośrednikami między terenami litewskimi i białoruskimi a zachodnią Europą. W miarę rozwoju eksportowej produkcji rolnej, szczególnie zbożowej, w Wielkim Księstwie Litewskim wzmagały się tendencje do wzięcia pod kontrolę tych rejonów i niedopuszczenia, by płynące z tego handlu zyski dostały się do rąk dodatkowych pośredników. Były to przy tym tereny bogate, dobrze zagospodarowane, przyciągały więc feudałów litewskich, a także i polskich, jako rejony ich ewentualnej ekspansji gospodarczej. Ponadto na postawę Litwy wpływała jej rywalizacja z Moskwą. Opanowanie państwa Kawalerów Mieczowych przez Moskwę (kierującą się zresztą podobnie jak Litwa względami ekonomicznymi) ułatwiłoby rozwój gospodarczy państwa carów, otworzyłoby możliwość dogodnego komunikowania się z Zachodem, a także zwiększyłoby zagrożenie militarne Litwy przez oskrzydlenie jej od północy. Wdając się w sprawy inflanckie Litwini usiłowali zapobiec takiemu rozwiązaniu.

Plany podporządkowania Inflant państwu polsko-litewskiemu w formie lenna wysuwał wkrótce po układzie krakowskim Albrecht Hohenzollern. Spodziewał się on, że przy pomocy króla polskiego uda mu się uzyskać dominujące stanowisko dla swego brata Wilhelma, wprowadzonego na arcybiskupstwo ryskie. Jakkolwiek próba utworzenia wielkiego nadbałtyckiego państwa Hohenzollernów nie powiodła się, to jednak w Inflantach wytworzyła się silna partia, która przyszłość księstwa widziała z związku z Litwą i Polską. Gdy więc mistrz Zakonu dał się pozyskać dyplomatom Iwana IV i zawarł układ przewidujący neutralizację Inflant wobec konfliktu moskiewsko-litewskiego (1554), doszło do wybuchu walk wewnętrznych w kraju. Wilhelm Hohenzollern został uwięziony przez swych przeciwników, co skłoniło Zygmunta Augusta do interwencji zbrojnej. Na decyzję króla wpłynął przede wszystkim Albrecht Hohenzollern, a także magnaci litewscy, szczególnie kanclerz Mikołaj Czarny Radziwiłł, który był głównym rzecznikiem podporządkowania Inflant Litwie. Interwencję poparł także senat polski. Zygmunt August skoncentrował nad granicą Inflant silną armię i wypowiedział wojnę. Do walk nie doszło, ponieważ wielki mistrz Wilhelm Fürstenberg przyjął narzucone mu przy pośrednictwie cesarskim warunki. W 1557 r. nastąpiło w Pozwolu podpisanie sojuszu wojskowego, na mocy którego Inflanty zobowiązały się wraz z Litwą występować przeciwko Moskwie. Wilhelm został przywrócony do swej godności.

Odpowiedzią na sojusz pozwolski była próba rozbioru Inflant. Pierwszy wystąpił Iwan IV, który w 1558 r. zajął Dorpat i zdobył Narwę, mającą odtąd służyć przez blisko ćwierć wieku Moskwie do utrzymywania bezpośrednich stosunków z Zachodem. Wkrótce potem Duńczycy zajęli biskupstwo ozylskie, a Szwedom poddał się Rewal z częścią Estonii (1561). Tymczasem w Inflantach zwyciężyło przekonanie, że utrzymanie całości kraju może zapewnić tylko związek z państwem polsko-litewskim. Na wielkiego mistrza powołano Gotarda Kettlera, który w 1561 r. spotkał się z Zygmuntem Augustem w Wilnie i poddał mu Inflanty. Na mocy zawartego 28 listopada porozumienia, podobnie jak było w Prusach, Zakon sekularyzowano, z Kurlandii i Semigalii utworzono lenne księstwo dla Kettlera, natomiast pozostałe tereny Inflant wcielono do Rzeczypospolitej. Od 1569 r. stanowiły one wspólne władztwo Polski i Litwy. Początkowo miały one pełną autonomię, zachowując własny sejm i utrzymując odrębne prawa i przywileje. Dopiero sejm walny z 1598 r. zbliżył ustrój Inflant do polskiego, włączając m.in. ich reprezentantów do senatu i izby poselskiej.

Układem wileńskim Zygmunt August zobowiązał się odzyskać oderwane części Inflant. Doprowadziło to nie tylko do ciężkiej wojny z Moskwą, ale i do rozpętania się zmagań nad Bałtykiem o zdobycie większej czy mniejszej części Inflant.

Ta pierwsza wojna północna nie może być jednak rozpatrywana z polskiego punktu widzenia wyłącznie jako wojna o Inflanty. Zadanie, które stanęło w tym czasie przed Polską, było znacznie szersze i ściślej powiązane z jej najżywotniejszymi problemami ekonomicznymi. Wielki eksport produktów rolnych, liczne kontakty handlowe z zachodnią Europą za pomocą dróg morskich były uwarunkowane możliwościami swobodnej żeglugi na Bałtyku. Kontrolę nad nią można było sprawować bądź przez silne obsadzenie cieśnin sundzkich, bądź przy pomocy górującej nad innymi państwami floty morskiej, bądź wreszcie przez opanowanie najważniejszych portów. Możliwości Polski w tym zakresie były ograniczone. Program tzw. dominium maris Baltici, wysuwany zresztą raczej przez króla i otaczających go wyższych urzędników niż przez przez szersze koła szlacheckie, nie zawsze zdające sobie sprawę, że wysokość wpływów za sprzedane zboże zależy od swobody i bezpieczeństwa żeglugi, ograniczał się do zapewnienia Polsce praw zwierzchnich nad portami, przez które eksportowano zboże z Polski i Litwy, prawa do posiadania własnej floty i wolności żeglowania po Bałtyku. Strona polska w przeciwieństwie do Danii czy Szwecji nie rościła pretensji do podporządkowania sobie całości żeglugi bałtyckiej czy opanowania wszystkich ważniejszych portów i ich zaplecza. Program polski znalazł swe odbicie w polityce na terenie Prus i Inflant, przejawił się także w omawianych dążeniach do podporządkowania Gdańska władzy centralnej — w postulatach Komisji Morskiej. Próbą realizowania tego programu było także tworzenie wojennej floty polskiej.

Początki jej przypadły jeszcze na lata 1517 - 1522, kiedy w porcie gdańskim organizowano „królewską straż morską", flotę kaperską w związku z konfliktem z Krzyżakami, a także z wojną litewsko-moskiewską. Później wrócono do tego projektu w połowie XVI w. Po zdobyciu Narwy starano się uniemożliwić wykorzystywanie tego portu do zaopatrywania Moskwy w sprzęt wojenny. W celu zwalczania „żeglugi narewskiej" konieczne było posiadanie własnej floty. W 1560 r. Zygmunt August zlecił

Gotardowi Kettlerowi zorganizowanie floty kaperskiej. Kiedy okazało się to niewystarczające, sam przystąpił do powoływania kaprów. Powstała królewska flota kaperska, której dowódcą był Mateusz Scharping z Gdańska. Przez pierwsze lata liczba statków kaperskich nie przekraczała 10, jednak gdy do wojny przystąpiła również Szwecja, nowe zadania, które stanęły przed kaprami (przecinanie komunikacji szwedzkiej z Estonią), spowodowały, że na Bałtyku działało ponad 30 polskich statków kaperskich (1567). Aby uniknąć zadrażnień z Gdańskiem, wybudowano dla kaprów specjalny port w Pucku. Nie zapobiegło to jednak ostrym zatargom. Kaprowie działali aż do 1570 r., po czym Duńczycy zniszczyli większość polskiej floty kaperskiej. W celu ugruntowania pozycji Polski na morzu Zygmunt August przystąpił pod koniec swego życia do budowy regularnej floty wojennej. Realizację tego planu, zapoczątkowanego wystawieniem dwóch jednostek w Elblągu, przerwała śmierć króla.

Program budowy floty napotkał liczne trudności. Wiązały się one z niechętnym nastawieniem szlachty, która obawiała się, że podobnie jak to bywało w innych krajach europejskich, silna flota może stać się w ręku króla jednym z elementów wzmacniających jego pozycję w państwie. Rozwój floty hamowało też wrogie stanowisko miast portowych, zwłaszcza Gdańska, oraz tych państw, których okręty handlowe uczestniczyły głównie w polskim obrocie morskim i które obawiały się straty zysków płynących z tego źródła. W sumie trzeba uznać, że warunki realizacji polskiego programu morskiego były w tym czasie szczególnie trudne. Polityka ta jednak odpowiadała interesom państwa polsko-litewskiego, była im bliższa niż dynastyczne poczynania Jagiellonów na Węgrzech czy w Czechach lub ekspansja wschodnia.

Ponieważ walka o *dominium maris Baltici* miała się rozstrzygać na tle konfliktu o dawne państwo Zakonu Inflanckiego, powiązało ją to w polityce polskiej w pewnym stopniu z tendencjami do ekspansji na wschód. Przejawiło się to zarówno we wspomnianych już ustępstwach i rezygnacjach na Pomorzu i w Prusach, jak i z położeniem głównego nacisku na zwalczanie pretensji rosyjskich do Inflant. Dla polskich i zwłaszcza litewskich oligarchów walka o Inflanty miała się stać próbą sił, która umożliwiła późniejsze interwencje w Moskwie.

e. *Wojna o Inflanty*

Na początku ta próba sił przebiegała niepomyślnie dla państwa polsko-litewskiego. Wojna z Moskwą zaczęła się od straty Połocka, zdobytego przez Iwana IV w 1563 r. Wprawdzie w następnym roku Mikołaj Rudy Radziwiłł dwukrotnie rozbił wojska carskie, jednak utraconej twierdzy nie zdołali Litwini odzyskać. Na niczym spełzła wielka wyprawa przygotowana przez Zygmunta Augusta w 1567 r. Ze zmiennym szczęściem toczyły się walki w Inflantach objętych również działaniami wojennymi między Szwecją a Danią. W toku tej wojny najpierw nastąpiło zbliżenie między Szwecją, która dążyła do zdobycia Rygi, a Moskwą. Odpowiedzią na nie był sojusz polsko-duński, jakkolwiek interesy obu tych państw nad Bałtykiem i w Inflantach były rozbieżne, Dania bowiem tolerowała żeglugę narewską, która przynosiła jej zwiększone dochody przez cło sundzkie, a także zamierzała podporządkować sobie część Inflant, przynajmniej wyspę Ozylię. Współpraca między sojusznikami była więc nikła, po czym w 1568 r. po objęciu tronu szwedzkiego przez żonatego z Katarzyną Jagiellonką Jana III, nastąpiła zmiana przymierzy. Polska zbliżyła się z kolei do Szwecji, a Moskwa do Danii. Duńczycy forowali wtedy przy poparciu Iwana IV królewicza Magnusa na króla Inflant, faktycznie jednak nadal każde państwo walczyło na swoją rękę. Zawarty w 1570 r. przy pośrednictwie Francji, Cesarstwa i Polski układ pokojowy między Szwecją a Danią w Szczecinie nie przyniósł Polsce nic korzystnego. Potwierdzał on właściwie rozbiór Inflant przy nominalnym zwierzchnictwie cesarza nad tym krajem oraz uznawał swobodę żeglugi narewskiej, mimo protestów polskich. Rzeczpospolita musiała zadowolić się opanowaniem lwiej części Inflant z Rygą i Parnawą oraz rozejmem z Moskwą, który przedłużył się wobec długotrwałości pierwszego i drugiego bezkrólewia.

Wznowienie działań wojennych między Rzecząpospolitą a Moskwą nastąpiło w 1577 r. Iwan IV podjął wielką wyprawę na znajdujące się w ręku polskim i szwedzkim części Inflant, starając się postrachem zmusić przeciwnika do uległości. W niedługim czasie w ręku cara i jego lennika, wspomnianego królewicza duńskiego Magnusa, znalazła się większość Inflant z wyjątkiem Rygi i Rewala. Stefan Batory był wkrótce gotów do przeciwdziałania. Oddziały polskie zdołały powstrzymać parcie Rosjan i odebrały Dyneburg i większość środkowych Inflant, a dyplomaci pozyskali Magnusa. Król zapewnił sobie poparcie szlachty, tłumacząc, że od posiadania Inflant zależy los Wilna i Prus, a od tego, czy się zdobędzie panowanie nad morzem, przyszłość Rzeczypospolitej. Uzyskane podatki pozwoliły mu na wystawienie silnej armii, wzmocnionej także wprowadzeniem piechoty wybranieckiej. Plan kampanii opracowany został starannie przez króla i jego współpracownika Jana Zamoyskiego. Polegał on na tym, by odepchnąć Rosjan od Bałtyku nie przez uderzenie w Inflantach, ale przez bezpośrednie zaatakowanie terenów rosyjskich i komunikacji z Inflantami.

Realizacja tych założeń rozpoczęta została w 1579 r. zdobyciem Połocka przy jednoczesnym dywersyjnym ataku na Smoleńszczyznę i Czernihowszczyznę. W następnym roku padła trudno dostępna twierdza Wielkie Łuki, po czym w 1581 r. armia polsko-litewska skierowana została na Psków. Jakkolwiek zagony, które dotarły aż do źródeł Wołgi, zapobiegły nadejściu odsieczy, Iwan Szujski na czele wojsk rosyjskich i mieszczan pskowskich stawił tak mężny opór, że oblegający nie zdołali wedrzeć się do miasta. Po paromiesięcznym oblężeniu przy pośrednictwie posła papieskiego, jezuity Antonio Possevino, marzącego o rozszerzeniu zwierzchności papieskiej nad prawosławiem w Rosji, zawarto w początkach 1582 r. pomyślny dla Rzeczypospolitej rozejm w Jamie Zapolskim. Na mocy tego układu Rosjanie ewakuowali wszystkie zdobyte zamki w Inflantach, zrzekli się ziemi połockiej i zostawili Wieliż w ręku litewskim. Do zwycięstwa przyczynili się także Szwedzi, którzy układem z 1583 r. zabrali z rąk rosyjskich resztę ziem inflanckich z Narwą.

W ten sposób pod władzą Rzeczypospolitej znalazło się wybrzeże bałtyckie — od Pucka po Parnawę; udaremniono także postępy rosyjskie w kierunku Bałtyku. Nie zdołała jednak Polska opanować całości Inflant — pod władzą szwedzką pozostała Estonia, zaś Duńczycy trzymali wyspy Ozylię i Dagö. Ten podział kraju krył w sobie zarodki dalszych konfliktów, które wybuchły w XVII w.

Niemniej na najważniejszym dla losów Rzeczypospolitej odcinku — w basenie bałtyckim — bilans XVI w. wypadł dla niej dodatnio. Polska umocniła swą pozycję u ujścia Wisły i Pregoły i opanowała ważne dla rozwoju ekonomicznego ziem litewsko-ruskich obszary Kurlandii i Inflant. Na Bałtyku zjawiła się nie znana dotąd wojenna flaga polska, z którą przeciwnicy musieli się liczyć. I właśnie w toku wojen toczonych w imię polityki bałtyckiej oręż polski święcił największe w XVI w. triumfy, budząc w Europie powszechne przekonanie o wysokich możliwościach militarnych Rzeczypospolitej.

Stworzenie polskiego programu bałtyckiego było wynikiem trafnej oceny pozycji i perspektyw Rzeczypospolitej w polityce międzynarodowej. Próba jego realizacji stanowiła dla polityki zewnętrznej zjawisko niemal tak doniosłe, jak egzekucja praw do polityki wewnętrznej. I w tej dziedzinie wszakże zadowolono się połowicznymi rozwiązaniami (Prusy Książęce) lub nawet podejmowano rozwiązania błędne (rezygnacja z powiązań z Pomorzem Szczecińskim, uporczywe zabiegi o Estonię), które z czasem miały ujemnie zaważyć na osiągniętych sukcesach. W odniesieniu do tych spraw średnia szlachta okazywała się zresztą podobnie niezdecydowana lub nawet niechętna (by nie wzmocnić króla), jak w wielu istotnych sprawach wewnętrznych. Nie był to także kierunek, który odpowiadałby nastawieniu większości magnatów (choć byli wśród nich jego zdecydowani zwolennicy), toteż w miarę wzmacniania się ich wpływów miał zostać usunięty na dalszy plan. Nawet jednak nie zdobywając sobie wśród społeczności szlacheckiej szerszego poparcia, które mogłoby umożliwić jego pełniejszą realizację, program bałtycki był najdojrzalszym programem polityki zewnętrznej w dziejach Rzeczypospolitej szlacheckiej. W znacznie większym stopniu odpowiadał on interesom polskim niż dynastyczne plany jagiellońskie czy awanturnicza polityka magnatów na wschodzie.

8. Próby restauracji pozycji monarchy i opozycja szlachecka

a. Elekcja Zygmunta III i rozdźwięki między królem a szlachtą

Bezkrólewie 1586 r. przebiegało znowu pod znakiem wewnętrznego rozdarcia kraju. Upokorzeni Zborowscy zmierzali nie tylko do uzyskania rehabilitacji i pognębienia Zamoyskiego, ale i do przeparcia kandydata habsburskiego. Aż czterech arcyksiążąt ubiegało się o tron polski, co nie ułatwiało zadania ich zwolennikom. Obóz Zamoyskiego chciał wyboru Piasta, ale gdy kanclerz nie decydował się walczyć o tron dla siebie, trudno było znaleźć godniejszego kandydata. Miał trochę zwolenników car Fiodor, który obiecywał swego rodzaju unię Polski z Moskwą. Nie można się jednak było porozumieć z jego przedstawicielami co do szczegółowych warunków tego związku. Tymczasem Anna Jagiellonka wysunęła kandydaturę swego siostrzeńca Zygmunta Wazy, następcy tronu w Szwecji. Mimo licznych zastrzeżeń, którymi arystokracja szwedzka obwarowała jego wybór na króla polskiego, Zygmunt znalazł poparcie w obozie Zamoyskiego, jakkolwiek sam kanclerz zachowywał neutralność wobec kandydatury królewicza szwedzkiego. Jego też 19 sierpnia 1587 r. powołało na tron elekcyjne koło stronników Zamoyskiego, podczas gdy obradujące oddzielnie koło Zborowskich wybrało arcyksięcia Maksymiliana.

Tym razem podzielona elekcja doprowadziła do wojny domowej. Zamoyski starał się wykorzystać niechęć do elekta-Niemca, zwołał pospolite ruszenie szlachty małopolskiej pod Kraków i tak przygotował obronę, że gdy arcyksiążę ze swymi wojskami przekroczył granicę śląską, natknął się na opór zarówno małych zameczków (Olsztyna, Rabsztyna), jak i samej stolicy. Kraków odparł atak Maksymiliana, który wycofał się za granicę Śląska, gdzie jednak ścigał go Zamoyski i rozbił doszczętnie pod Byczyną (1588), biorąc samego arcyksięcia jak i wielu jego zwolenników do niewoli. Dopiero traktat bytomsko-będziński z 1589 r. zapewnił pokój między obu stronami i przywrócił dobre stosunki z dworem habsburskim. Sam Maksymilian wypuszczony z niewoli nie zaprzysiągł jednak abdykacji i nie pogodził się z odtrąceniem go od tronu polskiego.

Jeszcze w czasie walki o tron Zygmunt III (1587 - 1632) przybył do Polski i został koronowany w Krakowie. Nadzieje, które wiązano z jego osobą, dotyczyły przede wszystkim unii personalnej ze Szwecją. Istniały bowiem liczne argumenty, które przemawiały za takim związkiem. Chodziło o niektóre wspólne cele na Bałtyku, walkę z cłem sundzkim, dążenie do niedopuszczenia Moskwy do Bałtyku. Także perspektywy korzystnych układów handlowych (zboże dla Szwecji, ruda dla Polski) czy wspólnego sprawowania dominium maris Baltici zdawały się tworzyć dostatecznie mocne przesłanki ekonomiczne dla takiej unii. Rzeczywistość wykazała, że właśnie w tym ostatnim punkcie niełatwo było się porozumieć, zwłaszcza gdy Szwecja żądała, by Zygmunt zgodnie ze swymi pierwotnymi zobowiązaniami utrzymał przy niej Estonię, a Polska domagała się realizacji paktów konwentów, w których (po długich targach) prowincję tę obiecano Rzeczypospolitej. Obok tej rywalizacji o panowanie w Inflantach niezmiernie utrudniały jakąkolwiek unię duże różnice już nie tylko narodowościowe, ale religijne i ustrojowe między obu państwami .Szwedzi obawiali się, że przy pomocy polskiej Zygmunt zechce siłą likwidować protestantyzm i ograniczać ich wolności stanowe. Wszystkie te trudności spowodowały, że oczekiwana unia przetrwała tylko kilka lat, po czym Zygmunt został zdetronizowany w Szwecji.

Jednakże i w Polsce nowy elekt spotkał się z różnymi zastrzeżeniami. Wychowany pod wpływem kultury niemieckiej i katolicyzmu, Zygmunt III był człowiekiem o szerokich zainteresowaniach artystycznych i naukowych, ale zarazem przekonanym rzecznikiem kontrreformacji i zwolennikiem silnej władzy monarszej. Znacznie wyżej cenił przy tym swój dziedziczny tron w Szwecji niż elekcyjny w Rzeczypospolitej. Skryty i małomówny, zamykał się chętnie w gronie rodziny i najbliższych doradców, co stało się źródłem licznych podejrzeń szlachty. Duży wpływ na ukształtowanie się nieżyczliwych opinii miały niefortunne kroki, które podjął młody i niedoświadczony król u progu panowania. Zygmunt III, zgodnie ze swym nastawieniem kontrreformacyjnym, starał się o zacieśnienie stosunków z Habsburgami. Pod wpływem perswazji ojca, Jana III, który spotkał się z synem w 1589 r. w Rewlu, Zygmunt III w obawie przed utratą tronu szwedzkiego wdał się w rokowania, których celem byłaby rezygnacja z korony polskiej i ułatwienie do niej drogi arcyksięciu Ernestowi za cenę zapewnienia sobie spokojnego panowania w Szwecji. Jakkolwiek Zygmunt III nie zdecydował się ostatecznie na postulowane przez jego ojca opuszczenie Polski, to jednak nadal utrzymywał bliskie stosunki z Habsburgami, m. in. poślubiając arcyksiężniczkę Annę. Tymczasem tajemnicę rokowań ujawnił Maksymilian i wtedy kanclerz Zamoyski, poróżniony już poprzednio z królem, zaatakował go o łamanie praw. Na sejmie w 1592 r., zwanym inkwizycyjnym, Zygmunt III ustąpił i przyznał się częściowo do stawianych mu zarzutów. Skutki upokorzenia króla były ujemne. Kompromitacja króla pociągnęła za sobą dalsze osłabienie autorytetu monarszego oraz rozbudziła nieufność do Zygmunta III wśród szlachty, jako do władcy naruszającego wolności szlacheckie, w tym wypadku prawo wolnej elekcji. Ale i samego Zygmunta sejm inkwizycyjny zniechęcił do szukania porozumienia ze średnią szlachtą. Między królem a szlachtą wykopana została przepaść, która miała uniemożliwić na długie lata współpracę.

Źródeł trudności, jakie powstały między monarchą a szlachtą, należy jednak szukać znacznie głębiej. Wynikały one z przeciwieństw istniejących między programem szlacheckim, czy tym, co z niego zostało, a dążeniami króla, z jego stanowiska wobec innowierców w Polsce, a także z charakteru jego polityki zewnętrznej.

Obóz średnioszlachecki przechodził już od czasów Batorego wyraźny kryzys. Stracił wiele ze swej poprzedniej bojowości, nastawiając się głównie na utrzymanie zdobytych pozycji. Zamiast o wzmocnienie władzy centralnej zabiegano o własne wpływy. Nie cofano się nawet przed dekompozycją sejmu, gdy sejmiki zdawały się lepiej zapewniać realizację tych celów. Był to w niemałym stopniu wynik rozpadu całego ruchu. Najważniejszą jego grupę stanowili tzw. populTaryści, kierowani przez Zamoyskiego. Kanclerzowi nie można odmówić troski o sprawy Rzeczypospolitej. Jeszcze na sejmie pacyfikacyjnym w 1589 r. przedstawił projekt elekcji, m. in. skrócenia bezkrólewia przez usunięcie konwokacji i wprowadzenia trybu głosowania, przy którym w ostatniej fazie decydowałaby większość.

Rzecz jednak upadła, gdyż Zamoyski proponował wykluczenie kandydatów, którzy nie byliby krwi słowiańskiej, co poruszyło stronników Habsburgów. Jednakże głównym celem Zamoyskiego w tym czasie było przesunięcie punktu ciężkości polityki polskiej znad Bałtyku na południe i podjęcie wielkiej akcji ofensywnej przeciw Turcji. Plany te wysunięte już przez Batorego, nie zyskały jednak aprobaty ani Zygmunta III, ani większości szlachty. W tych warunkach kanclerz, poważniony z nie słuchającym jego rad królem, niechętnie nadal widziany przez starą magnaterię, ostatnie lata swego życia poświęcił na bezpłodną walkę polityczną z monarchą. Olbrzymi autorytet, który zdobył u szlachty, wykorzystał w celu utrwalenia w niej postaw negatywnych wobec wszelkich poważniejszych zmian ustrojowych. On to uczył średnią szlachtę szukania ratunku przed prawdziwym czy urojonym absolutyzmem u „braci starszych", tj. u magnatów. Pierwszy przykład takiego powiązania magnacko-średnioszlacheckiego przeciwko monarsze dali właśnie popularyści.

Duże niezadowolenie wywoływała polityka religijna króla. Wprawdzie już Batory ze względów koniunkturalnych popierał katolicyzm, jednak dopiero Zygmunt III ze sprawy zwycięstwa kontrreformacji uczynił jeden z zasadniczych celów swego panowania. Zygmunt III nie tylko nie przychylił się do próśb dysydentów, którzy usilnie zabiegali o uchwalenie konstytucji przeciwko tumultom, ale nawet przywrócił w 1592 r. egzekucję starościńską sądom biskupim. Tymczasem mnożyły się napady na zbory i coraz bardziej niezbędne stawało się wprowadzenie ustawy, która narzucilaby państwu obowiązek obrony dysydentów przed wypadkami nieprzestrzegania konfederacji warszawskiej 1573 r. W rezultacie wkrótce Zygmunt III miał przeciwko sobie całą dysydencką szlachtę. Po unii brzeskiej stanowisko jej poparli dyzunici.

Zygmunt III nie zmieniał wszakże swej polityki kontrreformacyjnej, która nie przejawiała się (jak w innych państwach europejskich) w zaostrzonych represjach, ale polegała na pozostawieniu wolnej ręki poczynaniom katolików, na popieraniu jezuitów i zwolenników reformy trydenckiej, a także na pomijaniu innowierców przy rozdawnictwie urzędów i godności przez króla. Rekatolizacja Polski miała ułatwić likwidację protestantyzmu w Szwecji. Gdy detronizacja Zygmunta utrudniła realizację tych planów, cała polityka monarchy podporządkowana została stworzeniu warunków, które zapewniłyby odzyskanie utraconej korony. Nie zważając na niechętne stanowisko większości szlachty Zygmunt III parł więc usilnie do wzmocnienia swej władzy w Rzeczypospolitej. Wzorem dla niego była absolutystyczna monarchia Habsburgów, zwłaszcza hiszpańskich. Zygmunt III Waza, jeśli można zorientować się z dotychczasowych badań, nie zamierzał przy tym likwidować organów parlamentaryzmu szlacheckiego. Starał się natomiast przywrócić władzy monarszej pozycję, którą miała za panowania Jagiellonów, przed artykułami henrykowskimi, innymi słowy — zapewnić królowi pierwszeństwo przed sejmem.

Oparcie dla swych planów mógł znaleźć Zygmunt III wzorem habsburskim w Kościele katolickim, a także w części katolickiej magnaterii. Zespół doradców króla składał się więc z margrabiego pińczowskiego, Zygmunta Myszkowskiego, podkomorzego Andrzeja Boboli, wojewody mazowieckiego Feliksa Kryskiego, z biskupów Jerzego Radziwiłła, Hieronima Rozdrażewskiego i kilku innych. Popierali króla również jezuici. Najważniejszy z nich, kaznodzieja nadworny Piotr Skarga, w swych głośnych kazaniach nie tylko potępiał zakradającą się anarchię i niesprawiedliwe stosunki społeczne w Polsce ale agitował za poszerzeniem władzy króla, co pozwoliłoby na wytępienie herezji w Rzeczypospolitej. W sumie grupa otaczająca króla była nieliczna, ale wpływowa. Mimo wszelkich zastrzeżeń i gardłowań szlacheckich autorytet monarchy w Rzeczypospolitej pozostawał nadal, jak wykazał to Władysław Czapliński, wysoki. Stanowisko króla stale ważyło wiele na sejmie, stąd znaczenie podejmowanych przez niego inicjatyw, nawet jeżeli zwolennicy polityki królewskiej — regaliści — nie zdobywali w sejmie większości.

W początkach XVII w. doszło do próby sił między obozem królewskim a popularystami, wspartymi przez innowierców. Zapowiedzią tej konfrontacji stał się sejm 1605 r. Dwór, obok aktualnych problemów polityki zagranicznej, przede wszystkim stosunku do pretendenta do korony carskiej Dymitra, postawił kwestię uzdrowienia sejmu przez akceptację zasady większości. Opozycja ograniczała się do atakowania polityki dworu, przy czym kanclerz Zamoyski wystąpił z wielką filipiką przeciwko królowi, a w obronie prerogatyw szlacheckich. Sejm, nie pierwszy zresztą, rozszedł się bez uchwalenia konstytucji i podatków potrzebnych na toczoną wtedy wojnę ze Szwecją. Mowa kanclerza, w której wzywał wyłącznie do obrony demokracji szlacheckiej, stała się jego fatalnym testamentem. W tymże roku bowiem Zamoyski umarł, a popularyści dostali się pod wpływy pozbawionych szerszych horyzontów politycznych demagogów i zelantów złotej wolności.

b. Rokosz sandomierski

Tymczasem dwór królewski zamierzał wykorzystać zarówno sukcesy militarne i polityczne (bitwa pod Kircholmem, objęcie przez Dymitra tronu carskiego), jak i dezorientację wśród popularystów po stracie przywódcy. Na marzec 1606 r. zwołany został nowy sejm, przed którym postawiony został program istotnych reform. Nie tylko powtórzył on postulat ograniczenia zasady jednomyślności na sejmach, ale i obejmował zwiększenie liczby stałego wojska przy zapewnieniu nowych stałych dochodów skarbu państwowego. Rozchodziły się przy tym pogłoski, że Zygmunt III zamierza koronować swego syna Władysława na króla polskiego.

Przeciwko planom dworu wystąpił nowy przywódca popularystów — Mikołaj Zebrzydowski, wojewoda krakowski. Z jego inicjatywy szlachta krakowska nie tylko potępiła wszelką myśl o zwoływaniu sejmu bez powszechnej zgody (jako zamach na zasadę równości szlacheckiej), ale zarazem wezwała szlachtę całego kraju na zjazd pod Warszawę do Stężycy, by czuwać nad przebiegiem sejmu. Nad Rzecząpospolitą stanęła groźba rokoszu, ale dwór nie ustępował mimo nacisków coraz tłumniej zjeżdżającej się pod Stężycę szlachty. Główna walka na sejmie rozegrała się jednak nie wokół proponowanych reform, lecz w związku z postulowaną przez dysydentów konstytucją przeciwko sprawcom tumultów religijnych. Za zachętą Skargi Zygmunt sprzeciwił się jej uchwaleniu, co opozycja uznała za przygotowywanie zamachu na wszelkie wolności szlacheckie. Sejm znów rozszedł się bez uchwały, popularyści zaś, niezadowoleni z wyniku obrad, zwołali nowy zjazd do Lublina. Tam w czasie chaotycznych obrad, na których przeważało wrogie wobec Zygmunta III nastawienie, zapadła decyzja zwołania całej szlachty na początek sierpnia pod Sandomierz.

Tym razem zjechały się obliczane na kilkadziesiąt tysięcy rzesze szlacheckie, które zawiązały się w antykrólewską konfederację — rokosz, z arcykatolikiem Zebrzydowskim i kalwinem Januszem Radziwiłłem, wówczas podczaszym litewskim, na czele. Bogata literatura polityczna tego okresu, zbadana starannie przez Jaremę Maciszewskiego, wskazuje, że nie brakło wśród szlachty ludzi myślących z troską o przyszłości kraju i wysuwających plany przekształcenia stosunków ustrojowych, także w drodze poprawy położenia mas plebejskich. Większość, daleka od radykalizmu, zdawała sobie przecież sprawę z konieczności naprawy Rzeczypospolitej. Elementy demagogiczne, wśród których rej wodziły jednostki typu Stanisława „Diabła" Stadnickiego, znanego warchoła i awanturnika, miały jednak również sporo popleczników. W spisanych artykułach sandomierskich, które miały być odbiciem programu rokoszan, na plan pierwszy wysunęło się dalsze ograniczenie władzy królewskiej bez jednoczesnego wzmocnienia innych władz centralnych, przede wszystkim sejmu. Proponowano więc m. in. uzależnić rozdawnictwo wakansów od Rzeczypospolitej, a więc sejmu, kontrolować za pośrednictwem podskarbiego dochody monarsze, zwiększyć uprawnienia senatorów rezydentów tak, by kierowali decyzjami króla, oddać pod sąd złych doradców, a jezuitów przepędzić z kraju.

W odpowiedzi na rokosz sandomierski regaliści zebrali się o wiele mniej licznie w pobliskiej Wiślicy, występując z programem kompromisowym. Starali się w nim bronić pozycji króla (przy pewnym wzmocnieniu uprawnień senatu), godzili się na ustępstwa w sprawie konstytucji o tumultach i co do innych drobniejszych pretensji szlacheckich, rezygnując z myśli o poważniejszych reformach. Regaliści uzyskali poparcie wojska kwarcianego z hetmanem Stanisławem Żółkiewskim na czele. Rokoszanie zrezygnowali więc ze zbrojnego oporu i w październiku 1606 r. zawarli polubowną ugodę z Zygmuntem III w Janowcu. Konfederacja nie została jednak rozwiązana, a część jej przywódców wdała się w pertraktacje z księciem siedmiogrodzkim Gabrielem Batorym, by za koronę polską uzyskać od niego poparcie militarne. Gdy Zygmunt III zwoływał nowy sejm, tym razem Wielkopolanie wyznaczyli znów zjazd rokoszowy pod Jędrzejów. Daremnie sejm, na którym tym razem dominowali regaliści, usiłował doprowadzić do nowego porozumienia. Pod Jędrzejowem szlachta wystąpiła już z wyraźnym postulatem detronizacji Zygmunta Wazy. Po wypowiedzeniu posłuszeństwa przez rokoszan pozostała jedynie otwarta wojna domowa. Pod Guzowem 6 lipca rokoszanie ponieśli porażkę. Jednakże regaliści, wśród których rej wodzili magnaci, nie spieszyli się z wykorzystaniem zwycięstwa, obawiając się, że wzmocniłoby to nadmiernie pozycję Zygmunta III. Przez dłuższy czas toczyły się jeszcze rokowania między obu stronami, aż wreszcie sytuacja międzynarodowa, zwłaszcza w Rosji, przyspieszyła likwidację rokoszu. Nastąpiło to dopiero w 1609 r.

Przywódcy rokoszu przeprosili króla i wyrzekli się myśli o detronizacji, natomiast Zygmunt III musiał zrezygnować ze swych dążeń do wzmocnienia władzy monarszej. Ażeby uniknąć na przyszłość wojny domowej, konstytucja sejmowa z 1607 r. opisała dokładnie sposób wypowiadania posłuszeństwa królowi (przez prymasa i sejm), nigdy zresztą nie przestrzegany i już na sejmie 1609 r. nieco zmodyfikowany, tak że każdy szlachcic mógłby na sejmiku upominać się o „pogwałcenie praw". Rokoszanie uzyskali pełną amnestię. Poza tym żadnych istotnych zmian ustrojowych nie wprowadzono — rokosz zakończył się zupełnie jałowo.

Faktycznie rokosz nie przyniósł zwycięstwa żadnej z walczących stron. Nie była zwycięzcą średnia szlachta, która nie zdobyła się na skonkretyzowanie programu wzmocnienia państwa, choćby przez odnowienie nie zrealizowanych postulatów egzekucyjnych, i ograniczyła się do przeciwstawienia się dążeniom królewskim. Tym bardziej trudno mówić o zwycięstwie króla. Jedyne trwałe zdobycze wynieśli magnaci: senat umocnił swą pozycję stanu pośredniczącego między królem a szlachtą, co otworzyło magnaterii drogę do zdobycia sobie przewagi w Rzeczypospolitej. Nie naruszając pozornie w niczym zasad rządzenia ustalonych w XVI w., magnateria potrafiła wykorzystać je w ten sposób, by zapewniały jej hegemonię. Na średniej szlachcie mścił się błąd nieuwieńczenia dzieła egzekucji przez stworzenie z sejmu i jego organów instytucji zdolnej do rzeczywistego kierowania sprawami państwowymi. Piętrzące się trudności polityki wewnętrznej i zewnętrznej miały wkrótce postawić ten niesprawny aparat państwowy przed zadaniami, którym nie zdołał podołać.

Rokosz sandomierski (zwany także przez historyków mniej szczęśliwie rokoszem Zebrzydowskiego) zaważył również ujemnie na losach różnowierstwa polskiego. Nie wpłynął wprawdzie na zaostrzenie się nacisków kontrreformacyjnych, wykazał jednak słabość polskiego różnowierstwa. Mimo podziału politycznego wśród katolików wystąpienie innowierców po stronie rokoszan ani nie zapewniło im zwycięstwa, ani też nie przyczyniło się do wymuszenia poważniejszych ustępstw ze strony króla. Rozwiały się złudzenia, że różnowierstwo w Polsce jest jeszcze zdolne do odegrania decydującej roli politycznej. Stosunkowo prędko wyciągnął wnioski z tej sytuacji Kościół. Nie było potrzeby udzielania dalszego poparcia królowi, skoro pozycja katolicyzmu w Rzeczypospolitej i bez tego była dostatecznie silna, a powiązanie z monarchą mogło spowodować tylko zbędne zadrażnienia w stosunkach ze szlachtą i magnatami. Na tych ostatnich będzie odtąd Kościół stawiał coraz silniej w Rzeczypospolitej, tym bardziej że wzmocnienie władzy monarszej pociągało za sobą także uzależnienie od niej Kościoła, dla którego najwygodniejszą stała się w Rzeczypospolitej stabilizacja ustrojowa.

Kryzys władzy w Polsce w początkach XVII w. nie był niczym wyjątkowym w tej części Europy. Wystarczy przypomnieć, że w tychże latach Rosja przechodziła okres „wielkiej smuty", a państwo habsburskie stanęło w obliczu głębokich wstrząsów zakończonych powstaniem czeskim. Na tym tle polubowne rozwiązanie polskie mogłoby jeszcze uchodzić za stosunkowo szczęśliwe. W tym jednak kryła się i jego słabość. Nie otworzyło bowiem, jak w tamtych państwach, drogi do nowych rozwiązań, pozwalając szlachcie zatonąć w kwietyzmie i samozadowoleniu. Czyż można było wierzyć groźnym zapowiedziom co do przyszłości państwa, które zdobyło sobie tak mocną pozycję, cieszyło się dobrobytem ekonomicznym i wspaniałym rozkwitem kulturalnym, budząc podziw i zazdrość postronnych? W tych warunkach ustrój Polski i panujące w niej stosunki mogły się wydawać szlachcie wprost doskonałe.

c. *Kozaczyzna — zapalny problem polityki wewnętrznej*

Gdy szlachta wyładowywała swój zapał i energię w walkach o obronę faktycznie czy rzekomo zagrożonych wolności, a monarcha koncentrował swój wysiłek na odzyskaniu tronu szwedzkiego, na południowo-wschodnich kresach Rzeczypospolitej dojrzewał nowy problem, który wkrótce miał zepchnąć w cień wszystkie pozostałe i stać się najważniejszym zagadnieniem wewnętrznym Rzeczypospolitej XVII w. — problem kozaczyzny.

Kozakami nazywano ludność naddnieprzańską, która początkowo na okres letni udawała się nad dolny Dniepr, zajmując się łowiectwem i rybołówstwem, a po części i rozbojem, skierowanym przeciwko karawanom kupieckim czy pogranicznym osadom tatarsko-tureckim. Z czasem ludność ta zaczęła się zajmować i uprawą roli. W celach obronnych przyjęła ona specjalną formę organizacji wojskowej, z podziałem na tzw. pułki. Dowództwo mieściło się na jednej z wysp Zaporoża, na Siczy. Skład społeczny kozaczyzny był dość różnorodny, podobnie jak jej skład narodowościowy. Zasadniczą podstawę tworzyło chłopstwo ruskie, ukraińskie, zbiegali wszakże na te tereny także chłopi białoruscy, polscy lub wołoscy, przybywali mieszczanie, a nawet szlachta. Kozacy nie uznawali nad sobą żadnej zwierzchności feudalnej. Liczyli się tylko z wybieranymi przez siebie przywódcami, rekrutującymi się zresztą z zamożniejszej części kozaczyzny.

Liczebność Kozaków stale wzrastała. W końcu XVI w. było ich kilkanaście tysięcy, w pierwszej połowie XVII w. już kilkadziesiąt tysięcy. Była to groźna siła. Kozacy stanowili bowiem element bitny, wykształcony w rzemiośle wojennym. Szczególnie piechota kozacka była wysoko ceniona. Dobrze opanowali także Kozacy sztukę posługiwania się taborem oraz fortyfikowania swych obozów. Kunszt wojenny rozwinęli przede wszystkim w częstych starciach z Tatarami i Turkami. Od końca XVI w. urządzali wypady na swych łodziach zwanych czajkami na osady położone nad brzegami Morza Czarnego. Brali zresztą również udział w wojnach toczonych przez Polskę z Krymem, Portą, a także Szwecją i Rosją.

Życie i obyczaje kozackie, odmienne swą surowością i rygorem żołnierskim od życia innych warstw ludowych, nie pozostawało bez wpływu na nie. Przez tereny ruskie, w postaci choćby pieśni i tańca czy opowiadanych legend, wzory te rozprzestrzeniały się i na ziemie polskie, sięgając nie tylko do chłopów, ale także do mieszczan, a nawet szlachty. Szczególnie jednak ważne było to, że Kozacy ze swym umiłowaniem wolności i wrogością wobec każdej formy ucisku, ze swą legendarną bitnością stanowili niebezpieczny ze szlacheckiego punktu widzenia wzór dla chłopstwa. Przez bliskie związki z ludem umieli pozyskiwać sobie też jego poparcie w krytycznych momentach, wskutek czego wystąpienia ich miały najczęściej charakter potężnych ruchów społecznych, obejmujących rzesze ludności chłopskiej i miejskiej Ukrainy oraz Białorusi, niekiedy sięgając i na ziemie polskie.

Powstanie kozaczyzny jako dynamicznej siły społecznej i militarnej, w słabym tylko stopniu zależnej od władzy centralnej Rzeczypospolitej, stało się elementem destrukcyjnym wobec państwa szlacheckiego. Szlachta stanęła przed problemem, którego nie umiała rozwikłać. Odrzuciła rozwiązania krańcowe, którymi była albo całkowita likwidacja kozaczyzny, albo zrównanie jej w prawach ze szlachtą. Zlikwidowanie kozaczyzny, czego domagała się Turcja, byłoby rozwiązaniem niekorzystnym dla obronności Rzeczypospolitej na południowym wschodzie. Kozacy stanowili potężną przeciwwagę Krymu i choćby z tego względu trudno było z nich zrezygnować, nie mówiąc o użyteczności przy innych konfliktach wojennych. Nobilitacja czy nadanie uprawnień bliskich szlacheckim przynajmniej zamożniejszej części kozaczyzny, dążącej do odcięcia się od ogółu, godziły w klasowe interesy szlachty i magnatów. Oznaczałoby to bowiem stworzenie wielkiego wyłomu w zakresie niedostępności stanu szlacheckiego. Dla magnaterii zaś równałoby się to nie tylko groźbie podważenia jej przewagi na obszarze, który stanowił główną bazę jej wpływów, ale i zagrożeniu jej stanu posiadania w słabo skolonizowanych królewszczyznach. Dopiero po poniesionych klęskach, kiedy było za późno, godziła się szlachta na to rozwiązanie, które byłoby najkorzystniejsze dla Rzeczypospolitej, zmieniłoby bowiem układ sił w klasie panującej, otworzyłoby nowe perspektywy dla ludności ruskiej, wreszcie wzmacniając militarnie podniosłoby prestiż międzynarodowy państwa polskiego.

Szlachta wybrała inną drogę — przerzucania się od przemocy do kompromisu — której skutki z czasem okazały się opłakane. Usiłowała ona podporządkować sobie groźny żywioł kozacki, a zarazem rozbić go wewnętrznie. Spodziewała się przy tym, że Kozacy mogą być pomocni w obronie kresów i w toczonych wojnach (na co wskazywały już doświadczenia z czasów wojen o Inflanty). Wobec tego stworzono tzw. rejestr kozacki. Wpisani do niego Kozacy (w liczbie 500 zgodnie z ordynacją Batorego z 1582 r., a do 1000 ludzi według uchwał sejmu z 1590 r.) otrzymywali stały żołd i cieszyli się przywilejami zapewniającymi im niezależność osobistą. Ustalona liczba była niewystarczająca — był to tylko ułamek kozaczyzny. Pozostałych zamierzano bowiem zamienić w ludność poddaną, która skolonizowałaby olbrzymie tereny nadane przez tenże sejm magnatom na Naddnieprzu. Na tym tle doszło do pierwszych groźnych wystąpień kozackich, które powinny być ostrzeżeniem dla prawodawców szlacheckich. Już w 1591 r. wybuchło pierwsze większe powstanie kozackie pod wodzą szlachcica-Kozaka Krzysztofa Kosińskiego. Zostało ono krwawo stłumione, ale już w 1594 r. walki odżyły na nowo, obejmując znaczne obszary Ukrainy naddnieprzańskiej i Białorusi. Dopiero w r. 1596 hetman Żółkiewski zdołał pokonać oddziały kozackie, których przywódca Semen Nalewajko został stracony.

Niepowodzenia Kozaków doprowadziły jedynie do krótkotrwałej pacyfikacji stosunków, związanej także z wielkimi potrzebami militarnymi Polski w początkach XVII w. Posługując się Kozakami w licznych toczonych wtedy wojnach, musiała Rzeczpospolita akceptować faktyczny wzrost liczby rejestrowych. Ale od unii brzeskiej przybyło i nowe źródło napięcia. Kozacy opowiedzieli się bowiem za prawosławiem i znaleźli się wśród jego najbardziej oddanych obrońców. Właśnie na tym tle doszło do wystąpień kozackich w latach dwudziestych XVII w., zakończonych słynną „nocą Tarasową" w 1630 r., kiedy to Kozacy pod komendą atamana Tarasa Fedorowicza przystąpili do rozprawy z oddziałami kwarcianymi i dworami na Ukrainie. Powstańców rozbił tym razem hetman Koniecpolski, jednak sejm zdecydował się podnieść rejestr do 8 tys. Niemniej na rychłej konwokacji zjawili się posłowie kozaccy żądając dopuszczenia ich do udziału w elekcji króla jako członków Rzeczypospolitej, a zarazem przywrócenia praw dyzunii. W ten sposób starszyzna kozacka próbowała znaleźć dla siebie miejsce w ramach Rzeczypospolitej. Odepchnięto jednak te postulaty ze wzgardą, a w 1635 r. sejm wydał nowe zarządzenie ograniczające swobody kozackie, zmniejszył liczbę wojska zaporoskiego (jak nazywano rejestrowych) i uchwalił budowę twierdzy Kudak przy pierwszym porohu Dniepru, by czuwać nad postępowaniem Kozaków. Doprowadziło to do następnych wystąpień kozackich w latach 1637 - 1638. Rozpoczęły się one pod wodzą Pawluka, który jednak poniósł klęskę pod Kumejkami i został stracony. Sejm zmniejszył wtedy rejestr do 6 tys., ograniczył samorząd Kozaków, a pozostałych polecił zamienić w poddanych. Na wiadomość o tych postanowieniach Kozacy zerwali się do nowej walki pod wodzą Ostrzanina; walka ta nie przyniosła im jednak sukcesu. Powstanie zostało okrutnie uśmierzone, Kozakom wyznaczono pułkowników ze stanu szlacheckiego, a dobra ich zagarnęli magnaci. Przy pomocy tych środków szlachta zapewniła sobie kilka lat spokoju ze strony Kozaków, nie posunęła jednak naprzód rozwiązania problemu.

Sprawa kozacka stawała się w tym czasie w coraz większym stopniu nie tylko wewnętrzną kwestią Rzeczypospolitej, ale i problemem międzynarodowym. Nieudolny sposób rozstrzygania jej przez szlachtę ułatwiał bowiem interwencje zewnętrzne. Kozaczyzna bywała coraz częściej wykorzystywana przez obce państwa w celu osłabienia Rzeczypospolitej. Intrygowali tu najwcześniej Habsburgowie, potem Rosjanie, Turcy, Tatarzy. Tak więc kozaczyzna, chociaż w początkach XVII w. przyczyniła się do wzmocnienia pozycji Rzeczypospolitej, z czasem stawała się jednym z najważniejszych czynników rozkładających ją wewnętrznie.

d. *Nieudane próby opanowania tendencji decentralistycznych*

Sprawa kozacka nie była jedynym przejawem tendencji dekompozycyjnych, które w pierwszej połowie XVII w. wystąpiły w Rzeczypospolitej szlacheckiej. Także wśród samej szlachty zyskały na sile dążenia, by punkt ciężkości władzy w państwie przenieść ze stolicy do ośrodków prowincjonalnych lub by interes pewnych grup szlacheckich wysunąć na czoło przed interes ogólnopaństwowy. Dążenia te znalazły odbicie przede wszystkim w zjawisku, które Adolf Pawiński nazwał rządami sejmikowymi, a którego apogeum przypada na wiek XVII.

Istota rządów sejmikowych polegała na wytworzeniu się wśród szlachty przeświadczenia o równorzędności, a w pewnych wypadkach nawet wyższości tych instytucji wojewódzkich czy ziemskich w stosunku do ogólnokrajowego sejmu. Źródło tego przeświadczenia było szesnastowieczne, jeśli jeszcze nie wcześniejsze, opierało się bowiem na niejednokrotnie uznawanym prawie każdego szlachcica do decydowania o sprawach Rzeczypospolitej, prawie, które leżało również u podstaw wolnej elekcji i konfederacji. Uprawnienia te starali się wykorzystywać także sami królowie w celu osłabienia pozycji sejmu, w momentach, kiedy jego emancypacja zagrażała autorytetowi władzy monarszej. Tym dadzą się wyjaśnić takie posunięcia Zygmunta I czy Zygmunta Augusta w pierwszym okresie jego rządów, jak popieranie instrukcji poselskich czy odwoływanie się do decyzji sejmików w sprawach podatkowych. Zwycięstwo ruchu egzekucyjnego doprowadziło do zasadniczej zmiany w sytuacji: sejm zdobył sobie pozycję najwyższej instytucji centralnej. Sejm powinien odtąd mieć głos ostateczny w zasadniczych sprawach Rzeczypospolitej.

Pogląd ten nie zdołał jeszcze zakorzenić się w mentalności szlacheckiej, gdy już spotkał się z opozycją ułatwioną niedostatkami w organizacji sejmu. W dziwny sposób zbiegły się tutaj stanowiska monarchy, większości magnatów i znacznej części szlachty. Słusznie zarzucając szlachcie zapamiętałe dążenie do osłabienia władzy króla, pomija się nieraz niezgodne z interesem Rzeczypospolitej podważanie pozycji sejmu przez monarchów. Wystąpiło to w sposób wyraźny już za panowania Stefana Batorego, który ze względów koniunkturalnych parokrotnie odwoływał się w sprawach podatkowych do sejmików. W ten sposób Batory przyczynił się do ugruntowania tendencji, które bardzo silnie wystąpiły w okresie pierwszego i drugiego bezkrólewia, kiedy można mówić o uformowaniu się władzy sejmików w Rzeczypospolitej. Rozwiązanie takie musieli wtedy przyjąć egzekucjoniści w celu przeciwstawienia się wpływom senatu. Dalsza ewolucja przybrała wszakże kierunek przez nich nie zamierzony. Napięcia między monarchą a egzekucjonistami czy później popularystami za czasów Batorego i Zygmunta III przyczyniły się do zwiększenia uprawnień sejmikowych. W związku z Trybunałem utworzone zostały coroczne, odbywające się bez upoważnienia króla (który miał prawo zwoływania sejmików) sejmiki deputackie dla wyboru sędziów do tej najwyższej instancji sądowej (1578). Po sejmach zaczęły zbierać się coraz częściej sejmiki relacyjne, na których posłowie nie tylko składali sprawozdanie (relację) z czynności sejmowych, ale które podejmowały także uchwały uzupełniające lub zmieniające konstytucje sejmowe, zwłaszcza podatkowe. Od 1589 r. sejmiki takie odbywały się regularnie. Wraz z sejmikami przedsejmowymi, na których wybierano posłów i spisywano obowiązujące ich na sejmie instrukcje, tworzyły one instytucję skutecznie paraliżującą samodzielność sejmu.

W ręce sejmikującej szlachty zaczęła przechodzić także administracja skarbowa, co miało służyć za zabezpieczenie przed posługiwaniem się przez króla uchwalonymi podatkami na cele nie odpowiadające początkowemu przeznaczeniu. Od czasów pierwszego bezkrólewia sejmiki przyzwyczaiły się wybierać poborców podatkowych, od 1589 r. także szafarzy, którzy dysponowali zebranymi pieniędzmi. Od 1613 r. wkradł się zwyczaj odsyłania przez sejm decyzji w sprawach podatkowych do „braci" na sejmiki. Nieraz, gdy sejm taką uchwałę podejmował, zostawiał sejmikom sposób opodatkowania. Sejmiki zaczęły również same zajmować się zaciągiem żołnierza tzw. powiatowego na potrzeby zresztą całego państwa. One mianowały rotmistrzów tego wojska powiatowego. Wreszcie z nadwyżek podatkowych lub samodzielnie uchwalonych podatków powstawał skarb wojewódzki, którym dosponował wyłącznie sejmik.

Część z tych czynności samorządowo-administracyjnych była potrzebna dla normalnego funkcjonowania państwa. Jednakże nie doszło przy tym do ukształtowania się stałych organów samorządowych, które z zasady były powoływane na określony czas, nie rozwinęła się też szerzej działalność samorządowa, której celem byłby rozwój danego obszaru. W centrum zainteresowania sejmików znajdowały się wąsko pojęte interesy szlachty danego województwa czy ziemi i z ich punktu widzenia rozpatrywane sprawy ogólnopaństwowe.

W ostatnich latach polska nauka historyczna przywykła uważać ten stan rzeczy za odpowiadający przede wszystkim stanowisku magnatów. Podejście takie wydaje się uzasadnione tylko częściowo. Były terytoria, na których głos magnata mógł być przy podejmowaniu uchwał sejmikowych decydujący. Niełatwo jednak było podporządkować sobie większą liczbę sejmików, zwłaszcza w okresie, gdy trudno mówić o działalności fakcji magnackich, występujących wyraźnie dopiero w drugiej połowie XVII w. Ponadto na wielu sejmikach, zwłaszcza Polski centralnej, przeważała raczej zamożna szlachta — nie były to jeszcze czasy, kiedy klientela magnacka panoszyła się wszędzie. Natomiast niesprawnie funkcjonujący sejm mógł się stać całkiem wygodnym narzędziem polityki magnackiej. O tym, że mógł być wykorzystywany w ten sposób, dobitnię świadczy fakt stwierdzony przez badania Włodzimierza Dworzaczka, że w latach 1573 - - 1655 wśród posłów wysyłanych na sejm przez sejmik województw poznańskiego i kaliskiego w Środzie aż 30% stanowili członkowie rodzin magnackich. Aby uzyskać pełny obraz sytuacji na sejmie, trzeba przy tym dodać, że obaj Wazowie potrafili nie bez powodzenia wprowadzać do sejmu dość aktywne grupy regalistów, które w pewnych wypadkach zdolne były nawet zapewniać im poparcie większości. W rezultacie przedstawiciele obozu średnioszlacheckiego (w jakiej postaci istniał) mogli czuć się zmajoryzowani. Stąd obawy popularystów przed ograniczeniem zasady jednomyślności na sejmie, stąd też dążenie do podniesienia znaczenia sejmików. Przy przeszło 70 sejmikach istniejących w Rzeczypospolitej dopilnowanie jednolitej polityki było niezmiernie trudne, co otwierało zapewne okazje dla nacisków ze strony magnatów, ale też zdawało się zabezpieczać przed „absolutystyczną" polityką króla.

Mniej istotne, ale również wpływające na dekompozycję tego modelu Rzeczypospolitej szlacheckiej, który się uformował w połowie XVI w., były związki wojskowe. Od końca XVI w. niepłatne wojsko zwykło zawiązywać się w konfederacje, których celem bywało wymuszenie zaległego od Rzeczypospolitej żołdu. Skonfederowane wojsko nie zadowalało się wszakże łupieniem dóbr, najczęściej królewskich i kościelnych, póki nie zyskało należytej rekompensaty, ale wysuwało także żądania polityczne uderzające nieraz w samego króla. Szczególny zamęt spowodował długotrwały związek wojska uczestniczącego w kampanii moskiewskiej z lat 1612 - 1614; później zaś skonfederowane po potrzebie chocimskiej wojsko uznało się niemal za odrębny stan i rościło sobie pretensje do wysuwania swych postulatów politycznych na sejmie. Powtórzyło się to także podczas konwokacji 1632 r. W okresie długoletnich wojen tego rodzaju postawa wojska nie tylko osłabiała potencjał militarny kraju, ale i ułatwiała działania antykrólewskiej opozycji magnackiej. Negatywnej oceny tego rodzaju związków nie zmienia fakt, że były one spowodowane zwykle unikaniem obciążeń podatkowch ze strony szlachty.

Ten wzrost elementów oddziaływających destruktywnie na wykształcony w XVI w. model scentralizowanego państwa szlacheckiego nie był przyjmowany bez zastrzeżeń. Demagogiczne hasła wolności i równości szlacheckiej utrudniały otwarte wystąpienia przeciwko dokonującym się zmianom. Natomiast odpowiedzią były zabiegi o ponowne wzmocnienie pozycji organów centralnych, autorytetu sejmu i monarchy. Zabiegi te nie były jednak zsynchronizowane. Można raczej mówić o dwu drogach naprawy Rzeczypospolitej w tym okresie. Pierwsza z nich nawiązywała nadal do programu średnioszlacheckiego i zakładała usprawnienie sejmu przy jednoczesnym zwiększeniu jego uprawnień kosztem władzy monarszej. Druga kładła główny nacisk na umocnienie pozycji monarchy. Utrzymywanie się tych dwu dróg naprawy było czynnikiem osłabiającym, bo rozbijającym i tak słaby w tym czasie obóz reformy.

Rokosz sandomierski na dłuższy czas osłabił dążenia dworu warszawskiego do podejmowania prób wzomcnienia władzy centralnej. Sprawa była jednak zbyt zasadniczej wagi, by można było zrezygnować z jej rozwiązania. W całej niemal Europie w rezultacie uporczywej rywalizacji załamywała się stanowa organizacja państwa, wzmacniał się autorytet monarchy, otwierając drogę do absolutyzmu. Wobec tych zjawisk, które objęły najbliższe Polsce tereny — łącznie ze Śląskiem i Pomorzem — Rzeczpospolita nie mogła zostać obojętna. Wzmocnienia państwa domagał się interes kraju, narażonego na ekspansję silnych, zmilitaryzowanych monarchii. Dostrzegała to nawet część magnatów. Wzrastająca preponderancja magnatów mogła w tym kierunku popychać także część szlachty, która jeszcze nie dała się omamić straszakiem absolutyzmu i szukała sojusznika w królu przeciwko dalszemu wzrostowi wpływów magnackich. Słabiej natomiast działał w Rzeczypospolitej czynnik, który zaważył na tworzeniu się monarchii absolutystycznych w sąsiednich krajach: opór chłopski rzadko przybierał poza terenami ukraińskimi formy zbrojne. Ponadto Kościół, jak już o tym była mowa, od chwili gdy większość magnatów wróciła do katolicyzmu, nie zdradzał specjalnego zainteresowania wzmocnieniem pozycji króla czy sejmu.

Zygmunt III, w miarę jak tracił szanse na odzyskanie korony szwedzkiej, starał się poprzez konstruktywną współpracę z sejmem zapewnić zwiększenie wysiłku skarbowo-wojskowego Rzeczypospolitej, co ułatwiłoby jej pomyślne zakończenie spadających na nią opresji wojennych. Dzięki jego zabiegom od 1616 do 1632 r. nie rozszedł się bez podjęcia uchwały żaden sejm, wbrew częstej zarówno w pierwszym okresie jego rządów, jak i za jego poprzedników praktyce. Nie znaczy to, by uzyskał od razu poważniejsze sukcesy. Nie pozwalała na nie opozycja, kierowana przez powodujących się najczęściej prywatnymi interesami magnackich przywódców. Najbardziej wpływowy z nich, kasztelan krakowski Jerzy Zbaraski — krytykował stale poczynania królewskie, choć sam umiał tylko dbać o swą fortunę na kresach. Na kolejnych sejmach posłowie spisywali więc egzorbitancje, wyliczając, co należałoby w kraju poprawić, ale o niczym nie decydując. Dopiero najazd szwedzki na Pomorze i obawa przed utratą ujścia Wisły zdopingowały szlachtę. W celu polepszenia stanu obronności państwa podjęto na sejmach w latach 1626 - 1629 reformy skarbowe. Wprowadzono nowy podatek na miejsce dotychczasowego poboru (od wielkości gruntu) ze wsi i szosu z miast, mianowicie podymne, od liczby domów. Podatek ten, jakkolwiek podniósł dochody skarbu, nie wystarczył do wystawienia armii zdolnej do całkowitego odebrania Szwedom ich zdobyczy. Nie udało się natomiast przeforsować reformy elekcji (wzorowanej na projekcie Zamoyskiego), którą król przedstawił sejmowi 1630 r. w obawie przed komplikacjami, jakie mogła wywołać śmierć monarchy w czasie wojny.

Bezkrólewie 1632 r. przebiegało stosunkowo spokojnie, zwłaszcza gdy się wyjaśniło, że rzekome knowania dysydentów miały na celu zapewnienie im lepszych warunków bezpieczeństwa. Niemniej obóz szlachecki skorzystał z jeszcze jednej okazji, by przedstawić swój program reform. Na konwokacji z inicjatywy wytrawnego parlamentarzysty, wyrastającego wtedy na przywódcę średniej szlachty Jakuba Sobieskiego (zresztą magnata, z czasem kasztelana krakowskiego), ponownie spisano egzorbitancje, które tym razem przybrały charakter postulatów zmierzających do podporządkowania nieco usprawnionemu sejmowi i zależnemu od niego senatowi całości spraw państwowych. Znalazły się tam więc nie tylko żądania ścisłego przestrzegania artykułów henrykowskich, ale i przekazania sejmom rozdawnictwa wakansów i starostw, informowania senatorów-rezydentów o wszystkich pociągnięciach dyplomatycznych, usprawnienia administracji skarbowej, pozbawienia króla prawa wypowiadania wojny ofensywnej wraz z pociąganiem do odpowiedzialności przed sejmem ministrów, którzy by się takiej samowolnej decyzji monarchy podporządkowali, wreszcie wprowadzenia nowego regulaminu obrad sejmowych. Część tych postulatów trafiła do paktów konwentów Władysława IV, bardzo niewiele do konstytucji sejmu elekcyjnego (m. in. drobne usprawnienia regulaminowe sejmu). Do uchwalenia nowych artykułów henrykowskich więc nie doszło, a wszystkie te projekty okazały się tylko podzwonnym ruchu szlacheckiego, nieudaną próbą ratowania myśli centralizacji państwa poprzez udoskonalony sejm.

e. *Próby Władysława IV wzmocnienia władzy monarszej*

Od tego rodzaju rozwiązań daleki był nowy elekt, Władysław IV (1632 - 1648). Związany z Polską wychowaniem i urodzeniem, zżyty i popularny wśród szlachty, człowiek o szerokich horyzontach politycznych, w przeciwieństwie do swego ojca nie mający żadnych uprzedzeń religijnych, wydawał się znakomitym kandydatem na króla. Na jego postawie zaważyć przecież miały wygórowane ambicje, przy braku wytrwałości i wyjątkowej rozrzutności. Wbrew manifestowanym sympatiom polskim jego cele życiowe były podobne jak ojca: wzmocnienie pozycji w Polsce miało mu ułatwić odzyskanie tronu szwedzkiego. W tych warunkach wcześniej czy później nieunikniony stawał się konflikt króla zarówno z magnaterią, jak i z większością szlachty. Poparcie, którego mu udzielała niewielka grupa magnatów, czerpiących korzyści z łask królewskich, było co najmniej problematyczne. Faworytami królewskimi byli Stanisław i Adam Kazanowscy, zdatni tylko do intryg dworskich. Na czoło jednak wybijał się Jerzy Ossoliński (1595 - 1650), podkanclerzy (1638), wkrótce kanclerz w. kor. (1643), doświadczony dyplomata, parlamentarzysta, człowiek o wyjątkowo szerokich horyzontach myśli politycznej, przy tym zwolennik wzmocnienia władzy królewskiej, z góry traktujący szlachtę i zrażający ją przez to do siebie i do króla. Ossoliński zajmował się głównie polityką zewnętrzną. W zakresie polityki wewnętrznej Władysław IV mógł liczyć na pomoc magnatów stojących dalej od tronu — podkanclerzego Jakuba Zadzika, hetmana Stanisława Koniecpolskiego, wojewody krakowskiego Stanisława Lubomirskiego, a także Jakuba Sobieskiego. Tworzyli oni zespół znakomity. Nie byli to jednak ludzie skłonni bez zastrzeżeń przyjmować projekty królewskie.

Z takim oparciem plany Władysława IV nie miały wielkich szans powodzenia i wkrótce król natknął się na opozycję sejmów. Znów sejmy zaczęły rozchodzić się bez podjęcia uchwał, przy czym jeden z nich, w 1639 r., skończył się fiaskiem z powodów czysto prywatnych i dla jednostkowej opozycji, stąd niektórzy historycy widzieli w nim pierwszy sejm zerwany. Mimo trudności narastających przy funkcjonowaniu sejmu brakowało już głosów wzywających do reformy sejmowej. Niedowład sejmu nie przeszkadzał w skutecznym parowaniu planów królewskich. Wysunięty przez Ossolińskiego projekt utworzenia prokrólewskiej organizacji elitarnej, „Kawalerii Orderu Niepokalanego Poczęcia", został potępiony przez sejm 1638 r. Próba finansowego uniezależnienia się króla od sejmu przez sięgnięcie po cła gdańskie i pruskie po Szwedach skończyła się niepowodzeniem. Wyciągnięte stąd jednorazowe dochody natychmiast pochłaniały olbrzymie długi królewskie. Niewiele także dało organizowanie floty handlowej przez Władysława IV.

Ambitne plany króla odżyły po jego małżeństwie z francuską księżniczką Marią Ludwiką Gonzaga (1645). Król spodziewał się, że zdoła nie tylko wzmocnić swą pozycję, ale i zapewnić następstwo tronu dla syna przy pomocy przygotowywanej wojny z Turcją. Wymagała ona jednak wielkich nakładów pieniężnych i zaciągów. W swych planach napotkał obóz dworski solidarny sprzeciw znacznej większości magnaterii i szlachty.

Niechętny królowi był przy tym kler katolicki z powodu okazywanej wobec dysydentów i dyzunitów tolerancji. Nie bez znaczenia była i nieprzyjazna polityka papieża. Już w początkach panowania Władysława IV zniesiono apelacje do Rzymu zastępując je apelacjami do rezydującego w Polsce nuncjusza. W 1635 r. sejm ograniczył możliwość nabywania dóbr ziemskich przez Kościół, w tym także klasztory. Jakkolwiek Urban VIII w wyniku poselstwa Ossolińskiego wyraził zgodę na te zmiany, nuncjusz nie zaprzestał akcji przeciwko królowi. Chodziło szczególnie o jego życzliwy stosunek do innowierców. Ostatecznie Władysław IV ani nie doprowadził do porozumienia między wyznaniami, ani — co było ważniejsze — nie zdobył sobie silniejszego poparcia ze strony protestantów i prawosławnych.

Władysław IV podejmował próby pozyskania sobie kozaczyzny. Było to odstępstwo od dotychczasowej praktyki. Z obawy przed rozpętaniem burzy społecznej jego poprzednicy nie brali w rachubę tej siły w swych planach dynastycznych. Władysław IV zamierzał posłużyć się Kozakami przy ewentualnej wojnie z Turcją, z tego też względu zachęcał ich do podnoszenia gotowości bojowej. Tymczasem do wojny nie doszło. Władysław IV doczekał się tylko sejmu inkwizycyjnego w 1646 r., na którym musiał się tłumaczyć z przygotowań do wojny ofensywnej. Zmuszono go do rozpuszczenia zaciągów dokonanych bez zgody szlachty, do zmniejszenia liczebności gwardii (do 1200 ludzi), do usunięcia z dworu cudzoziemców.

W ten sposób waliły się ambitne zamiary króla, zrezygnowanego zresztą po śmierci małoletniego syna.

Rządy Władysława IV zakończyły się w rezultacie dalszym osłabieniem pozycji króla, a nieudane plany wojny tureckiej ściągnęły sprowokowaną niebacznie burzę ukrainną. W krytyczny okres swych dziejów wkraczała Rzeczpospolita nie uzdrowiwszy ani swych organów centralnych, ani administracji, ani skarbowości. Najgorsze było, że większość społeczności szlacheckiej aprobowała istniejący stan i że o reformach czy naprawie myślały jedynie nieliczne jednostki.

9. O preponderancję Polski w Europie Wschodniej

a. Nowe cele polityki Rzeczypospolitej i możliwości ich realizacji

Przełom XVI i XVII w. przyniósł poważne zmiany w otoczeniu Rzeczypospolitej, otwierając nowe możliwości przed jej polityką zewnętrzną. Ustał wreszcie stan zagrożenia utrzymujący się przez cały niemal XVI w. u jej granic południowych i wschodnich. W Moskwie po bezpotomnej śmierci syna Iwana IV, Fiodora, rozpoczął się przewlekły kryzys dynastyczny i okres walk wewnętrznych, znany pod nazwą wielkiej smuty. Trudności wewnętrznę przeżywało również państwo Habsburgów austriackich, gdzie do głosu dochodziły coraz mocniej pretensje niezadowolonych z nacisków kontrreformacyjnych i centralistycznych Węgrów i zwłaszcza Czechów, które wkrótce miały znaleźć pełny wyraz w powstaniu czeskim i wojnie trzydziestoletniej, bez reszty absorbującej siły cesarza. Zresztą niepowodzenia habsburskie w zabiegach o tron polski, zwłaszcza klęska Maksymiliana, wskazywały, że o przewadze państwa habsburskiego nad Rzecząpospolitą w tym okresie trudno byłoby mówić. Wreszcie osłabła potęga państwa osmańskiego, przed którą nie tak dawno drżała cała Europa. Częste zmiany na tronie sułtańskim, rewolty na prowincjach nie pozostały bez wpływu na możliwości militarne Porty. Toczona na przełomie XVI i XVII w. u południowych granic Rzeczypospolitej przewlekła wojna turecko-austriacka stałą się wymownym sprawdzianem osłabienia obu stron. O kłopotach tureckich w zarządzaniu wielkim państwem świadczyły również dążenia emancypacyjne jego lenników. W tym właśnie okresie Michał Waleczny podjął ambitną próbę scalenia państwa rumuńskiego, znaczną samodzielność zapewnili sobie książęta siedmiogrodzcy, a także chanat krymski.

Wobec tych przemian Rzeczpospolita nie mogła pozostawać obojętna. W jej interesie leżało takie wykorzystanie osłabienia sąsiadów, by na dłuższy czas zażegnać niebezpieczeństwa grożące z ich strony. Chodziło przy tym bądź o udzielenie pomocy tym siłom, które reprezentowały tendencje decentralistyczne lub wręcz zmierzały do uniezależnienia się, bądź o oparcie stosunków z tymi sąsiadami na zupełnie nowych podstawach. Nie bez znaczenia była przy tym atrakcyjność modelu ustrojowego, który reprezentowała Rzeczpospolita Nasuwał się dwojaki sposób jej wykorzystania. Jednym było ułożenie związków międzypaństwowych na zasadach odbiegających od powiązań dynastycznych, a zadokumentowanych w unii polsko-litewskiej. Obok tego pociągał bojarów moskiewskich czy wołoskich wzór państwa szlacheckiego scentralizowanego wokół sejmu, zapewniającego szerokie przywileje szlachcie przy osłabieniu władzy monarszej, zdolnego przy tym do skutecznych działań militarnych i dyplomatycznych. W ten sposób nie opierając się na przesłankach dynastycznych, jak było przed wiekiem, ale wykorzystując oddziaływanie swego ustroju mogła Rzeczpospolita pokusić się o zdobycie preponderancji w Europie Wschodniej.

Dla osiągnięcia tego celu potrzebne było przezwyciężenie zdecydowanie pacyfistycznych postaw większości szlachty przez kierowników ówczesnej polityki oraz ujednolicenie interesów Rzeczypospolitej i dynastii. Trudności powiązane z osiągnięciem obu tych warunków znacznie osłabiły możliwości oddziaływania polityki polskiej na stosunki międzynarodowe.

Kierownictwo akcją dyplomatyczną spoczywało wprawdzie nadal w ręku króla, starano się wszakże ograniczyć jego samodzielność także w tej dziedzinie. Artykuły henrykowskie dawały więc prawo głosu doradczego senatorom rezydentom. Sejm albo senat powinien podejmować decyzje o wysyłaniu poselstw. Do sejmu wreszcie należało zatwierdzanie traktatów pokojowych, przymierzy, a od 1613 r. decyzja o wypowiedzeniu wojny. Oddziaływał także sejm na poczynania polityczne poprzez odpowiednie uchwały podatkowe. Wszystko to otwierało duże możliwości nacisku szlacheckiego, a jeszcze bardziej magnackiego Prowadziło także do dwoistości linii politycznej. W celu uniknięcia kontroli sejmowej król organizował bowiem własną służbę dyplomatyczną, jak Władysław IV, który zatrudniał w niej często cudzoziemców, powierzając im czy to doraźne misje dyplomatyczne, czy coraz częstsze obowiązki stałych agentów, tzw. rezydentów, przy obcych dworach. Jeżeli kanclerz, którego urząd sprawował pieczę nad dyplomacją Rzeczypospolitej, i król reprezentowali podobne tendencje w polityce (jak było w wypadku Władysława IV i Ossolińskiego), stan taki nie pociągał innych konsekwencji, jak krytykę na sejmie. Gorzej było jednak, jeśli między królem a kanclerzem wynikała różnica zdań, jak między Zamoyskim i Zygmuntem III. Wtedy wywoływała ona i rozbieżności i dwoistość w polityce zewnętrznej państwa. Zresztą układ stosunków między Zamoyskim a królem przyczynił się nawet do tego, że sprawy południowo-wschodnie uznane zostały za podlegające kompetencji nie tylko monarchy, ale i hetmana, który zdobył sobie trwałe uprawnienia do reprezentowania interesów polskich na tym obszarze, wysyłając swych agentów i przyjmując przedstawicieli Porty i jej krajów lennych.

W każdym razie w przeciwieństwie do poprzedniego okresu można mówić o często występujących zdecydowanych rozbieżnościach w poglądach na kierunki działań dyplomatycznych między monarchą a sejmem czy innymi organami szlacheckimi, a także o zaczynającej się dekompozycji jednolitego poprzednio kierownictwa dyplomatycznego. Mimo rozwoju służby dyplomatycznej osłabiało to skuteczność jej oddziaływania.

Pierwsze trzydziestolecie XVII w. przebiegało pod znakiem nieustannych niemal wojen. Przyczyniły się one do nowych zmian w organizacji i uzbrojeniu wojska, jego liczebności, a także taktyce. Stosunkowo niewielkie zmiany objęły jazdę. Ugruntował się jej podział na jazdę ciężką — husarię, i lekką — kozacką, przy czym wyposażono je częściowo w broń palną. Decydująca dla jazdy polskiej była jednak siła uderzenia na białą broń, w galopie. Nie przyjęły się natomiast stosowane w armiach zachodnioeuropejskich skomplikowane manewry umożliwiające prowadzenie ognia z konia. Dzięki temu jazda polska przeważała ruchliwością, także umiejętnością wykorzystania szybkości, impetu nad jazdą zachodnioeuropejską. Dopiero pod wpływem doświadczeń z wojen polskich Szwedzi przejęli niektóre właściwości polskiej jazdy, co zapewniło im. m. in. sukcesy w czasie wojny trzydziestoletniej. Więcej troski poświęcono modernizacji piechoty. Składała się ona w tym okresie z piechoty wybranieckiej, zaciężnej oraz kozackiej, opierającej się na rejestrze kozackim. Wyposażona była dość jednolicie w broń palną — rusznice. Od 1624 r. wprowadzono udoskonalone muszkiety, prawie dwukrotnie zwiększające szybkość oddawanych strzałów (1 strzał na 6 minut). Od czasów Batorego piechota polska była na wzór węgierski uzbrojona również w toporki i szable, co zapewniało skuteczność jej ataku. Dopiero jednak doświadczenia wojen szwedzkich doprowadziły do gruntowniejszej reformy. Przeprowadził ją Władysław IV przy pomocy hetmana Stanisława Koniecpolskiego na początku swego panowania. Wprowadził on mianowicie w 1633 r. jako stały element armii polskiej piechotę niemiecką uzbrojoną w muszkiety i piki. Żołnierze w niej byli przeważnie polskiego pochodzenia, natomiast korpus dowódczy stanowili cudzoziemcy. Piechota działała przede wszystkim przy pomocy siły ognia, pikinierzy ($^1/_3$ składu regimentu) chronili muszkieterów przed atakami jazdy. Wprowadzono także na wzór zachodnioeuropejski jazdę, która była zdolna swą siłą ognia wspomagać piechotę: dragonię i rajtarów. W ten sposób armia Rzeczypospolitej podzielona została na wojska autoramentu cudzoziemskiego i wojska autoramentu polskiego, obejmujące dawniej stosowane rodzaje broni.

Na szczególne podkreślenie zasługuje rozwój artylerii polskiej. Przede wszystkim wprowadzone zostały na wzór szwedzki towarzyszące piechocie działa regimentowe, również zwiększające siłę ognia piechoty. Następnie dokonano unifikacji kalibru dział. Na potrzeby artylerii uchwalona została przez sejm w 1637 r. druga kwarta, zwana duplą, pobierana od nowych posesorów królewszczyzn. Dawała ona 120 tys. złp. rocznie, umożliwiając rozbudowę artylerii. Broń tę odlewano głównie w kraju (w przeciwieństwie do pozostałej broni palnej, zwłaszcza muszkietów sprowadzanych z Zachodu). Działa przechowywano w cekhauzach, a także w twierdzach. Inwentarz artylerii koronnej z 1640 r. podaje, że zgromadzono wtedy w cekhauzach ponad 300 dział. O poziomie artylerii polskiej najlepiej świadczy szerokie zainteresowanie, jakie obudziła w Europie wydana na ten temat książka K. Siemionowicza, *Artis magnae artileriae pars prima* (1650).

Obok podnoszenia jakości wojska przez zmiany organizacyjne i modernizację uzbrojenia, konieczne było także zwiększenie jego liczby. Tymczasem dochody państwowe pozwalały na bardzo ograniczony wzrost stałej armii, tym bardziej że wzrósł koszt utrzymania zmodernizowanego wojska. Tak więc podczas działań w Mołdawii czy Inflantach siły Rzeczypospolitej nie przekraczały na ogół 10 tys. wojska, a nieraz hetmani musieli przeciwstawiać się przeważającemu liczebnie przeciwnikowi mając do dyspozycji parę tysięcy żołnierza (Kircholm). Na największy wysiłek militarny zdobyła się Rzeczpospolita w kampanii chocimskiej 1621 r., kiedy w polu znalazło się ponad 50 tys. wojska wraz z wojskiem zaporoskim (nie licząc pospolitego ruszenia). W żywotnej dla interesów Polski wojnie o ujście Wisły hetman Koniecpolski nie miewał do dyspozycji więcej niż 20 tys. wojska, przeważnie działając przy pomocy sił znacznie słabszych. Natomiast na odsiecz Smoleńska zaciągnął Władysław IV około 25 tys. wojska. Charakterystyczny jest przy tym stały wzrost procentowy piechoty. O ile na przełomie XVI i XVII w. wynosiła ona od $^1/_4$ do $^1/_3$ całości armii, o tyle w wojnie w latach 1626 - 1629 stosunek ten przedstawia się wręcz odwrotnie. Wzrastała również liczba regimentów cudzoziemskich; w wyprawie smoleńskiej wojsko autoramentu cudzoziemskiego stanowiło blisko $^2/_3$ całej armii.

Potrzeby wojen ze Szwecją doprowadziły do prób stworzenia własnej floty wojennej. Pierwszy okręt spuszczono na wodę w Gdańsku w 1622 r., jednak dopiero w 1626 r. Komisja Okrętów Królewskich, przy pomocy hetmana Stanisława Koniecpolskiego, doprowadziła do wystawienia 6 okrętów uzbrojonych w 18 - 29 dział. Dalsza rozbudowa doprowadziła do liczby 10 okrętów. Po utraceniu tej floty w Wismarze Władysław IV przystąpił do jej ponownej organizacji przy pomocy gdańskiego kupca Jerzego Hewla. Tym razem wystawiono 12 okrętów, różnej wielkości. Podjął także Władysław IV starania o stworzenie portu wojennego. Miał on powstać na Półwyspie Helskim; osłaniałyby go dwa forty wybudowane przez króla — Władysławowo i Kazimierzowo.

Taktyka i strategia polska nie uległy zasadniczym zmianom. Stanowiły one rozwinięcie założeń znanych już w XVI w. Opierały się one przede wszystkim na wykorzystaniu dużej ruchliwości wojska i siły uderzeń jazdy. Chętnie posługiwano się dalekimi zagonami, które dezorganizowały zaplecze przeciwnika. Rzeczpospolita miała w tym okresie znakomitych wodzów, którzy swym talentem potrafili wyrównywać niedostatki w uzbrojeniu i liczebności wojska, takich jak Jan Zamoyski, Stanisław Żółkiewski, Jan Karol Chodkiewicz, Stanisław Koniecpolski. Najbardziej głośnym przykładem taktyki polskiej stało się zwycięstwo Chodkiewicza nad Karolem IX, królem szwedzkim, pod Kircholmem (27 IX 1605). Armia szwedzka liczyła ponad 11 tys. ludzi, polsko-litewska niespełna 4 tys. Hetman najpierw unieruchomił piechotę szwedzką przez ataki drobnych oddziałów jazdy, po czym przeprowadził silne uderzenia na flanki szwedzkie. Jazda szwedzka nie zdołała skutecznie stawić czoła i rzuciła się do ucieczki, a wtedy uporano się z piechotą.

Wszystkie te dane, dotyczące rozwoju wojskowości polskiej, nie mogą wszakże przesłonić zasadniczego stwierdzenia. Podobnie jak w XVI w,. tak i w XVII w. Rzeczpospolita nie dysponowała wystarczającymi siłami militarnymi, by skutecznie odeprzeć zagrożenie z paru kierunków. Reformy wojskowe przyszły przy tym z opóźnieniem, wywołanym w dużej mierze trudnościami fiskalnymi, co ujemnie wpłynęło na wynik wojen ze Szwecją. Wreszcie wykorzystanie zwycięstw stawało się często niemożliwe wskutek niekarności źle i nieregularnie opłacanego żołnierza. Wszystko to ograniczało możliwości skutecznego realizowania założeń ówczesnej polityki Rzeczypospolitej.

b. Mołdawia czy Estonia?

Pierwszy okres panowania Zygmunta III, po rokosz sandomierski, przebiegał pod znakiem rozproszenia wysiłków dyplomatycznych i militarnych Rzeczypospolitej na osi północ—południe. Rzecznikiem skoncentrowania polityki polskiej na kierunku południowo-wschodnim był kanclerz Jan Zamoyski i znaczna część popularystów. U genezy tych dążeń stały zapewne plany, które wyłoniły się na dworze Stefana Batorego. Mianowicie król — Madziar zgodnie ze swym interesem narodowym przygotowywał wojnę, która doprowadziłaby do wyzwolenia Węgier spod panowania tureckiego. Do wojny takiej Rzeczpospolita miałaby przystąpić wraz z ligą państw chrześcijańskich. Gdy się okazało, że kraje Europy Zachodniej mają swoje kłopoty i nie zamierzają się angażować w nową krucjatę, Batory chwycił się nadziei, że dla pokonania Turcji wystarczyć mogą połączone siły Rzeczypospolitej i Moskwy i gotowych do walki o swe wyzwolenie ludów uciskanych przez Portę. Dla tego celu konieczne jednak byłoby sprzężenie Rzeczypospolitej i Moskwy: miało się to dokonać na podstawie unii dynastycznej z zachowaniem odrębności ustrojowej obu państw. Moskwa, w której carował wtedy niedołężny Fiedor, miała zostać przymuszona do tego związku i powołać Batorego na tron. Pomysły te popierał papież Sykstus V jako z wielu względów korzystne dla katolicyzmu. Przedwczesna śmierć Batorego uniemożliwiła ich realizację. Gdy elekcja Zygmunta III zdawała się zapewniać spokój na północy, Zamoyski powrócił do tych projektów, gotów ryzykować podjęcie przez samą Rzeczpospolitą rozgrywki z Turcją. Stosunki między Polską a Portą stawały się napięte jak nigdy w XVI w. Rozpoczęły się bowiem pierwsze „chadzki" Kozaków nad Morze Czarne, w odwet za które Stambuł kierował Tatarów na Podole i Ruś Czerwoną. Skończyło się jednak na manifestacyjnym uchwaleniu przez sejm w 1590 r. stutysięcznej armii dla Zamoyskiego. Na wystawienie jej nie pozwoliła opozycja, po czym napięcie między obu państwami opadło, a Turcy podjęli (w 1593 r.) wojnę z cesarzem. Przygotowania batoriańskie miał wykorzystać teraz Rudolf Habsburg, któremu podporządkowywał się nie tylko Siedmiogród (rządzony przez bratanka polskiego króla,

Zygmunta Batorego), ale także Michał Waleczny, hospodar Wołoszczyzny, oraz Mołdawia.

Mołdawia, jakkolwiek pozostawała lennem tureckim, uważana była w Rzeczypospolitej za rodzaj kondominium polsko-tureckiego. Utrzymywaniem się w niej wpływów polskich byli szczególnie zainteresowani magnaci, którzy ciągnęli wielkie zyski z handlu wołami sprowadzanymi z terenów Mołdawii. Zresztą i inne związki handlowe Mołdawii z Rzecząpospolitą były dość żywe, bowiem tędy prowadziły stale żywotne dla Polski drogi handlowe nad Morze Czarne. Już w czasach Zygmunta Augusta doszło do pierwszych wypraw wojennych magnatów polskich do Mołdawii w celu osadzenia tam życzliwych sobie hospodarów. W 1552 r. udzielił pomocy wojskowej wybranemu na hospodara Aleksandrowi Lăpuşneanu Mikołaj Sieniawski. W dziesięć lat później zabiegał o tron hospodarski dla siebie Dymitr Wiśniowiecki, ale doczekał się tylko okrutnej śmierci w Stambule. Zygmunt August rościł sobie zresztą pretensje do „jurysdykcji" nad Mołdawią, a w 1569 r. godził się uznać swe zwierzchnictwo nad hospodarem Bogdanem.

Gdy nie powiodła się próba porozumienia się z Rudolfem i zawarcia przymierzą antytureckiego, Zamoyski zdecydował się na interwencję w Mołdawii. W 1595 r. przeprowadził siedmiotysięczną armię przez Dniestr i osadził na tronie hospodarskim Jeremiego Mohyłę, który uznał się polskim lennikiem. Poplecznicy Habsburgów byli bezsilni, natomiast Turcy uznali to za akcję skierowaną przeciwko sobie. Wojsko polskie zostało zaatakowane przez przeważające siły tatarsko-tureckie, stawiło jednak skuteczny opór pod Cecorą i Zamoyski zdołał utrzymać Mohyłę na tronie.

Interwencja Zamoyskiego nie wpłynęła jednak poważniej na stosunki polsko-tureckie, natomiast doprowadziła do zadrażnienia z dworem habsburskim, który oskarżał kanclerza o współdziałanie z Portą. Rzeczywiście przyczynił się do przekreślenia planów Zygmunta Batorego dążącego do stworzenia nowej Dacji — Rumunii z Siedmiogrodu, Wołoszczyzny i Mołdawii. Książę siedmiogrodzki zrezygnował wkrótce ze swego tronu. Po nim zabrał się do formowania podobnego państwa Michał Waleczny. I w tym wypadku Zamoyski nie pozostał obojętny. Gdy Michał Waleczny, zagrożony zresztą porozumieniem polsko-tureckim, podjął akcję dyplomatyczną przeciwko Zygmuntowi III i rzekomo zachęcał do buntu Kozaków, a nawet chłopów podkarpackich, Zamoyski wraz z Żółkiewskim przystąpili w 1600 r. do ponownej interwencji. Zamoyski przywrócił usuniętego z Jass Mohyłę, po czym uderzył na Wołoszczyznę, gdzie rozbił nad rzeką Telczyną koło wsi Bukowa (nie opodal Ploesti) Michała Walecznego. Na stolicę Wołoszczyzny do Bukaresztu wprowadzono nowego hospodara Symeona Mohyłę, brata Jeremiego, uzależniając cały obszar po Dunaj od Polski.

Był to jednak sukces efemeryczny. Nie uznała go Turcja, która osadziła już w następnym roku swego hospodara w Bukareszcie, tolerując na razie swoiste kondominium z Polską w Mołdawii. Wkrótce zginął skrytobójczo zamordowany z inicjatywy austriackiej Michał Waleczny, a księstwo siedmiogrodzkie musiało przy układzie pokojowym (1606) uznać ponownie zwierzchnictwo sułtana. Jedynym owocem polityki Zamoyskiego było więc ustalenie wpływów polskich w Mołdawii i pokrzyżowanie planów habsburskich.

Jak na realizację planów batoriańskich, było to bardzo mało. Wiele przemawia za tym, że w interesie Rzeczypospolitej nie leżało rozbijanie kształtujących się zalążków państwa rumuńskiego, mogło się ono bowiem stać bastionem oddzielającym Polskę od Turcji. Być może osadzając Mohyłów w Jassach i Bukareszcie Zamoyski zmierzał ku stworzeniu takiego państwa w oparciu o Rzeczpospolitą. Nie dysponował jednak dostatecznymi dla takiego celu siłami, a już w okresie walk z Michałem Walecznym stało się jasne, że główny wysiłek militarny trzeba będzie skierować na ważniejszy dla Rzeczypospolitej odcinek, na Inflanty.

Zygmunt III, pozostawiając Zamoyskiemu wolną rękę na południowym wschodzie, zajął się skomplikowanymi sprawami swego następstwa w Szwecji. Koronacja jego na króla szwedzkiego w 1594 r. odbyła się w okolicznościach, które nie rokowały dobrze nowemu panowaniu. Stany szwedzkie wypowiedziały się ostro przeciwko jakiejkolwiek propagandzie katolicyzmu, a gdy Zygmunt III wrócił do Polski, coraz silniejszy wpływ w kraju potrafił sobie zdobyć jego stryj, Karol Sudermański. W 1598 r. Zygmunt podjął próbę zbrojnego złamania opozycji. Jego wyprawa do Szwecji skończyła się jednak niepowodzeniem — armia królewska poniosła klęskę (koło Linköping), sam Zygmunt dostał się do niewoli i musiał przyjąć narzucone mu ciężkie warunki. Na nic nie zdały się późniejsze protesty. W 1599 r. sejm sztokholmski ogłosił detronizację Zygmunta (czego ten nigdy nie uznał), a Karol Sudermański opanował wierną dotychczas Zygmuntowi Finlandię i wkroczył do Estonii.

W tym momencie, na wiosnę 1600 r., Zygmunt III zdecydował się dokonać na sejmie aktu inkorporacji Estonii do Rzeczypospolitej. Nie wystarczała wszakże deklaracja królewska. Konieczna była zdecydowana akcja militarna, tymczasem jednak główne siły koronne szły na Mołdawię. W tych warunkach rozpoczynająca się wojna polsko-szwedzka, którą Rzeczpospolita podjęła nie tylko w imię dynastycznych interesów króla, ale i dla pełnego zjednoczenia dawnych terenów Zakonu Inflanckiego, zaczęła się od serii niepowodzeń. Szwedzi okazali więcej gotowości bojowej i przerzucili do Estonii silną armię, dwukrotnie przeważającą nad wojskiem, które zdołał zebrać Jerzy Farensbach, starosta wendeński, powołany przez Rzeczpospolitą na dowódcę w Inflantach. Szybka ofensywa Karola Sudermańskiego uwieńczona została opanowaniem w ciągu 1600 r. całych prawie Inflant po Dźwinę (prócz Rygi). Szwedzi spotykali się z przychylną postawą miejscowej szlachty niemieckiej, zniechęconej do Polski naciskiem kontrreformacyjnym, a zwłaszcza konkurencją ze strony polskiej i litewskiej szlachty, która otrzymała skonfiskowane dobra zakonne. Także chłopi łotewscy przyjmowali z zadowoleniem zmianę panowania, spodziewali się bowiem, że zyskają uprawnienia podobne do tych, które przysługiwały chłopom szwedzkim.

W tych warunkach, mimo przewagi jakościowej żołnierza polskiego, niełatwo było odzyskać poniesione w toku pierwszej ofensywy szwedzkiej straty. Postępy Szwedów powstrzymywał w 1601 r. dzielną obroną zamku Kokenhauzen hetman litewski Krzysztof Radziwiłł. Dopiero jednak ściągnięcie znacznych sił polskich i litewskich (ok. 15 tys.) pod komendą Jana Zamoyskiego umożliwiło zapechnięcie Szwedów z zajmowanych obszarów. W 1602 r. wojska polskie podchodziły pod Rewel, nie wystarczyło ich jednak na podjęcie oblężenia. W końcu niepłatny żołnierz zdecydował się na powrót do kraju i tylko pozostawiony z niewielką liczbą wojska Jan Karol Chodkiewicz oczyszczał Inflanty z nieprzyjaciela, powstrzymując wypady szwedzkie z Estonii. Największy z takich wypadów rozbił na głowę pod Białym Kamieniem w 1604 r. — znów jednak związek niepłatnego żołnierza uniemożliwił wyzyskanie tego zwycięstwa.

Tymczasem ogłoszony królem (1604) Karol Sudermański podjął w 1605 r. nową akcję ofensywną w Inflantach, zamierzając zdobyć Rygę. Świetne zwycięstwo kircholmskie Jana Karola Chodkiewicza (por. cz. 1, s. 149) przekreśliło plany szwedzkie. Ale wkrótce rokosz sandomierski, a potem zaangażowanie sił Rzeczypospolitej w Rosji ułatwiły nowe sukcesy szwedzkie w Inflantach. Przecież ostatecznie dzięki Kircholmowi, a także dzięki dalszym zwycięstwom w polu Chodkiewicza (nie bez znaczenia były też sukcesy odniesione przez flotę polską nad szwedzką koło Helu i pod Parnawą, 1609), udało się Polakom utrzymać większość Inflant. Stan taki potwierdził rozejm z 1611 r. zawarty w związku z narastającym kryzysem w Rosji.

Z pierwszego bezpośredniego starcia ze Szwecją wyszła więc Polska obronną ręką. Obnażyło ono jednak słabości militarne Rzeczypospolitej, jej niedostatki finansowe, samowolę źle opłacanego żołnierza, niezdolność do długotrwałej koncentracji wysiłku. Okazało się też dowodnie, że Rzeczpospolita nie jest zdolna do jednoczesnej skutecznej akcji na północy i południu, w Mołdawii i w Inflantach.

c. *Nieudana próba podporządkowania Moskwy*

Doświadczenia z wydarzeń w księstwach naddunajskich i w Inflantach wykazywały, że w celu realizacji dalekosiężnych planów konieczne było zwiększenie potencjału militarnego Rzeczypospolitej przez uzyskanie silnego, a w jakiejś mierze zależnego od Polski sojusznika. Niechęć do Habsburgów, przejawiana przez zdecydowaną większość szlachty z racji popierania przez nich elementów niemieckich i kontrreformacyjnych, hamowała usilne starania Zygmunta III o zacieśnienie związków z Wiedniem. Szwecja z oczekiwanego sojusznika już wkrótce okazała się niebezpiecznym wrogiem. Otwierała się natomiast możliwość realizacji projektów batoriańskich.

Kryzys dynastyczny, jaki nastąpił w Moskwie po śmierci Iwana IV i jego syna Fiodora, ostatnich Rurykowiczów, połączył się z ciężkim kryzysem społeczno-gospodarczym. Niezadowolenie z narzucanych ograniczeń, które ogarniało masy chłopskie, ujawniło się szczególnie silnie po objęciu tronu przez Borysa Godunowa. Z innych przyczyn, domagając się dla siebie szerszych uprawnień, występowała przeciwko niemu także opozycja bojarska. W tych warunkach mogły się odnowić w Rzeczypospolitej koncepcje podporządkowania sobie Moskwy czy to w drodze unii, czy też narzucenia jej zależnego od Polski władcy. Skonkretyzować te plany miało wielkie poselstwo Lwa Sapiehy, kanclerza litewskiego, wysłane w 1600 r. do Moskwy. Za radą Zamoyskiego, a także magnatów litewskich i ruskich, miał on zaproponować zawarcie unii między obu państwami. Na wzór unii lubelskiej objęłaby ona politykę zewnętrzną, skarb wojskowy, flotę i mennicę, wolność handlu oraz wolność osiedlania się. Zapewniona byłaby również tolerancja religijna. Natomiast z decyzją co do jednego władcy wstrzymano by się do śmierci cara lub króla. Mimo że Sapieha starał się pozyskać sobie bojarów nadziejami na przyznanie im podobnych praw, jak te, które miała szlachta polska, misja jego nie doprowadziła do tak dalekiego celu. Borys Godunow, toczący jednocześnie rokowania o sojusz z Karolem Sudermańskim, nie zamierzł wiązać się zbyt ściśle z Polską. Skończyło się więc na zawarciu dwudziestoletniego rozejmu.

Magnaci nie zamierzali jednak na tym poprzestać. Wykorzystali tajemnicze okoliczności śmierci carewicza Dymitra, młodszego brata Fiodora, i szerzące się wśród ludu rosyjskiego wieści o rzekomym jego cudownym ocaleniu. W dobrach magnatów ukraińskich w Kijowskiem zjawił się pretendent podający się za carewicza, prawdopodobnie z pochodzenia mnich, nazwiskiem Grigorij Otriepjew. Otrzymał on pomoc Wiśniowieckich oraz wojewody sandomierskiego Jerzego Mniszcha, któremu obiecał wielkie kwoty pieniężne, rozległe latyfundia w Rosji i małżeństwo z jego córką Maryną. Za cenę przejścia na katolicyzm Samozwaniec poprzez jezuitów (którym uśmiechała się unia kościołów) uzyskał także nieoficjalne poparcie Zygmunta III, któremu znów obiecywał Smoleńszczyznę i Siewierszczyznę. Na terenie Rzeczypospolitej zorganizowana została armia składająca się z różnego typu awanturników, spodziewających się zdobyć majątek w Rosji, i wbrew sprzeciwom większości szlachty i senatorów Dymitr Samozwaniec I wkroczył na czele tych oddziałów w 1604 r. w granice państwa moskiewskiego. Mimo początkowych niepowodzeń udało mu się przetrwać do momentu śmierci Godunowa, przy czym Dymitr, wykorzystując niechęć do rodziny swego poprzednika, opanował Moskwę i został carem (1605). Rządy Dymitra Samozwańca I nie potrwały długo — niezadowolenie wywołała jego polityka popierania dworian (odpowiednika szlachty), zatargi z kościołem prawosławnym oraz uleganie polskim i ukraińskim doradcom. Wkrótce doszło do wybuchu zamieszek ludowych, w których wyniku Dymitr wraz z garścią polskich doradców poniósł śmierć, po czym carem obwołano przywódcę grupy bojarskiej — Wasyla Szujskiego (1606).

Do uspokojenia Rosji było jednak jeszcze daleko. Krajem wstrząsały wielkie powstania chłopskie (zwłaszcza Bołotnikowa), burzyło się też drobniejsze mieszczaństwo i dworianie. Zachęceni przykładem Dymitra Samozwańca I różni awanturnicy usiłowali powtórzyć poprzednią imprezę Znalazł się nowy samozwaniec, w którym nawet caryca Maryna uznała swego rzekomo cudem ocalałego męża. Na czele wojsk dostarczonych mu w pokaźnej części przez magnatów z Rzeczypospolitej, wykorzystując niezadowolenie ludności z rządów bojarskich, zbliżył się nowy Dymitr Samozwaniec II pod Moskwę, zatoczył obóz w Tuszynie i próbował bezskutecznie zdobywać stolicę. Pod wrażeniem sukcesów Samozwańca, do którego szeregów coraz liczniej zjeżdżali Polacy i Litwini, Szujski poszukał sobie pomocy u Karola Sudermańskiego. W zamian za ustępstwa terytorialne na rzecz Szwecji doprowadził do zawarcia w początkach 1609 r. przymierza skierowanego zarówno przeciwko „Łżedymitrowi", jak i Rzeczypospolitej. Współdziałając teraz z wojskami szwedzkimi Szujski odepchnął Samozwańca do Kaługi i wzmocnił swój tron. Wtedy jednak wmieszanie się Szwecji do spraw rosyjskich i zawarte przymierze spowodowały z kolei oficjalną interwencję Rzeczypospolitej.

Polska zawarła jeszcze w 1609 r. trzyletni rozejm z Wasylem Szujskim i stanowiska co do wypowiedzenia wojny Rosji były podzielone. Za interwencją w Moskwie opowiadał się przede wszystkim sam Zygmunt III, który poprzednio w podporządkowaniu sobie Moskwy znalazł środek do przywrócenia korony szwedzkiej, wspólnymi siłami Rzeczypospolitej i Rosji. Teraz, widząc w przymierzu szwedzko-rosyjskim przekreślenie swych planów, wystąpił sam z pretensjami do tronu carów. Do interwencji pchał także kler, szczególnie jezuici, którzy spodziewali się, że uda im się podporządkować Moskwę papieżowi. Popierała projekt wojny także znaczna część magnatów, którzy bądź zaangażowali się już po stronie samozwańców (ci jednak odrzucali pretensje Wazy), bądź też spodziewali się, że nowe zdobycze poszerzą ich latyfundia (jak sam Lew Sapieha). Stanowisko większości szlachty, jak to wykazał Jarema Maciszewski, było co najmniej wstrzemięźliwe. Jeżeli w szeregach drugiego Dymitra znaleźli się niedawni rokoszanie, to nie po to, by teraz zyski wyciągał Zygmunt III. Pod wpływem wypowiedzi zawartych w propagandowej broszurze Palczowskiego *Kolęda moskiewska* (1609) część historyków gotowa była ostatnio dostrzegać w imprezie moskiewskiej swoistą formę kolonializmu polskiego, wywołanego względnym przeludnieniem szlacheckim w Polsce. Tereny rosyjskie miałyby dostarczyć ziemi dla ubogiej szlachty. Wydaje się, że demagogiczne wywody autora, które zresztą nie zdobyły sobie silniejszego wpływu na postawę szlachty, zostały w tym wypadku ocenione zbyt poważnie. Dopiero analiza przebiegu zagospodarowywania Ukrainy mogłaby dać odpowiedź na pytanie, czy w Rzeczypospolitej istniał faktyczny „głód ziemi", czy też chodziło o możliwości dalszego powiększenia wielkich fortun. Dla przeciętnego szlachcica, wojującego w Rosji, otwierała się tylko perspektywa szybkiego nabicia kiesy drogą rabunku. Szlachta zresztą w większości nie poparła planów wyprawy moskiewskiej, sejm w 1609 r. nie powziął w tej sprawie formalnej uchwały, a niektóre sejmiki relacyjne protestowały. To niechętne stanowisko zaważyło z czasem na niedostatecznym wysiłku fiskalnym Rzeczypospolitej.

Najważniejsze okazały się względy polityczne. Mimo więc niezdecydowania sejmu Zygmunt III podjął w 1609 r. kroki wojenne. Blisko trzydziestotysięczna armia polska rozpoczęła oblężenie Smoleńska. Twierdza jednak stawiła skuteczny opór. Tymczasem Szujski zdołał zorganizować silną odsiecz. Wyruszył jej na spotkanie z częścią wojsk polskich hetman Stanisław Żółkiewski i zadał połączonym siłom rosyjskim i szwedzkim klęskę pod Kłuszynem (1610).

Zwycięstwo kłuszyńskie wzmocniło kompromisową grupę wśród bojarstwa moskiewskiego, które już poprzednio wysuwało propozycje powołania na tron carski syna Zygmunta III, Władysława. Bojarzy, zaniepokojeni teraz możliwością opanowania stolicy przez wojska drugiego samozwańca, zawarli ugodę z Żółkiewskim, detronizując Szujskiego i przyjmując na tron Władysława za cenę pokoju bez aneksji, przejścia królewicza na prawosławie, niedopuszczania Polaków do urzędów w Rosji oraz przyznania szerokich praw bojarom i dworianom. Po podpisaniu tej umowy wojska polskie wkroczyły na Kreml. Wkrótce potem Dymitr Samozwaniec II zginął, zamordowany we własnym obozie.

Ugodowa koncepcja Żółkiewskiego została jednak odrzucona przez Zygmunta III, który idąc za głosem swych doradców, zwłaszcza duchownych, postanowił zażądać tronu rosyjskiego dla siebie. Oznaczałoby to pełne podporządkowanie Moskwy Polsce, toteż większość społeczeństwa rosyjskiego odrzuciła takie rozwiązanie. W rezultacie stanowisko Zygmunta III doprowadziło tylko do zwiększenia chaosu, szczególnie gdy i Szwedzi zgłosili swego kandydata do tronu i zajęli Wielki Nowogród. W tej rozpaczliwej sytuacji do głosu doszły masy ludu rosyjskiego. Rozpoczęła się ogólna walka z najeźdźcami. Wielotysięczne rzesze pospolitego ruszenia skierowały się ku Moskwie, gdzie doszło do wybuchu powstania i oblężenia załogi polskiej na Kremlu.

Tymczasem wojska polskie wzięły po długim oblężeniu szturmem Smoleńsk (1611) i Zygmunt III mógł odbyć triumfalny wjazd do Warszawy. Jednakże w Moskwie sytuacja układała się niepomyślnie dla planów królewskich. Oblężona załoga Kremla, mimo parokrotnej pomocy, znajdowała się w coraz gorszym położeniu. Całą Rosję ogarniał ruch o charakterze narodowowyzwoleńczym i religijnym. Więzionych przez Polaków wysokich duchownych prawosławnych otaczano czcią jak męczenników. Gwałty i rabunki ze strony niepłatnego wojska Rzeczypospolitej budziły powszechną nienawiść. W 1611 r. doszło do drugiego pospolitego ruszenia, które w Niżnym Nowogrodzie organizował kupiec Kuźma Minin i kniaź Dymitr Pożarski. Gdy nie powiodło się dotarcie na Kreml nowej odsieczy podjętej przez Chodkiewicza, oddziały polskie i litewskie musiały kapitulować. Próba wprowadzenia już nie Zygmunta, ale nawet Władysława na tron carski zakończyła się całkowitym niepowodzeniem. Na cara powołano Michała Fiodorowicza Romanowa (1613), syna uwięzionego w Polsce patriarchy Filareta.

Przez parę lat Rzeczpospolita nie była w stanie skutecznie działać na terenie rosyjskim, gdy niepłatne wojsko zawiązało konfederację i odmó-

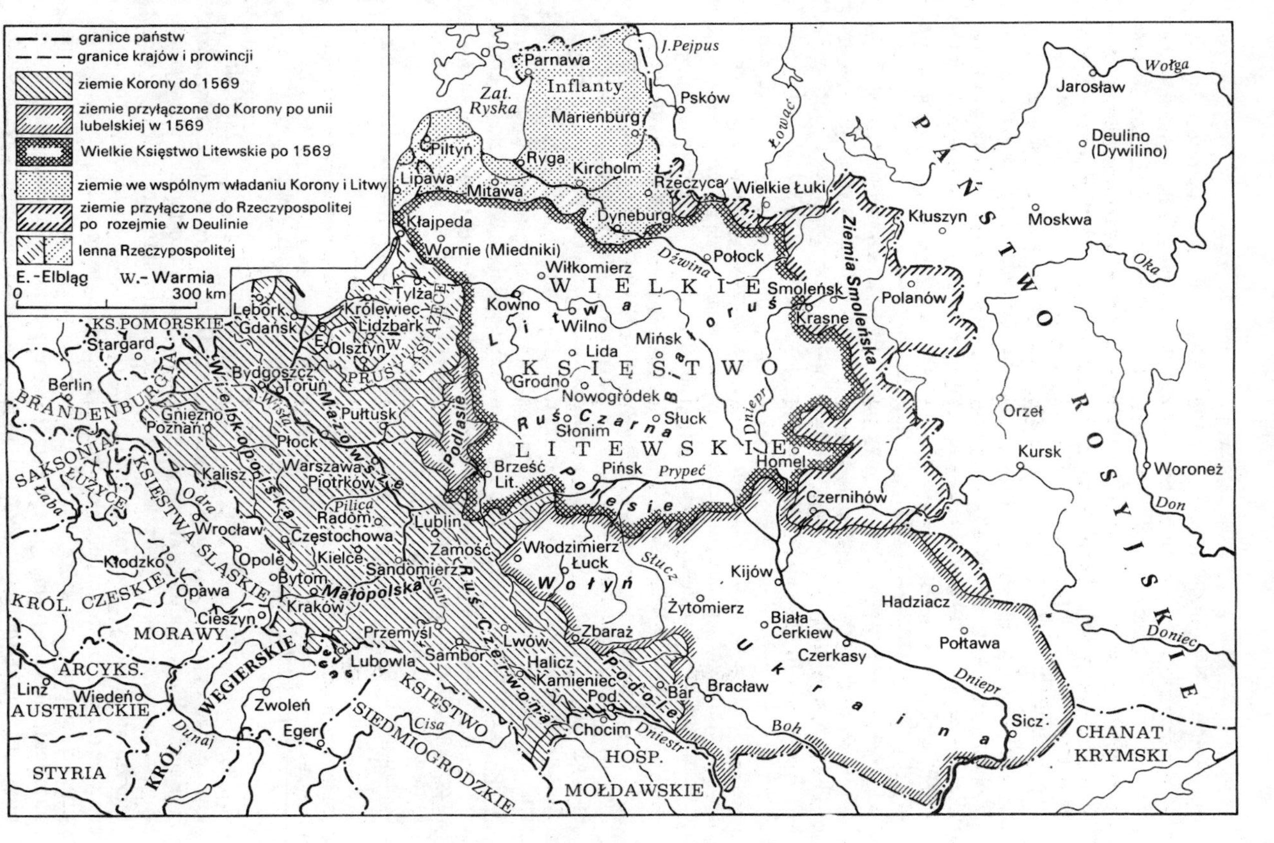

Rzeczpospolita w latach 1569-1648

wiło posłuszeństwa. Przedłużająca się wojna doprowadziła też do prób wmieszania się innych państw, przede wszystkim Turcji, która poczuła się zagrożona sukcesami polskimi i urządziła demonstrację zbrojną u granic Rzeczypospolitej. Ponadto Rosjanom powiodło się zawrzeć pokój ze Szwedami w Stołbowie (1617). W obawie przed nowym sojuszem rosyjsko-szwedzkim strona polska podjęła jeszcze jedną wyprawę, która miała przed Władysławem otworzyć bramy Moskwy. Nie zdołano jednak ściągnąć dostatecznie silnej armii. Oddziały Władysława pod komendą hetmana Chodkiewicza i atamana kozackiego Piotra Konaszewicza Sahajdacznego zajęły w 1617 r. Wiaźmę i dotarły pod mury Moskwy. Ta jednak bram nie otworzyła, a szturm nie miał szans powodzenia. Pod wrażeniem tej nieudanej wyprawy podpisany został 3 stycznia 1619 w Deulinie rozejm, na mocy którego Rzeczpospolita otrzymała Smoleńszczyznę oraz ziemię czernihowską i siewierską. Inne sprawy pozostały w zawieszeniu, jednak było jasne, że o wnoszeniu dalszych pretensji trudno było myśleć i że interwencja w stosunki rosyjskie oraz próba podporządkowania sobie Moskwy skończyła się niepowodzeniem. Okazało się przy tym, że szlacheckie wolności nie były dla Moskwy takim magnesem jak dla Litwy, że różnice między bojarami a dworianami były jeszcze zbyt głębokie, by mogła się ukształtować jednolicie uprzywilejowana warstwa, że wreszcie przeciwieństwa w zakresie kultury politycznej i w stosunkach wyznaniowych (po unii brzeskiej) między Rzecząpospolitą a Rosją były za duże, by mogło między nimi dojść do unii. Założenia polityki wschodniej okazały się więc błędne. Niepowodzenie było tym poważniejsze, że zarówno dokonane aneksje, jak i przeprowadzona z całą bezwzględnością wojna zaostrzyła stosunki między Rosjanami a Polakami i Litwinami. Nad Rzecząpospolitą wisiała groźba odwetu, której realność wzrastała w miarę umacniania się potęgi państwa rosyjskiego i jednoczesnego słabnięcia Polski w ciągu XVII w. Wprawdzie Rzeczpospolita udokumentowała jeszcze raz swą przewagę militarną nad wschodnim sąsiadem, jednak stało się to kosztem takiego wysiłku, że już bezpośrednio po wojnie z Rosją Polska miała boleśnie odczuć skutki awanturniczej polityki dworu i związanych z nim magnatów.

d. Polska wobec Śląska w czasie wojny trzydziestoletniej

W tym samym czasie, gdy skończyła się wojna z Rosją, u zachodnich granic Rzeczypospolitej rozpoczynał się konflikt, który z walki o władzę w Rzeszy Niemieckiej miał się przerodzić w wojnę europejską o hegemonię na kontynencie. W pierwszej fazie, w dobie powstania czeskiego, walka toczyła się między nowymi siłami, zainteresowanymi w dalszym rozwoju nowoczesnych form gospodarki i przekształcaniu się społeczeństwa, a siłami zachowawczymi, które skupiając się wokół władzy cesarskiej i Kościoła katolickiego starały się powstrzymać te przemiany. Wbrew stanowisku niemałej części społeczeństwa polskiego kontrreformacyjny obóz królewski w Polsce związał się jeszcze przed wybuchem walki z Habsburgami. Jak wiadomo, od początku swych rządów w Polsce Zygmunt III wszedł z nimi w bliskie stosunki. Załamanie się planów związku Rzeczypospolitej z Rosją zmuszało kierownictwo polityki polskiej do obejrzenia się za innym sojuszem. Wybór wśród sąsiadów był niewielki, nie pozostawało nic innego, jak nawrót do układów z czasów ostatnich Jagiellonów. W 1613 r. doszło więc do zawarcia przymierza między Zygmuntem III a Maciejem I, w którym obie strony nie tylko godziły się na wzajemne ułatwienia, np. przy zaciąganiu wojsk, ale i na użyczanie pomocy przeciwko buntującym się poddanym. Przymierze to, zawarte przy pośrednictwie nuncjusza, zneutralizowało Wiedeń wobec przeciągającej się wojny z Rosją. Dopiero jednak wobec wydarzeń w Czechach miało odegrać doniosłą rolę.

Wybuch powstania czeskiego w 1618 r. otworzył przed Polską możliwość upomnienia się o Śląsk. Wprawdzie niektórzy historycy polscy są zdania, że realne perspektywy odzyskania tej dzielnicy były minimalne, jednak nikt nie kwestionuje, że od chwili objęcia przez Habsburgów korony czeskiej nie było momentu, w którym ich pozycja na Śląsku byłaby równie słaba. Tymczasem na Śląsku, podobnie jak w Rzeczypospolitej, początek XVII w. przyniósł pogorszenie się sytuacji ekonomicznej i wzrost napięcia wewnętrznego. W ciągu XVI w. na Śląsku dominujące stanowisko zdobył sobie protestantyzm. Z końcem jednak tego wieku kontrreformacja przystąpiła do ofensywy, wykorzystjując poparcie władz cesarskich. Dochodziło do zaburzeń w miejscowościach, gdzie starano się siłą przywrócić katolicyzm. Wprawdzie w 1609 r. pod tym naciskiem cesarz Rudolf wydał list majestatyczny, zapewniający równouprawnienie wyznaniu luterańskiemu z katolicyzmem, jednak wybór Karola Habsburga na biskupa wrocławskiego wzmógł obawy, że proces rekatolizacji Śląska nie będzie ustawał.

Interesy ludności polskiej na Śląsku związane były w tym momencie z protestantyzmem. O ile w początkowym okresie sprzyjał on w pewnym stopniu wzmocnieniu się elementów niemieckich na Śląsku, o tyle od chwili, gdy przeszedł na pozycje obronne, zaczął zabiegać o poparcie ludności polskiej. Przejawem tych dążeń było choćby tworzenie polskich parafii ewangelickich nie tylko na zdecydowanie polskich terenach Śląska opolskiego czy cieszyńskiego, ale także w rejonach mieszanych, gdzie obok ludności polskiej występowała także niemiecka — w takich miastach, jak Brzeg, Oleśnica, Strzelin, Ząbkowice, Wrocław, Legnica, Głogów, Zielona Góra. Rozwijało się polskie szkolnictwo protestanckie, a pastorzy śląscy aktywnie uczestniczyli w rozwoju literatury polskiej na tym terenie.

Jakkolwiek już w XVI w. zjawiały się wśród patrycjatu i szlachty niemieckiej głosy niechętne Polsce i ludności polskiej na Śląsku, sytuacja jej w ramach stanowej monarchii czeskiej nie przedstawiała się najgorzej. Na znacznych terenach, przede wszystkim Śląska Górnego, językiem urzędowym obok niemieckiego był język czeski, bliski zresztą w tym śląskim wydaniu polszczyźnie. Procesy germanizacyjne uległy zahamowaniu.

Silne było na prawym brzegu Odry mieszczaństwo polskie, a na Śląsku Górnym jeszcze duża część szlachty pozostała polska. Złamanie pozycji stanów korony czeskiej i wzmocnienie się Habsburgów mogło istotnie zmienić tę sytuację, co rzeczywiście nastąpiło w XVII w.

Wybuch powstania czeskiego nie spotkał się z jednolitym przyjęciem na Śląsku. Nawet protestanccy członkowie wyższych stanów śląskich wahali się, zanim zdecydowali się wziąć udział w elekcji Fryderyka V na króla czeskiego. Obóz katolicki, z biskupem Karolem Habsburgiem na czele, widział jedyny ratunek w Rzeczypospolitej. Łudzono przy tym Zygmunta III nadziejami pewnych awansów na Śląsku. W otoczeniu królewskim zapadła jednak decyzja udzielenia pomocy Habsburgom bez żądania w zamian wynagrodzenia.

Wprawdzie bliski królowi biskup Stanisław Łubieński przypomniał w opublikowanej w tym czasie broszurze niewygasłe prawa Polski do starej dzielnicy piastowskiej, jednak nie spotkał się ze zrozumieniem ze strony szlachty, która niechętnie widziała wmieszanie się Rzeczypospolitej w nową wojnę. Jerzy Zbaraski przytaczał w odpowiedzi racje, dla których lepiej nie poruszać sprawy śląskiej — chodziło o to, by nie zrażać sobie Czechów i Węgrów i nie popierać domu habsburskiego przeciwko Piastom śląskim. Ze względów zasadniczych przeciwni byli interwencji dysydenci polscy. Ostatecznie dwór zdecydował się na nieoficjalne wystąpienie. Do Rzeczypospolitej wróciła w tym czasie z kampanii moskiewskiej dywizja lisowczyków. Był to rodzaj bractwa żołnierskiego, rządzącego się własnymi prawami, uznającego tylko wybranych przez siebie dowódców. Jednym z pierwszych był rokoszanin Aleksander Lisowski. Lisowczycy zasłynęli w czasie dymitriady i walk z Moskwą jako doskonali zagończycy, zdolni do urządzania głębokich wypadów na zaplecze nieprzyjaciela. Bezwzględni aż do okrucieństwa, chciwi łupu — byli przy tym znakomitymi żołnierzami, walczącymi równie dobrze w zaskoczeniu, jak i otwartym polu. Szlachta, której lisowczycy dali się we znaki, domagała się usunięcia ich z kraju. Skorzystał z tego Zygmunt III i wysłał te kondotierskie oddziały w liczbie około 10 tys. ludzi z pomocą cesarzowi.

Ta interwencja polska zaciążyła na dalszym przebiegu pierwszej fazy wojny trzydziestoletniej. Lisowczycy wtargnęli na północne Węgry i odnieśli zwycięstwo nad wojskami siedmiogrodzkimi pod Humiennem (1619). Książę siedmiogrodzki Bethlen Gabor, który wraz z Czechami oblegał wtedy Wiedeń, musiał pospiesznie wracać do kraju i zawrzeć z cesarzem Ferdynandem rozejm, co znacznie pogorszyło sytuację powstańców czeskich. Później pomagali jeszcze parokrotnie lisowczycy przy bezwzględnym zwalczaniu przeciwników cesarskich na Śląsku, zwłaszcza w Kłodzkiem, oraz przy tłumieniu powstania w Czechach, walczyli także w Niemczech. W krytycznym momencie Zygmunt III przyczynił się więc do uratowania pozycji domu rakuskiego.

Usługa oddana cesarzowi Ferdynandowi przez króla polskiego nie przyniosła Wazie poważniejszych korzyści. Skończyło się na wyborze syna Zygmunta III, Karola Ferdynanda, na biskupa wrocławskiego. Po załamaniu się powstania czeskiego na Śląsk spadł grad represji, który w dużym stopniu dotknął także polską szlachtę na Górnym Śląsku. Tereny Śląska stały się obszarem surowej akcji kontrreformacyjnej, która wyrzuciła poza granice tej prowincji — częściowo także do Rzeczypospolitej — tysiące Ślązaków. Wkrótce potem działania wojenne rozszerzyły się znów na ziemie śląskie. Przemierzyły Śląsk armie Mansfelda i Wallensteina, parokrotnie opanowywali tę prowincję Szwedzi. Niemal do końca wojny tereny śląskie padały pastwą zniszczeń i bezwzględności ze strony obu zwalczających się armii. Wielu Ślązaków szukało azylu w Rzeczypospolitej, zwracało się także o pomoc do królów polskich, szczególnie do Władysława IV. O objęcie zwierzchnictwa nad Śląskiem prosił go przywódca obozu protestanckiego, książę brzeski, Piast — Jan Chrystian. Śląski poeta arianin Szymon Pistorius marzył o Opolu: „gdybyś połączył się z Polską, bujnie kwitnącą krainą, cieszylibyśmy się z tobą dawnym twym stanowiskiem". Wystąpiły więc na Śląsku pod wrażeniem spadających nań klęsk dążenia do ponownego zjednoczenia z Polską. Nie podjęła ich jednak szlachecka Rzeczpospolita.

Pod koniec wojny trzydziestoletniej cały niemal Śląsk stał ruiną. Podupadły wielokrotnie zdobywane i palone miasta, wyniszczała wieś, zarazy zdziesiątkowały ludność. Dla Śląska Górnego pewną ulgą było oddanie przez cesarza w formie lenna w ręce Władysława IV księstwa opolsko-raciborskiego w 1646 r., co uchroniło je przed dalszymi spustoszeniami. Jakkolwiek te związki z Polską nie trwały długo (w 1666 r. cesarz ponownie podporządkował sobie bezpośrednio te księstwa), w pamięci ludności zapisały się dobrze. Tymczasem pokój westfalski pozostawił na Śląsku całkowicie niemal wolną rękę Habsburgom. Rozpoczął się okres silnych prześladowań protestantów, które na Dolnym Śląsku dotknęły w dużym stopniu także ludność polską, zmuszając ją do emigracji bądź ułatwiając jej germanizowanie.

W ostatecznym bilansie trzeba więc stwierdzić, że szansa podjęcia w XVII w. kontynuacji dzieła jednoczenia dawnych ziem piastowskich polskich, jaką otworzyła wojna trzydziestoletnia, została zmarnowana. Niemałe znaczenie miało poważne zaangażowanie Rzeczypospolitej w wojny na wschodzie, absorbujące jej siły i zasoby. Dużą jednak rolę odgrywała polityka dworu królewskiego, który, nastawiony przede wszystkim na odzyskanie tronu szwedzkiego, poświęcał temu istotne interesy polskie. Stanowisko takie występowało w gruncie rzeczy zarówno za panowania Zygmunta III, jak i za Władysława IV. O ile bowiem pierwszego wiązały jeszcze z Habsburgami wspólne dążenia kontrreformacyjne, a tyle drugi, chociaż był władcą tolerancyjnym i dalekim od bigoterii ojca, nie zmienił — mimo chwilowych wahań — zasadniczego kursu polityki polskiej wobec wojny trzydziestoletniej. Wreszcie i społeczeństwo szlacheckie — jakkolwiek pamięć o związkach Śląska z Polską utrzymywała się w nim żywiej, niż sądzili dawniejsi historycy — nie wykazało dostatecznego zainteresowania sprawą Śląska, przyjmując ze spokojem pogarszający się dla strony polskiej układ stosunków w tej prowincji.

e. *Wojna z Turcją i zatargi z Krymem*

Konsekwencją sojuszu z Habsburgami i poparcia udzielanego im w toku wojny trzydziestoletniej była nie tylko bierność polityki Rzeczypospolitej w sprawie śląskiej, ale także przejęcie przez nią ochrony państwa habsburskiego od wschodu, co przyczyniło się do wciągnięcia Polski w nowe wojny z Turcją, Szwecją i Moskwą. W ten sposób, formalnie nie biorąc bezpośredniego udziału w wojnie trzydziestoletniej, Rzeczpospolita wywierała nadal bardzo istotny wpływ na jej przebieg. Trudno nie zgodzić się więc z poglądem radzieckiego historyka Borysa Porszniewa, że „im bardziej wnikamy w historię wojny trzydziestoletniej, tym wyraźniej występuje ogromna rola Rzeczypospolitej w stosunkach międzynarodowych, w systemie państw tego okresu".

Nie zmienia tej oceny fakt, że istniały także wynikające z rozwoju stosunków między Rzecząpospolitą a jej sąsiadami ze wschodu poważne przyczyny tych konfliktów militarnych. Jeżeli więc stwierdza się, że groźną konsekwencją wystąpienia lisowczyków przeciw Bethlemowi Gaborowi stało się zaostrzenie stosunków polsko-tureckich, to przecież trudno przy tym zapominać, że były one już od dłuższego czasu napięte. Główną przyczynę tych zatargów stanowiły dwustronne napady, dokonywane na ziemie tureckie i tatarskie przez Kozaków zaporoskich, a na tereny Rzeczypospolitej przez Tatarów z Krymu czy z Budziaków. Na lata 1613 - - 1620 przypadło największe nasilenie najazdów kozackich, sięgających aż po Synopę. Mimo ostrych protestów tureckich Rzeczpospolita nie mogła, a po części i nie chciała powstrzymać Kozaków, próbowali więc Turcy skierować ich przeciwko Polakom (poprzez patriarchę carogrodzkiego), ale bezskutecznie. Konkurowali z Kozakami magnaci ukraińscy, którzy jako teren swych wypadów obrali Mołdawię. Ścierały się tam ustawicznie wpływy tureckie, habsburskie, siedmiogrodzkie i polskie, ponawiali więc to Stefan Potocki (1607, 1612), to Samuel Korecki i Michał Wiśniowiecki (1615) próby osadzenia na hospodarstwie swych krewniaków Mohyłów. Doczekali się wyprawy tureckiej Iskander Baszy, który nie tylko zgniótł wojska magnackie w Mołdawii, ale stanął nad granicą polską i wymusił na Żółkiewskim traktat w Buszy (1617), w którym Rzeczpospolita zobowiązała się nie mieszać do spraw wołoskich i siedmiogrodzkich. Turcja była przy tym zaniepokojona wzrastającym znaczeniem Polski — przede wszystkim przechylaniem się przewagi w stosunkach polsko-rosyjskich na stronę polską. W tych warunkach wyprawa lisowczyków, która spowodowała wzmożoną agitację Bethlena Gabora przeciwko Polsce w Stambule, a potem spalenie przez Kozaków Warny (1620), doprowadziły do wybuchu wojny. Bezskutecznie starał się ratować pokój poseł polski w Stambule Hieronim Otwinowski. Młody sułtan Osman II zawarł pokój z Persją i w gromkim i kwiecistym piśmie do Zygmunta III zapowiadał zdobycie Krakowa i zniszczenie Rzeczypospolitej.

Wiekowy hetman wielki koronny, od niedawna kanclerz, Stanisław Żółkiewski (1546 - 1620), stanął przed trudnym zadaniem. Najwybitniejszy towarzysz Jana Zamoyskiego, kontynuator jego myśli politycznej, żołnierz sterany na służbie Rzeczypospolitej, oskarżany był już parokrotnie przez warcholących magnatów o niepilnowanie interesów państwa. Tymczasem siła, którą dysponował (niespełna 9 tys.), ograniczała jego możliwości działania. Postanowił w końcu wykorzystać fakt, że i strona turecka nie była gotowa do większej akcji ofensywnej, i wkroczył do Mołdawii, spodziewając się, że wzmocnią go posiłki kozackie i mołdawskie. Hospodar mołdawski Grazziani, jakkolwiek był osadzony przez Turków, dawał dowody przyjaźni do Polski, uprzedzając m. in. o agitacji Bethlena Gabora w Stambule. Posiłki jednak zawiodły i Żółkiewski z hetmanem polnym Stanisławem Koniecpolskim znalazł się w obliczu przeważających wojsk tureckich i tatarskich dowodzonych przez Iskander Baszę. Na miejsce walki wybrał stare fortyfikacje Cecory, w których przed ćwierćwieczem pod komendą Zamoyskiego stawił opór podobnej nawale. Pierwsze starcia obronne wypadły pomyślnie. Gdy jednak 19 września 1620 r. hetman spróbował otwartej bitwy posługując się taktyką taborową, poniósł porażkę. Sytuację pogorszył rozkład moralny armii. Część wojska ogarnięta paniką usiłowała szukać ratunku w natychmiastowej ucieczce za Prut, część przystąpiła do rabunku. Gdy okazało się, że wobec otoczenia obozu przez Tatarów ucieczka jest niemożliwa, Żółkiewski przywrócił porządek, nie wyciągając natychmiastowych konsekwencji wobec winnych, i 29 września rozpoczął zorganizowany odwrót w szyku taborowym. Po odparciu szeregu szturmów 6 października tabor znalazł się w odległości kilku kilometrów od Dniestru pod Mohylowem. Doszło wtedy do ponownych zamieszek w obozie, tabor się rozproszył, rozpoczęła się chaotyczna masowa ucieczka i pościg Tatarów. W nierównej walce padł Żółkiewski, zachowując do końca swą godność żołnierską. Wielu, z hetmanem polnym, dostało się do niewoli. Rzeczpospolita stanęła otworem przed nieprzyjacielem.

Na razie uratowały ją rozdźwięki między wodzem tureckim a tatarskim, skończyło się więc na wypadzie zagonów tatarskich. Może więc słusznie przypuszcza Ryszard Majewski, że do wojny polsko-tureckiej mogło było nie dojść, gdyby nie akcja Żółkiewskiego. Zwołany do Warszawy sejm odbył się wśród ataków na politykę dworu za wystawienie Polski na niebezpieczeństwo. Doszło nawet do zamachu kalwina, Michała Piekarskiego, uznanego później za szaleńca, na życie Zygmunta III. Ostatecznie przecież sejm uchwalił wyjątkowo wysokie (5 mln złp.) podatki na utrzymanie 60 tys. armii oraz powiększenie rejestru kozackiego do 40 tys. Zwrócono się też o pomoc do państw chrześcijańskich. Ponieważ najbliżsi Zygmuntowi Habsburgowie mieli swoje kłopoty, wstrzymali się od angażowania przeciw Turcji, zawiedli także i inni. Jedynie król angielski Jakub I obiecał akcję dyplomatyczną i pozwolił Jerzemu Ossolińskiemu na zaciąg wojska. Natomiast Szwecja uznała ten moment za najstosowniejszy do podjęcia ataku na Rygę.

Naczelne dowództwo nad armią Rzeczypospolitej objął J. K. Chodkiewicz. Hetmanów koronnych zastępował regimentarz Stanisław Lubomirski. Wbrew zachętom tureckim, by wywołać powstanie ludności prawosławnej na całej Ukrainie, wystąpili przeciwko Tatarom i Turkom również Kozacy pod wodzą Piotra Konaszewicza Sahajdacznego. Osman II planował główne uderzenie na Lwów; miała je wspierać próba przedarcia się przez przełęcze karpackie na Kraków. Jednakże mobilizacja i przemarsz armii tureckiej znacznie się opóźniały, tak że dopiero w końcu lipca nastąpiła przeprawa przez Dunaj, a 2 września czołowe oddziały osiągnęły Chocim. Wokół tej starej twierdzy mołdawskiej, na prawym brzegu Dniestru, postanowił Chodkiewicz stawić opór przeważającemu nieprzyjacielowi. Koncentracja polska następowała także z przeszkodami. Ostatecznie hetman miał do dyspozycji około 30 tys. regularnego wojska (w tym blisko połowę stanowiła piechota) oraz około 25 tys. Kozaków. Armia turecka wraz z Tatarami i Mołdawianami liczyła zapewne około 100 tys., miała też przewagę w artylerii; jednakże wojsko Rzeczypospolitej górowało liczbą piechoty, uzbrojeniem i poziomem dowództwa. Duże znaczenie miało także zastosowanie przez Polaków nowoczesnych fortyfikacji polowych, którymi otoczono obóz polski. Natomiast Kozacy zabezpieczali się dwoma rzędami wkopanych wozów. Od 2 do 28 września Turcy przypuszczali coraz gwałtowniejsze szturmy na pozycje polskie i kozackie. Zostały one wszystkie odparte, chociaż w toku walk zmarł Chodkiewicz, a w wojsku polskim zaczęło brakować amunicji. Turkom nie udało się złamać oblężonych, ponieśli ogromne straty i musieli zrezygnować z myśli o podboju Rzeczypospolitej. W dniu 9 października 1621 r. podpisany został pod Chocimem układ pokojowy, który przywracał stosunki z czasów Zygmunta Augusta: granicą pozostawał Dniestr, obie strony miały hamować wzajemnie napady Kozaków i Tatarów, hospodarami mieli zostawać chrześcijanie, przychylni Polsce. Rzeczpospolita miała prawo trzymać swego posła w Stambule. Wkrótce potem wojowniczy sułtan Osman II padł ofiarą spisku pałacowego, a jakkolwiek jego następca Mustafa I był równie skory do rzucania gróźb, wysłany do Stambułu z wielkim poselstwem Krzysztof Zbaraski zdołał po trudnej rozgrywce dyplomatycznej uzyskać ratyfikację pokoju chocimskiego.

Mimo pacyfikacji z Turcją Rzeczpospolita przez długi jeszcze czas nie zaznała spokoju na południowym wschodzie. Nie ustawały napady tatarskie jako odpowiedź na wyprawy kozackie. W latach 1623 i 1624 Tatarzy dotarli niemal po Wisłę, rabując kraj i uprowadzając jasyr. Napady te powtarzały się i w latach następnych. Wypuszczony z niewoli hetman Stanisław Koniecpolski i regimentarz Stefan Chmielecki potrafili z czasem podjąć skuteczną walkę z Tatarami, gromiąc ich zagony pod Martynowem (1624), Białą Cerkwią (1626), Kodenicą (1629). Do walki z najazdami obok wojsk kwarcianych stawali Kozacy, a także cała ludność. Polska próbowała wykorzystywać wewnętrzne walki na Krymie, by wprowadzić przychylnego sobie chana. Interwencję taką przeprowadzili Kozacy w latach 1627 i 1628 na rzecz zdetronizowanego przez Turków chana Mehmeda III Giereja. Nie była ona jednak skuteczna.

Nadal także w trudnych momentach trzeba się było liczyć z wystąpieniem Turcji. Do największego napięcia stosunków doszło w czasie wojny smoleńskiej, kiedy Rosjanom udało się pozyskać Tatarów w celu dokonywania napadów dywersyjnych na Rzeczpospolitą. Gdy Koniecpolski rozgromił w 1633 r. pod Sasowym Rogiem czambuły, spróbował wtargnąć do Polski Abazy, pasza Widynia. Spotkał się jednak ze zdecydowanym oporem hetmana nie opodal Kamieńca, wycofał się więc (nie ścigany, by nie sprowokować wojny) do Mołdawii. W następnym roku po obustronnej demonstracji sił Turcy zdecydowali się podpisać nowy układ pokojowy (1634), w którym uzyskano obietnicę (nie spełnioną) usunięcia Tatarów z Budziaków oraz zobowiązanie powoływania na hospodarów w Mołdawii i Wołoszczyźnie kandydatów polecanych przez króla polskiego.

Jednakże i w Polsce występowały dążenia, by korzystać z osłabienia Turcji i czy to podporządkować sobie Krym, czy też podjąć batoriańskie plany generalnej rozprawy z Portą. Pomysły te przybrały na sile zwłaszcza w latach czterdziestych XVII w., gdy Turcja zaczęła wojnę z Wenecją o Kretę. Hetman Koniecpolski, który w 1644 r. rozgromił pod Ochmatowem Tuhaj Beja, doradzał wyprawę na Krym, i to we współdziałaniu z Rosją, z którą właśnie doszło do zbliżenia. Podjęli tę myśl po śmierci hetmana Jeremi Wiśniowiecki i Aleksander Koniecpolski, którzy wyprawili się w 1647 r. w stepy w stronę Perekopu, nie dotarli jednak do celu. Tymczasem Władysław IV miał znacznie szersze zamiary. W porozumieniu z papieżem, a przede wszystkim z Wenecją, której wysłannik Tiepolo obiecywał królowi polskiemu olbrzymie sumy, Władysław IV przygotowywał wielką armię złożoną z Polaków, Wołochów i Kozaków, która miała sięgać według jego fantastycznych pomysłów ćwierć miliona. Rozpoczęto wielką akcję propagandową wśród ludów bałkańskich, by je pobudzić do powstania. Podjęcie tego typu krucjaty przed zakończeniem wojny trzydziestoletniej było jednak niemożliwe, a decydujący okazał się stanowczy sprzeciw Rzeczypospolitej na sejmie inkwizycyjnym.

Wzrost aktywności polskiej na południowym wschodzie w ciągu pierwszej połowy XVII w. nie przyniósł trwałych korzyści Rzeczypospolitej. Nie udało się ani odepchnąć Turków od Dniestru, ani zahamować napadów tatarskich. Nie doszło też w gruncie rzeczy do konsekwentnej akcji w tym kierunku. Rzeczpospolita nie zdołała doprowadzić do powstania żadnej ligi antytureckiej w tym czasie, a samotne podjęcie walki ofensywnej z potężnym imperium osmańskim przerastało możliwości każdego europejskiego państwa. W Polsce zdawano sobie z tego na ogół sprawę i dlatego plany Zamoyskiego czy Władysława IV nie mogły zostać zrealizowane. W razie potrzeby Rzeczpospolita okazywała swą gotowość obronną i to wystarczało do utrzymania jej pozycji, tym bardziej że Turcy i w tym okresie, podobnie jak w XVI w., nie przejawiali poważniejszych tendencji aneksjonistycznych wobec ziem polskich. Pomyślnie wypadła też dla Rzeczypospolitej konfrontacja sił militarnych obu państw pod Chocimem.

Utrzymujący się stan napięcia na granicy południowo-wschodniej utrudniał wszakże politykę polską na innych odcinkach. W ograniczonym stopniu był on ze strony polskiej spowodowany stanowiskiem władz. Wywoływały go: awanturnicza polityka magnatów ukrainnych w Mołdawii i nieposkromione wypady Kozaków. W ten sposób procesy decentralistyczne, które obejmowały całe państwo, odbijały się i na jego polityce zewnętrznej.

f. Walka o dostęp do Bałtyku

Jeżeli można słusznie wątpić, czy ze strony tureckiej zagrażało w pierwszej połowie XVII w. istotne niebezpieczeństwo dla Rzeczypospolitej, to niewątpliwie taką groźbę niosła inwazja szwedzka z trzeciego dziesiątka tego wieku. Okazało się wtedy, że w czasie rozejmu nastąpiło znaczne przesunięcie układu sił na korzyść Szwecji. Nowy król szwedzki, Gustaw Adolf, był niezwykle utalentowanym wodzem, nie mającym sobie równych w ówczesnej Europie. Zastosowana przez niego taktyka, polegająca na zwiększeniu siły ognia piechoty przez wzmocnienie go artylerią polową oraz na bezpośrednim wspieraniu jazdy przez wmieszanych w nią muszkieterów, zapewniła mu wiele zwycięstw nad wojskami, które dotychczas górowały nad Szwedami, w tym także nad wojskiem polskim. Powiodło się również Szwedom udoskonalenie uzbrojenia swej armii przez wprowadzenie szybkostrzelnych muszkietów i zwiększenie liczby dział. Wreszcie umiał Gustaw Adolf wyzyskać dla swych celów zelotyzm protestancki, pobudzając swych żołnierzy do ofiarnej walki z „papistami" i zapewniając sobie poparcie całej niemal akatolickiej Europy.

Wyczerpana wojnami z Moskwą i Turcją Rzeczpospolita niewiele mogła temu przeciwstawić. Przystępowała przy tym do tej trudnej rozprawy osamotniona, gdyż jej habsburski sojusznik miał własne kłopoty z protestantami w Rzeszy i dopiero pod wrażeniem wielkich sukcesów szwedzkich w Prusach we własnym interesie zdecydował się udzielić pomocy. Niechętnie przy tym spoglądała szlachta na poczynania Zygmunta III, który nie ustawał w zabiegach na różnych dworach o poparcie swych starań o odzyskanie korony szwedzkiej. Robiło to wrażenie jakby cały zatarg ze Szwecją miał wyłącznie tło dynastyczne. Tymczasem chodziło o sprawy dla Rzeczypospolitej najważniejsze. Szwedzi spróbowali bowiem opanować całe wybrzeże bałtyckie znajdujące się dotychczas pod kontrolą Rzeczypospolitej i położyć swą rękę na zyskach z handlu morskiego Polski i Litwy. Chodziło więc o podstawy niezależnego bytu Rzeczypospolitej.

Moment uderzenia dobrał Gustaw Adolf starannie i bezwzględnie. Na czele 16-tysięcznej armii i silnej floty w końcu sierpnia 1621 r. — a więc w chwili, gdy armia turecka zbliżała się do Chocimia, podjął oblężenie Rygi. Miasto było nowocześnie ufortyfikowane, miało blisko 4 tys. własnej milicji i 500 ludzi załogi polskiej. Pozbawiona jednak możliwości odsieczy — przebywający nie opodal hetman polny litewski Krzysztof Radziwiłł dysponował ledwie półtora tysiącem żołnierzy — po odparciu kilku szturmów Ryga kapitulowała 26 września. Opanowawszy ujście Dźwiny Szwedzi wkroczyli do Kurlandii i jakkolwiek w następnym roku Radziwiłł zdołał odebrać zdobytą przez nich Mitawę, to jednak losy Inflant zostały przesądzone. Rzeczpospolita straciła nie tylko największy port w tej części Bałtyku, ale i niezmiernie ważną przeprawę przez Dźwinę, zapewniającą panowanie w północnych Inflantach. Jakkolwiek też rozejm z 1622 r. pozostawiał w ręku polskim Kurlandię i całe wschodnie Inflanty, o odebraniu Rygi nie było już mowy. Zresztą po upływie rozejmu w 1625 r. Gustaw Adolf zdobył drugą, ważną przeprawę przez Dźwinę — Kokenhauzen. Konsekwencją tej straty było opanowanie całych prawie Inflant położonych na północ od Dźwiny przez Szwedów. Wojska litewskie zdołały wprawdzie utrzymać Dyneburg, ale poniosły pod Walmojzą w Kurlandii ciężką klęskę, pierwszą zaznaną od Szwedów w otwartym polu. Zawarty w początkach 1626 r. rozejm dał czas Gustawowi Adolfowi na przygotowanie nowej akcji, tym razem w Prusach.

Utrata portów inflanckich była bez wątpienia poważną stratą dla W. Ks. Litewskiego, którego handel znalazł się w dużym stopniu pod kontrolą Szwedów, niepomiernie wzbogacając ich skarb dochodami celnymi. Podobny los miał spotkać Koronę. W początkach lipca 1626 r. wojska szwedzkie zajęły niespodziewanie Piławę i wymusiwszy neutralność ze strony lennika Rzeczypospolitej księcia pruskiego (a zarazem elektora brandenburskiego) Jerzego Wilhelma opanowały w krótkim czasie wybrzeże aż po Puck, zajmując m. in. Elbląg, Malbork, Tczew i Gniew. Zamiarem Gustawa Adolfa było zajęcie Gdańska, który jednak okazał się mimo propagandy luterańskiej w pełni lojalny wobec Rzeczypospolitej. Szwedzi rozpoczęli więc blokadę morską portu gdańskiego i przygotowywali się do oblężenia.

Najazd szwedzki całkowicie zaskoczył Polaków. Dopiero z początkiem września zgromadzone w pośpiechu siły przystąpiły do kontruderzenia, które miało na celu odciągnięcie sił szwedzkich spod Gdańska i sprowokowanie Gustawa Adolfa do walnej bitwy. Doszło do niej pod Gniewem, przy czym okazało się, że jazda polska nie była w stanie skutecznie działać pod wzmożonym ogniem muszkietów i dział szwedzkich. Wojsko polskie poniosło porażkę — tylko jego modernizacja mogła zmienić niekorzystny przebieg wojny. Poważne niebezpieczeństwo, jakie zawisło nad krajem, osłabiło walki wewnętrzne, które toczyły się poprzednio między regalistami a fakcjami magnackimi, uniemożliwiając przygotowanie się do wojny. Była to chwila, gdy interesy króla stały się bliskie interesom całej Rzeczypospolitej. Zwołany w końcu 1626 r. do Torunia sejm zgodnie z inicjatywą podkanclerzego Jakuba Zadzika uchwalił wysokie podatki na zbrojenia, tworząc zarazem specjalną deputację posejmową w celu przygotowania głębszych reform skarbowo-wojskowych. Z tego początkowego ognia niewiele jednak wynikło. Podatki wpływały tak opieszale, że trudno było zaspokajać potrzeby żołnierza, a przedyskutowane na dwu jeszcze sejmach reformy skończyły się wprowadzeniem podymnego. Koszty nowoczesnej wojny przerastały możliwości Rzeczypospolitej, czy ściślej biorąc ofiarność szlacheckich ustawodawców i podatników. Na poważny wysiłek zdobył się natomiast Gdańsk, który pospiesznie przystąpił do rozbudowy fortyfikacji bastionowej, opartej na najnowocześniejszych wtedy wzorach holenderskich. Wykonanie ich zapewniało możliwość przetrwania nawet paroletniego oblężenia. Znalazł się też człowiek, który tchnął nowego ducha w strategię i taktykę polską, hetman koronny Stanisław Koniecpolski. Ten magnat kresowy, doświadczony w walkach z Turkami i Tatarami, okazał zadziwiające zrozumienie i dla spraw morskich, i dla unowocześnionych metod walki. W rezultacie stał się jednym z najznakomitszych wodzów polskich, godnie stając w szranki z Gustawem Adolfem. Koniecpolski właśnie przyczynił się do rozbudowy floty polskiej, bez której było niemożliwe przecięcie szwedzkich linii komunikacyjnych. Na jego wniosek znacznie zwiększono liczbę wojska cudzoziemskiego, szczególnie piechoty, wyposażonej w muszkiety i skuteczniej przeciwstawiającej się Szwedom. Wykorzystywał także Koniecpolski urozmaiconą taktykę walki — od pozycyjnej, opartej na systemach rozbudowanych fortyfikacji, po „szarpaną", polegającą na niszczeniu przeciwnika przez ciągłe napady i przerywanie jego linii komunikacyjnych i zaopatrzenia bez wdawania się w walną bitwę.

Doskonałym przykładem talentów Koniecpolskiego była kampania wiosenna 1627 r. Hetman starał się z jednej strony nie dopuścić wojsk szwedzkich z Prus Książęcych pod Gdańsk, by umożliwić miastu ukończenie fortyfikacji, z drugiej strony zamierzał rozbić nadchodzące z Rzeszy posiłki. Dzięki prędkiemu i dobrze skoordynowanemu działaniu w odpowiednim momencie odebrał z rąk szwedzkich Puck, a potem rozgromił pod Hamersztynem (Czarnem) najemne oddziały przybywające z Niemiec na pomoc Gustawowi Adolfowi. Potem umiał skutecznie zasłonić drogę Gustawowi Adolfowi do Gdańska, powstrzymując Szwedów pod Tczewem. W ten sposób Koniecpolski uniemożliwił Gustawowi Adolfowi osiągnięcie jego najważniejszego celu strategicznego. Ukoronowaniem skucesów polskich w tym roku było zwycięstwo młodej floty pod Oliwą 28 listopada. Znajdujące się pod dowództwem admirała A. Dickmanna okręty polskie zaatakowały eskadrę szwedzką i zniszczyły 2 wielkie okręty nieprzyjacielskie, zmuszając pozostałe do ucieczki.

Następny rok przyniósł nowe sukcesy wzmocnionej armii szwedzkiej, która mocno osadziła się w Prusach Książęcych i zdobyła Brodnicę. W początkach 1629 r. Szwedzi rozbili pod Górznem niespodziewanym wypadem z Prus blokujące Brodnicę oddziały polskie. Gustaw Adolf, nie mając widoków na zdobycie Gdańska, usiłował wyniszczyć Polskę ekonomicznie, przecinając handel zamorski i pustosząc kraj, by zmusić ją do przyjęcia swych warunków. W tej sytuacji sejm w 1629 r. nie tylko uchwalił wysokie podatki (6,5 mln), ale i upoważnił króla do sprowadzenia wojska sojuszniczego. Wkrótce też na Pomorze Gdańskie nadciągnęły oddziały Wallensteina, który w tym czasie starał się umocnić pozycję cesarza nad Bałtykiem. Pod naciskiem wojsk polskich i austrackich Gustaw Adolf musiał się wycofać z Kwidzynia do Malborka. W czasie odwrotu Koniecpolski zadał mu dotkliwą porażkę pod Trzcianą, w czasie której król szwedzki omal nie dostał się do niewoli. Ale do pełnego zwycięstwa nad Szwedami było daleko.

Strona polska była zbyt wyczerpana, by myśleć o całkowitym wyrugowaniu Szwedów z Pomorza. Wojna była więc przegrana, a tymczasem dyplomacje francuska, holenderska i brandenburska, zainteresowane w stworzeniu Gustawowi Adolfowi możliwości interwencji na terenie Rzeszy, wywarły nacisk na Rzeczpospolitą w kierunku zakończenia działań wojennych i pozostawienia Szwedom większości zdobyczy. Zawarty w 1629 r. sześcioletni rozejm w Altmarku był niekorzystny dla Polski. Oprócz Pucka, Gdańska, Królewca i Libawy wszystkie porty inflanckie i pruskie zostały w ręku Szwedów, którzy ponadto zapewnili sobie prawo wybierania 3,5% cła z handlu gdańskiego. Pod panowaniem szwedzkim pozostawały Inflanty aż po Dźwinę, z wyjątkiem niewielkiego skrawka na północ od Dyneburga. Książę pruski za oddane w ręce szwedzkie Piławę i Kłajpedę otrzymał w sekwestr Malbork, Sztum i Żuławy. Miary niepowodzeń dopełniło opanowanie przez Szwedów floty polskiej, która — oddana do dyspozycji cesarza — znajdowała się w Wismarze.

g. Rzeczpospolita wobec końcowej fazy wojny trzydziestoletniej

Wojna ze Szwecją doprowadziła więc do utraty większości nabytków nadbałtyckich oraz przejęcia przez Szwedów kontroli i zysków z handlu morskiego Rzeczypospolitej. Sukcesy szwedzkie okazały się groźne dla jej dalszego bytu, zwłaszcza gdy włączenie się Szwedów do wojny trzydziestoletniej jeszcze bardziej wzmocniło ich pozycję na południowych wybrzeżach Bałtyku. Zwycięstwo obozu protestanckiego w Rzeszy miało bowiem ułatwić dalszą rozprawę z Polską. Gustaw Adolf wysyłał swych agentów do Bethlena w Siedmiogrodzie, do Stambułu, do Moskwy z propozycjami wsólnego wystąpienia przeciwko Rzeczypospolitej. Krytyczny moment nastąpił w dobie bezkrólewia. Wprawdzie elekcja była szybka i zgodna, a śmierć Gustawa Adolfa odsunęła grożące niebezpieczeństwo rozbioru, ale Rosjanie nie oglądając się na pomoc szwedzką podjęli wojnę o utracone w rozejmie deulińskim obszary. Dobrze przygotowana armia rosyjska zajęła na jesieni 1632 r. szereg zamków na pograniczu litewskim i przystąpiła do oblężenia Smoleńska. Fortyfikacje twierdzy zostały niedawno unowocześnione przez wojewodę Aleksandra Gosiewskiego, załoga liczyła ponad 1600 ludzi ze 170 działami, do czego doszła szlachta z pospolitego ruszenia oraz dwukrotnie wprowadzone przez K. Radziwiłła posiłki (ok. 1000 osób). Rosjanie pod komendą Michała Borysowicza Szeina, dawnego komendanta Smoleńska, ściągnęli do oblężenia około 25 tys. ludzi i 160 dział. Szein rozwinął wokół Smoleńska własny system fortyfikacyjny, przeprowadził bombardowanie murów i zarządził szturm generalny, który się nie powiódł. Tymczasem po 10 miesiącach oblężenia pod Smoleńsk dotarł w początkach września z odsieczą Władysław IV z ponad 25-tys. armią. Po miesiącu zaciętych walk armia Szeina nie tylko została zmuszona do zwinięcia oblężenia, ale sama została otoczona przez wojska polskie, które na umocnionych pozycjach odpierały jej kontrataki. W lutym 1634 r. Szein kapitulował. Władysław IV okazał się niepospolitym wodzem, znakomicie zastosował taktykę wzorowaną na holenderskiej i szwedzkiej sztuce wojennej.

Zawarty w tych warunkach pokój w Polanowie (1634) zatwierdził z niewielkimi zmianami na korzyść Rosji — jeśli chodzi o terytoria — warunki rozejmu deulińskiego. Władysław IV musiał jednak zrzec się pretensji do tronu i tytułu carskiego (za odszkodowanie pieniężne). Przyszło mu to tym łatwiej, że spodziewał się, iż polityką kompromisu otworzy znów możliwości współdziałania polsko-rosyjskiego, potrzebnego przeciwko Szwecji czy Turcji.

Po zapewnieniu sobie spokoju ze strony rosyjskiej (a także, jak wiadomo, tureckiej) Rzeczpospolita mogła przystąpić do podjęcia walki o utracone pozycje nad Bałtykiem. Moment był o tyle dogodny, że wojska szwedzkie doznały niepowodzeń w wojnie trzydziestoletniej, ponosząc porażkę w bitwie pod Nordlingen. Szwecja nie była zdolna wtedy do wojny na dwu frontach, toteż silniejszy nacisk mógł ją skłonić do poważniejszych ustępstw. Władysław IV parł do wojny, przypuszczał bowiem, że uda mu się znów wysunąć pretensje do korony szwedzkiej. Większość społeczeństwa polskiego, wyczerpana obu poprzednimi wojnami, wolała ograniczyć się do kroków dyplomatycznych, obawiając się przy tym, by Polska nie została wciągnięta w wir wojny trzydziestoletniej. Mimo zbrojeń Władysława IV i podjętych przez niego zabiegów dyplomatycznych skończyło się na rokowaniach. Gdy Władysław IV trwał przy swych prawach dynastycznych, zamiast korzystniejszego dla Polski pokoju podpisano tylko nowy, 26-letni rozejm. Zawarty on został w Sztumskiej Wsi, 12 września 1635 r., przy pośrednictwie francuskim, angielskim, holenderskim i brandenburskim. Dyplomaci polscy, Jakub Zadzik i Jakub Sobieski, uzyskali tyle, że Szwedzi opuścili miasta i porty pruskie oraz zrzekli się wybieranych ceł. Natomiast Inflanty pozostały jak poprzednio w większości w ręku szwedzkim, w celu ewentualnych przetargów o koronę. Stosunki polsko-szwedzkie nie były bowiem definitywnie unormowane.

W ten sposób Polska przywróciła swój stan posiadania nad dolną Wisłą. Natomiast rywalizacja o Inflanty skończyła się niepowodzeniem. Pozostawała jednak przy Rzeczypospolitej Kurlandia, której porty w miarę możliwości przejęły obsługę handlu litewskiego. Nieprzypadkowo też właśnie na najbliższy okres przypadł rozkwit gospodarczy tego księstwa.

Osłabieniu uległa także pozycja Rzeczypospolitej w Prusach Książęcych. Rzeczpospolita ponosiła konsekwencje błędnej polityki ustępstw wobec Hohenzollernów brandenburskich, zapoczątkowanej jeszcze przez Zygmunta Augusta. Niemal każdy z królów dorzucał swoje ustępstwa. Batory w 1577 r. zatwierdził kuratelę margrabiego anspachskiego Jerzego Fryderyka nad chorym umysłowo Albrechtem Fryderykiem, by zapewnić sobie z tej strony spokój w czasie wojny inflanckiej. Nie inaczej postąpił Zygmunt III, gdy wbrew stanowisku Rzeczypospolitej przekazał po śmierci Jerzego Fryderyka kuratelę w ręce elektora brandenburskiego, Joachima Fryderyka, w 1605 r. Tym razem chciał zyskać poparcie elektora w wojnie ze Szwecją. Śmierć Joachima Fryderyka otworzyła nową szansę lepszego rozwiązania sprawy pruskiej przed Rzecząpospolitą. Ale Zygmunt III szykował się już do wojny z Moskwą. Znów wbrew sejmowi przyznał więc administrację Prus nowemu elektorowi Janowi Zygmuntowi, na odczepne wysyłając do Prus Książęcych komisję, która miała przywrócić dawny porządek naruszony przez Brandenburczyków. W 1611 r. za zgodą sejmu Zygmunt III przyznał wreszcie Hohenzollernowi prawo sukcesji pod warunkiem hołdu osobistego, posiłków na obronę Prus Królewskich, zasiłku pieniężnego, wolnej żeglugi na Warcie w Marchii itp. W rezultacie, gdy umarł Albrecht Fryderyk, lenno pruskie objął on w 1618 r., a po nim Jerzy Wilhelm. Ten odwdzięczył się rychło królowi polskiemu wydając swą siostrę za Gustawa Adolfa i wiążąc się z nim i Bethlenem Gaborem paktem „familijnym". Dwuznaczne zachowanie Jerzego Wilhelma w czasie najazdu szwedzkiego na Prusy spowodowało, iż szlachta chciała pociągnąć nielojalnego lennika do odpowiedzialności. Nic z tego nie wynikło, a w 1640 r. księstwo pruskie przejął z kolei Fryderyk Wilhelm, który w 1641 r. złożył w Warszawie ostatni hołd pruski królowi polskiemu i przyjął warunki sejmu, zawierające m. in. ustępstwa na rzecz katolicyzmu w Prusach, kontrolę polską nad stanem obronnym księstwa, zagwarantowanie poddanym apelacji do króla polskiego.

Przejęcie władzy w Prusach Książęcych formalnie nie zmieniło więc uprawnień zwierzchnich Polski. Faktycznie — wskutek pozycji, jaką mieli w Rzeszy elektorowie brandenburscy — znacznie ograniczało możliwości interwencji Polski w sprawy wewnętrzne Księstwa, które wiązało się coraz ściślej z Brandenburgią. Polityka elektora, jako księcia Rzeszy, siłą rzeczy nie mogła się pokrywać z interesami polskimi, co wystąpiło szczególnie wyraźnie w okresach współdziałania Brandenburgii ze Szwedami w czasie wojny trzydziestoletniej. Tak więc przyszłość panowania polskiego nad Prusami Książęcymi była coraz bardziej zagrożona. Dużą krótkowzroczność wykazali przy tym królowie polscy, szczególnie Zygmunt III, idąc za cenę doraźnych korzyści na różne ustępstwa, przed którymi opierała się na sejmach i sejmikach szlachta.

Sukcesy militarne Szwedów w Rzeczypospolitej i w Rzeszy udaremniły Polsce możliwość upomnienia się o jeszcze jedną z utraconych przez siebie dzielnic — o Pomorze Szczecińskie. W 1637 r. zmarł ostatni książę pomorski — Bogusław XIV. Zwierzchnictwo nad Pomorzem objęli jednak po nim Szwedzi, Rzeczpospolita musiała ograniczyć się do odebrania swych lenn — ziemi bytowskiej i lęborskiej, które zostały wcielone do Polski. Nie powiodło się natomiast odzyskanie ziemi słupskiej, o którą upomniał się Władysław IV na kongresie pokojowym. Opanowała ją Brandenburgia. W rezultacie tereny Pomorza Zachodniego, zamieszkane jeszcze w niemałym stopniu przez ludność pochodzenia słowiańskiego — Kaszubów i Słowińców, znalazły się pod bezpośrednim obcym panowaniem: szwedzkim i brandenburskim.

Ogólny bilans zaangażowania się Rzeczypospolitej w czasie wojny trzydziestoletniej po stronie obozu cesarskiego i kontrreformacyjnego wypada więc ujemnie. Nie biorąc bezpośredniego udziału w wojnie trzydziestoletniej Rzeczpospolita udzielała poważnej pomocy Habsburgom nie tylko przez wysyłanie posiłków w najbardziej krytycznym momencie, ale i przez umożliwienie im dokonywania zaciągów i uzyskiwania zaopatrzenia wojska. Ponadto ściągając na siebie najazd turecki, a także absorbując w pewnych okresach Szwedów, czy uniemożliwiając ewentualne współdziałanie Szwecji i Rosji, zwiększała swobodę ruchów obozu cesarskiego. Za te istotne usługi jedyną korzyścią, którą wyciągnęła, była pomoc przeciwko Szwedom w 1629 r. Natomiast już wkrótce okazało się, że na tej drodze nie można liczyć na odzyskanie dawnych ziem piastowskich nad Odrą.

Zmiana tego kursu politycznego była trudna. Większość społeczności Rzeczypospolitej, agitowana przez kler, sprzeciwiała się popieraniu obozu protestanckiego. Ponadto, gdy Władysław IV próbował w latach 1635 - 1637 zbliżenia do Francji, która robiła mu nadzieje na uzyskanie Śląska, okazało się, że na dworze francuskim przeważają wpływy szwedzkie, pod których naciskiem nawet te obietnice zostały cofnięte. Odtąd zresztą dość systematycznie w przypadkach rywalizacji polsko-szwedzkiej o poparcie francuskie Paryż opowiadał się wyraźnie po stronie szwedzkiej, zafascynowany jej sukcesami militarnymi. Nie spotkały się też z powodzeniem liczne próby mediacji podejmowane przez Władysława IV w toku wojny trzydziestoletniej. Waza spodziewał się wytargować przy okazji jakieś ustępstwa na rzecz swych praw do korony szwedzkiej, a także pewne zdobycze dla Polski.

W tych warunkach Rzeczpospolita mogła przynajmniej cieszyć się od 1635 r. okresem długiego pokoju, który pozwalał na rozwój jej sił ekonomicznych i dawał szanse ukrócenia tych słabości ustrojowych, które zaważyły ujemnie na możliwościach polskiej polityki zewnętrznej. Niestety, myśli reformy upadły, jak była o tym mowa, w walkach między regalistami a opozycją magnacko-szlachecką. W ten sposób stracono jeden z najdogodniejszych w dziejach Rzeczypospolitej szlacheckiej momentów umocnienia jej struktury wewnętrznej i pozycji międzynarodowej. Ciężkie walki, jakie miały spaść na nią w połowie wieku, przekreśliły zyski, które wyciągnęła Polska ze swej neutralności w końcowej fazie konfliktu, i pogrążyły ją w upadku i ruinie, podobnie jak jej sąsiada wschodniego w pierwszym, a zachodniego w czwartym i piątym dziesięcioleciu.

Niełatwa jest ocena pozycji i roli międzynarodowej Rzeczypospolitej w dobie panowania dwu pierwszych Wazów. Sprawa ta swego czasu (np. na Zjeździe Historyków Polskich w Krakowie w 1958 r.) wywoływała sprzeczne zdania. Obecnie trudno byłoby przychylić się do twierdzenia, że Polska w tym czasie zaczyna się stawać przedmiotem, a nie podmiotem w polityce międzynarodowej. Pytanie, które można by postawić, brzmi raczej: jakie miejsce zajmuje Rzeczpospolita wśród czołowych potęg europejskich tej doby. Nie zdobywa Polska preponderancji w Europie Wschodniej w tym czasie, choć były momenty, że sięgała jej blisko. Mimo niepowodzeń w wojnie ze Szwecją bilans jej zmagań orężnych wypada bardzo korzystnie, a nawet w walkach ze Szwedami można odnotować efektowne zwycięstwa, tym cenniejsze, że odniesione nad najlepszym wojskiem Europy. Dyplomacji polskiej nie brak ani szerokich horyzontów, ani skuteczności działania. Można więc stwierdzić, że do połowy XVII w. utrzymuje Rzeczpospolita swą pozycję jednej z trzech czy czterech potęg, które decydują o sprawach wschodniej i środkowej Europy.

Jeśli mimo niewątpliwych wysiłków nie udało jej się zdobyć wśród nich czołowej pozycji, złożyło się na to kilka przyczyn. Bardzo istotny był brak zharmonizowania między dążeniami dynastycznymi Wazów a zainteresowaniami politycznymi społeczeństwa szlacheckiego. Dołączał się do tego niedostatek wysiłku fiskalno-militarnego, który nie pokrywał się z potrzebami państwa o obszarze Rzeczypospolitej i o tak odległych odcinkach działania. Nie bez znaczenia były przy tym i różne tendencje decentralistyczne, znajdujące swe odbicie także w polityce zewnętrznej. Podkreślić wreszcie trzeba stanowisko warstwy rządzącej — szlachty, która (wyjąwszy pewne grupy magnackie) nie reprezentowała ani tendencji ekspansywnych, ani nie rościła sobie pretensji do preponderancji politycznej. Gotowa była bronić terytorium państwowego, przez które rozumiała obszar ustalony w ramach monarchii jagiellońskiej. Ale na tym wyczerpywała się jej inicjatywa polityczna. Nie umiała się też zdobyć ani na konsekwentne, wieloletnie dążenie do uzyskania określonego celu politycznego, ani nawet na dłuższe znoszenie ciężarów wojennych, chociażby dostrzegała konieczność takiej wojny. W tej postawie szlachty tkwi też najważniejsze chyba źródło ograniczonych możliwości oddziaływania na zewnątrz Rzeczypospolitej szlacheckiej.

II. RZECZPOSPOLITA MAGNATÓW

1. Literatura i źródła

Tylko niektóre problemy okresu drugiej połowy XVII i pierwszej XVIII w. budziły szersze zainteresowania historyków. Skupiały się one głównie na pełnych dramatycznego napięcia walkach z Kozakami, z najazdem szwedzkim czy z Turcją; większe zaciekawienie wywoływała także specyficzna obyczajowość „sarmacka", której apogeum przypada właśnie na te czasy. Natomiast rozwój stosunków wewnętrznych, zarówno politycznych, jak i ekonomicznych, był przedmiotem o wiele mniej intensywnych badań. Pod tym względem sytuacja nie uległa do chwili obecnej zasadniczej zmianie i w rezultacie znajomość tej epoki jest skromniejsza niż Odrodzenia czy Oświecenia. Przyszłe badania mogą więc doprowadzić do rewizji niejednego z dotychczasowych twierdzeń, opartych często na pobieżnych kwerendach czy wręcz na tradycji historycznej — jak to obserwujemy w ostatnich latach choćby w odniesieniu do oceny tzw. czasów saskich.

Okres ten nie doczekał się specjalnych opracowań ani o charakterze ogólnym, ani dotyczących poszczególnych dziedzin. Z tego względu wypadnie odwołać się do syntez zebranych w pierwszym rozdziale części I (zob. cz. 1, s. 6 - 8), w których najczęściej okres ten bywa również traktowany jako oddzielny odcinek periodyzacyjny, niekiedy łącznie z pierwszą połową XVII w. Tego typu wyodrębnienie nie budzi wątpliwości z punktu widzenia historii ogólnej, chociaż, jak była już o tym mowa, nie pokrywa się na pewno z podziałem przyjętym w historii literatury czy sztuki. Żywszą dyskusję budziła ostatnio początkowa data Oświecenia w Polsce — odstępując od stawianej początkowo daty 1764 r. (jeszcze na sesji kołłątajowskiej w 1950 r., por. PH 1951) przesuwa się obecnie coraz częściej tę granicę na początek lat czterdziestych XVIII w. Dyskusję na ten temat referuje Z. L i b e r a w tomie *Problemy polskiego Oświecenia* (Warszawa 1969). Mimo uznania słuszności tej alternatywy wprowadzenie innej daty, niż 1764, przy wykładzie historii ogólnej powodowało takie trudności, że trzeba było pozostać przy podziale tradycyjnym.

Omawiany okres nie tworzy jednolitej całości. Najważniejszą cezurą wewnętrzną jest rok 1697 — początek unii personalnej polsko-saskiej i czasów saskich. Jakkolwiek ich spoistość rozbija wspomniane wczesne Oświecenie, różne elementy (położenie międzynarodowe, układ sił wewnętrznych, kierunki przemian ekonomiczno-społecznych) pozwalają na łączne traktowanie tego podokresu. Duże znaczenie ma również data 1717 — kończąca 70-letni nieprzerwany niemal ciąg wojen i walk na ziemiach Rzeczypospolitej; dopiero od tego czasu można mówić o podjęciu trwałej odbudowy ekonomicznej.

Badania szczegółowe rozkładały się, jak wspomniano, nierównomiernie. W zakresie historii gospodarczej szczególny nacisk położono na poznanie rozmiarów zniszczeń wojennych oraz na niektóre kierunki przekształceń ekonomicznych, zwłaszcza w XVIII w. Nad sprawą znaczenia zniszczeń wojennych szczególnie żywo dyskutowano w pierwszych latach powojennych, kiedy historycy gospodarczy starali się ograniczyć ich rolę w procesie rozkładu gospodarki polskiej. Na sesji kołłątajowskiej W. Kula podkreślał, że przyspieszyły one tylko ten proces (*Początki układu kapitalistycznego w Polsce XVIII wieku*, PH 1951). S. Śreniowski (*W kwestii plonów w ustroju feudalno-pańszczyźnianym Polski XVI - XVIII w.*, RDSiG 14, 1952), a także J. Topolski (*O literaturze i praktyce rolniczej w Polsce na przełomie XVI i XVII wieku*, tamże) popierali to stanowisko, podkreślając wcześniejsze zjawiska regresu gospodarczego. Gdy jednak ukazały się prace przedstawiające stan zniszczeń i wyludnienie z połowy XVII w. na terenie Małopolski (A. Kamiński), Wielkopolski (W. Rusiński), Prus Królewskich (S. Hoszowski), Mazowsza (I. Gieysztorowa), zamieszczone w publikacji *Polska w okresie drugiej wojny północnej 1665 - 1660*, t. II (Warszawa 1957), oraz na Podlasiu (J. Topolski, *Studia historica w 35-lecie pracy naukowej Henryka Łowmiańskiego,* Poznań 1964), do dyskusji nad znaczeniem tych klęsk już nie powracano. Natomiast silniej akcentowano powiązanie upadku gospodarczego Polski z ogólnoeuropejskim trendem przejawiającym się jako tzw. kryzys gospodarki europejskiej XVII w. Dyskusję na ten temat przeprowadzili w Kwartalniku Historycznym (Warszawa 1962 i 1963) J. Topolski, A. Wyczański i A. Mączak.

Zniszczenia z doby wojny szwedzkiej stanowią jednak tylko część zniszczeń wojennych omawianego okresu. Nie doczekały się one równie dokładnej analizy, co bardzo utrudnia wszelką dyskusję nad ich znaczeniem jak i ustaleniem punktu wyjściowego odbudowy w początkach XVIII w. Brak również kontynuacji badań nad klęskami elementarnymi w tym okresie, podjętych w latach trzydziestych przez S. Namaczyńską. Także dla ustalenia ruchu cen podstawowe są nadal omówione poprzednio (zob. cz. 1, s. 10) publikacje szkoły lwowskiej F. Bujaka.

Badania nad przemianami gospodarki wiejskiej od połowy XVII do połowy XVIII w. obejmują tylko oderwane obszary i nie pozwalają na pełniejsze ujęcia syntetyczne. Do najwartościowszych należą studia: S. Cackowskiego, *Gospodarstwo wiejskie w dobrach biskupstwa i kapituły chełmińskiej w XVII - XVIII w.*, cz. 1 -2 (Toruń 1961, 1963), B. Baranowskiego, *Gospodarstwo chłopskie i folwarczne we wschodniej Wielkopolsce w XVIII w.* (Warszawa 1958), W. Szczygielskiego, *Produkcja rolnicza gospodarstwa folwarcznego w Wieluńskim w XVI do*

XVIII w. (Łódź 1963). Terenów Białorusi dotyczy monografia M. B. T o p o l s k i e j, *Dobra szkłowskie na Białorusi Wschodniej w XVII i XVIII wieku* (Warszawa 1969). Stosunkowo dobrze rozwijają się natomiast badania nad tym okresem na Śląsku, dysponującym lepiej zachowanymi archiwaliami. Wymienić tu można szczególnie J. C h l e b o w c z y k a, *Gospodarka komory cieszyńskiej na przełomie XVII/XVIII oraz w pierwszej połowie XVIII w.* (Warszawa 1966), a także prace uczniów S. I n g l o t a, np. A. N y r k a, *Gospodarka rybna na Górnym Śląsku od XVI do połowy XIX w.* (Wrocław 1966).

Specjalnym działom gospodarki wiejskiej na niektórych obszarach Polski poświęcone były m. in. prace J. B r o d y, *Gospodarka leśna w dobrach żywieckich do końca XVIII w.* (Warszawa 1956) oraz W. S z c z y g i e l s k i e g o, *Gospodarka stawowa na ziemiach południowo-zachodniej Rzeczypospolitej w XVI do XVIII w.* (Łódź 1965). Stosunkowo wiele pisano o poziomie wiedzy rolniczej. Badania te zestawił W. O c h m a ń s k i: *Wiedza rolnicza w Polsce od XVI do połowy XVIII w.* (Wrocław 1965).

O gospodarce miejskiej pisano natomiast bardzo mało, jeśli pominie się monografie poszczególnych miast. Sprawa ta budziła większe zainteresowanie dopiero w związku z Oświeceniem i we wstępie do następnej części można znaleźć omówienie odpowiednich pozycji (por. cz. 2, s. 12). Problem agraryzacji miast ukazał na podstawie dość specyficznego materiału J. G o l d b e r g, *Stosunki agrarne w miastach ziemi wieluńskiej w drugiej połowie XVII i w XVIII w.* (Łódź 1960), trudno wszakże stwierdzić, w jakiej mierze zaobserwowane przez niego stosunki były typowe. Rozwój największego ośrodka miejskiego, jakim w XVIII w. stawała się Warszawa, przedstawił A. Z a h o r s k i, *Warszawa za Sasów i Stanisława Augusta* (Warszawa 1970).

W zakresie stosunków handlowych nieco uwagi poświęcono związkom latyfundiów magnackich z Gdańskiem czy Wrocławiem. Pisał o tym J. B u r s z t a w artykule *Handel magnacki i kupiecki między Sieniawą nad Sanem a Gdańskiem od końca XVII do połowy XVIII w.* (RDSiG, 1954) oraz Z. G u l d o n w monografii *Związki handlowe dóbr magnackich na prawobrzeżnej Ukrainie z Gdańskiem w XVIII w.* (Toruń 1966). Rolę Wrocławia podkreślił J. G i e r o w s k i w studium *Wrocławskie interesy hetmanowej Elżbiety Sieniawskiej* (*Studia z dziejów kultury i ideologii*, Wrocław 1968). Ten stan badań fatalnie rzutuje na wszelkie uogólnienia dotyczące ożywienia handlowego drugiej połowy XVIII w. Nie lepiej przedstawia się sprawa międzynarodowej wymiany handlowej. Stosunkami handlowymi z Francją zajął się M. K o m a s z y ń s k i w pracy *Polska w polityce gospodarczej Wersalu* (Wrocław 1968), obejmującej okres panowania Ludwika XIV. Czeka na zbadanie rola Anglii i Holandii, o ileż ważniejsza od Francji, a także Saksonii, chociaż pod tym względem pomogli nieco historycy z NRD, J. K a l i s c h, który przedstawił projekty założenia kompanii handlowej za panowania Augusta II, R. F o r b e r g e r, który pisał o gospodarczych aspektach unii personalnej polsko-saskiej (obaj w zbiorowej polsko-niemieckiej publikacji *Um die polnische Krone*,

Berlin 1962), oraz J. R e i n h o l d, autor gruntownej monografii o udziale polskim w targach lipskich w XVIII w.

Natomiast początki przemysłu manufakturowego doczekały się opracowania W. K u l i, które mimo ostrożnego tytułu — *Szkice o manufakturach w Polsce w XVIII w. 1720 - 1795*, cz. I - II (Warszawa 1956) — zawiera wiele gruntownych informacji o powstawaniu manufaktur w czasach saskich. Studia K u l i uzupełnia monografia Z. K a m i e ń s k i e j, *Manufaktura szklana w Urzeczu 1737—1846* (Warszawa 1964), przedstawiająca dzieje jednego zakładu. Podobnie szerszy charakter ma opracowanie dziejów żup solnych A. K e c k o w e j, *Żupy krakowskie w XVI - XVIII wieku* (Wrocław 1969). Ogólnie na temat tendencji rozwojowych w XVIII w. pisał J. T o p o l s k i w studium *Gospodarka polska w XVIII w. na tle europejskim (Pamiętnik X Powszechnego Zjazdu Historyków Polskich*, Warszawa 1971).

Położenie ludności chłopskiej było badane szczególnie z uwagi na wzmagające się konflikty klasowe albo w związku z dokonującymi się przemianami struktury gospodarki wiejskiej. Jeżeli chodzi o skład ludności chłopskiej, nie posunięto się zbyt daleko poza badania J. R u t k o w s k i e g o (przypomniane w zbiorowym wydaniu *Studia z dziejów wsi polskiej w XVI- XVIII w.*, Warszawa 1956). Tymczasem nie tylko rozpatrywanie chłopstwa jako całości, ale także uwydatnianie różnic w położeniu jego poszczególnych warstw i ich wzajemnego stosunku jest konieczne dla pełnego zrozumienia dokonujących się w XVIII w. przemian na wsi polskiej. Główne zainteresowanie budziła pod tym względem najuboższa część ludności wiejskiej — ludzie luźni, przedmiot badań J. G i e r o w s k i e g o, *Ludzie luźni na Mazowszu w świetle uchwał sejmikowych* (PH 1949), S. G r o d z i s k i e g o, *Ludzie luźni. Studium z historii państwa i prawa polskiego* (Kraków 1961), na Śląsku J. L e s z c z y ń s k i e g o, *Ludzie luźni i czeladź najemna na Śląsku w pierwszym dziesięcioleciu po wojnie trzydziestoletniej* („Sobótka" 1956). Sprawę handlu chłopami naświetlił J. D e r e s i e w i c z w pracy *Handel chłopami w dawnej Rzeczypospolitej* (Warszawa 1958). Wreszcie odrębnym problemem położenia chłopów w dobrach miejskich zajęła się M. P a r a d o w s k a, *Bambrzy — mieszkańcy dawnych wsi miasta Poznania* (Poznań 1975).

Ponieważ w omawianym okresie dochodziło wielokrotnie do wystąpień chłopskich przeciwko panom czy najeźdźcom, badania nad ruchami chłopskimi są w odniesieniu do tych czasów wyjątkowo dobrze rozwinięte. Wbrew dawniejszej historiografii pozwalają one na wytworzenie się obrazu chłopa polskiego bardziej aktywnego, niż było to zwykle przyjmowane, chociaż aktywność ta występuje nie na wszystkich terenach i nie doprowadza do uformowania się ruchów wykraczających poza kompleksy dóbr. Najwięcej studiów poświęcono ruchowi Kostki-Napierskiego. Wyniki tych badań podsumował A. K e r s t e n w pracy *Na tropach Napierskiego* (Warszawa 1970), kwestionując zarówno nie uzasadnione hipotezy odnoszące się do pochodzenia i działalności Kostki-Napierskiego, jak i przypisywanie ruchowi chłopskiemu z 1651 r. wysokiego poziomu świadomości społecznej i szerokich wpływów. Zainteresowanie budziły także liczne ruchy w województwie krakowskim. Pisali o nich J. Bieniarzówna, *Walka chłopów w kasztelanii krakowskiej* (Warszawa 1956), A. Przyboś, *Powstanie chłopskie w starostwie lanckorońskim i nowotarskim w 1670 r.* (Kraków 1953), M. Frančič, *Powstanie chłopskie w starostwie libuskim w pięćdziesiątych latach XVIII w.* (w zbiorze *Studia z dziejów wsi małopolskiej w drugiej połowie XVIII w.*, Warszawa 1957). Ruchy chłopskie w różnych królewszczyznach opracował B. Baranowski, m. in. *Położenie i walka klasowa chłopów w królewszczyznach województwa łęczyckiego w XVI - XVIII w.* (Warszawa 1956), *Walka chłopów kurpiowskich z feudalnym uciskiem* (Warszawa 1951). Dla terenów Śląska gruntowne badania nad konfliktami klasowymi przeprowadził J. Leszczyński, ogłaszając obok szeregu studiów monografię *Ruchy chłopskie na Pogórzu Sudeckim w drugiej połowie XVII w.* (Wrocław 1961), w której zestawił charakterystyczne cechy walk klasowych na wsi w środkowej Europie w dobie późnego feudalizmu.

O wiele więcej uwagi niż dawni historycy poświęcała ostatnio nauka historyczna udziałowi chłopów w walkach z obcymi najazdami czy w rozgrywkach politycznych w Reczypospolitej. Na przełomową rolę chłopów w walce ze Szwedami zwrócił uwagę S. Szczotka w studium *Chłopi obrońcami niepodległości Polski w okresie potopu* (Kraków 1946). Po nim opierając się na szerszym materiale źródłowym zbadał ten problem A. Kersten, *Chłopi polscy w walce z najazdem szwedzkim 1655 - 1656* (Warszawa 1956). Udziałem chłopów kurpiowskich w walce z wojskami Karola XII zajął się W. Majewski w artykule *Walki Kurpiów ze Szwedami w dobie wielkiej wojny północnej* (KH 1959). Wydobyte zostały także próby wykorzystania chłopów podczas rokoszu Lubomirskiego, konfederacji tarnogrodzkiej czy wojny o tron polski.

Życie obyczajowe wsi polskiej było przedmiotem badań B. Baranowskiego, który opierając się na aktach sądowych ogłosił pracę: *Procesy czarownic w Polsce w XVII i XVIII w.* (Łódź 1952), wracając także do tego tematu w bardziej popularnej wersji, oraz *Sprawy obyczajowe w sądownictwie wiejskim w Polsce wieku XVII i XVIII* (Łódź 1956). Kwestie zdrowotności zainteresowały Z. Kuchowicza, który opublikował na ten temat najpierw pracę *Leki i gusła dawnej wsi. Stan zdrowotny polskiej wsi pańszczyźnianej XVII - XVIII w.* (Warszawa 1954); a później monografię o zdrowotności całego społeczeństwa polskiego: *Wpływ odżywiania na stan zdrowotny społeczeństwa polskiego w XVIII wieku* (Łódź 1966). Natomiast badania nad działalnością samorządu chłopskiego nie posunęły się dla tego okresu poza ustalenia J. Rafacza dotyczące rozwoju wsi samorządnej małopolskiej w XVIII w. czy W. Rusińskiego odnoszące się do wsi „olęderskich".

Struktura i charakter mieszczaństwa w Rzeczypospolitej tej doby były głównie badane w związku z opracowywaniem dziejów niektórych miast. Studiów specjalnych w tym zakresie jest jednak niewiele. Najlepiej opracowane pod tym względem są Gdańsk i Kraków. Tak więc E. Cieślak gruntownie przedstawił tło i przebieg walk społecznych w Gdańsku za panowania Jana III i Augusta III w dwu monografiach: *Walki społeczno-polityczne w Gdańsku w drugiej połowie XVII wieku, Interwencja Jana III Sobieskiego* (Gdańsk 1962) oraz *Konflikty polityczne i społeczne w Gdańsku w połowie XVIII w. — sojusz pospólstwa z dworem królewskim* (Wrocław 1972). Społeczne uwarstwienie mieszczaństwa krakowskiego zbadała J. Bieniarzówna, ogłaszając wyniki swych poszukiwań w pracy *Mieszczaństwo krakowskie. Z badań nad strukturą społeczną miasta* (Kraków 1969). Natomiast bardziej popularny charakter ma zbliżone opracowanie J. Pachońskiego, *Zmierzch sławetnych. Z życia mieszczan w Krakowie w XVII i XVIII w.* (Kraków 1956). O mieszczaństwie warszawskim połowy XVII w. pisał A. Kersten, *Warszawa Kazimierzowska 1648 - 1668* (Warszawa 1971). Wreszcie życie obyczajowe mieszczan wrocławskich przedstawił K. Matwijowski w pracy *Uroczystości, obchody i widowiska w barokowym Wrocławiu* (Wrocław 1969). Podobne zjawiska w Krakowie badał M. Rożek, *Uroczystości w barokowym Krakowie* (Kraków 1976), który zajął się także *Mecenatem artystycznym mieszczaństwa krakowskiego* (Kraków 1977). Nadal przecież przy charakterystyce mieszczaństwa trzeba się odwoływać do starszych prac J. Ptaśnika i W. Łozińskiego. Gruntowne badania nad strukturą magnaterii polskiej w XVIII w. przeprowadziła T. Zielińska *Magnateria polska czasów saskich* (Warszawa 1977); brak natomiast opracowań wnoszących nowe elementy do dziejów innych warstw szlacheckich poza wspomnianymi w poprzedniej części (cz. 1 s. 11).

W zakresie historii ustroju największe znaczenie ma dzieło H. Olszewskiego, *Sejm Rzeczypospolitej epoki oligarchii — Prawo—praktyka—teoria—programy* (Poznań 1966). Jakkolwiek wzbudziło ono dość żywą dyskusję w czasopiśmiennictwie historycznym, nikt nie kwestionował jego podstawowego charakteru, a także zawartej w nim rewizji poglądów dawniejszych historyków, m. in. wyrażonych w dziele o liberum veto W. Konopczyńskiego. Dopiero ostatnio na pewne korekty pozwala monografia K. Matwijowskiego, *Pierwsze sejmy z czasów Jana III* (Wrocław 1976). Natomiast badania nad ustrojem sejmikowym tego okresu posuwają się dość powoli: ostatnie trzydziestolecie dorzuciło do wspomnianych prac (por. cz. 1, s. 15) śmiałą interpretacyjnie monografię A. Lityńskiego, *Szlachecki samorząd gospodarczy w Małopolsce (1608 - 1717)* (Katowice 1974). Poza przyczynki nie wyszły badania nad charakterem władzy monarszej, nad urzędami, a także nad konfederacjami. Większość licznych ruchów konfederackich czy rokoszowych z tego okresu nie doczekała się w ogóle specjalnych opracowań — do rzadkich wyjątków należy np. konfederacja gołąbska zbadana przez A. Przybosia. Organizacja polskiej służby dyplomatycznej w tym okresie została dokładniej opracowana w studiach Z. Wójcika oraz J. Gierowskiego i J. Leszczyńskiego w zbiorze *Polska służba dyplomatyczna* (Warszawa 1966). Natomiast dla przemian w sądownictwie polskim fundamentalną rozprawę ogłosił J. Michalski, *Studia nad reformą sądownictwa i prawa sądowego w XVIII wieku*, cz. 1 (Wrocław 1958).

Zupełnie nie podejmowane były ostatnio badania nad dziejami polskiej skarbowości. W tej dziedzinie aktualne jest nadal to, co ustalili R. Rybarski w pracy o skarbowości i pieniądzu za panowania Jana Kazimierza, Michała Korybuta i Jana III, oraz M. Nycz w swych badaniach nad genezą reform skarbowych sejmu niemego. Poważny krok naprzód zrobiła natomiast historia wojskowości. Podstawowe znaczenie mają dwie rozprawy J. Wimmera: *Wojsko polskie w drugiej połowie XVII w.* (Warszawa 1965) oraz *Wojsko Rzeczypospolitej w dobie wojny północnej 1700 - 1717* (Warszawa 1956); druga z tych prac obok analizy stanu i składu wojska obejmuje także zarys przebiegu wojny północnej. Prace Wimmera rewidują wiele dawniejszych twierdzeń co do liczebności, uzbrojenia i taktyki wojska polskiego, przy czym w tym zakresie nie spotkały się z poważniejszymi zastrzeżeniami.

Badania nad dziejami stosunków międzynarodowych i walk politycznych w Rzeczypospolitej prowadzone były bardzo nierównomiernie. Powstanie Chmielnickiego doczekało się obszernego zbioru studiów radzieckich — *Wossojedinienije Ukrainy z Rossijej 1654 - 1954* (Moskwa 1954), gdy ze strony polskiej opublikowano najwyżej przyczynki. Zresztą cały problem stosunku Rzeczypospolitej do Kozaczyzny i do Ukrainy nie został ostatnio gruntowniej zbadany. Do wyjątków należy odnosząca się do późniejszego okresu praca J. Perdenii, *Stanowisko Rzeczypospolitej szlacheckiej wobec sprawy Ukrainy na przełomie XVII - XVIII w.* (Wrocław 1963), a nawet mająca charakter popularnonaukowy *Hajdamacy* W. Serczyka (Kraków 1970). Natomiast dzieje wewnętrzne tego okresu wzbogaciły się o pracę dużej wagi — *Dwa sejmy w r. 1652* W. Czaplińskiego (Wrocław 1955).

O wiele więcej ukazało się prac związanych z najazdem szwedzkim. Specjalne miejsce zajmuje wśród nich zbiór studiów *Polska w okresie drugiej wojny północnej 1655 - 1660* (t. I - III, Warszawa 1957), zaopatrzony w starannie zebraną bibliografię wojny polsko-szwedzkiej. Do najcenniejszych należą studia W. Czaplińskiego poświęcone charakterystyce stosunku społeczeństwa szlacheckiego wobec najazdu szwedzkiego oraz dążeniom reformatorskim i zwarty zarys przebiegu operacji wojskowych S. Herbsta. Wnikliwą charakterystykę jednego z najlepszych wodzów tej epoki dał A. Kersten, *Stefan Czarniecki 1599 - 1665* (Warszawa 1963). O pracach poświęconych udziałowi chłopów była już mowa. Największe dyskusje budziła natomiast obrona klasztoru jasnogórskiego i jej rola w walce z najazdem szwedzkim. Gdy zaciekle rewidujący utarte poglądy na tę epokę O. Górka w pracy *Legenda a rzeczywistość obrony Częstochowy w 1655* (Warszawa 1957) całkowicie bagatelizował znaczenie obrony jasnogórskiej, A. Kersten przedstawił mechanizm powstawania legendy częstochowskiej — *Pierwszy opis obrony Jasnej Góry w 1655 r. Studia nad Nową Gigantomachią ks. Augustyna Kordeckiego* (Warszawa 1959) i *Szwedzi pod Jasną Górą, 1655* (Warszawa 1975) — ostrożnie ustosunkowując się do stawianych przez O. Górkę zarzutów zdrady i wykazując wpływ obrony na poruszenie terenów sąsiednich. Wszystkie te badania nie równoważą jeszcze sugestywnego obrazu zawartego w 6 tomach L. Kubali poświęconych wojnom z okresu 1648 - 1660, jakkolwiek w wielu punktach rewidują jego pospieszne czy oparte na niedostatecznie pełnym materiale twierdzenia.

O ile dla spraw wewnętrznych doby konfederacji wojskowych i rokoszu Lubomirskiego nadal niezastąpione jest jeszcze dzieło T. Korzona o doli i niedoli Jana Sobieskiego, uzupełnione dawniejszymi badaniami W. Czaplińskiego o opozycji w Wielkopolsce, oraz nową pracą S. Ochmann, *Sejmy lat 1661 - 1662. Przegrana batalia o reformę ustroju Rzeczypospolitej* (Wrocław 1977), czy studiami A. Codello nad obozem Paców na Litwie i tamtejszą konfederacją, o tyle polityka zewnętrzna Rzeczypospolitej została oświetlona przez prace Z. Wójcika, *Traktat andruszowski 1667 roku i jego geneza* (Warszawa 1959) oraz *Między traktatem andruszowskim a wojną turecką. Stosunki polsko-rosyjskie 1667 - 1672* (Warszawa 1968). Z. Wójcik dał także wyraz parokrotnie swym poglądom na zmianę sytuacji międzynarodowej Polski w drugiej połowie XVII w., m. in. w referacie na X Powszechny Zjazd Historyków Polskich (Warszawa 1968) oraz w artykule *Zmiana w układzie sił politycznych w Europie środkowo-wschodniej w drugiej połowie XVII wieku* (KH 1960). Poglądy jego dotyczące polityki polskiej, zwłaszcza wobec Turcji i Ukrainy, wywołały polemikę.

Okres panowania Jana III skupił na sobie uwagę J. Wolińskiego, który zbadał szczególnie pierwsze lata rządów Sobieskiego. Oprócz drobniejszych studiów i artykułów opublikował zbiór *Z dziejów wojny i polityki w dobie Jana Sobieskiego* (Warszawa 1960), który rzucił nowe światło na próbę zmiany polityki zewnętrznej podjętą przez Jana III i na przebieg wojny z Turcją. Natomiast drugi znakomity znawca czasów Sobieskiego, K. Piwarski, autor wielu prac dotyczących szczególnie ciemnego okresu jego panowania, po wyprawie wiedeńskiej, ograniczył się po wojnie do ogłoszenia paru drobniejszych studiów czy ujęć syntetycznych. Jeśli pominie się badania z dziejów wojskowości J. Wimmera, W. Majewskiego, to brak zainteresowania tym okresem jest uderzający. Dopiero ostatnio, kontynuując swe badania polityki wschodniej Rzeczypospolitej, Z. Wójcik scharakteryzował poczynania polskie w początkach panowania Jana III w monografii *Rzeczpospolita wobec Turcji i Rosji 1674 - 1679* (Wrocław 1976).

O wiele lepiej rozwinęły się badania nad panowaniem Augusta II. Dawniejsza historiografra skłonna była do pewnego stopnia faworyzować Stanisława Leszczyńskiego, czemu dał wyraz znakomity znawca tej epoki J. Feldman w ogłoszonej tuż po wojnie biografii *Stanisław Leszczyński* (Wrocław 1948, wyd. 2, Warszawa 1959). Ale już W. Konopczyński przedstawił odbiegającą od tradycyjnych ujęć sylwetkę feldmarszałka Flemminga (RH 1949), a dalsze badania doprowadziły do zasadniczej rewizji poglądów na charakter czasów saskich i znaczenie unii personalnej polsko-saskiej. Rewizja ta wychodzi jak dotąd z dwu dość odległych od siebie punktów. Jednym z nich jest ożywienie intelektualne w dobie wczesnego Oświecenia, ułatwione przez związki polsko-saskie, drugim — założenia polityki dworu saskiego, zwłaszcza za Augusta II. Związane z takim stanowiskiem są prace J. Gierowskiego, w mniejszym może jeszcze stopniu zajmująca się głównie sytuacją wewnętrzną Polski monografia *Między saskim absolutyzmem a złotą wolnością* (Wrocław 1953), wyraźniej natomiast *Traktat przyjaźni Polski z Francją z 1714 r.* (Warszawa 1965) oraz *W cieniu ligi północnej* (Wrocław 1971), podejmujące problemy emancypacyjnej i absolutystycznej polityki Augusta II, a także charakteru unii polsko-saskiej. O wzajemnym stosunku Polski i Saksonii przygotowali również referat na X Zjazd Historyków Polskich J. Gierowski i J. Leszczyński. Zbliżone stanowisko zajął także A. Kamiński w pracy *Konfederacja sandomierska wobec Rosji po traktacie altransztadzkim 1706 - 1709* (Wrocław 1969) oraz J. Staszewski, *O miejsce w Europie* (Warszawa 1973) zajmując się stosunkami Polski, Saksonii i Francji u progu wojny północnej. Bardziej tradycyjne stanowisko zajął badający końcowy okres panowania Augusta II E. Rostworowski w monografii *O polską koronę. Polityka Francji w latach 1725 - 1733* (Wrocław 1958). Jakkolwiek opublikowane ostatnio prace nie zastępują w pełni przestarzałych już studiów K. Jarochowskiego czy dyskusyjnych ujęć J. Feldmana, pozwalają jednak na wprowadzenie nowej oceny początków saskich, odmiennie od dawniejszej historiografii rozkładając blaski i cienie.

Zarówno końcowy okres panowania Augusta II, jak i niemal całe panowanie Augusta III nie było ostatnio przedmiotem gruntowniejszych badań. W tym zakresie za podstawę muszą służyć czy to dawniejsze prace S. Askenazego (zwłaszcza o przedostatnim bezkrólewiu) czy F. Skibińskiego o stosunku Polski do wojen śląskich, czy wreszcie liczne prace Konopczyńskiego zajmujące się nie tylko dziejami Polski podczas wojny siedmioletniej, ale również stosunkiem Polski do Szwecji, do Turcji, a także dążeniami reformatorskimi Czartoryskich i Stanisława Konarskiego. Po wojnie przedstawił W. Konopczyński swe poglądy na ten okres w popularnej raczej formie w pracy *Fryderyk Wielki a Polska* (Poznań 1947). Istnieje w rezultacie znaczna rozbieżność między stanem badań nad dziejami politycznymi okresu Augusta III a dziejami kulturalnymi wczesnego Oświecenia, utrudniająca integralne przedstawienie tego okresu.

Podstawowa literatura dotycząca tego okresu Baroku została już przedstawiona we wstępie do części I. Wypadnie więc tutaj nie tyle wskazać na kwestie dyskusyjne, co raczej na poważniejsze uzupełnienia, odnoszące się do omawianego okresu. Tak więc ogólnie o obyczajach w Polsce w tym okresie pisał Z. Kuchowicz, *Z dziejów obyczajów polskich w wieku XVII i pierwszej połowie XVIII wieku* (Warszawa 1957). Natomiast dla kultury ludowej podstawowe znaczenie ma praca C. Hernasa, *W kalinowym lesie*, t. I (Warszawa 1965), koncentrująca się wokół poezji ludowej z XVIII w., oraz B. Baranowskiego, *Kultura ludowa XVII i XVIII wieku na ziemiach Polski środkowej* (Łódź 1971).

W zakresie stosunków religijnych najpoważniejszym osiągnięciem jest wspomniany już (zob. cz. 1, s. 22) zbiór studiów *Kościół w Polsce* pod redakcją J. Kłoczowskiego, który ukazuje rolę i sytuację Kościoła katolickiego w Polsce w pierwszej połowie XVIII wieku. Studia te dotyczą wszakże tylko wewnętrznych przemian w Kościele, realizacji postanowień soboru trydenckiego. Natomiast kapitalny problem stosunku państwa do Kościoła czeka na zbadanie. Warto na tym odcinku odnotować ważną monografię J. Staszewskiego, *Stosunki Augusta II z kurią rzymską w latach 1704 - 1706* (Toruń 1965). Także sprawa nietolerancji w Polsce w tym okresie nie wyszła poza ustalenia M. Wajsbluma czy J. Feldmana, mimo publikacji licznych szkiców o charakterze popularnym. O zróżnicowaniu ideologicznym wewnątrz Kościoła katolickiego w tym okresie wiemy bardzo niewiele. Na uwagę zasługuje obejmująca zresztą szerszy okres praca K. Górskiego, *Od religijności do mistyki. Zarys dziejów życia wewnętrznego w Polsce*, cz. I: *966 - 1795* (Lublin 1962).

Badania nad dziejami reformacji w tym okresie posunęły się niemal wyłącznie w odniesieniu do arianizmu. Emigracją ariańską zajął się J. Tazbir, szczególnie jej dziejami w Siedmiogrodzie. Opublikował też biografię *Stanisław Lubieniecki, przywódca ariańskiej emigracji* (Warszawa 1961). Późniejsze dzieje myśli ariańskiej badał natomiast Z. Ogonowski, podkreślając jej wpływ na filozofię angielską: *Socynianizm a Oświecenie* (Warszawa 1966). Rolę pietyzmu w Polsce przypomniał J. Gierowski w artykule *Pietyzm na ziemiach polskich do połowy XVIII w.* (ŚKHS, 1972).

Rozwój nauki w tej dobie przedstawił H. Barycz w t. II *Historii nauki* (por. cz. 1, s. 12). Ważnym uzupełnieniem jego badań jest praca K. Targosz-Kretowej, *Uczony dwór Ludwiki Marii* (Kraków 1975). W zakresie szkolnictwa na podkreślenie zasługują badania S. Tynca nad dziejami luterańskiego gimnazjum w Toruniu: *Dzieje gimnazjum toruńskiego*, t. II: (*Wiek XVII - XVIII*) (Toruń 1949), uzupełnione studiami w zbiorowej publikacji poświęconej rocznicy założenia tej uczelni: *Księga pamiątkowa 400-lecia Toruńskiego Gimnazjum Akademickiego* (Toruń 1972). Podobną księgę pamiątkową otrzymało poprzednio *Gdańskie Gimnazjum Akademickie* (Gdańsk 1958). Szkolnictwem polskim na Śląsku zajął się natomiast A. Rombowski ogłaszając prace *Nauka języka polskiego we Wrocławiu* (Wrocław 1960) oraz *Z historii szkolnictwa polskiego na Śląsku, Byczyna—Kluczbork—Wołczyn (od połowy wieku XVI do połowy wieku XVIII)* (Katowice 1960). Nad dziejami szkolnictwa katolickiego pracowali B. Natoński (szkolnictwo jezuickie), J. Buba (szkolnictwo pijarskie), H. Barycz (*Historia Szkół Nowodworskich*, t. I, Kraków 1947).

W zakresie historii literatury warto zwrócić uwagę na biografie Morsztynów: J. Sokołowskiej, *Jan Andrzej Morsztyn* (Warszawa 1965) oraz J. Pelca, *Zbigniew Morsztyn* (Wrocław 1966), Dla XVIII w. szczególnie cenna dla historyków jest monografia P. Buchwald-Pelcowej, *Satyra czasów saskich* (Wrocław 1969). Bardziej ogólny charakter mają studia R. Pollaka, *Wśród literatów staropolskich* (Warszawa 1966). Dla dziejów literatury polskiej na Śląsku w tym okresie istnieją specjalne prace, m.in. J. Zaremby, *Polscy pisarze na Śląsku po wojnie trzydziestoletniej* (Wrocław 1969).

Z historii sztuki wśród licznych publikacji wypadnie wyróżnić dzieła czy prace zbiorowe o charakterze bardziej syntetyzującym, jak W. Tatarkiewicza, *O sztuce polskiej XVII - XVIII wieku, Architektura, rzeźba* (Warszawa 1966), *Klasycyzm, Studia nad sztuką polską XVII i XVIII wieku* pod red. W. Tatarkiewicza (Wrocław 1967), J. Białostocki, *Sztuka i myśli o sztuce w XVII i XVIII wieku* (Warszawa 1970), dla końca XVII w.: M. Karpowicz, *Sztuka oświeconego sarmatyzmu. Antykizacja i klasycyzacja w środowisku warszawskim czasów Jana III* (Warszawa 1970), chociaż trudno pomijać i niektóre prace bardziej analityczne, jak tegoż autora *Jerzy Eleuter Siemiginowski, malarz polskiego baroku* (Wrocław 1974). Poglądy na sztukę pierwszej połowy XVIII w. znalazły odbicie w materiałach konferencji odbytej we Wrocławiu w 1968 roku wydanych jako *Rokoko. Studia nad sztuką pierwszej połowy XVIII wieku* (Warszawa 1970) oraz konferencji w Rzeszowie z 1979 r. (*Sztuka 1 połowy XVIII wieku*, Warszawa 1981).

Badania nad dziejami ideologii i poglądów prawnych skoncentrowały się nad XVIII w. Z pisarzy połowy XVII w. największym chyba zainteresowaniem cieszyli się Łukasz i Krzysztof Opalińscy; co do charakteru ich poglądów toczyła się dyskusja między S. Grzeszczukiem, K. Szuster i W. Czaplińskim. Grzeszczuk ogłosił m.in. monografię *O Satyrach Krzysztofa Opalińskiego. Próba syntezy* (Wrocław 1961), Szuster pisała o poglądach Łukasza Opalińskiego w zbiorze studiów *O naprawę Rzeczypospolitej XVII - XVIII w.* (Warszawa 1965), Czapliński ostatnio w tomie *O Polsce siedemnastowiecznej*. Poglądy z XVIII wieku przedstawił H. Olszewski w rozprawie *Doktryny prawnoustrojowe czasów saskich 1697 - 1740* (Warszawa 1960), pomijając jednak związki z saską myślą polityczną. Pisana z szerokiej perspektywy praca W. Konopczyńskiego, *Polscy pisarze polityczni XVIII wieku* (*do Sejmu Czteroletniego*) została opublikowana staraniem E. Rostworowskiego dopiero w 1966 r. (Warszawa) i mimo uzupełnień wydawcy odpowiada stanowi badań z końca lat czterdziestych.

Ostatnie prace wprowadzają nas zresztą do problematyki wczesnego Oświecenia. Jako oddzielny okres jest ono wyodrębnione w syntetycznych ujęciach K. Opałka w *Dziejach nauki polskiej*, t. II, cz. 2: *Oświecenie* (Wrocław 1972) oraz M. Klimowicza, *Oświecenie* (*Historia literatury polskiej*) (Warszawa 1972). Na przejawy wczesnego Oświecenia w różnych działach życia kulturalnego wskazywało już uprzednio wielu badaczy. Jeśli chodzi o rozwój nauki, duże znaczenie miała przygotowana przez E. Rostworowskiego część *Dziejów Uniwersytetu Jagiellońskiego*, t. I

(Kraków 1964) poświęcona czasom saskim. Trafność dawnej charakterystyki Benedykta Chmielowskiego zakwestionował S. Grzybowski w artykule *Z dziejów popularyzacji nauki w czasach saskich* (SiMzDNP, s.A, nr 7, 1965). Na wpływy filozofii niemieckiej w tym czasie zwróciła uwagę L. Stasiewicz, *Poglądy na naukę w Polsce okresu Oświecenia* (Wrocław 1967). O początkach nowego czasopiśmiennictwa pisali R. Kaleta i M. Klimowicz w *Prekursorach Oświecenia* (Wrocław 1953), zajmując się Monitorem z 1763 r. i działalnością Mitzlera de Coloff. Rozwój teatru w tej dobie przedstawiła K. Wierzbicka-Michalska w monografii *Teatr warszawski za Sasów* (Wrocław 1964). Wreszcie osobne badania poświęcono działalności braci Załuskich, m. in. P. Bańkowski ogłosił pracę *Biblioteka publiczna Załuskich i jej twórcy* (Warszawa 1959).

Z pisarzy politycznych tej doby szczególną uwagę skupiali reformator szkolnictwa Stanisław Konarski i niefortunny podwójny elekt Stanisław Leszczyński. O pierwszym ogłosił nową (po Konopczyńskim) monografię J. Nowak-Dłużewski, *Stanisław Konarski* (Warszawa 1951), a jego działalność pedagogiczną scharakteryzował Ł. Kurdybacha, *Działalność pedagogiczna Stanisława Konarskiego* (Wrocław 1957). Poglądy Leszczyńskiego przedstawił w swej biografii J. Feldman, E. Rostworowski zakwestionował w studium *Czy Stanisław Leszczyński jest autorem „Głosu Wolnego", Legendy i fakty XVIII w.* (Warszawa 1963) na podstawie badań stylometrycznych przypisywane Leszczyńskiemu autorstwo *Głosu Wolnego* — co spotkało się z polemiką (PH z r. 1964 i 1965), która całą kwestię pozostawiła otwartą. Rostworowski zajął się natomiast światopoglądem Leszczyńskiego w artykule *Stanisław Leszczyński — republikanin pacyfista* (KH 1967), wkazując na związki między pisarstwem króla a ideami oświeceniowymi.

Wiele kwestii dotyczących początków Oświecenia jest jeszcze niedostatecznie zbadanych; w każdym razie to, co dawniejszym historykom wydawało się dziełem nielicznych prekursorów, obecnie rozpatruje się jako nurt rozwojowy w całej kulturze polskiej, odgrywający coraz większą rolę ku połowie XVIII w.

W przeciwieństwie do poprzedniego okresu stan wydawnictw źródłowych odnoszących się do drugiej połowy XVII i pierwszej XVIII w. jest wysoce niezadowalający. Charakter źródeł w tym okresie nie ulega zresztą poważniejszej zmianie. Istotną modyfikacją jest poważne zwiększenie się liczby zachowanych materiałów źródłowych (jakkolwiek wskutek ówczesnych i późniejszych zniszczeń wojennych istnieją pod tym względem duże nierównomierności). Istotnym uzupełnieniem dawnych podstawowych źródeł staje się także prasa, na razie głównie rejestrująca, a nie komentująca fakty.

Przede wszystkim wypada więc powtórzyć zastrzeżenia wyrażone we wstępie do części I (zob. cz. 1, s. 19), że podstawą wszelkich badań muszą być kwerendy w zbiorach archiwalnych oraz rękopisów. Poza zespołami wymienionymi poprzednio jako szczególnie cenne dla omawianego okresu trzeba wskazać: znajdujące się w Muzeum Czartoryskich w Krakowie akta Jana Szembeka kanclerza kor., Adama Sieniawskiego hetmana w. kor. oraz Czartoryskich; przechowywane w Bibliotece Ossolińskich we Wrocławiu akta Mniszchów, Wodzickich i podskarbiego J. M. Ossolińskiego; znajdującą się w Bibliotece Narodowej w Warszawie korespondencję Załuskich oraz przechowywane w Archiwum Głównym Akt Dawnych w Warszawie akta Stanisława Antoniego Szczuki, podkanclerzego litewskiego Jana Klemensa Branickiego, hetmana w. kor. Powyższe zespoły siłą rzeczy mogły być wskazane tylko przykładowo. Zachowało się bowiem wiele innych zbiorów magnackich czy nawet średniej szlachty. Wobec słabości organów centralnych i poważnej roli fakcji magnackich materiały te mają szczególne znaczenie dla badań nad omawianym okresem. Bardzo często są to źródła związane z działalnością magnatów jako wysokich urzędników państwowych.

Podstawowe znaczenie dla badań nad pierwszą połową XVIII w. ma Saskie Archiwum Krajowe w Dreźnie. Znajdują się tam dobrze zachowane akta z czasów Augusta II i Augusta III, obejmujące korespondencję królów oraz ich ministrów (m.in. bogaty zbiór korespondencji Flemminga), pełne raporty służby dyplomatycznej, a także obfite materiały dotyczące działalności politycznej w Polsce (np. diariusze sejmowe, pisma ministrów polskich, korespondencję z Polski) oraz administracji dóbr królewskich w Rzeczypospolitej. Liczne materiały informują o przebiegu kampanii wojennych i o ruchach i stanie wojsk saskich i polskich. Pod względem obfitości zachowanych dla pierwszej połowy XVIII w. materiałów Archiwum Drezdeńskie przewyższa wszystkie archiwa polskie. Łatwo dostępne obecnie historykom polskim, umożliwiło rozwój badań nad dziejami unii polsko-saskiej w ostatnich latach.

Istotne znaczenie mają również inne archiwa europejskie, przede wszystkim tych państw, które miały stałe przedstawicielstwa w Warszawie lub szczególnie interesowały się sprawami polskimi — dla tego okresu są to główne archiwa w Moskwie, Leningradzie, Merseburgu, Wiedniu i Sztokholmie, Kopenhadze, Londynie, Paryżu i w Watykanie. W ograniczonym tylko stopniu mogą zastąpić kwerendy w tych archiwach odpisy znajdujące się w zbiorach Biblioteki PAN w Krakowie (depesze nuncjuszów do końca XVII w., teki londyńskie), w zbiorach Biblioteki Ossolińskich (teki paryskie Lukasa i wiedeńskie Jarochowskiego), lub mikrofilmy zbierane przez Archiwum Główne Akt Dawnych w Warszawie. Równie bowiem cenne jak depesze posłów z Polski są pomijane zwykle w tych materiałach kopie pism, diariuszy itp., załączane do przesyłanych sprawozdań. Zresztą wymienione wyżej odpisy są w większości niekompletne i zawierają niekiedy bardzo poważne opuszczenia.

Spośród wydawnictw, pomijając pozycje wymienione we wstępie do części I, które kontynuowane są także dla omawianego okresu (jak lustracje, inwentarze, konstytucje sejmowe, akta sejmikowe), na uwzględnienie zasługują następujące pozycje:

Dla dziejów gospodarczych, zwłaszcza badań nad organizacją wielkiej własności, pomocne są: *Instrukcje gospodarcze dla dóbr magnackich i szlacheckich z XVII - XIX wieku*, wyd. B. Baranowski, J. Bartyś, A. Keckowa, J. Leskiewiczowa, T. Sobczak, t. I - II (Wrocław 1958 - 1963) oraz *Instrukcje gospodarcze dla dóbr pszczyńskich*, wyd. S. Inglot i L. Wiatrowski (Wrocław 1963) — odnoszące się do XVIII w. Podobne instrukcje dla żup solnych wydała A. Keckowa, *Instrukcje górnicze dla żup krakowskich z XVI - XVIII w.* (Wrocław 1963). Przy badaniach nad handlem użyteczne są tabele statystyczne dla Gdańska i Wrocławia. Opublikował je S. Gierszewski, *Statystyka żeglugi Gdańska w latach 1670 - 1815* (Warszawa 1963), C. Biernat, *Statystyka obrotu towarowego Gdańska w latach 1651 - 1815* (Warszawa 1962), J. Wolański, *Statystyka handlu Śląska z Rzecząpospolitą w XVIII wieku* (Wrocław 1963). Ponadto dla dziejów żeglugi i handlu gdańskiego w początkach XVIII w. duże znaczenie mają wyd. przez E. Cieślaka i J. Rumińskiego, *Raporty rezydentów francuskich w Gdańsku w XVIII wieku*, t. I - II (Gdańsk 1964 - 1968), które zawierają także liczne informacje o wydarzeniach politycznych i wojskowych w basenie Morza Bałtyckiego w końcowym etapie wojny północnej.

Specjalny charakter ma zbiór źródeł do ruchu chłopskiego z 1651 r. — wyd. przez A. Przybosia, *Materiały do powstania Kostki Napierskiego 1651 r.* (Wrocław 1951).

Kontynuowano wydawnictwa diariuszy sejmowych — tylko częściowo jako publikacje specjalne. Diariusz sejmu 1701 - 1702 r. wyd. F. Smolarek (Warszawa 1962), poprzednio diariusz Walnej Rady Warszawskiej opublikował R. Mienicki (Wilno 1928), a diariusze sejmów z lat czterdziestych i pięćdziesiątych W. Konopczyński, *Diariusze sejmowe z XVIII w.* (t. I - III, Warszawa 1911 - 1937). Kilka diariuszy sejmowych znalazło się także w ogłoszonych przez F. Kluczyckiego *Pismach do wieku i spraw Jana Sobieskiego* (Kraków 1880 - 1881), obejmujących również korespondencję polityczną głównie z okresu panowania Michała Korybuta, oraz w tzw. *Tece Gabriela Junoszy Podoskiego*, wyd. przez K. Jarochowskiego (t. I - VI, Poznań 1854 - 1862), obejmującej w istocie zbiory Mikołaja Podoskiego, wojewody płockiego, odnoszące się do pierwszej połowy XVIII w. Jakkolwiek jest to publikacja bardzo niedokładna, ma ona podstawowe znaczenie dla prac nad tą epoką.

Wydawnictwa poświęcone dziejom dyplomacji są dla tego okresu bardzo skąpe. Najpełniejsze z nich to *Źródła do poselstwa Jana Gnińskiego woj. chełmińskiego do Turcji w latach 1677 - 1678* (Warszawa 1907). Mniej kompletne jest wydane przez K. Waliszewskiego *Archiwum spraw zagranicznych francuskie do dziejów Jana III* (t. I - III, Kraków 1879 - 1884). Liczne materiały źródłowe z archiwów obcych odnoszące się do lat czterdziestych XVIII w. są opublikowane w t. II F. Skibińskiego, *Europa a Polska w dobie wojny o sukcesję austriacką* (Kraków 1912). Ważniejsze pod tym względem są wydawnictwa obce. Do najcenniejszych należą: M. Bantyś-Kamenskij, *Pieriepisku mieżdu Rossijej i Polszej po 1700 g.*, t. I - III (Moskwa 1862), liczne tomy *Sbornik Impierator-*

skogo Russkogo Istoriczeskogo Obszczestwa, a z wydawnictw radzieckich *Pisma i bumagi impieratora Pietra Wielikogo (t. I - XII, Leningrad)*. Z publikacji niemieckich dla XVII w. szczególnie ważne dla dziejów Polski są *Urkunden und Aktenstücke zur Geschichte des Kurfürsten Friedrich Wilhelm von Brandenburg* (t. I - XXII, Berlin 1864 - 1925) oraz dla XVIII wieku *Politische Correspondenz Friedrichs des Grossen* (t. I - XLVI, Berlin 1879 - 1939).

Ukazało się również kilka publikacji korespondencji magnackiej. Należą tutaj *Listy Krzysztofa Opalińskiego do brata Łukasza 1641 - 1653* wyd. przez R. Pollaka (Wrocław 1957), zapoczątkowana dopiero *Korespondencja Józefa Andrzeja Załuskiego 1724 - 1736*, t. I, wydana przez B. S. Kupścia i K. Muszyńską (Wrocław 1967), rzucająca niezmiernie interesujące światło na przenikanie Oświecenia do Polski. J. Nowak-Dłużewski ogłosił *Listy Stanisława Konarskiego 1732 - 1771* (Warszawa 1962). Bardziej intymny charakter mają listy Sobieskiego do żony, opublikowane przez L. Kukulskiego pt. *Listy do Marysieńki* (Warszawa 1974), najwybitniejszy zabytek polskiej epistolografii tej doby. Niestety wydanie to nie jest kompletne, jak dawne A. Z. Helcla..

Wysoki poziom osiąga również pamiętnikarstwo polskie w XVII w. Najznakomitsze z nich, *Pamiętniki Jana Chryzostoma Paska* (ostatnie wyd. W. Czaplińskiego, Wrocław 1968 i R. Pollaka, Warszawa 1971), stanowią jedyne w swym rodzaju źródło do poznania mentalności i obyczajowości średniego szlachcica. Na drugą połowę XVII w. przypada także wiele innych pamiętników, opisujących zarówno sprawy rodzinne, jak wydarzenia wojenne czy polityczne. Publikowane były przeważnie w XIX i XX w. Otwiera je *Stanisława Oświęcima dyaryusz 1643 - 1651* wyd. przez W. Czermaka (Kraków 1907) i *Diariusz Bogusława Kazimierza Maskiewicza* wyd. przez A. Sajkowskiego (Wrocław 1961). Dla spraw litewskich ważne są *Pamiętniki Jana W. Poczobuta Odlanickiego* (obejmujące lata 1640 - 1684), wyd. jeszcze przez L. Potockiego i I. Kraszewskiego (Warszawa 1877). Dwór Jana III odmalował doskonale K. Sarnecki w swych *Pamiętnikach z czasów Jana Sobieskiego (1690 - 1696)* wyd. przez J. Wolińskiego (Wrocław 1958). Ciekawym pamiętnikiem mieszczańskim jest wydany częściowo przez S. Szczotkę, A. Komonieckiego, *Dziejopis żywiecki* (t. I, Żywiec 1937).

Dość obfita jest także literatura pamiętnikarska czasów saskich. Najciekawszy pamiętnikarz Augusta II to anonimowy autor (zwany Otwinowskim) *Dziejów Polski pod panowaniem Augusta II*, wyd. przez A. Miłkowskiego (Kraków 1849) — oddał na dobrze poglądy szlacheckie, ale w narracji bywa bardzo niedokładny. Sprawom litewskim w tym czasie poświęcone są *Pamiętniki Krzysztofa Zawiszy*, obejmujące lata 1686 - 1721, wyd. przez J. Bartoszewicza (Warszawa 1862). Natomiast lata panowania Augusta III znalazły odbicie w *Pamiętnikach M. Matuszewicza* opracowanych przez A. Pawińskiego (Warszawa 1876) — mało w nich wielkiej polityki, sporo za to walk fakcyjnych i prywaty. Niechęć do Czartoryskich dzieli z Matuszewiczem J. Kitowicz, którego *Pamiętniki, czyli Historia polska*, wyd. przez P. Matuszewską i Z. Lewinównę (Warszawa 1971) sięgają zresztą po czasy Stanisława Augusta.

Pewne znaczenie dla badacza dziejów tego okresu mają także pamiętniki obce, zwłaszcza odnoszące się do dworu saskiego.

Dramatyczne wydarzenia połowy XVII w. doczekały się wkrótce swych kronikarzy. Najwnikliwszy z nich, mieszczanin z pochodzenia W. J. Rudawski, wystąpił jako monarchista ale i stronnik austriacki w *Historiarum Poloniae ab excessu Vladislai IV ad pacem Olivensem libri IX* (Warszawa 1735), w polskim tłumaczeniu W. Spasowicza, *Historia Polski od śmierci Władysława IV aż do pokoju oliwskiego*, (t. I - II, Petersburg 1855). Dzieło fanatycznego katolika W. Kochowskiego, *Annalium Poloniae ab obitu Vladislai IV. Climacter I - III*, ukazało się już w latach 1683 - 1698 (w Krakowie), tłumaczenie polskie w całości *Historia panowania Jana Kazimierza* wydane przez E. Raczyńskiego (Poznań 1859), uzupełnione przez *Roczników Polskich Klimakter IV* wydany przez J. W. Bobrowicza (Lipsk 1853). Fragmenty z tej kroniki dotyczące potopu ogłosił też L. Kukulski (Warszawa 1966). Wreszcie odnoszą się do tego okresu *Stanisława Temberskiego Roczniki 1647 - 1656* wyd. przez W. Czermaka (Kraków 1897). Głównie sejmami z czasów Michała Korybuta zajął się K. Zawadzki w *Historia arcana annalium Polonicorum libri VII* (Cosmopoli 1699). Swoisty rodzaj kroniki dla czasów Jana III i Augusta II stanowią A. Ch. Załuskiego, *Epistolarum historico-familiarium vol. I - IV* (Brunsbergae, Vratislaviae 1709 - 1741). Czasy saskie nie obfitowały w znamienitszych kronikarzy, choć liczni wtedy panegiryści nie stronili od opisywania czynów swych bohaterów. Za swego rodzaju dzieło historyczne może służyć jednak znakomity *Opis obyczajów za panowania Augusta III* J. Kitowicza, niesłusznie umieszczany między pamiętnikami, gdy jest pierwszą w Polsce historią kultury, pełną zachwytu dla doby sarmackiej ginącej z Augustem III. *Opis* wydał R. Pollak (Wrocław 1970).

Ważnym uzupełnieniem polskich kronikarzy są także kroniki obce. Szczególne znaczenie mają wśród nich prace S. Puffendorfa — *De rebus a Carolo Gustavo gestis* (Norymberga 1696) z 23 widokami i planami miast polskich, sporządzonymi przez E. J. Dahlberga, oraz *De rebus gestis Frederici Wilhelmi* (t. I - II, Berlin 1695). Natomiast wybór dzieł kronikarzy tureckich i tatarskich poświęcony odsieczy Wiednia opublikował ostatnio we własnym tłumaczeniu Z. Abrahamowicz (Kraków 1974).

Zmniejszenie się roli kronik w XVIII w. związane było częściowo z upowszechnieniem się nowego źródła, którym stało się czasopiśmiennictwo. Już od początków XVII w. zjawiało się wiele wiadomości o Polsce w czasopismach niemieckich, francuskich (zwłaszcza „Gazette de France") czy holenderskich. Pierwsze czasopismo polskie pojawia się w 1661 r. Jest to tygodnik „Merkuriusz". Jako jedyne czasopismo tego okresu został on wydany przez A. Przybosia (Kraków 1960). Później ukazywały się różne efemerydy co kilka lat. Najdłuższy żywot miała „Poczta Królewiecka" (1718 - 1720). Dopiero jednak od 1729 r. można mówić o systematycznym ukazywaniu się czasopisma. Wydawane ono było najpierw przez pijarów, potem przez jezuitów, zmieniając nazwę z „Nowin Polskich" na „Kurier Polski" i „Wiadomości Uprzywilejowane z Cudzych Krajów". Czasopismo to mimo dużego znaczenia jest trudno dostępne i rozproszone po rozmaitych bibliotekach. Dopiero połowa XVIII w. przyniosła czasopisma nowego typu, jak „Nowe Wiadomości Ekonomiczne i Uczone" (1758 - - 1761) czy „Monitor" (1763). Ukazywały się też w Polsce czasopisma w języku niemieckim i francuskim.

Kartografia polska uczyniła dalsze postępy, szczególnie w związku z potrzebami sztuki wojennej. Większość jednak map i planów z tego okresu jest nie wydana. W latach czterdziestych XVIII w. rozpoczęto prace nad przygotowaniem nowej mapy Rzeczypospolitej. Ukazała się ona dopiero w 1772 r.; przedtem wydane zostały tylko osobne mapy Litwy i Prus Królewskich. Pomocnicze dla pracy historyka zabytki sztuki wynotowuje *Katalog zabytków sztuki* (por. cz. 1, s. 23). Dla tego okresu specyficzne znaczenie mają szlacheckie portrety trumienne. Informuje o nich częściowo T. Dobrowolski, *Polskie malarstwo portretowe* (Kraków 1948).

2. Załamanie się gospodarcze Rzeczypospolitej

a. *Zniszczenia wojenne*

Źródła załamania się gospodarczego Rzeczypospolitej, które nastąpiło w drugiej połowie XVII w., były przedmiotem różnorodnych interpretacji w polskiej nauce historycznej. Dawniejsi historycy dość zgodnie doszukiwali się zasadniczej jego przyczyny w zniszczeniach wojennych z połowy XVII w. W Polsce Ludowej teza ta została początkowo stanowczo zakwestionowana. Przeciwko katastroficznemu traktowaniu zniszczeń wojennych wystąpił zwłaszcza Witold Kula, który uważał, że mogły one tylko przyspieszyć proces rozkładu gospodarki feudalnej rozpoczęty już przedtem. Badania innych historyków gospodarczych wiązały początki tego rozkładu z przełomem XVI i XVII w., wyprowadzając go z elementów regresywnych tkwiących w gospodarce folwarczno-pańszczyźnianej. I te twierdzenia nie dały się utrzymać w całej rozciągłości. Przeprowadzona w światowej literaturze historycznej dyskusja nad tzw. kryzysem XVII w. wykazała, że trudności ekonomiczne były zjawiskiem dość powszechnym w tym okresie, że miały one co najmniej ogólnoeuropejski charakter, co przejawiało się m. in. w ogólnej depresji cen (por. cz. 1, s. 29). Polska gospodarka folwarczno-pańszczyźniana usiłowała, jak o tym była mowa, przystosować się do tych zmienionych warunków rynkowych. Zastosowane rozwiązanie, jak to najtrafniej ujął chyba Andrzej Wyczański, pociągało za sobą wszakże z czasem obniżenie poziomu techniki, spadek wydajności i pauperyzację ludności wiejskiej. Budzi się wszakże pytanie, czy był to już przejaw kryzysu gospodarki folwarczno-pańszczyźnianej, jak twierdzi część historyków, i czy nie trzeba było dodatkowych czynników, by gospodarka Polski uległa załamaniu nie mającemu odpowiednika w sąsiednich krajach, gdzie dominował ten sam typ gospodarki rolnej.

Zarazem przeprowadzone gruntowne badania, skoncentrowane nad zniszczeniami wojennymi okresu 1655 - 1660, wykazały dowodnie, jak wielkim wstrząsem dla życia gospodarczego były ówczesne klęski wojenne. Wobec braku równie dokładnych badań nad zniszczeniami wojennymi z późniejszych lat, a także w obliczu zbyt wyrywkowych, jak dotychczas, studiów nad gospodarką drugiej połowy XVII w., na definitywne rozwiązanie postawionego problemu wypadnie jeszcze poczekać. W każdym razie drugorzędne traktowanie roli wojen i związanych z nimi klęsk elementarnych nie jest przy tłumaczeniu genezy załamania gospodarczego Rzeczypospolitej uzasadnione.

Od 1648 do 1720 r. Rzeczpospolita była terenem nieustających wojen. O ile przy tym w poprzednim okresie prowadzone wojny (z wyjątkiem wojny o ujście Wisły) dotykały raczej peryferyjnych obszarów państwa, o tyle potem doszło do spustoszenia centralnych ziem polskich. Ziemie polskie zostały najbardziej zniszczone w czasie dwu wojen północnych. Najpierw w latach 1655 - 1660 przewaliła się przez nie nawała wojsk szwedzkich, brandenburskich i siedmiogrodzkich oraz posiłkowych cesarskich. Jeszcze dotkliwiej dały się odczuć długoletnie walki i pobyt wojsk obcych — szwedzkich, saskich i rosyjskich — w Polsce podczas wielkiej wojny północnej w początkach XVIII w. Takich dwu gruntownie niszczących najazdów w ciągu półwiecza nie przeżyły ani Rosja, ani sąsiadujące z Polską kraje niemieckie. I jakkolwiek zniszczenia w czasie wielkiej wojny północnej nie zostały jeszcze dokładnie zbadane, ich wpływ na ostateczną ruinę gospodarki polskiej nie może być kwestionowany. Jeszcze dłużej ciężkie walki toczyły się na ziemiach litewskich, białoruskich, a zwłaszcza ukraińskich, wchodzących w skład Rzeczypospolitej. Ale niemałe spustoszenia powodowały również powtarzające się wojny domowe czy po prostu gwałty niepłatnych oddziałów wojsk Rzeczypospolitej, które potrafiły łupić kraj nie gorzej od nieprzyjaciela.

Utrzymywanie się wojska kosztem opanowanego kraju stało się w Europie częstym zjawiskiem od czasów wojny trzydziestoletniej. Pierwszą ofiarą tego systemu była Rzesza. Bardzo dotkliwie odczuł to Śląsk. Nieco później zaprawiony w Niemczech żołnierz szwedzki przeniósł te metody na ziemie Rzeczypospolitej. Głównie szkody powodowały nie działania wojenne, ale akcja wybierania kontrybucji pieniężnych i żywnościowych, nierzadko kończona całkowitym pustoszeniem miasteczek i wsi czy nawet puszczeniem ich z dymem. Nie były to przy tym akty samowoli, ale świadomej polityki militarnej, której celem było zarówno zdobycie zaopatrzenia dla wojska, jak i wymuszenie rezygnacji przeciwnika.

Straty ponoszone wskutek tych łupiestw były przerażające. W samej ziemi warszawskiej w 1661 r. na 467 osad aż 46 doszczętnie spalono lub zniszczono. Na 101 folwarków w królewszczyznach mazowieckich spustoszało w tym czasie całkowicie 13, w 27 dalszych budynki były spalone, 20% folwarków utraciło żywy inwentarz, hodowla owiec przestała niemal istnieć. Jeszcze większe zniszczenia były w Prusach Królewskich. Blisko 1/3 wsi została tam zniszczona doszczętnie, a drugie tyle w 50%. Nie lepiej było na Podolu czy na Rusi Czerwonej, gdzie 53 - 58% gospodarstw chłopskich uległo zniszczeniu. Siłą rzeczy zniszczenia te dotykały przede wszystkim bogatszych chłopów. W Wielkopolsce w królewszczyznach ubytek kmieci wynosił (dla okresu 1616 - 1661) około 65%, zagrodników 28%. W rezultacie ogromne połacie ziemi stały pustką — w dobrach arcybiskupstwa gnieźnieńskiego jeszcze w 1685 r. pustki sięgały 40% gruntów uprawnych.

Nie mniejszych zniszczeń dokonano w czasie wojny w początkach XVIII w. Stosowano wtedy często metodę represyjnego niszczenia dóbr przeciwników politycznych. Jednemu tylko z magnatów zniszczyły wojska szwedzkie 140 wsi. Do tych spustoszeń należy dodać jeszcze olbrzymie kwoty wyciągnięte z Rzeczypospolitej tytułem kontrybucji. Bez obawy popadnięcia w przesadę można obliczyć wysokość kontrybucji wybranych przez obce wojska w czasie tej wojny północnej na sumę odpowiadającą 60 mln talarów. W stosunku rocznym było to co najmniej dwa razy tyle, ile wynosił roczny dochód państwa ustalony w 1717 r. Powstały stąd ubytek kapitału niełatwo było odrobić. Stąd też m. in. tak powolne tempo odbudowy kraju w XVIII w.

Jakkolwiek udział wsi w zrabowanych w ten sposób kwotach był bardzo poważny, niezmiernie dotkliwie cierpiały na tym miasta. Od połowy XVII w. do wojny o tron polski (1733- 1735) nie było miasta w Rzeczypospolitej, które nie zostałoby choć raz zdobyte przez nieprzyjaciela. Wiele było palonych, łupionych, obarczanych kontrybucjami. Po najeździe szwedzkim i brandenburskim z lat 1655 - 1660 w Wielkopolsce odsetek zniszczonych lub opuszczonych domów w miastach wynosił około 60%. Na Mazowszu zaludnienie miast zmniejszyło się o 70%. Wyludnienie dotknęło miasta wszelkiej kategorii, ale szczególnie mocno miasta mniejsze, z których wiele przybrało właściwie charakter osady rolniczej. Podobne były skutki wielkiej wojny północnej, tym zresztą dotkliwsze, że spadały na ludność przerzedzoną i ośrodki znacznie słabsze ekonomicznie. Obok wyludnienia i spalenia budynków, na gwałtowne zubożenie miast wpłynęło również zniszczenie narzędzi pracy, większych zakładów produkcyjnych (młynów) oraz nagromadzonego surowca i towaru. Najazdy obcych wojsk dotknęły również górnictwo i hutnictwo. Wojska szwedzkie zdewastowały kopalnie ołowiu w Olkuszu, zniszczeniu uległo wiele hamrów i kuźnic.

Następstwem zniszczeń wojennych często bywał głód i zarazy. Katastrofalne rozmiary przybrały zarazy w latach 1659 - 1663 i 1705 - 1714. Trudno jest powiedzieć, w jakim ostatecznie stopniu ludność dziesiątkowały wojny, a w jakim choroby. W każdym razie można przyjąć, że na skutek tych klęsk w początku lat sześćdziesiątych XVII w. liczba ludności zmalała o 1/3 w stosunku do stanu z początku tego wieku i zapewne wynosiła 6 do 7 mln. Szczególnie ucierpiały przy tym dzielnice ludniejsze, a więc właśnie zamieszkane przez ludność polską dzielnice centralnej i zachodniej Polski. W królewszczyznach Wielkopolski liczba chłopów zmniejszyła się o 51%, w Prusach Królewskich aż o 60%. Jak wspomniano, jeszcze większe było wyludnienie miast. Nieznaczny wzrost ludności nastąpił zapewne do końca XVII w., ale nowa wojna i wielka zaraza zmniejszyły znów zaludnienie, tak że przyjmuje się, iż około 1725 r. ludność Rzeczypospolitej nie przekraczała znów liczby 7 mln.

Tego rodzaju ciosy wstrząsnęłyby każdą gospodarką — tym silniej musiała je odczuwać Rzeczpospolita, która już poprzednio przeżywała trudności ekonomiczne. Zniszczenia wojenne umożliwiły dopiero pełną realizację gospodarki folwarczno-pańszczyźnianej w jej najbardziej karykaturalnej postaci, przez doprowadzenie do ostateczności jej założeń — koncentracji produkcji rynkowej na folwarku, całkowitego uzależnienia gospodarczego chłopów, wyeliminowania konkurencji miejskiej. Dołączył się do tego jeszcze jeden ważny dla stosunków wewnętrznych moment: zwiększenie dystansu ekonomicznego między magnaterią a średnią szlachtą.

b. *Latyfundia magnackie*

Jeżeli w XVI w. najbardziej charakterystyczną formą organizacji produkcji rolnej był średnioszlachecki folwark pańszczyźniany, to w połowie XVII w. stało się nią już latyfundium magnackie. Struktura wielkiej własności w Koronie uległa zmianie w zasadniczy sposób już w 1569 r. przez włączenie obszarów ukrainnych. W Wielkopolsce, Małopolsce czy w Prusach Królewskich dominowały bowiem dobra średnioszlacheckie. Włości magnackie były tutaj stosunkowo nieliczne, jednostki tylko posiadały dobra obejmujące po kilkadziesiąt wsi. Inaczej już kształtowały się stosunki na Rusi Czerwonej, gdzie na posiadłości magnackie przypadało w początkach XVII w. około 25% wsi, przy czym często bywały to majątki powyżej 50 wsi. Ale dopiero po przyłączeniu Naddnieprza czy Wołynia możliwe było pojawienie się w Koronie latyfundiów w rodzaju włości Konstantego Ostrogskiego, które obejmowały 100 miast i 1300 wsi, czy hetmana Stanisława Koniecpolskiego, w których miało być 120 tys. poddanych.

Zniszczenia wojenne dotknęły w większym stopniu średniego szlachcica, który nieraz tracił całą swą fortunę, niż wielkich posiadaczy magnackich. Rosło więc uzależnienie średniej szlachty od magnatów, wzrastały też kosztem dóbr szlacheckich posiadłości magnackie. O tendencji tej wyraźnie mówią badania przeprowadzone dla powiatu lubelskiego, gdzie w XV w. dobra szlacheckie posiadające do 100 łanów ziemi chłopskiej liczyły 45% całości ziemi chłopskiej, zaś dobra obejmujące ponad 500 łanów tylko 13%. W XVIII w. sytuacja była wręcz odwrotna — pierwsza kategoria spadła o 10%, gdy druga wzrosła do 42% (powiększył się też stan posiadania grupy pośredniej). Koncentracja ziemi w ręku magnackim zwiększała się również wskutek odejścia od programu egzekucyjnego. Magnatom bowiem nadal przypadały co bogatsze królewszczyzny w formie dożywotnich dzierżaw. O dochodach stąd wyciąganych niech powie tylko jeden fakt: w połowie XVIII w. marszałek nadworny Jerzy Mniszech potrafił skumulować królewszczyzny, które dawały mu 800 tys. złp. rocznego dochodu. Prawda, że dobra jednego z najbogatszych w tym czasie magnatów, Augusta Czartoryskiego, wojewody ruskiego, przynosiły wtedy do 3 mln złp. rocznie, wielu magnatów musiało jednak zadowalać się kilkuset tysiącami.

Latyfundia magnackie, obejmujące wielkie przestrzenie i rozrzucone po terenie całej Rzeczypospolitej, nabrały w tym czasie charakteru niemal odrębnych państewek, przypominających ówczesne drobne państewka Rzeszy Niemieckiej. Zarządzanie tymi dobrami przybierało dwie zasadnicze formy: albo magnaci gospodarowali przy pomocy własnej administracji, albo wsie i folwarki puszczali w dzierżawę. Całość latyfundium dzielili zwykle na klucze, obejmujące po kilka lub kilkanaście folwarków i związanych z nimi wsi. Centra administracyjne stanowiły często niewielkie osady miejskie, o charakterze przeważnie rolniczym, ale zapewniające również podstawowe usługi rzemieślnicze i handlowe. Kluczami kierowała cała hierarchia urzędnicza. Funkcje urzędnicze (z wyjątkiem najniższych szczebli) pełniła drobna szlachta albo mieszczanie, często narodowości żydowskiej. Ani jedni, ani drudzy nie zaniedbywali okazji, by wzbogacić się, czy to przez rujnowanie chłopa, czy przez okradanie właściciela. Podobne rezultaty dawały dzierżawy: z uwagi na krótki termin przyczyniały się one do prowadzenia gospodarki rabunkowej. Rozwijany system kontrolny nie zawsze mógł temu zapobiec.

Ponieważ magnaci dysponowali znacznie większymi kapitałami niż średnia szlachta, mogli też szerzej rozwijać swą działalność gospodarczą. Wprawdzie i w ich latyfundiach dominowała produkcja zbożowa, ale były również dobra, w których dużą rolę odgrywała gospodarka hodowlana. W ręku magnatów z Podola i Rusi Czerwonej była np. skoncentrowana hodowla wołów przeznaczonych na eksport. Trzeba zresztą zauważyć, że dzięki lepszym możliwościom organizacyjnym udział latyfundiów magnackich w eksporcie płodów rolnych i leśnych był szczególnie wysoki. Podobnie jak swego czasu średnia szlachta odsuwała mieszczaństwo od handlu tymi produktami, tak teraz magnaci starali się zapewnić sobie swoisty monopol w ich eksporcie, tyle że nie w drodze zarządzeń, ale opierając się na faktycznym układzie sił między tymi warstwami.

Magnaci rozwijali aktywność gospodarczą także w innych dziedzinach. Kiedy wzrastały trudności rynkowe ze zbytem płodów rolnych, szukali nowych źródeł dochodu. Zabiegali więc np. o specjalne uprawnienia dla swych miast dotyczące odbywania targów czy jarmarków, by tworzyć z nich silniejsze ośrodki handlowe, wybiegające znaczeniem poza najbliższy region. Do innych miast sprowadzali specjalistów, którzy rozwijali intratną produkcję. W ten sposób wykorzystując imigrantów ze Śląska rozbudowali Leszczyńscy w XVII w. sukiennictwo w swych dobrach wielkopolskich. Zresztą nie tylko w swych miastach, ale także w posiadłościach wiejskich zakładali urządzenia przemysłowe, jak młyny, cegielnie, huty. Interesowali się również górnictwem — hetmanowa Elżbieta Sieniawska ze swych dóbr podkrakowskich wysyłała np. do Gdańska w początkach XVIII w. duże ilości galmanu. Z tych też przyczyn przystępowali do zakładania manufaktur. Pierwszy przykład dał światły hetman Stanisław Koniecpolski, który już w 1643 r. założył w Brodach przedsiębiorstwo produkujące tkaniny jedwabne, przetykane złotem i srebrem, i tkaniny wełniane. O bardziej trwałych inicjatywach w tej dziedzinie można mówić dopiero w XVIII w. Wtedy wzorem służyli Radziwiłłowie, którzy od lat dwudziestych XVIII w. rozbudowywali w swych dobrach podlaskich i litewskich manufaktury. Jakkolwiek większość magnatów trzymała się nadal tradycyjnych metod gospodarowania, już w połowie XVIII w. wiele rodzin magnackich szukało dla siebie „pożytków" w rozwijaniu produkcji przemysłowej i górniczej. Zyski osiągano przy tym nie tylko ze sprzedaży na zagraniczne rynki, ale i z narzucania swych wyrobów poddanym. Jeśli było to możliwe, w latyfundiach (np. Radziwiłłów) wprowadzano swoistą politykę merkantylną, starając się zmuszać poddanych do zakupu produktów wyrabianych w posiadłościach danego magnata. Koszty własne zaś takiej produkcji obniżało wydatnie posługiwanie się pracą pańszczyźnianą.

Trudno nie uczynić przy tym zastrzeżenia, że ze względu na brak odpowiednich studiów ocena działalności gospodarczej magnatów musi się opierać na bardzo fragmentarycznych badaniach. W każdym razie przedstawione powyżej tendencje pokrywają się z sytuacją w innych krajach środkowoeuropejskich. Nie inaczej postępowali w tym czasie wielcy posiadacze ziemscy na Śląsku, nie tylko starając się o podniesienie produkcji zbożowej, ale i rozwijając w swych dobrach przemysł i górnictwo. Pozwalało to im na utrzymywanie dochodów na wysokim poziomie.

Bez względu na piętrzące się trudności, dochody magnackie były tak wysokie, że pozwalały na organizowanie dworów dorównujących nierzadko świetnością królewskim. Magnaci mieli swych własnych urzędników dworskich, wojsko, nawet dyplomatów. Wobec innych państewek magnackich zachowywali się niemal jak udzielni władcy, prowadzili rokowania, toczyli wojny, dokonywali aneksji dóbr czy uprowadzali poddanych. Gdy całą Rzeczpospolitą ogarniała feudalna anarchia, oni rządzili się jak władcy absolutni, korzystając z praktycznie nieograniczonej władzy prawodawczej, administracyjnej i sądowniczej.

c. Regres w rolnictwie

W drugiej połowie XVII w. rolnictwo w Rzeczypospolitej znalazło się w stadium głębokiego regresu, które trwało po lata dwudzieste następnego wieku. Złożyło się na to kilka przyczyn jednocześnie. Najważniejsze z nich to spadek cen na płody rolne, pauperyzacja chłopstwa wskutek nadmiernego wzrostu obciążeń pańszczyźnianych, zniszczenia wojenne i straty ludnościowe.

Zubożenie i wyludnienie wsi spotęgowało tendencje wywołane niekorzystnymi warunkami rynkowymi. Osłabło nowe osadnictwo. Cały wysiłek obrócił się raczej na odbudowę starych osad, czego nie dało się w pełni zrealizować, i jeszcze w drugiej połowie XVIII w. pokazywano zarosłe lasami miejsca, gdzie dawniej były wsie. Niewielki postęp osadniczy można zaobserwować na terenie puszczy kurpiowskiej, w Beskidach, a także w Prusach Królewskich, na Kujawach i w Wielkopolsce, gdzie kontynuowano akcję zagospodarowywania nieużytków przy pomocy czynszowego osadnictwa „olęderskiego".

Dążenia do zagospodarowywania pustek spowodowało istotne przesunięcia w uposażeniu chłopów w ziemię. Ponieważ chłopi nie posiadali ani dostatecznego inwentarza, ani wyposażenia technicznego, właściciele osadzali ich na mniejszych gospodarstwach, zagarniając pozostałą ziemię na potrzeby folwarku. Nastąpiła więc dalsza koncentracja ziemi uprawnej w ramach gospodarki folwarcznej. Nie wiązało się to jednak ze wzrostem produkcji zbożowej. Teraz bowiem ujawniły się szczególnie dotkliwie ujemne skutki pospiesznego rozwijania produkcji w pierwszej połowie XVII w., bez jednoczesnego podnoszenia poziomu techniki uprawy. Wobec gwałtownego spadku pogłowia zwierząt hodowlanych nie dało się powstrzymać dalszego wyjałowienia ziemi. Brakowało narzędzi do staranniejszej uprawy, spulchniania gleby, a także do sprzętu (kos). Wobec ogólnego zubożenia nastąpił powrót do narzędzi drewnianych. Wreszcie pogorszyła się bardzo jakość pracy pańszczyźnianej. Był to naturalny wynik przeciążenia poddanych. Wobec trudności, jakie powstały z siłą roboczą, gdy nie starczało środków na wolny najem, posiadacze folwarków starali się rozwiązywać ten problem w inny sposób, przez zwiększenie pańszczyzny, zarówno dniówkowej, jak i zwłaszcza przez różnego rodzaju „gwałty", egzekwowanie nisko płatnego najmu przymusowego od uboższych warstw ludności wiejskiej czy też przez wspomniane zmniejszanie wielkości gospodarstw kmiecych (do 1/4 czy 1/8 łana), które potrzebując dzięki temu mniej rąk do pracy na własnym gospodarstwie mogły w poprzednim zakresie dostarczać robocizny właścicielowi. Środki te stosowane przez dłuższy czas powodowały nieuchronnie dalszy upadek gospodarki chłopa i zwiększały tylko jego opór. Posiadacz majątku nie tylko wyciągał w rezultacie mniejsze korzyści z jego pracy, ale musiał mu udzielić pomocy zarówno przy odbudowie jego gospodarki (inwentarz, narzędzia, budulec), jak i w przetrwaniu (zasiłki w zbożu czy pieniądzu). Gdy więc nie zmniejszały się koszty gospodarki folwarcznej, a wskutek spadku produkcji i depresji cen obniżały się zyski, pogłębiał się tylko ogólny krytyczny stan rolnictwa. Dopiero poprawa koniunktury zbożowej w połowie XVIII w. zdołała powstrzymać ten upadek.

Wobec niedostatecznego stanu badań nie jesteśmy w stanie przedstawić globalnej produkcji zbożowej w Rzeczypospolitej w tym okresie.

Pewnym wskaźnikiem mogą być dane dotyczące eksportu zboża z Polski, jakkolwiek trzeba pamiętać, że zmiany nie wynikały wyłącznie z powodu obniżenia się produkcji w Polsce, ale także wskutek zwiększającej się konkurencji zboża, najpierw rosyjskiego, później także angielskiego. W każdym razie, gdy w pierwszej połowie XVII w. eksport zboża przez Gdańsk wynosił przeciętnie 58 tys. łasztów rocznie, to w drugiej połowie tego wieku spadł do 32 tys., a w początkach XVIII w. nawet do 10 tys. łasztów rocznie. Dopiero od trzeciego dziesiątka tego wieku zaczął się powolny ponowny wzrost, który sięgnął 40 tys. w połowie wieku. Liczby te świadczą o kurczeniu się produkcji w Rzeczypospolitej. Zdarzały się przy tym lata głodu, kiedy w tym rolniczym kraju nie starczało zboża na własne potrzeby ludności.

W przypadku, gdy podejmowane środki zaradcze nie przynosiły zamierzonych rezultatów i folwarki nie dawały przewidywanych dochodów, właściciele próbowali całe ryzyko produkcji zrzucać na poddanych. Tym tłumaczy się przenoszenie na czynsze chłopów w ekonomiach litewskich (zakończone w 1712 r.) i w licznych majątkach magnackich na Litwie oraz Białorusi w pierwszej połowie XVIII w. Zamiast odbudowy zniszczonych wojną folwarków, zadowalano się stałymi, dość wysokimi dochodami z czynszu i danin. Podobne względy mogły wpłynąć także na przenoszenie poddanych na czynsz w niektórych dobrach wielkopolskich i pomorskich. Procesy te nie miały na ogół stałego charakteru i polepszenie się warunków rynkowych powodowało nieraz ponowne wprowadzenie gospodarki folwarczno-pańszczyźnianej.

Na niektórych obszarach dochodziło również do zastępowania monokultury zbożowej przez gospodarkę hodowlaną, jako że ceny na mięso kształtowały się nieco korzystniej niż na produkty zbożowe. Wiązała się z tym hodowla bydła podolskiego w latyfundiach magnackich. Na podkreślenie zasługuje jeszcze wzrost hodowli owiec w Wielkopolsce. W niektórych majątkach pogłowie owiec sięgało tam kilku tysięcy sztuk. W połowie XVIII w. wynosiło ono przeciętnie na jedną owczarnię w północnej części Wielkopolski do 500 owiec. Hodowla owiec opierała się często na swego rodzaju dzierżawie, przy czym dochodami dzielił się pan z owczarzem zwykle po połowie. Na wełnę istniało duże zapotrzebowanie na miejscu, ale część jej wywożono na Śląsk, na Pomorze czy nawet do Holandii, Anglii lub Francji.

Istniała wreszcie jeszcze inna forma ratowania zagrożonej dochodowości pańskiej. Gdy nie można było na zboże znaleźć odbiorcy ani w najbliższych miasteczkach, ani w odległym Gdańsku, można było próbować przerobić je na produkt łatwiejszy do zbycia, np. na piwo albo gorzałkę. Dwór mógł wtedy wykorzystywać przysługujący mu monopol propinacyjny, polegający na zastrzeżeniu dla właściciela produkcji i sprzedaży napojów alkoholowych. Właściciel ten mógł potem zmuszać chłopów do zakupywania określonej ilości piwa. Dochody stąd czerpane bywały bardzo wysokie. Wskazywałyby na to dane z dochodów dóbr królewskich w połowie XVII w., kiedy propinacja dawała zyski pokrywające się z wpływami za sprzedaż produkcji zbożowej i hodowlanej folwarków. W gruncie rzeczy była to jeszcze jedna forma ratowania folwarku kosztem chłopa (obok podobnego przymusu młynnego czy zmuszania chłopów do zaopatrywania się we wszelkie towary w karczmie pańskiej). Przyczyniała się ona do dalszego rujnowania gospodarki chłopskiej, a co za tym idzie — dalszego osłabiania rolnictwa.

Znamienną cechą rolnictwa w Rzeczypospolitej były duże różnice w jego poziomie i charakterze między poszczególnymi dzialnicami kraju, często nawet między poszczególnymi dobrami (stąd specjalna rola enklaw magnackich). Przyczyny powstawania tych różnic nie są dotychczas wystarczająco wyjaśnione. W każdym razie jako regiony, w których rolnictwo rozwijało się pomyślnie, można wskazać Pomorze Gdańskie, gdzie dzięki zastosowaniu w większym stopniu pracy najemnej gospodarka folwarczna była bardziej wydajna, ale gdzie również utrzymywały się dostatnie gospodarstwa zamożnych gburów, Wielkopolskę oraz Żmudź. W pierwszej połowie XVIII w. rozwijały się także stosunkowo pomyślnie obszary ukrainne. Natomiast najmocniej regres dotknął Małopolskę, która traci swe przodujące jeszcze w pierwszej połowie XVII w. stanowisko. To zróżnicowanie gospodarcze wiązało się z silniejszymi niż w poprzednich okresach procesami dezintegracyjnymi w Rzeczypospolitej.

d. *Upadek miast*

Mimo obniżenia poziomu gospodarki rolnej w Rzeczypospolitej, mimo pauperyzacji wsi, upadek miast i produkcji miejskiej był najdobitniejszym przejawem załamania się gospodarczego Polski. Tworzące się w miastach w dobie Odrodzenia zalążkowe formy kapitalistyczne uległy bowiem osłabieniu lub nawet likwidacji, co znacznie opóźniło narastanie stosunków kapitalistycznych. Właśnie pod tym względem sytuacja w Polsce najbardziej różniła się od sytuacji panującej u jej sąsiadów zachodnich czy wschodnich, czy nawet od sytuacji na ziemiach polskich nie wchodzących w skład Rzeczypospolitej, na Śląsku czy na Pomorzu. Wprawdzie osłabienie pozycji miast na rzecz szlachty obserwuje się w XVII w. w całej środkowej Europie, jednak nigdzie podstawy ich bytu materialnego nie zostały tak okrojone jak w Polsce. W tym też tkwiła chyba najistotniejsza przyczyna różnicy dzielącej gospodarkę Polski pierwszej połowy XVIII w. od gospodarki innych krajów europejskich.

Jakie czynniki — poza nieustającą konkurencją i niechęcią szlachty — złożyły się na tak głęboki upadek? Bez wątpienia dopiero teraz, przy pogarszającej się koniunkturze rynkowej i w obliczu zniszczeń, wyszły na jaw wszelkie ujemne strony gospodarki folwarczno-pańszczyźnianej. Zamknięty w kręgu najbliższej społeczności wiejskiej, skazany na ograniczanie się do posług rzemieślników wiejskich, zubożały chłop znacznie zmniejsza swoje obroty z miastem. Rynek wewnętrzny kurczył się tym bardziej, że szlachcic chętnie zaopatrywał się sam w potrzebne mu produkty i towary w wielkich emporiach handlowych, do których dowoził swe produkty, w Gdańsku, Wrocławiu czy Rydze. Skurczenie się obrotów nie oznaczało wszakże ich likwidacji i — jak to bywało choćby na Śląsku — nie musiało od razu powodować ruiny gospodarki miejskiej. Gdy jednak równocześnie na miasta spadły klęski wojenne, a permanentny kryzys monetarny dezorganizował handel, sytuacja stawała się niesłychanie trudna. A do tego trzeba jeszcze dodać, że tak ważne dla życia ekonomicznego Polski i Litwy ośrodki miejskie, jak Wrocław, Szczecin, Królewiec i Ryga, kumulujące znaczną część obrotów handlowych Rzeczypospolitej, znalazły się lub pozostały poza jej granicami, pod opieką obcych, chroniących je polityką protekcyjną rządów, co tworzyło dodatkową konkurencję dla słabego polskiego mieszczaństwa.

O zniszczeniach wojennych w miastach była już mowa. Odbudowa następowała niesłychanie powoli — do połowy XVIII w. zaludnienie miast i stan produkcji rzemieślniczej nie osiągnęły jeszcze poziomu z pierwszej połowy XVII w. Nie wydaje się zresztą, by było to wówczas możliwe w ciągu jednej generacji — ostatnia fala wielkich zniszczeń skończyła się bowiem około 1720 r. W nieco korzystniejszych dla mieszczaństwa warunkach na Śląsku trzeba było blisko pół wieku, by miasta powróciły do poziomu ekonomicznego sprzed wojny trzydziestoletniej. W Polsce stosunkowo szybko odradzały się tylko miasta największe, jak Gdańsk czy Warszawa. Ale np. Kraków, którego ludność spadła do 10 tys., nie potrafił wyrwać się z marazmu, w który wtrąciły go kolejne okupacje szwedzkie. Mniejsze miasta nie były w stanie wydostać się samodzielnie z ruiny, w której się znalazły. Rzadki wyjątek stanowiły miasta zachodniej Wielkopolski. Odbudowywały się one dość szybko, nawet po spaleniu (jak Leszno) i prosperowały dzięki rozwijającemu się w nich nadal sukiennictwu oraz dobrze postawionej gospodarce rolnej. W okresie unii personalnej polsko-saskiej dogodne położenie tych miast na szlaku Warszawa—Drezno tworzyło dla nich szczególnie korzystną koniunkturę. Zwłaszcza Wschowa, miejsce częstych rad senatu, zawdzięczało temu swój awans do pozycji jednego z największych ośrodków miejskich w Polsce.

Pośrednim skutkiem wyludnienia i zniszczeń wojennych w miastach były zmiany w charakterze narodowościowym mieszczaństwa. Wobec zmniejszenia się napływu nowej ludności do miast, spowodowanego zarówno trudnościami życia w zubożałych ośrodkach, jak i większym zapotrzebowaniem na ręce do pracy na wsi (co pociągało za sobą zwiększoną kontrolę przestrzegania istniejących ograniczeń ruchu poddanych) wzrósł poważnie procent ludności żydowskiej wśród mieszczaństwa. Jeżeli się przyjmie, że spośród 750 tys. Żydów znajdujących się w połowie XVIII w. w Rzeczypospolitej $^{3}/_{4}$ mieszkało w miastach, oznaczałoby to, że blisko połowa mieszczan była wtedy pochodzenia żydowskiego. Była to ludność bardzo pracowita, zadowalająca się nawet niewielkim zyskiem. W wielu miastach, zwłaszcza mniejszych, potrafiła też zapewnić sobie dominujące stanowisko w produkcji rzemieślniczej i w handlu. Gminy żydowskie, kahały, prowadziły rozległe operacje kredytowe, zwłaszcza z klerem i bogatą szlachtą. Przy tym uprawnienia ludności żydowskiej nie zmieniały się, np. w 1669 r. uzyskała ona w Wielkopolsce ogólne ich potwierdzenie. Utrzymywały się również ograniczenia zezwalające im na mieszkanie tylko w określonych dzielnicach lub zakazujące pobytu w niektórych miastach. Wzrost pozycji ludności żydowskiej w miastach zaostrzał wystąpienia przeciwko niej mieszczaństwa chrześcijańskiego, które starało się pozbyć konkurenta przez wprowadzenie nowych ograniczeń i zakazów co do produkcji rzemieślniczej i handlu. Było ono jednak za słabe, by te dążenia mogły stać się skuteczne, zwłaszcza że nie miało pod tym względem poparcia szlachty.

Cała ta sprawa, podobnie jak ocena roli ludności żydowskiej w rozwoju gospodarki Rzeczypospolitej w tym okresie, wymaga dopiero rzetelnych badań. Na dotychczasowych ocenach zbyt ciążyły bowiem pozanaukowe uprzedzenia.

Istotną przyczyną trudności w odbudowie powojennej miast był brak ustabilizowanej polityki gospodarczej państwa. Jakkolwiek już w XVII w. powtarzały się projekty przyjęcia zasad merkantylizmu za podstawę tej polityki, a od czasów Augusta II przed każdym niemal sejmem monarcha stawiał problem opieki nad mieszczaństwem i protekcjonizmu państwowego wobec przemysłu i handlu, w praktyce nie dochodziło do żadnych zmian. Polityka gospodarcza Rzeczypospolitej uprzywilejowywała nadal szlachtę i jej produkcję, chociaż w większości krajów europejskich (nawet o zbliżonej do Polski strukturze gospodarczej i społecznej) zwyciężały poglądy merkantylistyczne, popierano rozwój rodzimego przemysłu i rzemiosła, wprowadzano protekcjonistyczne bariery celne, otaczano troskliwą opieką handel, bacząc, by zgodnie z podstawową zasadą gromadzenia kruszców w kraju bilans handlowy wypadał zawsze dodatnio. W Polsce politykę taką realizowali tylko niektórzy magnaci w swych dobrach, rzadziej monarchowie w swych domenach, bo już nie w odniesieniu do miast królewskich (z wyjątkiem może Warszawy). Zabrakło jednak w tym okresie jednolitej polityki gospodarczej ogólnopaństwowej, co nie tylko przyczyniło się do powstania dystansu między ekonomiką Polski z otaczających ją państw, ale także stworzyło z Rzeczypospolitej rejon eksploatacji gospodarczej dla bardziej rozwiniętych krajów.

Jakkolwiek handel Polski tej doby nie został dokładniej zbadany, wiele wskazuje na to, że ogólny bilans handlowy kształtował się od połowy XVII w. cały niemal czas ujemnie — prawda, że przy znacznie zmniejszonych obrotach. W handlu morskim wzrosło jeszcze uzależnienie od Holendrów i Anglików — zainteresowanie Wersalu handlem gdańskim, na które zwrócił ostatnio uwagę Michał Komaszyński, nie przyniosło trwałych skutków z powodu toczonych przez Francję doby Ludwika XIV wojen, zamykających jej drogę na Bałtyk. W handlu lądowym od początku XVIII w. wzrosła popierana przez Wettinów pośrednicząca rola Saksonii, zwłaszcza targów lipskich. Natomiast zmniejszył się w tym czasie rozmiar handlu tranzytowego przez Rzeczpospolitą. Spowodowane to było z jednej strony brakiem ładu wewnętrznego i stabilizacji w kraju, co podnosiło ryzyko i koszty przewozu, ale z drugiej strony było wynikiem świadomej polityki Rosji za panowania Piotra I, który skierował cały handel swego państwa na Bałtyk, z pominięciem pośrednictwa Rzeczypospolitej. Wprawdzie w latach dwudziestych XVIII w. wskutek starań zainteresowanej tym handlem Austrii restrykcje carskie zostały częściowo cofnięte, nie doszło jednak do restauracji handlu rosyjskiego przez Rzeczpospolitą w poprzednich rozmiarach. Nie powiodły się także wcześniejsze zresztą próby Jana III i Augusta II skoncentrowania w ręku polskim handlu tranzytowego ze Wschodem, szczególnie z Persją, za pośrednictwem organizowanych kompanii handlowych.

Fatalnie przedstawiała się polityka monetarna Rzeczypospolitej. Od czasu kryzysu monetarnego z lat dwudziestych XVII w. nie zdobyła się ona na trwałe uregulowanie tej kwestii, na ukrócenie obcych spekulacji. Doprowadziło to z czasem, wobec wielkich wydatków wojennych w połowie wieku, do nowego kryzysu pieniężnego. Wybicie w latach sześćdziesiątych wielkiej liczby monet miedzianych (szelągów) i zdeprecjonowanych srebrnych, tj. złotych (zwanych tynfami od nazwiska mincerza, który przeprowadzał tę operację) wywołało nową falę dewaluacji i wytworzenie się dwu kategorii monety: dobrej, za którą płacono 100% agio, a więc liczono ją podwójnie, i złej, świeżo wybitej. Spotęgowało to chaos monetarny i niezmiernie utrudniało operacje kredytowe oraz handlowe, zwłaszcza że od 1688 r. mennice państwowe w Polsce przestały działać. W początkach XVIII w. kurs dukata wynosił już 18 złp., a talara 8 złp.

Nowe zaburzenia monetarne nastąpiły w czasie wojny siedmioletniej. Za panowania Sasów monetę polską wybijały mennice drezdeńskie. Po zajęciu Drezna przez Fryderyka II wpadły one w ręce króla pruskiego, który wybijał masowo spodloną monetę ze znakami polskimi, przerzucając ją do Rzeczypospolitej. Spowodowało to olbrzymie straty i wywołało całkowity zamęt monetarny.

Dodatkową trudnością dla miast, szczególnie prywatnych, których zresztą była w Rzeczypospolitej znakomita większość, ale także i dla pomniejszych królewskich, było pociąganie ich mieszkańców do prac pańszczyźnianych. Zajęcia rolnicze stały się zresztą w wielu miastach zasadniczym źródłem utrzymania poważnej części mieszkańców. Zjawisko swoistej agraryzacji ośrodków miejskich było szczególnie typowe dla Małopolski i terenów wschodnich Rzeczypospolitej, gdzie w latyfundiach magnackich miastom przeznaczano nieraz z góry wyłącznie rolę centrum administracyjnego.

W tych warunkach cechowa produkcja rzemieślnicza musiała przejść silne załamanie. Dawała się jej teraz we znaki konkurencja rzemiosła wiejskiego, a także partaczy produkujących pod opieką szlachty czy kościoła na wyłączonych spod prawa miejskiego jurydykach. Stąd i napływ do rzemiosła cechowego był zmniejszony, tym bardziej że mistrzowie cechowi starali się zapewniać miejsce w cechu przede wszystkim członkom swych rodzin, mnożąc utrudnienia stawiane przed innymi czeladnikami.

Jeśli chodzi o górnictwo i hutnictwo, to w podtrzymywaniu ich niemałą rolę odegrały względy militarne. Wprawdzie po zniszczeniach w dobie najazdów szwedzkich zamarło wydobycie w kopalniach chęcińskich, a w olkuskich znacznie spadło, jednak rychło uruchomiono ponownie kopalnie rudy żelaznej i restaurowano część kuźnic. Za panowania Jana III w kieleckich dobrach biskupa krakowskiego założono nowy wielki piec. Dalsza rozbudowa tego przemysłu nastąpiła w pierwszej połowie XVIII w. Szukano wtedy także nowych złóż rud — na zlecenie Augusta II poszukiwania takie przeprowadzano np. w Tatrach. Stosunkowo pomyślnie rozwijało się także górnictwo solne. Wzrastało wydobycie soli i dokonywano modernizacji kopalń. Za panowania Augusta II zawarty układ z Austrią pozwolił na zwiększenie eksportu soli na Śląsk. Nadal czynne było, jakkolwiek w zmniejszonych rozmiarach, budownictwo okrętowe w Gdańsku i Elblągu.

Ogólny bilans stosunków gospodarczych okresu od połowy XVII do połowy XVIII w. jest zdecydowanie ujemny. Jeżeli nawet tu czy ówdzie utrzymały się czy rozwinęły doskonalsze formy gospodarcze, jeżeli nawet przyjmiemy, że pozostały one siłą żywotną, która mogła zapoczątkować odrodzenie gospodarcze w XVIII w., to przecież w ramach ogólnych udział ich uległ wyraźnemu zmniejszeniu, a wzmogły się te formy gospodarcze, które były jak najbardziej związane z ustrojem feudalnym, z podtrzymywaniem modelu gospodarki folwarczno-pańszczyźnianej w jego najbardziej krańcowych kształtach. Względna równowaga rozwojowa, istniejąca jeszcze przez wiek XVI, została załamana z niepowetowaną szkodą dla dalszego rozwoju gospodarczego Polski. I jakkolwiek można przytaczać przykłady krajów, w których nastąpiło podobne cofnięcie czy zastój w życiu ekonomicznym, to w żadnym z nich hipertrofia folwarku pańszczyźnianego jako formy, której podporządkowane zostały wszelkie inne dziedziny życia gospodarczego, nie wystąpiła w tak rozwiniętej postaci.

e. Początki odrodzenia gospodarczego

W drugiej ćwierci XVIII w. zaistniały w Rzeczypospolitej zjawiska ekonomiczne, które pozwalają dostrzec pewne pozytywne przemiany w jej sytuacji ekonomicznej w ostatniej fazie omawianego okresu. Charakter i znaczenie tych zjawisk, nie zbadanych zresztą dotąd w dostatecznym stopniu, są przedmiotem dość kontrowersyjnych opinii w nauce historycznej. Typowe mogą być pod tym względem różnice w poglądach dwu poznańskich historyków gospodarczych. Tak więc Władysław Rusiński jako główną cechę okresu sięgającego od połowy XVII do końca XVIII w. przyjmuje kryzys gospodarki folwarczno-pańszczyźnianej i podporządkowuje mu charakterystykę stanu gospodarczego Rzeczypospolitej w całym tym okresie, dostrzegając ożywienie gospodarcze dopiero w ostatnim ćwierćwieczu istnienia państwa szlacheckiego. Natomiast Jerzy Topolski przeciwstawia okresowi stagnacji gospodarki polskiej w XVII w. okres jej wzrostu w XVIII w., analizując jego przejawy w rolnictwie i przemyśle na tle europejskim. Jakkolwiek problem ten ma istotne znaczenie dopiero dla oceny Oświecenia, nie można go pominąć przy omawianiu pierwszej połowy XVIII w. Niestety, badania nad przemianami ekonomicznymi w Polsce tej doby są bardzo skromne i nie pozwalają na żadne definitywne uogólnienia. Z tym zastrzeżeniem trzeba też traktować stanowisko obu historyków. Wydaje się, że jeden z nich zbyt jest skłonny rozciągać pojęcie kryzysu gospodarczego na zjawiska, które mają swe źródło głównie w zniszczeniach wojennych i klęskach elementarnych, podczas gdy drugi przecenia wysokość punktu startu w trzecim dziesięcioleciu XVIII w. i zjawiska odbudowy utożsamia częściowo ze zjawiskami wzrostu gospodarczego.

W każdym razie teza Topolskiego wydawałaby się nam bliższa realnej sytuacji. Dlatego też potrzebne byłoby zaznaczenie zarysowujących się już w pierwszej połowie wieku zmian w charakterze struktury gospodarczej. Nie powodują one jeszcze przekształcenia się stosunków gospodarczych — wskazują raczej drogę, na której będą się dokonywały one w niedalekiej przyszłości. Zmiany te zarysowują się silniej dopiero w piątym i szóstym dziesięcioleciu XVIII w. i nie bez wpływu na nie jest poprawienie się koniunktury na płody rolne w Europie. Polegają one na podnoszeniu się poziomu techniki i kultury rolnej, wzroście renty pieniężnej, szerszym niż poprzednio występowaniu manufaktury scentralizowanej, wreszcie na zwiększeniu obrotów towarowych.

Oznaki postępu technicznego i wzrostu poziomu kultury rolnej były na razie słabe. Polegały one w głównej mierze na przezwyciężaniu powstałego poprzednio regresu, np. na ponownym wprowadzeniu kos przy sprzęcie zboża, szerszym posługiwaniu się częściami żelaznymi przy konstrukcji narzędzi rolniczych, a także na stosowaniu nowych upraw, jak ziemniaków i tytoniu (ale tylko w ogrodnictwie). W zakresie hodowli zwiększyły się starania o polepszenie rasy bydła przez wprowadzenie bydła holenderskiego.

Głębsze znaczenie miał wzrost znaczenia renty pieniężnej. Była już mowa o tym, że często zamieniając pańszczyznę na czynsze wielcy właściciele zrzucali na chłopa ryzyko produkcji. Zdarzały się jednak wypadki, kiedy tego typu zmiana przyczyniała się do powstania nowego układu stosunków wytwórczych. Taki charakter miało np. oczynszowanie przeprowadzone we wsiach miasta Poznania, zapoczątkowane w 1719 r., które doprowadziło z czasem do parcelacji folwarków i wzrostu zamożności chłopa związanego z rynkiem miejskim. Właśnie przebieg i skutki oczynszowania na tym terenie stały się walnym argumentem dla propagatorów renty pieniężnej. Do podobnych wypadków czynszowania dochodziło również w królewszczyznach (np. w ekonomii malborskiej), w dobrach kościelnych, a także w dobrach szlacheckich. Nie jest łatwo w każdym przypadku stwierdzić, jaki charakter miało dane oczynszowanie. Dlatego ważniejsza wydaje się ogólna tendencja zwiększania roli renty pieniężnej w gospodarce wiejskiej, przejawiająca się w świadomej akcji chłopskiej uwalniania się od obowiązków pańszczyźnianych poprzez wykupywanie się od robocizny. Na niektórych obszarach tego rodzaju przechodzenie na rentę pieniężną przybrało poważne rozmiary, zwłaszcza gdy doda się do tego i osadnictwo czynszowe, przede wszystkim „olęderskie".

Przemiany w rolnictwie przebiegały powoli i obejmowały tylko niektóre regiony (szczególnie zachodnią Wielkopolskę i Prusy Królewskie). Wyraziściej rysowały się zmiany w produkcji przemysłowej. Mocne sukiennictwo wielkopolskie, o którym była już mowa, rozwijało się nie tylko w ramach produkcji cechowej, ale także nakładu organizowanego przez bogatych kupców. Natomiast manufaktury scentralizowane działały w miastach w tym okresie raczej sporadycznie — można do nich zaliczyć pewne przedsiębiorstwa w Gdańsku, Lesznie, na ogół jednak spotykały się z oporem ze strony rzemiosła cechowego. Brakowało również w miastach kapitału, który można by użyć na takie inwestycje. Najzamożniejsi kupcy — gdańszczanie, nie kwapili się zbytnio do związanego z tym ryzyka. Inicjatywę w organizowaniu produkcji opartej na nakładzie przejawiali kupcy żydowscy, nie słychać jednak o zakładaniu przez nich manufaktur. Można jednak dostrzec pewną koncentrację kapitału handlowego w ręku kupców warszawskich. Już w 1723 r. założony został w Warszawie przez francuskich kupców hugenotów dom handlowy o kapitale zakładowym 78 tys. florenów. W 1741 r. do spółki tej wszedł Piotr Tepper, który miał stać się najbogatszym bankierem warszawskim XVIII w. Było to przedsiębiorstwo duże nawet na miarę europejską, utrzymujące kontakty handlowe ze wszystkimi poważniejszymi ośrodkami. Zajmowało się importem, i to głównie na potrzeby dworu królewskiego i magnatów, wyciągając z tego wysokie zyski.

Gdy królowie interesowali się w tym czasie rozbudową manufaktur w dziedzicznej Saksonii, jedynie jeszcze magnaci dysponowali dostatecznym kapitałem do utworzenia przemysłu manufakturowego. Stosunkowo najlepiej jest znana pod tym względem działalność Radziwiłłów, szczególnie Anny z Sanguszków Radziwiłłowej (zm. 1742 r.), której przypadła rola inicjatorki, oraz jej syna Michała Kazimierza (zm. 1762 r.). Początkowo (od lat dwudziestych XVIII w.) na Podlasiu, później w Nowogródczyźnie i w księstwie słuckim powstało kilkanaście zakładów produkujących szkło, ceramikę, sukno, różne rodzaje płócien, pasy, kobierce, szpalery itp. Przedsiębiorstwa te, oparte częściowo na pracy sprowadzanych z zagranicy specjalistów, częściowo zaś chłopów pańszczyźnianych, nastawione były głównie na potrzeby dworu magnackiego czy latyfundium. Jak słusznie ocenił to badacz tych manufaktur Witold Kula, w tendencji były to przedsiębiorstwa kapitalistyczne, ale w praktycznym wykonaniu feudalne. Ograniczony był też rejon ich oddziaływania. Ale, jak już wspomniano, służyły przykładem innym. Sprowadzał rękodzielników Józef Potocki, Stanisław Poniatowski, a Konstanty Ludwik Plater założył liczne przedsiębiorstwa manufakturowe w swych dobrach w Inflantach Polskich.

Większe znaczenie dla rozwoju gospodarczego całego kraju miała rozbudowa przemysłu żelaznego w Zagłębiu Staropolskim. Inicjatywa biskupów krakowskich, zwłaszcza Konstantego Szaniawskiego i Stanisława Andrzeja Załuskiego, a także magnackiego rodu Małachowskich, posiadających swe dobra wokół Końskich, doprowadziła do stworzenia nowoczesnego zagłębia metalurgicznego. W 1745 r. w dobrach biskupów krakowskich działały 3 wielkie piece, 20 fryszerek, 5 kuźni, 2 huty ołowiu i 1 huta galmanu. Wielkie piece produkowały w tym czasie m.in. około 1350 ton surówki żelaznej, ok. 800 ton wyrobów kutych, znaczną ilość wyrobów lanych. Wyroby te tylko częściowo były przeznaczone na potrzeby dóbr biskupich — większość z nich była rozprowadzana po kraju. Natomiast Jan Nałęcz Małachowski, kanclerz w. kor., wystawił w swych dobrach 4 wielkie piece poczynając od 1739 r.

Były to skromne początki procesu industrializacji, który zaczynał wtedy ogarniać całą Europę. Przystępowała do niej Polska z blisko półwiekowym opóźnieniem w stosunku do najbliższych sąsiadów — Rosji, w której przemysł żelazny oraz produkcja manufakturowa zaczęły się już rozwijać na wielką skalę od przełomu XVII i XVIII w., Austrii czy Prus, gdzie od drugiego dziesiątka XVIII w. władze państwowe położyły szczególny nacisk na rozbudowę tych działów produkcji. Zdecydowanie zaawansowany w stosunku do Rzeczypospolitej był Śląsk. Już w pierwszym czterdziestoleciu XVIII w. działało tu kilkadziesiąt większych czy mniejszych manufaktur oraz uruchomiono pierwsze wielkie piece na Górnym Śląsku (w Sławęcicach, dobrach pierwszego ministra Augusta II, Jakuba Henryka Flemminga) kładąc podwaliny pod rozwój nowoczesnego przemysłu metalurgicznego w tej dzielnicy. Najwyższy poziom rozwoju przemysłowego osiągnęła zresztą w tym okresie Saksonia. Już w drugiej połowie XVII w. powstało w Saksonii około 20 dużych scentralizowanych manufaktur, a za panowania Augusta II liczba ta uległa podwojeniu — przy czym znalazła się między nimi słynna manufaktura porcelany w Miśni. Rozbudował się również przemysł żelazny w rejonie Freibergu. Na tym tle zachodzące w Rzeczypospolitej przemiany gospodarcze wypadają dość skromnie. Świadczą przecież, że kończył się okres stagnacji i załamania ekonomicznego, że wreszcie w samym społeczeństwie polskim powstawały siły zdolne go przezwyciężyć.

3. Wzrost procesów dezyntegracyjnych w społeczeństwie

a. Pauperyzacja chłopstwa i wzrost napięcia klasowego

Trudności ekonomiczne i klęski wojenne wzmogły procesy dezyntegracyjne w społeczeństwie w Rzeczypospolitej. Zjawisko to zaobserwować można zarówno w stosunkach wewnątrzklasowych, gdzie zaostrzyły się konflikty interesów między poszczególnymi warstwami, jak i w stosunkach międzyklasowych, które charakteryzuje znaczny wzrost napięcia. Procesy te dadzą się wreszcie zaobserwować na płaszczyźnie ogólnospołecznej w postaci silnej ksenofobii i nietolerancji, a także w tendencji do akcentowania odrębności tradycyjnych lub nowo powstających społeczności prowincjonalnych, opartych przede wszystkim na więzi bliskiego sąsiedztwa. W związku z tym osłabieniu uległy tak silne w dobie Odrodzenia dążenia jednoczeniowe i centralistyczne.

Dla chłopów charakterystyczna jest w tym czasie wzmożona dyferencjacja wewnętrzna, przy jednoczesnym silniejszym niż poprzednio zamykaniu się niewielkich społeczności wiejskich czy parafialnych. Wzmożone zróżnicowanie wśród chłopstwa było przede wszystkim wynikiem przemian w strukturze gospodarki rolnej. Powiększała się więc liczba uboższych warstw ludności chłopskiej: zagrodników, chałupników i komorników. Według obliczeń Jana Rutkowskiego w połowie XVIII w. sytuacja przedstawiała się następująco:

Prowincje	Na 100 rodzin chłopskich przypadało				
	komorników	chałupników	zagrodników	kmieci	innych
Prusy Królewskie	4.5	7,5	37,6	49,6	0,8
Wielkopolska	15,1	10,3	26,5	42,6	5,5
Małopolska	8,2	9,9	28,3	51,9	1,7
Ziemie ruskie	3,1	6,8	19,8	68,1	2,2

Ażeby lepiej zrozumieć te dane, należy jeszcze dodać, że o ile w Wielkopolsce i Prusach gospodarstwa kmiece były stosunkowo duże (gospodarstwa powyżej 1/2 łana stanowiły w Wielkopolsce 79%), o tyle odmiennie kształtowała się sytuacja w Małopolsce i na ziemiach ruskich, gdzie bardzo wyraźnie zmniejszyły się rozmiary gospodarstw kmiecych (dominowały poniżej 1/2-łanowe, o powierzchni 1/4 lub 1/8 łana).

Zmiany te wywołane były wprawdzie wspomnianymi poprzednio potrzebami gospodarki folwarcznej i jej przemianami. Tak znaczne jednak zwiększenie się uboższych warstw ludności (stanowiących w połowie XVIII wieku ogółem w Koronie co najmniej 32%) nie mogło pozostać bez wpływu na zwartość całej klasy. Różnice te dotyczyły przy tym nie tylko wyposażenia w ziemi, ale i rodzaju obciążeń, a także uprawnień w życiu społeczności wiejskiej. Wywoływało to konflikty wewnętrzne, których ostrość rosła w miarę pauperyzacji. Konflikty te potrafili wykorzystać panowie w celu podporządkowania sobie chłopów i rozładowania w ten sposób walki klasowej.

Zmiany w uwarstwieniu wiązały się także z pogorszeniem praw chłopskich do ziemi, co najsilniej wystąpiło w Małopolsce. Znacznie skurczyła się liczba gospodarstw znajdujących się dziedzicznie w ręku chłopskim. Najczęściej występującą formą użytkowania stała się dzierżawa bezterminowa, która pozwalała szlachcicowi na usunięcie poddanego z ziemi w każdej chwili. Jedynie w Prusach Królewskich i w Wielkopolsce wzrosła nieco liczba chłopów czynszowych, trzymających zwykle ziemię na zasadzie dzierżawy wieczystej.

Dalszą doniosłą zmianą w życiu wsi stało się ograniczenie jej zewnętrznych kontaktów. Polegało ono nie tylko na zamknięciu poddanym możliwości opuszczania wsi i osłabieniu wymiany z miastem, ale także na dalszym zaostrzeniu poddaństwa osobistego. Nawet małżeństwo chłopskie zostało uzależnione od zgody pana. Powtarzały się również wypadki sprzedawania chłopów bez ziemi. Dawniejsza historiografia uważała tego rodzaju wypadki za wyjątkowe. W świetle współczesnych badań Janusza Deresiewicza okazało się, że były one stosunkowo częste, tyle że przeważnie była to forma odszkodowania za wcześniejsze opuszczenie wsi przez danego chłopa wskutek zbiegostwa czy małżeństwa. Zdarzały się przecież wypadki zamiany poddanego za parę koni. Niemniej handel poddanymi w Polsce nie przybrał takich form i rozmiarów, jak w Rosji czy w Prusach.

Ludność wolną żyjącą z wyrobku (ludzi luźnych) podobnie jak w poprzednim okresie ustawicznie usiłowano zmieniać w poddanych.

Sejmiki wprowadzały ostrzejsze niż dawniej ograniczenia, nakładając kary za przyjmowanie ludzi luźnych do pracy bez pisemnego zezwolenia z poprzedniego miejsca pracy, wprowadzały wysokie podatki na ludzi luźnych, domagały się przyjmowania pracy na okres nie krótszy niż roku. Zarządzenia te nie były skuteczne, choćby z uwagi na brak rąk do pracy, a liczba ludzi luźnych rączej się zwiększała, niż zmniejszała.

Proces decentralizacji, który objął całość stosunków w Rzeczypospolitej, znalazł swe odbicie także w stosunkach wiejskich. Każda wieś czy klucz tworzyły zamkniętą społeczność rządzoną arbitralnie przez swego pana czy jego pełnomocnika. Właściciel kierował jej administracją i sądownictwem. Nawet we wsiach, które zachowały organizację gromadzką, była ona podporządkowana woli pana, pomagając w wybieraniu podatków, pilnowaniu wykonywania pańszczyzny, w wykrywaniu i karaniu przestępstw. Wydawane przez zgromadzenia gromadzkie wilkierze regulowały stosunki na wsi. Za niewywiązywanie się z nałożonych na wieś obowiązków groziła odpowiedzialność zbiorowa, a opór przeciw władzy mógł powodować likwidację samorządu.

Gdy targi zaczęły tracić swe dawne znaczenie, punktem zbornym dla kilku przynajmniej wsi pozostawała parafia. Ksiądz dbał jednak bardziej o składanie mu dziesięcin niż ugruntowywanie postawy chrześcijańskiej. Z kazalnicy płynęły więc nauki o niezmiennym charakterze istniejących stosunków i płytko pojmowane zasady religii, ugruntowujące tylko nietolerancję, fanatyzm i zabobon. Wiejskie szkoły parafialne, których liczba uległa zmniejszeniu, kładły główny nacisk na wyuczenie katechizmu. Na te umysły odsuwane od wiedzy spadła jeszcze jedna klęska — pijaństwo. Było ono celowo rozbudzane przez panów, którzy, jak wspomniano, w monopolu propinacyjnym znaleźli dodatkowe źródło dochodów. Chłop nie tylko mógł, ale i musiał korzystać z karczmy pańskiej, miał bowiem obowiązek zakupywania określonej ilości trunku, zwykle piwa, rocznie. Zresztą pobyt w karczmie dawał chłopom nie tylko możliwość rzadkiej w ich życiu rozrywki, ale i zetknięcia się z ludźmi z dalekiego, zamkniętego dla nich na ogół świata. Podstawę formowania się ich wiedzy i poglądów tworzył bowiem przekaz ustny, nierzadko bałamutny lub tendencyjny. Tutaj także, choć w pewnym stopniu również na wieczornych spotkaniach, rozwijała się samorodna twórczość ludowa, powstawały pieśni proste, ale pełne uroku (które — spisane przez szlacheckiego zbieracza w początkach XVIII w. — przypomniał niedawno Czesław Hernas), oddawano się muzyce i tańcom. Nawet najcięższy wyzysk pańszczyźniany nie mógł bowiem stłumić potrzeby rozrywki.

Ogólne warunki bytowania chłopskiego pogorszyły się znacznie. Wprawdzie zależały one od warstwy i zdarzały się domostwa chłopskie nie ustępujące z zewnątrz dworkom szlacheckim, nieźle wyposażone w meble i sprzęt. Na ogół wszakże — poczynając od uboższych kmieci — domy chłopskie raziły zaniedbaniem, były stosunkowo niewielkie. Drób, cielęta i prosięta często trzymano w odgrodzonej części sieni lub nawet (w Małopolsce) izby mieszkalnej. Podłoga u uboższych chłopów bywała z gliny, okna z pęcherzy zwierzęcych. Po okresach wojen ludność długo musiała gnieździć się w ziemiankach, szałasach czy lepiankach. Pożywienie składało się głównie z placków mącznych (podpłomyków), rzadziej z chleba, z kasz i warzyw, zwłaszcza kapusty i rzepy, oraz z nabiału. Mięso zjawiało się rzadko, i to chyba głównie u bogatszych. W latach nieurodzaju głodowano, odżywiając się papką z rdestu, lebiody czy innych zielsk. Ponieważ lata głodu nabierały nieraz charakteru klęski chronicznej, odżywianie takie odbijało się na ludziach, którzy zdaniem jednego z pamiętnikarzy dlatego „byli chudzi, nędzni, słabi i chorzy", malała ich wydajność w pracy i odporność na choroby.

Gdy na tak zbiedzonego chłopa sypały się jeszcze rozliczne nowe obciążenia, gdy poza pracą na pańskim (sięgającą teraz do 12 dni z łanu), daninami i czynszem musiał jeszcze płacić podwyższone podatki (np. obciążenie jednego łanu wzrosło w diecezji poznańskiej od 1652 do 1703 r. z 20 do 150 złp.) lub spadały nań egzekucje wojskowe, gdy nie ustawały daniny na rzecz Kościoła, jedyny ratunek mógł widzieć w zrzuceniu z siebie nieznośnego jarzma. Mnożą się więc wypowiedzi szlacheckie o „nienawiści i złości chłopstwa przeciwko stanowi szlacheckiemu".

Formy oporu chłopskiego na ziemiach polskich podobne były do form oporu w większości krajów europejskich, a w każdym razie w tych krajach, w których w tym czasie dominowała gospodarka folwarczno-pańszczyźniana. Podobnie jak poprzednio, tak i teraz najpowszechniejszą formą było samowolne opuszczanie gospodarstw i zbiegostwo, połączone z przeniesieniem na nową gospodarkę u innego pana, jeśli chodziło o bogatszych chłopów, bądź też z zerwaniem wszelkich form zależności, udaniem się na „swawolę", jak mówiła szlachta, czyli na poszukiwanie pracy najemnej. Trudno byłoby i w tym okresie wskazać jakiś główny kierunek zbiegostwa (na pewno nie tylko na wschód, jak twierdziła dawniejsza historiografia). Zbiegli chłopi kierowali się wyraźnymi względami utylitarnymi, przechodząc do tej kategorii dóbr, w której w danym momencie były mniejsze ciężary dominialne i państwowe lub w której była większa swoboda. Ruchu tego szlachta nie była w stanie opanować mimo różnorodnych przepisów — choćby z tego względu, że część z niej sama z tego korzystała. W rezultacie zbiegostwo pozostawało swego rodzaju hamulcem na zbyt daleko posuniętą samowolę i tyranię niektórych właścicieli, zarazem ruch ten rozbijał zatomizowaną strukturę wsi, do której dążyli feudałowie, ułatwiał kontakty i porównania, podtrzymywał jedność klasy.

Formą oporu zbiorowego stawała się najczęściej odmowa wypełniania powinności przez całą wieś lub nawet klucz. Występowała ona wtedy, gdy zawodziły skargi czy supliki. Była akcją zorganizowaną, mającą własne kierownictwo, istniał także pewien przymus współuczestnictwa. Niekiedy łączyła się ze zbrojnym oporem. Ostatnia forma była jednak rzadka na ziemiach etnicznie polskich. Zdarzały się przecież właśnie w tym okresie i poważniejsze wystąpienia zbrojne o charakterze powstań chłopskich, zwanych przez szlachtę buntami. Wiemy o takich wystąpieniach na Podhalu (zwłaszcza w 1670 r., kiedy doszło do formalnej bitwy powstańców chłopskich z wojskiem), na Podkarpaciu i Podlasiu, na Kurpiowszczyźnie (w latach 1735 - 1738). Najpoważniejsze rozmiary tego rodzaju wystąpienia przybierały na ziemiach wschodnich Rzeczypospolitej, gdzie walka klasowa splatała się z konfliktem narodowościowym. Tam też dochodziło do największych zorganizowanych powstań ludności chłopskiej (wespół z Kozakami), obejmujących większe obszary. Natomiast na ziemiach etnicznie polskich stosunkowo najszerzej zakrojony ruch chłopski z 1651 r. pod wodzą Kostki Napierskiego ograniczył się do paru ognisk. Wszelkie formy oporu zbrojnego były zresztą bardzo ostro karane przez szlachtę — wielu przywódców ruchu zapłaciło za swą odwagę życiem.

Wrzenie wśród chłopów polskich nie ograniczało się do terenów Rzeczypospolitej. Nasilenie walk klasowych wzrosło także na ziemiach odłączonych od Polski, szczególnie na Śląsku. Tutaj, zwłaszcza na Opolszczyźnie, wobec germanizacji szlachty walka klasowa zbiegała się z walką narodowościową, wzmagała poczucie odrębności chłopów od uciskających ich panów i stanowiła czynnik umacniający przetrwanie polskości. Była więc pewna analogia z sytuacją na ziemiach wschodnich Rzeczypospolitej, jakkolwiek w każdym z tych wypadków elementy polskie odgrywały inną rolę. Największe napięcie walk klasowych objęło dobra niemodlińskie w latach 1722 - 1729. Za ich przykładem opór chłopski objął dobra kozielskie, opolskie, strzelińskie, brzeskie i oławskie. Natomiast w 1750 r. doszło w dobrach pszczyńskich do walk chłopów z wojskiem pruskim, ściągniętym przeciwko powstańcom.

Oryginalną formą wyłamywania się chłopów z narzuconego im przez szlachtę porządku społecznego było zbójnictwo. Zbójnicy występowali na terenie Karpat — poczynając od Śląska aż po granicę mołdawską. Stworzyli oni swoiste formy organizacyjne. Jakkolwiek zbójnictwo nastawione było głównie na rabunek i dawało się we znaki tak szlachcie, jak i bogatszym chłopom i mieszczanom, stało się w mentalności chłopskiej symbolem wyrównywania krzywd społecznych i karania ciemiężycieli. Z tego względu legendarni hetmani zbójniccy, jak śląski Ondraszek czy słowacki Janosik, otaczani byli już za życia nimbem legendy tak w Polsce, jak i na Morawach czy w Słowacji.

b. Słabość i rozkład mieszczaństwa

Mimo procesów dezyntegracyjnych chłopstwo ani na chwilę nie przestawało w Rzeczypospolitej stanowić groźnej siły społecznej, z którą szlachta musiała się liczyć. Nie da się tego powiedzieć o mieszczaństwie, którego rola i znaczenie stawały się coraz bardziej znikome. Klęski elementarne i depresja rynkowa przerzedziły ludność miejską tak bardzo, że jeszcze pod koniec XVIII w. sięgała ledwie 15% ogółu ludności. Pogarszanie się sytuacji ekonomicznej miast wpłynęło również na zaostrzanie się konfliktów wewnętrznych wśród mieszczaństwa, podsycanych i wykorzystywanych przez szlachtę. W rezultacie możliwości oddziaływania na stosunki w Rzeczypospolitej skurczyły się dla mieszczan niezmiernie — nie od nich też, ale właśnie od szlachty wyszły pierwsze głosy domagające się opieki nad mieszczaństwem i wskazujące na szkodliwość istniejącego stanu dla całego państwa (Fredro, Leszczyński, Garczyński).

Procesy dezyntegracyjne wśród mieszczaństwa miały swe źródło w kilku czynnikach. Nie bez znaczenia był zasadniczy podział na miasta królewskie i prywatne, których było znacznie więcej. Tylko pierwsze z nich mogły liczyć na jakąś pomoc i opiekę ze strony władz państwowych, opiekę dość zresztą problematyczną, bo starostowie, którym ją powierzano, więcej siali zamętu swym wtrącaniem się w gospodarkę i sprawy wewnętrzne, niż pomagali. Wbrew przywilejom narzucali oni niekiedy radę miejską — działo się tak nawet w Lublinie. Gorsze jednak było położenie miast prywatnych, zdanych na łaskę i niełaskę właściciela. W rezultacie niektórych osad miejskich poza nazwą nic nie różniło od wsi, a mieszczanie uginali się pod ciężarem najróżnorodniejszych powinności, z pańszczyzną na czele. Już więc samo zróżnicowanie prawne utrudniało wspólne występowanie mieszczaństwa.

Jednakże i w miastach królewskich znaczne ich części lub terytoria podmiejskie bywały w postaci jurydyk wyłączane spod zwierzchności miejskiej i poddawane władzy szlachty lub kleru. Wokół Warszawy w XVIII w. istniało 14 jurydyk, liczących jak Solec do 5 tys. mieszkańców. W Krakowie w obrębie murów miejskich posiadłości kościelne obejmowały 55% gruntów, szlacheckie blisko 17%. Ludność jurydyk, wyłączona spod ciężarów i obowiązków miejskich, stanowiła warstwę konkurencyjną dla pozostałego mieszczaństwa. Powstawały na tym tle liczne spory i walki, które stanowiły czynnik osłabiający społeczność miejską i uzależniały ją od szlachty.

Poważnie wzmógł się stan napięcia pomiędzy poszczególnymi warstwami w mieście oraz między narodowościami. Przeciwieństwa wewnętrzne o charakterze klasowym nie pokrywały się bowiem — poza nielicznymi wyjątkami — z podziałem narodowościowym. Tak więc w miastach pomorskich elementy polskie i niemieckie spotykało się na ogół we wszystkich warstwach ludności. Podobnie bywało gdzie indziej. Prowadziło to nawet do wytwarzania się konkurencyjnych organizacji rzemiosła i handlu. Oficjalny podział ludności lwowskiej obejmował np. ławę, starszych ormiańskich, kupców, rzemieślników i nację ruską. Prawda, że podobne stosunki bywały i gdzie indziej na terenach mieszanych; np. na Śląsku w podwrocławskich Kątach w XVII w. występował odrębny cech polski, skupiający rzemieślników różnej specjalności na zasadzie pochodzenia, gdy obok niego występowały inne branżowe cechy rzemieślnicze. Ale w Rzeczypospolitej podział narodowościowy istniał w większości miast. Jak już wspomniano (zob. cz. 1, s. 199), szczególną rolę odgrywała bardzo w tym czasie już liczna, bogata i wpływowa ludność żydowska. Obok kahałów powstawały — mimo oporu mieszczaństwa innych narodowości — odrębne cechy żydowskie na wzór cechów miejskich.

Z konfliktami narodowościowymi łączyły się, jakkolwiek nie zawsze znów się pokrywały, konflikty wyznaniowe: katolików z protestantami na zachodzie, z prawosławnymi i unitami na wschodzie Rzeczypospolitej. Zdarzały się wypadki niedopuszczania do prawa miejskiego czy do pewnych cechów wyznawców innej religii niż panująca w danym mieście. Gdy więc w Poznaniu hamowano dostęp innowiercom, w Gdańsku czy Toruniu postępowano podobnie z katolikami.

W sumie ta różnorodność i wielokierunkowość konfliktów powodowała skomplikowaną sytuację w miastach. Każde niemal miasto miało swe własne problemy. W stosunkach między chrześcijańskimi a żydowskimi rzemieślnikami dochodziło zarówno do wypadków trwałego konfliktu konkurencyjnego, jak i łączenia się rzemieślników żydowskich z chrześcijańskimi partaczami przeciwko upośledzającej ich polityce władz miejskich (w ten sposób powstawały wspólne cechy), jak wreszcie i do współdziałania uboższych mistrzów i partaczy chrześcijańskich oraz żydowskich przeciwko bogatszym mistrzom, zarówno chrześcijańskim, jak żydowskim. Tak rozmaite możliwości nie pozostawały bez wpływu i na tok walki klasowej w miastach. Uprzywilejowanie prawne patrycjatu zostało wprawdzie jeszcze pod koniec XVI w. zmniejszone przez powoływanie pospólstwa, a więc średniego mieszczaństwa, do decydowania o ważniejszych sprawach miejskich, zwłaszcza fiskalnych. Także potęga gospodarcza patrycjatu była daleka — z wyjątkiem Gdańska i paru największych miast — od stanu z poprzednich wieków. Wobec niewywiązywania się rady ze swych obowiązków i prób przerzucania ciężarów na uboższe warstwy dochodziło czasem do wystąpień przeciwko niej ze strony pospólstwa i plebsu, domagających się dalszej demokratyzacji. Wystąpienia te zyskiwały zwykle poparcie władcy czy pana miasta, nadal bowiem szlachta uważała patrycjat za poważnego konkurenta i chętnie przykładała rękę do obniżenia jego powagi.

Klasycznym przykładem stały się wydarzenia w Gdańsku, gdzie w połowie XVII w. pospólstwo wystąpiło z żądaniami przyznania mu szerszego udziału w sprawowaniu rządów. W latach pięćdziesiątych zdobyło ono sobie prawo kontroli finansów miasta poprzez delegatów ławy i tzw. trzeciego ordynku. Nie rozwiązało to jednak sprawy, walki się odnowiły i spowodowały ingerencję Jana III w sprawy miejskie w 1678 r. Król wydał wtedy dekret o podwojeniu przedstawicieli cechów w trzecim ordynku. Ostateczny spadek napięcia przypadł jednak dopiero na okres panowania Augusta III, który w 1759 r. doprowadził przy pomocy pospólstwa do złamania przewagi patrycjatu, wprowadzając zarządzenie nadające cechom pełną kontrolę nad gospodarką miejską, a trzeciemu ordynkowi znaczny wpływ na skład rady. Złamanie przewagi patrycjatu w tym okresie nie miało już jednak istotniejszego znaczenia dla układu stosunków Gdańska z Rzecząpospolitą.

Wreszcie wspomnieć trzeba o postawie plebsu miejskiego. Ze strony biedoty miejskiej, szczególnie czeladników, podnosiły się liczne zarzuty przeciwko majstrom. Zyskanie tytułu majsterskiego wymagało pokonania coraz większych trudności. Zwiększano wymagania stawiane przy majstersztykach i domagano się wysokich opłat pieniężnych. Powstałe na tym tle antagonizmy prowadziły często do tumultów ze strony czeladników.

Na wydatne zmniejszenie się liczby mieszczaństwa wpłynęły nie tylko klęski elementarne, ale także trudności z napływem doń nowej ludności. Bez jej dopływu szczególnie większe miasta, wskutek skupienia ludności w fatalnych warunkach higienicznych, narażone byłyby na powolne wymieranie. Najłatwiej jeszcze mogli się osiedlać w miastach ludzie luźni, najuboższa warstwa ludności wiejskiej. Mniej chętnie widziały ich mniejsze miasta, które pod naciskiem szlacheckim starały się usuwać ich na wieś. Natomiast w większych miastach ludzi luźnych przybywało sporo. W Gdańsku w połowie XVIII w. robotnicy najemni stanowili 30% przyjmowanych do prawa miejskiego. Osiedlali się w miastach także bogatsi chłopi, ale nawet po kilkudziesięciu latach panowie potrafili się skutecznie o nich upominać. Szlachta, jeśli zamieszkiwała w miastach, budując sobie w nich domy czy pałace, nie przenikała do społeczności miejskiej, gdyż za zajmowanie się handlem czy rzemiosłem, nie mówiąc już o przyjmowaniu urzędów miejskich, groziła od 1633 r. utrata niektórych praw szlacheckich, zwłaszcza do nabywania ziemi. W 1677 r. sejm zapowiedział cofnięcie nobilitacji tym z mieszczan, którzy po jej otrzymaniu chcieliby nadal oddawać się zajęciom miejskim. W ten sposób pilnowano, by mieszczaństwo nie zostało wzmocnione przez napływ ze strony szlachty. Inna rzecz, że tendencja była raczej w tym okresie przeciwna. Co energiczniejsi i zamożniejsi mieszczanie usiłowali legalnie lub równie często nielegalnie zdobywać szlachectwo. Pogarszało to tylko sytuację ogółu mieszczaństwa, tracącego najbardziej wyrobione żywioły, oraz powodowało odpływ kapitału.

Kilka miast znajdowało się zresztą pod tym względem w sytuacji wyjątkowej. Nie tracili szlachectwa nobilitowani mieszczanie gdańscy, nawet jeśli oddawali się nadal zajęciom miejskim. Prawa szlacheckie otrzymały prócz Krakowa i Wilna również Lwów (1658), Kamieniec Podolski (1670), magistrat Lublina (1703). Dawało im to uprawnienia do nabywania dóbr ziemskich oraz obsyłania przez posłów (ablegatów) sejmów i elekcji na prawach obserwatorów. I tego typu wyodrębnianie nie sprzyjało wytwarzaniu się solidarności wewnątrzstanowej. Natomiast nie można odmówić mieszczaństwu, szczególnie z większych ośrodków, ofiarności i zrozumienia dla potrzeb kraju. Dali ich dowody w czasie najazdów obcych mieszczanie Lwowa, Krakowa, Warszawy i — co może być nieco zaskakujące — Gdańska, który wykazał wtedy swą wierność wobec Rzeczypospolitej w najbardziej krytycznych momentach.

Wraz z rozkładem wewnętrznym mieszczaństwa i upadkiem ekonomicznym zmniejszało się jego znaczenie w życiu kulturalnym. Rola twórczości mieszczańskiej czy mecenatu patrycjuszy stała się zupełnie drugorzędna. Odmiennie kształtowała się pod tym względem sytuacja na znajdujących się poza granicami Rzeczypospolitej ziemiach polskich, gdzie nie było już szlachty polskiej. Szczególnie na Śląsku na mieszczaństwie, i to protestanckim, opierał się przede wszystkim rozwój kultury polskiej w tej dzielnicy. Głównymi centrami kulturalnymi polszczyzny stały się Cieszyn, Kluczbork, Wołczyn, w pewnym stopniu Brzeg i Wrocław. W tych miastach tworzyli polscy pisarze, ukazywały się dość liczne druki, funkcjonowało na dobrym poziomie szkolnictwo. Poza Prusami Królewskimi niczego podobnego nie obserwuje się w Rzeczypospolitej — przeciwnie, rozwój kultury odbywa się tutaj jakby poza mieszczaństwem.

Sytuacja ta zmieni się dopiero ku połowie XVIII w., kiedy najbardziej żywotnym kulturalnie elementem stanie się polskie i niemieckie mieszczaństwo Prus Królewskich, Gdańska i Torunia, które będzie zaszczepiać zalążki Oświecenia na ziemiach polskich. Na ogół poziom i zapierwsze interesowania intelektualne mieszczaństwa były wyraźnie niższe niż w poprzednim okresie. Zmniejszył się też duch ryzyka, przedsiębiorczości. Kupiec w Rzeczypospolitej najczęściej bywał komisantem obcego, zachodnioeuropejskiego kupca i na jego ryzyko prowadził operacje. Za granicę udawał się rzadko — najbardziej przedsiębiorczy bywali jeszcze kupcy żydowscy czy ormiańscy. Ci ostatni docierali nawet aż do Persji, gdy żydowscy kończyli swe podróże na Wrocławiu, Pradze czy Lipsku. Większość zadowalała się niewielkimi zyskami i ograniczała swe kontakty kupieckie do jarmarków w Rzeczypospolitej. Tym też tłumaczyć można wziętość obcych, włoskich, szkockich czy francuskich kupców, którzy osiadali w większych miastach, służąc swym pośrednictwem magnatom i zamożnej szlachcie.

Zaabsorbowani swymi drobnymi, partykularnymi sprawami, pozbawieni szerszej wiedzy, żyjący w zamkniętym świecie zhierarchizowanego feudalnego społeczeństwa mieszczanie, zwłaszcza z mniejszych miast, razili swą ciemnotą, a nieraz i fanatyzmem. Nie było przypadkiem, że to właśnie przez sądy drobnych miasteczek przewinęła się największa liczba spraw przeciwko czarownicom. Miasta też bywały ośrodkami dość licznych tumultów i histerii religijnych, tak typowych dla tego okresu.

Poziom bytowania materialnego obniżał się wraz z ogólną katastrofą gospodarki mieszczańskiej. Odbudowa po zniszczeniach wojennych następowała powoli, zamiast dawnej częstszej murowanej, teraz, zwłaszcza w mniejszych miastach, przeważała zabudowa drewniana, łatwo ulegająca pożarom. Zacierała się różnica między wyglądem miasteczek i wsi. Właśnie dla tego okresu typowy był obraz miasta naszkicowany przez Ignacego

Krasickiego: między okazałymi budynkami klasztornymi i kościołami można było dostrzec tylko „gdzieniegdzie domki".

Nieco lepiej było w niektórych dużych miastach, zwłaszcza w Warszawie, gdzie w pierwszej połowie XVIII w. nie tylko powstało wiele pałaców magnackich, ale i wprowadzono pierwsze oświetlenie uliczne (1715), a pod sprawną ręką marszałka Franciszka Bielińskiego zabrano się do czyszczenia miasta, brukowania ulic, wytyczania nowych traktów. Wprawdzie nie zostały w pełni zrealizowane przygotowane na życzenie Augusta II przez saskich architektów, Jana Krzysztofa Neumanna i Mateusza Daniela Pöppelmanna, założenia urbanistyczne, które miały podnieść splendor stolicy, niemniej „oś saska", zakończona pierwszym ogrodem publicznym, dobrze świadczy o ówczesnych staraniach o wygląd Warszawy.

Wyposażenie domów mieszczańskich nie uległo większym zmianom. Nadal patrycjat w większych miastach starał się o bogate meble, dywany i obrazy, by zadokumentować swą zamożność, nie szczędził także z tego powodu wydatków na odzież, chociaż powtarzające się surowe szlacheckie przepisy przeciw zbytkowi dokładnie określały, jaki strój odpowiada jakiej warstwie. Ubiór zamożnego mieszczanina nie różnił się wiele od szlacheckiego — brakło w nim kontusza i szabli. Uboższy mieszczanin nosił bekieszę sukienną, żupan z bogatym pasem, portki, wysokie buty i konfederatkę. Strój ten miał niemały wpływ na ukształtowanie się dziewiętnastowiecznego ubioru ludowego w Polsce.

c. *Szlachta i magnaci*

Wzrost wpływów magnaterii zaważył również ujemnie na zwartości całego obozu feudalnego w Rzeczypospolitej. Przede wszystkim przyczynił się on w dużym stopniu do rozdrobnienia i rozczłonkowania średniej szlachty, co było jednym z podstawowych warunków pogłębienia decentralizacji państwa. Proces rozbijania zwartości średniej szlachty odbywał się w drodze: a) kaptowania sobie wśród niej popleczników, b) popierania więzi terytorialnej bliskiego sąsiedztwa, przeciwstawianej więzi ogólnopaństwowej.

W literaturze historycznej utrzymywało się na ogół przekonanie, że podstawą hegemonii magnaterii w Rzeczypospolitej był jej bliski związek z najuboższymi warstwami szlacheckimi — „gołotą", drobną szlachtą czynszową czy zagrodową. Teza ta jest jednak tylko częściowo słuszna. Ta drobna szlachta mogła być zbrojnym ramieniem magnata i popierać szablą jego sprawę na sejmikach, sądach czy elekcjach, o zasięgu jego wpływów świadczyła jednak przede wszystkim liczba i pozycja średniej szlachty wciągniętej do fakcji, a nierzadko i do posług osobistych na rzecz magnata. Presja w tym kierunku odbywała się rozmaitymi metodami; pozyskanego szlachcica czekały i korzyści materialne, i poparcie do urzędów oraz godności ziemskich, i osłona w sądach (co wobec rozpowszechnionego pieniactwa miało duże znaczenie; wymownym przykładem są losy znanego pamiętnikarza Matuszewicza, którego przed utratą majętności na podstawie fałszywych oskarżeń ledwo ochroniła protekcja magnacka). Dochodziło do tego, że chcąc nie chcąc szczególnie na Litwie i we wschodnich województwach Korony olbrzymia większość średniej szlachty wiązała się z magnatami. Jak z przekąsem wyrażali się pisarze polityczni, szlachta, obawiając się jednego pana, tj. króla, miała teraz nad sobą kilkunastu.

Zresztą nawet magnaci rzadko działali w tym okresie pojedynczo, łącząc się przeważnie w ugrupowania, wspomniane już fakcje. Opierały się one tak na wspólnocie celów, niekoniecznie zresztą politycznych, jak i często na więzi pokrewieństwa, utwierdzanego małżeństwami. Funkcjonowanie fakcji magnackich nie było dotychczas przedmiotem specjalnych badań. Wiadomo, że obejmowały na ogół po kilka większych i mniejszych rodów magnackich z ich klientelą, przy czym skuteczność ich oddziaływania wzrastała, jeśli łączyły się w ten sposób rody z różnych dzielnic Rzeczypospolitej. Nie było to wszakże regułą: w XVII w. dominowały raczej fakcje prowincjonalne, np. na Litwie Paców czy Sapiehów. Dopiero w XVIII w. udało się Czartoryskim i Potockim stworzyć fakcje działające przez dłuższy czas na terenie całej Rzeczypospolitej. Fakcje magnackie miały zwykle paru przywódców, sposób postępowania bywał ustalany na nieformalnych ich naradach. Fakcje stawiały sobie przy tym nie tylko cele ogólnopaństwowe, ale i przeciwstawiały się innym, konkurencyjnym ugrupowaniom magnackim.

Poprzez klientelę magnacką doszło do wytworzenia się wtedy nowej warstwy szlacheckiej, zwanej szlachtą dworską. Odbywała ona służbę na dworach magnatów czy bogatej szlachty, przechodząc ustalone stadia kariery życiowej. Ona pełniła różne funkcje dworskie (od pokojowego do marszałka), wojskowe, administracyjne, uzyskując w zamian pensję, a z czasem intratne dzierżawy. W ten sposób na dworach magnackich uboższa szlachta zdobywała te możliwości dodatkowego wzbogacenia, których nie otwierały szerzej w Rzeczypospolitej ani skromny aparat urzędniczy, ani nieliczne wojsko. Powstało w Polsce wiele odpowiedników dworu królewskiego — niektóre, jak Radziwiłłowski, przerastające go nawet zbytkiem i bogactwem. Powstała w ten sposób zależność i więź, łącząca dworzan z magnatem, stawała się siłą przerastającą poczucie zobowiązań wobec państwa czy innej szlachty, toteż magnat mógł polegać na oddaniu swej klienteli.

Osłabienie więzi ogólnopaństwowej na rzecz terytorialnej było rezultatem kryzysu zaufania między władcą a średnią szlachtą, a także niedostatecznego zapewnienia bezpieczeństwa jednostki przez władze państwowe. Przywódcy szlacheccy wyobrażali sobie (zob. cz. 1, s. 142), że łatwiej uda się im nie dopuścić do wzmocnienia władzy królewskiej, jeśli główny punkt decyzji w państwie przejdzie z sejmu na sejmiki. Dzięki temu każdy szlachcic mógłby wpływać na tok najważniejszych wydarzeń państwowych. Tak się też w pewnych okresach działo, ale korzyści z tego stanu rzeczy nie wyciągnęła bynajmniej szlachta średnia. Wkrótce okazało się, że w znacznej części sejmików decydujący wpływ zdobyli sobie wielmoże magnaccy, którzy dzięki temu mogli trząść Rzecząpospolitą jeszcze pewniej niż przez sejmy. Ponadto odrodziły się lub wzmocniły dawne partykularyzmy, i to nie prowincjonalne, ale wojewódzkie lub ziemskie. Wobec słabości organów państwowych bezpieczeństwo i spokój opierały się bowiem w dużym stopniu na poczuciu solidarności szlachty zbierającej się na sejmiki. W okresie bezkrólewi przybierało to postać kaptura, ale i bez tej formalnej organizacji solidarność szlachty z danego terytorium mogła ułatwiać przeciwstawianie się naciskom fakcji magnackich czy hamować wciskające się bezprawie.

Jeżeli nawet ta więź oparta na bliskim sąsiedztwie i dobrej znajomości mogła być trwalsza i mocniejsza niż ogólna więź stanowa, to rozbijając lub osłabiając ją przyczyniała się w dużym stopniu do zmniejszenia roli średniej szlachty w państwie.

Uzależnienie szlachty od magnaterii nie odbywało się bez oporu. W imię hasła równości szlacheckiej niejednokrotnie atakowano magnatów. Na sejmach posłowie nieraz zgłaszali gotowość rozprawienia się z magnatami, grozili im wymyślonym rokoszem gliniańskim (rzekomo za czasów Ludwika Węgierskiego, kiedy to szlachta miała głową pokarać przekupnych doradców królewskich), domagali się zwołania całej szlachty na sejm konny. Zjazdy takie, choćby z racji pospolitego ruszenia obejmujące cały kraj, przybierały też kształt ruchów średnioszlacheckich i bywały groźne dla magnatów. Antymagnacki charakter miały również niektóre programy reformatorskie, wysuwane w tym czasie.

Wszystkie te poczynania pozostały jednak bez konsekwencji, nie doprowadziły do ograniczenia wszechwładzy magnackiej. Niekiedy zresztą ta niechęć do magnaterii wykorzystywana była przez samych magnatów do walki z innymi, a zwykle kierownictwo ruchami szlacheckimi przejmowała ostatecznie taka czy inna fakcja magnacka. Nie brakowało zresztą konfederacji szlacheckich organizowanych wprost przez magnaterię przeciwko królowi pod hasłem walki z absolutyzmem; konfederacje te cieszyły się nie mniejszym poparciem niż poprzednie. W pierwszej połowie XVIII wieku średnia szlachta przestała być w Rzeczypospolitej samodzielną siłą i mogła się liczyć tylko jako sojusznik takiego czy innego ugrupowania magnackiego.

Czynnikiem osłabiającym wystąpienia średniej szlachty przeciwko magnatom była także nie ograniczona przepisami prawnymi możliwość awansu. Każdy średni szlachcic mógł zostać senatorem i w Rzeczypospolitej nie wytworzyły się formalne bariery wewnątrzstanowe. W przeciwieństwie do większości krajów europejskich magnateria nie stała się grupą zamkniętą, wyodrębnioną specjalnymi uprawnieniami. Ułatwiało to demagogiczne szermowanie hasłem równości szlacheckiej, a zarazem zmniejszało zainteresowanie magnaterii kwestią usprawnienia funkcjonowania władz centralnych w państwie. Nie wiązało się to bowiem z zabezpieczeniem jej dominującej pozycji.

W przeciwieństwie do mieszczaństwa nie wydaje się natomiast, by wśród szlachty wywoływały w tym czasie poważniejsze konflikty sprawy religijne czy narodowościowe. Większość szlachty litewskiej czy ruskiej uległa w tym okresie polonizacji. Podobnie spolonizowali się przybysze z Niemiec (np. w Inflantach) czy w ogóle z Zachodu. Również konflikty na tle religijnym, dość jeszcze żywe w pierwszej połowie XVII w., straciły znaczenie wobec masowego przejścia szlachty na katolicyzm. Jedynie w Wielkopolsce czy w Prusach Królewskich protestanci utrzymywali się w nieco większej liczbie wśród szlachty, ale było ich w sumie tak niewielu, że w gruncie rzeczy ataki na nich i narastającą nietolerancję da się wytłumaczyć raczej emocjonalnym zaangażowaniem szlachty i jej fanatyzmem religijnym niż jakimiś przesłankami ekonomicznymi czy niepokojem o swe przywileje. Nie znaczy to, by momenty te nie odgrywały żadnej roli, nie brakowało bowiem delatorów, którzy za prawdziwe czy fałszywe oskarżenie kogoś o arianizm (a było to pojęcie bardzo rozciągliwe) spodziewali się zyskać prawem kaduka jego majątek. Donosiciele ci stanowili jednak, jak zwykle, margines społeczny.

Mimo swego katolicyzmu szlachta przejawiała często negatywne stanowisko wobec kleru, zwłaszcza wyższego. Ciążyła jej przewaga materialna biskupów czy opatów, przywileje sądownicze, wybierana bezwzględnie dziesięcina. Stąd systematycznie powtarzający się w instrukcjach sejmikowych i na sejmach postulat — ułożenia stosunków między państwem a Kościołem na nowych podstawach. Domagano się ścisłego przestrzegania ograniczeń dotyczących uprawnień kleru co do dalszego nabywania dóbr czy apelacji do Rzymu, wprowadzonych przez sejm 1635 r. Żądania te wzmogły się w pierwszej połowie XVIII w., wpływy Kościoła były jednak nadal tak silne, że faktyczne skutki tych dążeń szlacheckich były bardzo ograniczone.

Pełne zwycięstwo kontrreformacji w Polsce odbiło się natomiast w sposób bardzo negatywny na poziomie umysłowości szlacheckiej. Gdy zabrakło bodźca w postaci myśli reformacyjnej, podupadło szkolnictwo znajdujące się w ręku kleru, szczególnie jezuitów. Kolegia ich, kształcąc retorów sejmikowych i fanatyków wiary, utrzymywały rzesze szlacheckie w oderwaniu od tych przemian w duchu wczesnego racjonalizmu, które przeżywała ówczesna nauka europejska. Niczego innego nie oczekiwała zresztą od nich szlachta. Na niewiedzy bowiem i zadufaniu opierało się przekonanie szlachty polskiej o jej wyższości nie tylko nad innymi warstwami społeczeństwa, ale i nad szlachtą zagraniczną.

Ideologia sarmatyzmu, która początkowo miała uświetnić tylko genealogię „narodu szlacheckiego" i ułatwić jego awans między pierwsze społeczności europejskie, służyła teraz odcięciu się od nich.

Szlachta nie tylko uwierzyła w swe pochodzenie od starożytnych Sarmatów (o czym przekonywał ją już w XVI w. Aleksander Gwagnin czy Stanisław Sarnicki), ale i w szczególną wartość reprezentowanej przez siebie kultury. Za Andrzejem Maksymilianem Fredrą szerzy się przekonanie, że ustrój Rzeczypospolitej został bezpośrednio stworzony przez Boga (szlachecki odpowiednik króla z Bożej łaski, więc wyznaczonego przez Boga), a za Wespazjanem Kochowskim zaczyna się przyjmować, że polscy Sarmaci to naród wybrany, jak wybranym miał być naród żydowski. Wierząc w swe specjalne powołanie, ograniczona, skazana na kontakty z najbliższym otoczeniem szlachta żywiła bezmierną pogardę dla żyjących w „grubej niewoli” cudzoziemców i sądziła stale, że polskie wolności mogą nadal stanowić element ściągający ku niej szlachtę sąsiednią. Nieprzypadkowo ta ideologia sarmatyzmu święciła swe największe triumfy w dobie najgłębszego upadku. Stanowiła bowiem wtedy swoistą rekompensatę za doznawane klęski i upokorzenia od obcych.

Rekatolizacja i upowszechnienie się ideologii sarmatyzmu prowadziły do niebywałej poprzednio uniformizacji szlachty polskiej. Wbrew temu, co się powszechnie sądzi o indywidualizmie szlachty, staje się ona warstwą o bardzo zbliżonych poglądach i postawach. Szlachcic ziemianin z Wielkopolski nie różnił się zbytnio ani trybem życia, ani swymi zapatrywaniami od takiegoż szlachcica na Litwie czy na Rusi. Ta uniformizacja szlachty stanowiła w jakiejś mierze o jej sile, ułatwiała wewnętrzną solidarność stanową, powodowała zbliżone reakcje na dane zajwisko na terenie całego państwa. Ale była zarazem i przyczyną trudności, jakie napotykały wszelkie próby unowocześnienia Rzeczypospolitej. Przezwyciężenie umiłowania tradycji i konserwatywnego sposobu myślenia stanowiło przeszkodę nie do pokonania do końca niemal istnienia Rzeczypospolitej i trzeba było zagrożenia bytu państwowego, by zaczął pękać ten „czerep rubaszny”.

Uniformizacja szlachty była źródłem wzrastającej nietolerancji i apriorycznego odrzucania poglądów niekonformistycznych. Nie chodziło przy tym wyłącznie o sprawy religijne. Wszelka krytyka istniejących stosunków i projekty zmian przyjmowane były z podejrzliwością i tępione różnymi sposobami. Pod presją opinii wiele wybitnych dzieł literackich i politycznych tej epoki pozostało w rękopisach lub było publikowane pod pseudonimami. Na tym też częściowo gruncie rosła ksenofobia, jakkolwiek niemało przyczyniały się do niej najazdy i przemarsze obcych wojsk.

Mentalność większości magnatów nie odbiegała daleko od szlacheckiej. Dla pełności obrazu trzeba jednak dodać, że wzrastała wśród nich coraz liczniejsza grupa admiratorów cudzoziemszczyzny, skłonnych do potępiania sarmatyzmu i utożsamiania go ze wstecznictwem. Nie bez znaczenia były tu wpływy dworów Ludwiki Marii i Marii Kazimiery, małżeństwa z ich francuskimi dworkami, podróże synów magnackich do Paryża i Wersalu. Za panowania Wettinów to oddziaływanie wzorów francuskich nie ustało, hołdował im bowiem i dwór drezdeński. Otaczający króla magnaci, rezydując równie dobrze w Warszawie, jak w Dreźnie, ulegali bez większych oporów tym wpływom francusko-niemieckim. Przez małżeństwa, indygenaty, wspólne interesy polityczne i ekonomiczne dochodziło do zbliżenia arystokracji polskiej i saskiej, co także nadawało części magnatów w Rzeczypospolitej cudzoziemski polor, nie bez wartości wśród sarmackiego morza. Bez porównania słabsze były te tendencje do szukania wzorów u obcych wśród szlachty.

Samouwielbienie szlacheckie otaczała atmosfera niebywałego przepychu i zbytku. Wiele w tym zresztą było „teatru”, życia na pokaz, chęci imponowania za wszelką cenę swoim i obcym. Przykładem służyły pod tym względem dwory magnackie. Sadzono się więc na wspaniałe pałace, od końca XVII w. już z zasady murowane. Budowano je zarówno w rezydencjach wiejskich, jak i w stolicy, gdzie każdy zamożniejszy magnat musiał mieć swój własny dwór. Wyposażenie wnętrz było bogate, pełne wschodniego przepychu. Za niezbędne uważano wzorujące się na obyczajach tureckich czy tatarskich, obicia, kobierce, makaty, inkrustowaną drogimi kamieniami broń, złocone zastawy stołowe, zakupywaną w Saksonii porcelanę. Meble starano się nadal sprowadzać z Gdańska, bo uchodziły za najlepsze. Dopiero w XVIII w. zaczyna się moda na lżejsze meble francuskie. Rzęsiste oświetlenie dawały świeczniki i kandelabry.

Podobna wystawność charakteryzowała także stół magnacki. Zjadano wielkie ilości mięsiwa, wypijano niezmierzone ilości wina, szczególnie węgierskiego. Przyjęcia stawały się często orgiami obżarstwa i pijaństwa. Magnaci zresztą ucztowali zwykle w asyście licznej klienteli, z nią także odbywali podróże, w których trzeba się było wykazać wspaniałymi końmi i karetami.

Średnia szlachta pod względem bogactwa nie mogła oczywiście dorównywać magnaterii, ale starała się jej nie ustępować. Drewniane dwory szlacheckie były nie mniej suto wyposażone, a liczne zjazdy towarzyskie, kuligi, zapusty odbywały się niezmiernie hucznie. Gdy do tego dołączały się coraz częściej występujące nałogi, jak pijaństwo, gra w karty, nierzadko rozpadały się całe fortuny. Trzeba było oddawać się w ręce lichwiarzy, wysprzedawać się doszczętnie.

Na co dzień większości szlachty, już nie tylko biedniejszej, ale i średniej, nie stać było na takie zbytki. Jedzenie było dość proste, oparte na potrawach mącznych i kaszach, ze znacznie większą niż u chłopa ilością mięsa (zwłaszcza wieprzowiny). Wśród napojów większą niż dawniej rolę zaczynają odgrywać wódki, szczególnie uszlachetnione. W tym również okresie pojawia się kawa, na razie jako przysmak na zamożniejszych stołach. Rozpowszechnia się wreszcie zażywanie tytoniu, czy to w formie sproszkowanej, jako tabaki, czy do palenia w fajkach.

Charakterystyczną cechą okresu był wzrost rozbieżności w poziomie życia społeczeństwa, nawet wśród warstwy uprzywilejowanej. Na tle ogólnej pauperyzacji raził przepych dworów magnackich i królewskiego Trudno przecież było oczekiwać czegoś innego w warunkach pogłębiającej się dezyntegracji i związanego z nią obojętnienia na sprawy publiczne. Magnaci i szlachta potrafili wiele perorować na temat patriotyzmu i ofiarności. W ciągu długich lat wojen odchodzili jednak coraz dalej od wprowadzania swych szczytnych haseł w życie. Gdy mijały rzadkie zrywy ducha obywatelskiego, ogół pogrążał się w marazmie i prywacie. Powszechna stawała się korupcja, uległość wobec możniejszych, wysługiwanie się obcym. Nigdy w Rzeczypospolitej moralność publiczna nie upadła tak nisko, jak w pierwszej połowie XVIII w. Poniesione klęski wojenne nie wstrząsnęły głębiej społecznością szlachecką. Wyniki zmagań wyrobiły w niej przekonanie o Rzeczypospolitej „nie upadającej nigdy". Dawało to rozgrzeszenie wszelkim zwolennikom stagnacji i bezwładu.

4. Walka o całość Rzeczypospolitej

a. Powstanie Chmielnickiego i ruch Kostki Napierskiego

Połowa XVII w. ujawniła, jak silne procesy rozkładowe ogarnęły Rzeczpospolitą. Pierwszym wstrząsem stało się powstanie pod wodzą Bohdana Chmielnickiego.

Powstanie Chmielnickiego było przede wszystkim wielkim ruchem społecznonarodowym. Znalazła w nim ujście wielowiekowa nienawiść mas chłopskich do swych szlacheckich ciemiężycieli. Zaostrzenie poddaństwa na Ukrainie i coraz większe obciążenia chłopów stanowiły najważniejsze przyczyny przyłączenia się mas chłopskich do ruchu kozackiego. Bardzo ważną rolę odegrały także przeciwieństwa narodowościowe, fakt, że ludność ukraińska nie miała możliwości wszechstronnego rozwoju, ale była narażona na procesy polonizacyjne. Niemało zaważyło przy tym prześladowanie i ograniczanie prawosławia i narzucanie unii. Mimo tej niekorzystnej sytucji na Ukrainie doszło w pierwszej połowie XVII w. do znacznego skonsolidowania i umocnienia elementów ruskich, i to we wszystkich warstwach społecznych. W przeciwieństwie do stanu z 1569 r. Ukraina dojrzała do samodzielnego życia politycznego przynajmniej w takich rozmiarach, jakie ówcześnie miała Litwa. W rezultacie powstanie zamieniło się w walkę narodowowyzwoleńczą, w której, obok Kozaków i mas chłopskich, szeroki udział wzięło mieszczaństwo, a także szlachta ukraińska.

Bezpośrednio wybuch powstania ułatwiły przygotowania Władysława IV do wojny tureckiej. Trudno było zahamować rozpoczęte wśród Kozaków zaciągi, gdy okazało się, że sejm szlachecki nie popiera polityki dworu. Duże znaczenie miało pojawienie się wybitnego przywódcy, jakim był pisarz wojska zaporoskiego Bohdan Chmielnicki. Doznał on ciężkiej krzywdy osobistej od Daniela Czaplińskiego, urzędnika magnata Aleksandra Koniecpolskiego. Gdy nie uzyskał sprawiedliwości w Rzeczypospolitej, udał się na Sicz i pozyskał do wystąpienia przeciwko magnatom i szlachcie Kozaków, rozgoryczonych surowymi represjami z lat trzydziestych. Chmielnickiemu udało się również zapewnić pomoc Krymu, który słusznie liczył, że w ten sposób na długo uniemożliwi podjęcie akcji ofensywnych przez Rzeczpospolitą na południowym wschodzie.

Krótkowzroczna i pełna błędów polityka szlacheckiej Rzeczypospolitej wobec Kozaków, a także całej ludności ruskiej miała teraz wydać fatalne owoce. W dwu bitwach, pod Żółtymi Wodami i pod Korsuniem (16 i 26 maja 1648 r.), połączone wojska kozacko-tatarskie zniszczyły całkowicie armię koronną. Wojska polskie nie zdołały zastosować skutecznej taktyki wobec przeciwników, z którymi oddzielnie dawały sobie dotąd dobrze radę. Nieudolni hetmani dostali się do niewoli, a na olbrzymie obszary Naddnieprza rozlała się szeroko fala potężniejącego ruchu społecznego.

Sytuację skomplikowała śmierć Władysława IV. Znów bezkrólewie miało stać się gwałtownym wstrząsem w dziejach kraju. Nie było zgody ani co do kandydata na nowego króla, ani co do metod, które należało przeciwstawić Kozakom. Kanclerz Jerzy Ossoliński, a także najbardziej wpływowy wśród ludności ukrainnej magnat wojewoda bracławski Adam Kisiel byli zwolennikami ustępstw na rzecz Kozaków, koniecznych ich zdaniem ze względu na trudne położenie Rzeczypospolitej. Natomiast większość magnatów posiadających swe dobra na terenach objętych powstaniem, szczególnie Jeremi Wiśniowiecki, Aleksander Koniecpolski, a także hetman litewski Janusz Radziwiłł, domagała się podjęcia środków radykalnych. Sam Wiśniowiecki ze swym wojskiem nadwornym dał przykład bezwzględnie prowadzonych działań, nie osiągając zresztą istotniejszych sukcesów, a podsycając tylko bardziej obustronne okrucieństwo.

Między obu koncepcjami wahał się i sejm konwokacyjny, który uchwalił środki na odtworzenie armii koronnej. Na regimentarzy powołano znów ludzi nieudolnych i gdy przyszło do zetknięcia się obu wojsk pod Piławcami (23 IX 1648) nowy zaciężny żołnierz rozpierzchł się po pierwszym starciu na samą wieść o zbliżaniu się Tatarów. Klęska piławiecka otworzyła Chmielnickiemu drogę pod Lwów i Zamość, a zarazem przyczyniła się do rozprzestrzenienia się powstania na tereny Wołynia i Białorusi.

Pod naciskiem Chmielnickiego odbyła się też elekcja, na której wybrano kandydata obozu ugodowego, popieranego przez hetmana kozackiego, Jana Kazimierza (1648 - 1668). Nie cieszył się on szczególnym autorytetem wśród szlachty. Powszechnie uważano go za człowieka niezdecydowanego, ulegającego zdaniu doradców. Największy wpływ miała zdobyć na niego żona, wdowa po bracie, Ludwika Maria Gonzaga, którą poślubił wkrótce po elekcji. Potrzebowała Polska w tym czasie króla rycerskiego, któremu łatwiej byłoby uporać się z nawałą wrogów. Nie można Janowi Kazimierzowi odmówić waleczności ani pewnych talentów militarnych, trafił jednak na wodzów na ogół lepszych od siebie.

Podjęte z inicjatywy Jana Kazimierza rokowania z Chmielnickim, który wycofał się na Ukrainę, nie dały rezultatów. Chmielnicki roztoczył w Perejasławiu przed Kisielem piękny obraz wyzwolonej od obcego panowania Rusi, ale wojewoda zdawał sobie sprawę, że bez ciężkiej walki z Rzecząpospolitą takie rozwiązanie nie było możliwe. Obie strony prowadziły więc zbrojenia i na wiosnę 1649 r. działania wojenne zostały wznowione. Chociaż sejm koronacyjny uchwalił 50-tysięczny komput wojska, zaciąg odbywał się powoli. Tymczasem oddziały polskie broniące Wołynia zamknęły się w warownym obozie w Zbarażu, gdzie pod komendą Jeremiego Wiśniowieckiego przeszło miesiąc (od 10 VII do 22 VIII) stawiały skuteczny opór kilkakrotnie przeważającym siłom kozacko-tatarskim. Sytuacja w oblężonym obozie była już bardzo trudna, gdy zbliżyły się z odsieczą główne siły polskie pod wodzą Jana Kazimierza. Król dał się jednak zaskoczyć przeważającym siłom nieprzyjacielskim w czasie przeprawy przez Strypę pod Zborowem. W tym momencie Ossoliński zdołał pozyskać sojusznika Chmielnickiego, chana Islam Giereja (niechętnego nadmiernej potędze Kozaków) i doprowadził do ugody, którą przyjął hetman kozacki tym łatwiej, że na Naddnieprze wkraczała armia litewska Janusza Radziwiłła. Jakkolwiek też wojska polskie nie zdołały pokonać przeciwnika, przezwyciężona została psychoza strachu, w poprzednim roku paraliżująca armię koronną. Okazało się, że z wojskiem tatarsko-kozackim można było skutecznie walczyć.

Ugoda zborowska zapewniała Chmielnickiemu godność i władzę hetmańską na terenach Ukrainy naddnieprzańskiej, obejmującej województwa kijowskie, czernihowskie i bracławskie. Rejestr kozacki został podwyższony do 40 tys. Wojsko zaporoskie miało zapewnione swobody i przywileje, ale jednocześnie obiecano szlachcie powrót do jej majątków — co pozostawiało masy chłopskie w niezmienionej sytuacji. Król przyznał ponadto prawosławiu szczególne uprawnienia w trzech wspomnianych województwach, a metropolita kijowski miał być przyjęty do senatu. Natomiast jezuici i Żydzi mieli być usunięci z tych obszarów. Jednocześnie Jan Kazimierz zawarł przymierze z Islam Gierejem, które kosztowało Rzeczpospolitą 40 tys. talarów okupu i 200 tys. złp. corocznych „podarków".

Wykonanie większości punktów ugody zborowskiej napotykało trudności, toteż obie strony przygotowywały się do dalszej walki. Chmielnicki podjął żywą działalność dyplomatyczną, pozyskując na nowo Tatarów, a także zdobywając protekcję Turcji, która za złożenie przysięgi wierności sułtanowi w 1650 r. obiecała mu Mołdawię. Hetman kozacki starał się także trafić do dysydentów polskich i litewskich oraz wykorzystać niezadowolenie mas chłopskich na ziemiach etnicznie polskich. Emisariusze jego działali w Wielkopolsce, w Krakowskiem, na Mazowszu. Docierali nawet na Śląsk, by paraliżować próby udzielenia pomocy Rzeczypospolitej. Na podatny grunt padały głoszone przez nich hasła antyfeudalnego wystąpienia na tych obszarach, gdzie tradycje walki ze szlachtą były szczególnie silne. Najdobitniej wystąpiło to na Podhalu.

Powstaniem podhalańskim, które wybuchło w czerwcu 1651 r., kierował Aleksander Kostka Napierski, oficer wojsk koronnych. Wokół jego osoby narosła cała legenda, którą ostatnio przenicował starannie Adam Kersten, wykazując, jak właściwie niepewne są wiadomości o tym ruchu chłopskim i jego przywódcy. W każdym razie po opanowaniu zamku w Czorsztynie Napierski miał wydać uniwersały do wszystkich chłopów w Polsce, wzywając ich do obalenia władzy panów. Wezwanie jego nie spotkało się z większym odzewem, a tymczasem Czorsztyn po krótkim oporze został zdobyty przez wojska biskupa krakowskiego Piotra Gembickiego, a Napierski z dwoma przywódcami chłopskimi okrutnie stracony.

Do równoczesnych wystąpień doszło także w Wielkopolsce, gdzie organizował je Piotr Grzybowski, oraz na mniejszą skalę w Sieradzkiem, na Mazowszu i w innych rejonach Rzeczypospolitej. Wszędzie spotkały się one z ostrymi represjami państwa szlacheckiego.

Jakkolwiek powstanie z 1651 r. nie osiągnęło zamierzonych rozmiarów, a wystąpienia chłopskie miały charakter żywiołowy, to jednak — jako najpoważniejszy ruch ogólnochłopski na ziemiach etnicznie polskich w Rzeczypospolitej szlacheckiej — stanowiły one wyraźny dowód, że chłop polski nie godził się biernie z narzucanymi mu przez szlachtę ograniczeniami i ciężarami. Spełniło też w pewnej mierze oczekiwania Chmielnickiego, nie pozostając bez wpływu na wydarzenia na Ukrainie.

Ruch chłopski przypadł bowiem na czas, kiedy przeciwko wojskom tatarsko-kozackim wyruszyła nie tylko armia koronna, ale i rzesze pospolitego ruszenia szlacheckiego. Do rozstrzygającego starcia doszło pod Beresteczkiem (28 - 30 VI 1651). Mimo przewagi liczebnej przeciwnika (ok. 27 tys. armii koronnej i 30 tys. pospolitego ruszenia na ok. 100 tys. wojsk kozacko-tatarskich) Jan Kazimierz zdołał narzucić bitwę na wybranym przez siebie terenie i w wyniku ciężkich walk nie tylko zmusić do ucieczki armię tatarską (która porwała za sobą Chmielnickiego), ale i rozbić całkowicie Kozaków; zaledwie część ich wydarła się z okrążenia.

Do pełnej likwidacji powstania jednak nie doszło. Pospolite ruszenie, które mężnie stawało pod Beresteczkiem, odmówiło ścigania pobitego nieprzyjaciela i zaniepokojone wydarzeniami na zapleczu rozjechało się do domów. Tymczasem Chmielnicki znów zebrał swe siły, uzyskał posiłki tatarskie i skutecznie nękał armię polską i litewską. Nawet połączone — nie zdołały one rozbić Kozaków pod Białą Cerkwią. Doszło do podpisania nowej ugody, białocerkiewskiej (1651), która zmniejszała rejestr Kozaków do 20 tys. i przeznaczała dla nich tylko województwo kijowskie.

Nowa ugoda nie rozwiązywała sprawy, a Chmielnicki starał się wzmocnić swą pozycję przez podporządkowanie Mołdawii. Korzystając z poparcia sułtana zażądał dla swego syna Tymofieja ręki Rozandy, córki hospodara mołdawskiego Bazylego Lupula, polskiego indygeny, spowinowaconego z Radziwiłłami. Wobec odmowy Lupu Chmielnicki wysłał do Mołdawii syna z silną armią kozacko-tatarską. Zasłonił jej drogę hetman Marcin Kalinowski pod Batohem, poniósł jednak (29 V 1652) w związku z paniką w obozie i buntem jazdy polskiej straszliwą klęskę, w której i sam zginął, i niemal do nogi została wybita przeszło 10-tysięczna armia koronna.

Tymofiej poślubił Rozandę i Mołdawia stanęła otworem dla wpływów Chmielnickiego. Nie na długo jednak. Doszło do spisku bojarskiego w Mołdawii przeciwko hospodarowi. W oblężonej przez wojska siedmiogrodzko-polskie Suczawie zginął Tymofiej. Główne siły polskie, niezdecydowanie dowodzone tym razem przez Jana Kazimierza, ale też i niezbyt doświadczone w boju, zamknęły się w obozie pod Żwańcem przed Tatarami i Kozakami. Gdy armię dziesiątkowały choroby i niedostatek, Jan Kazimierz wszedł w ponowne porozumienie z chanem Islam Gierejem i przyjął w grudniu 1653 r. ugodę żwaniecką, powtarzającą warunki zborowskiej.

Było jasne, że żadna ze stron nie jest zdolna odnieść decydującego zwycięstwa. Nawet przeważając liczebnie armia koronna nie mogła opanować całej Ukrainy, uporać się z nękającymi działaniami Kozaków czy utrzymać zdobywanych zameczków. Wyczerpywały się też siły Chmielnickiego. Pustoszała niszczona bezwzględnymi walkami Ukraina. W tym momencie w obozie kozackim utrwaliło się przekonanie, że ani ugoda z Rzecząpospolitą, ani pomoc tatarsko-turecka nie stanowią dostatecznej gwarancji swobody dla Kozaków. Już poprzednio Chmielnicki wysuwał myśl bliższego współdziałania z Rosją, ku której popychały ludność ukraińską tradycje historyczne i bliskość religijno-kulturalna. Spodziewano się, że Rosja pomoże w zlikwidowaniu resztek wpływów szlachecko-magnackich na Ukrainie, poprze aspiracje kozaczyzny i zapewni jej szeroką autonomię. Początkowo car Aleksy Michajłowicz nie kwapił się do ryzyka wojny z Rzecząpospolitą, którą pociągnęłoby udzielenie pomocy dla Kozaczyzny. Miał zresztą sam poważne trudności wewnętrzne z niezadowolonym mieszczaństwem i chłopstwem. Jednak niepowodzenia polskie przyczyniły się do zmiany tej polityki. Do Perejasławia przybyło poselstwo rosyjskie i w styczniu 1654 r. zebrana tam rada kozacka postanowiła przyjąć zwierzchnictwo cara. Kozakom przyznano prawo obioru hetmana, rejestr 60 tys., utrzymanie w ich ręku posiadłości ziemskich. Wkrótce potężne armie rosyjskie wkroczyły na Litwę i na Ukrainę. Konflikt ukraińsko-polski przerodził się w wojnę między Rzecząpospolitą a Rosją.

Mimo początkowych szybkich sukcesów rosyjskich wojna ta miała być ciężka i długa. Rosjanie zamierzali nie tylko inkorporować Ukrainę, ale i odebrać obszary utracone na początku stulecia. Natomiast szlachta i magnaci polscy i litewscy nie zamierzali rezygnować z terenów wschodnich. Dyplomacji polskiej udało się przy tym pozyskać sobie Turcję i Tatarów, zaniepokojonych zmianą polityki kozackiej. Wespół z Tatarami oddziały polskie dokonały też niszczącego wypadu na ziemie ukrainne, uwieńczonego zwycięstwem nad połączonymi siłami kozackimi i rosyjskimi pod Ochmatowem, w początkach 1655 r. Jakkolwiek też w lecie tego roku Chmielnicki wznowił wyprawę na Rzeczpospolitą i dotarł do Lublina, to jednak otoczony przez Tatarów musiał ponownie uznać Jana Kazimierza za króla, co zresztą nie mogło mieć w dobie „potopu" szwedzkiego poważniejszych następstw. Chmielnicki do końca życia (1657) prowadził samodzielną politykę, starając się wyciągnąć korzyści z nowych klęsk spadających na Rzeczpospolitą.

O wiele gorsze skutki dla państwa polsko-litewskiego miał przebieg działań wojennych na terenie W. Ks. Litewskiego. Po rozbiciu nielicznych wojsk litewskich hetmana Janusza Radziwiłła pod Szepielewiczami kraj stanął otworem dla wkraczających wojsk rosyjskich. Bez walki poddawały się miasta i twierdze Białorusi, po trzymiesięcznym oblężeniu kapitulował Smoleńsk (1654). W lecie następnego roku Rosjanie znaleźli się w Grodnie i w stolicy Litwy — Wilnie. Rzeczpospolita stanęła przed groźbą zniweczenia unii lubelskiej. Wobec jednoczesnych klęsk w wojnie ze Szwedami nie było mowy o odzyskaniu tych terenów i zawierając w 1656 r. z Rosją rozejm w Niemieży musiała akceptować zasadę uti possidetis. Pierwsza faza wojny skończyła się całkowitym niepowodzeniem Rzeczypospolitej.

b. Założenia obronne polityki zewnętrznej Polski. Armia i dyplomacja

Powstanie Chmielnickiego rozpoczęło zarówno długotrwały kryzys wewnętrzny w Rzeczypospolitej, jak i nowy etap w dziejach jej polityki zewnętrznej. W przeciwieństwie do sytuacji z przełomu XVI i XVII w. tym razem Rzeczpospolita stanęła w obliczu trudności wewnętrznych, z którymi nie mogła się uporać i które znacznie redukowały jej możliwości manewru politycznego. Tak się przy tym złożyło, że państwo habsburskie, na którego poparcie Polska mogła jeszcze najbardziej liczyć, wyszło z wojny trzydziestoletniej poważnie osłabione, umocniła się zaś pozycja Szwecji, a także Rosji, która przeżywała okres powolnego, lecz systematycznego rozwoju. Również zmiany, jakie nastąpiły od połowy lat pięćdziesiątych w Turcji z inicjatywy pierwszego z Köprülich, czyniły z niej ponownie groźnego przeciwnika. W tych warunkach Polska zepchnięta została do zdecydowanie defensywnej polityki zewnętrznej, której głównym celem było utrzymanie w całości dawnego terytorium państwa.

Istotne zagrożenie tej całości nastąpiło na dwu obszarach — nad Bałtykiem, gdzie zagrzani zdobyczami z wojny trzydziestoletniej Szwedzi usiłowali realizować założenia Gustawa Adolfa, ale gdzie ostatecznie groźniejsze dla Rzeczypospolitej okazały się aspiracje jej lennika, księcia pruskiego, oraz na Ukrainie. Gdy zachwiało się tam polskie panowanie, z pretensjami do tego terytorium wystąpiły Rosja oraz Porta z Krymem. Rzeczpospolita została znów zmuszona do równoczesnych działań na południowym wschodzie i północnym zachodzie. I jakkolwiek dyplomacja polska starała się za cenę nawet wysokich, acz chwilowych ustępstw unikać jednoczesnej walki na tak odległych frontach, nie udało się jej tego przeprowadzić. W rezultacie doszło do poważnych strat terytorialnych.

Nie wydaje się natomiast, by w tym okresie dochodziło do faktycznego trwałego zagrożenia bytu Rzeczypospolitej. Wprawdzie zarówno Szwedom, jak i Turkom udało się doprowadzić do sytuacji, w której rysowała się możliwość podporządkowania im całej Rzeczypospolitej, ani jedno, ani drugie państwo nie dysponowało jednak dostatecznymi siłami do realizacji takiego ujarzmienia. Bardziej realne mogły być plany rozbiorowe, ale i one miały na razie tylko efemeryczny charakter. Decydowała o tym znaczna jeszcze odporność Rzeczypospolitej i ówczesny układ sił w tej części Europy; Polska była jego nieodzownym składnikiem. Upadek międzynarodowego znaczenia Polski w drugiej połowie XVII w. nie znaczył, by nie była ona poszukiwanym partnerem. Nieprzypadkowo Rzeczpospolita wchodzi właśnie w tym okresie w kolejne sojusze ze wszystkimi swymi sąsiadami, a także Francja Ludwika XIV poświęca wiele starań jej pozyskaniu. Nadal bowiem uchodziła Polska za jedną z potęg wschodniej Europy, a odnoszone, szczególnie za panowania Jana III, sukcesy militarne zdawały się potwierdzać tę opinię.

Pozostaje natomiast kwestią dyskusyjną, w jakiej mierze Rzeczpospolita została zdystansowana przez inne potęgi tej części Europy w zakresie potencjału militarnego. Scentralizowane monarchie absolutystyczne miały bowiem bardziej sprawny niż Rzeczpospolita aparat fiskalny, który ułatwiał im ponoszenie wzrastających ciężarów na cele wojskowe. Wprawdzie w dziedzinie skarbowości sejmy i sejmiki wykazały niemało pomysłowości. Obok dawnego poboru i szosu oraz podymnego wprowadzono również podatek od osób — pogłówne. Wybierano także podatek od obrotów — tzw. akcyzę, rozmaitego rodzaju cła, specjalne pogłówne od ludności żydowskiej i luźnej, wreszcie podatki od handlu alkoholem — czopowe i szelężne. Ponadto dobra królewskie i duchowne jako stały podatek wnosiły hibernę, ekwiwalent za leża zimowe. Przez odpowiednie zestawianie i kumulowanie tych podatków osiągano dochody, które, choć niskie, nie odbiegały jeszcze rażąco od dochodów sąsiednich państw. W rezultacie tego wysiłku nastąpiła nawet pewna podwyżka dochodów. W końcu XVI w. dochody Rzeczypospolitej (bez skarbu królewskiego) wynosiły ok. 430 tys. dukatów, a w wiek później, w latach siedemdziesiątych XVII w., sięgały kwoty ok. 550 tys. dukatów (z uwzględnieniem zmiany wartości pieniądza). W tym jednak wpływy stałe wynosiły tylko ok. 1/3, natomiast pozostała reszta zależała od każdorazowej uchwały sejmu czy sejmików. Przy coraz częstszym niedochodzeniu sejmów skarb bywał pusty i rosło wtedy zadłużenie Rzeczypospolitej wobec własnego żołnierza. Niedobory powiększała decentralizacja skarbu, pozostawienie wybierania podatków w ręku poborców sejmikowych (w rezultacie wpływały one z wielkimi opóźnieniami), którzy od 1652 r. przekazywali je wprost dla wojska z pominięciem urzędu podskarbińskiego. W rezultacie wojsko nie otrzymywało regularnie płacy. Wzrastały niepomiernie długi na rzecz armii; w 1661 r. sięgały one na rzecz wojska koronnego 24 mln złp., a w 1697 r. aż 33 mln złp. Wprawdzie pod naciskiem niepłatnego żołnierza szlachta co pewien czas zdobywała się na spłacanie tych należności, ale wobec niesystematyczności uchwał podatkowych nie można było ani utrzymać armii na należytym poziomie, ani zapewnić jej zdyscyplinowania. Mnożyły się więc konfederacje wojskowe, które same sobie wybierały należne pieniądze, najczęściej z dóbr królewskich i duchownych, powtarzały się wypadki rozchodzenia się żołnierza wobec niewypłacania żołdu (najbardziej drastyczny po zwycięstwie chocimskim 1673 r.). Nie chodziło przy tym o kwoty zbyt wygórowane. W latach pokoju na utrzymanie 18-tysięcznej armii Rzeczpospolita potrzebowała ok. 3700 tys. złp. W razie wojny w zależności od liczby wystawionego wojska kwota ta ulegała najwyżej podwojeniu, a tylko w wypadkach wyjątkowego wysiłku militarnego potrojeniu. Nawet wtedy obciążenie podatkowe w Polsce było jednak jak na stosunki europejskie wyjątkowo niskie. Stan taki musiał wpływać ujemnie na potencjał militarny Rzeczypospolitej, i to w okresie, gdy inne kraje rozbudowywały swe armie.

W zależności od wysokości uchwał podatkowych i przyjętego przez sejm komputu kształtowała się liczebność wojska. W czasie walk z powstaniem Chmielnickiego wystawiano maksymalnie 50 do 60 tys. wojska łącznie w Koronie i na Litwie (nie licząc pospolitego ruszenia). Podobnie przedstawiała się liczebność wojska polskiego w czasie wojny ze Szwecją. Później jednak liczebność ta spadła, a w 1667 r. przeprowadzono redukcję armii do niespełna 20 tys., co odpowiadało połowie zredukowanej wtedy na czas pokoju armii habsburskiej. Dopiero w 1673 r. Rzeczpospolita zdobyła się ponownie na zaciąg ok. 50 tys. żołnierza, ale był to maksymalny wysiłek w czasie wojen z Turcją. Późniejsze zaciągi wahały się między 30 a 50 tys. ludzi, przy czym w miarę przedłużania się wojny liczby te malały. W tychże latach wojennych armia habsburska liczyła 120 tys., rosyjska aż 164 tys. (ale nie było to jeszcze wojsko zmodernizowane).

Liczby te można było jeszcze zwiększać przez pospolite ruszenie, które w najlepszym razie sięgało ok. 30 tys. ludzi, stanowiło wszakże masę niezdyscyplinowaną, o nierównej wartości bojowej. Dlatego też po wojnie szwedzkiej nie posługiwano się już do końca wieku pospolitym ruszeniem w celu wsparcia armii przeciwko nieprzyjacielowi. W czasie wojen z Turcją udało się odtworzyć nieliczne zresztą wojska kozackie, które posiłkowały Rzeczpospolitą. Prywatne wojska magnackie odegrały poważniejszą rolę tylko w początkach tego okresu, szczególnie w walkach z powstaniem Chmielnickiego. Za panowania Sobieskiego przestały być używane do wzmocnienia sił Rzeczypospolitej.

Szczególne trudności powodowała parokrotna w tym czasie konieczność całkowitej restauracji zniszczonych armii. Tak było zwłaszcza po klęskach poniesionych od wojsk kozacko-tatarskich w 1648 i 1652 r., w pewnej mierze także po niepowodzeniach w 1655 r. Możliwości rekrutacyjne w Rzeczypospolitej przekraczały wprawdzie, jak się wtedy okazało, faktyczną wysokość zaciągów. Korpus oficerski trzeba było jednak uzupełniać przybyszami z zagranicy.

Skład i organizacja wojska nie uległy zasadniczym zmianom od czasu reform wprowadzonych przez Władysława IV. Podobnie kształtował się stosunek jazdy i piechoty, która obejmowała zwykle około 50% armii. Jedynie w czasie walk z Kozakami oraz w pierwszych latach wojny ze Szwecją liczebność piechoty była mniejsza, wiązało się to jednak z trudnościami nowego jej sformowania po poniesionych klęskach. Stosunek piechoty do jazdy odbiegał od ówczesnych tendencji występujących w wojskowości europejskiej, gdzie piechota stanowiła już około 85% armii, ale różnica ta była umotywowana charakterem przeciwnika oraz rozległością terenu, na którym przychodziło działać. Wśród piechoty wzrasta liczebność oddziałów wzorowanych na piechocie niemieckiej (do 75%), resztę stanowiła walcząca pieszo dragonia i coraz mniej liczna piechota polska i węgierska. W jeździe autoramentu polskiego nadal najważniejszą rolę odgrywała husaria, chociaż liczba jej zmniejsza się od czasu niepowodzeń w walkach z Kozakami. W jeździe cudzoziemskiej najważniejszą grupę stanowiła rajtaria, niechętnie widziana przez szlachtę jako formacja kosztowna, a jej zdaniem mniej przydatna do walki od jazdy autoramentu polskiego. W wojnach z Turcją liczebność jej uległa też znacznemu zmniejszeniu.

W uzbrojeniu piechoty i jazdy nie zaszły w tym czasie poważniejsze zmiany, jeżeli nie liczyć wprowadzenia granatów ręcznych. Wskutek trudności finansowych z opóźnieniem wprowadzono rozpowszechniającą się pod koniec XVII w. w armiach europejskich szybkostrzelną flintę skałkową, do której można było zakładać bagnet. Zaopatrzenia armii w tę udoskonaloną broń dokonał dopiero August II w początkach XVIII w.

Natomiast w połowie wieku stosunkowo dobrze przedstawiała się artyleria polska. Mimo poniesionych strat zdołała ona utrzymać swój stan do końca XVIII w., kiedy w państwowych cekhauzach Korony było ponad 400 dział (prawda, że w połowie nie przedstawiających większej wartości użytkowej). Ponad półtora tysiąca dział znajdowało się w cekhauzach miejskich i prywatnych. W każdym razie Rzeczpospolita dysponowała artylerią wystarczającą do koniecznego wsparcia ogniowego dla wystawianych przez siebie armii. Utworzony poprzednio urząd generała artylerii obsadzany był przy tym przez znakomitych specjalistów, jak Krzysztof Grodzicki czy zwłaszcza Marcin Kątski, współtwórca sukcesów Sobieskiego.

Wojsko Rzeczypospolitej opierało się przede wszystkim na żołnierzach pochodzenia miejscowego. Liczba cudzoziemców ulegała stałemu zmniejszaniu — najmniej służyło ich w wojsku Rzeczypospolitej w dobie Sobieskiego. Wbrew powszechnej opinii według badań Mariana Kukiela i Jana Wimmera szlachta stanowiła także coraz mniejszą część składu wojska, spadając pod koniec wieku do 20%. Dotyczyło to nie tylko wojsk autoramentu cudzoziemskiego, ale i jazdy polskiej, nawet husarii. Natomiast kadra dowódcza była niemal wyłącznie szlachecka; podobnie przy wszelkiego rodzaju konfederacjach wojskowych rej wodziła szlachta.

Najwyższe godności przypadały magnatom — Stefan Czarniecki jest raczej wyjątkowym przypadkiem awansu średniego szlachcica za zasługi wojskowe. Nie brakowało dobrych dowódców, ale niewielu było wybitnych. Obok Czarnieckiego w Koronie można wyróżnić tylko Jerzego Sebastiana Lubomirskiego i Jana Sobieskiego. Na Litwie po Januszu Radziwille nie było nieprzeciętnych wodzów. Na tym tle trudno mówić o dalszym rozwoju polskiej myśli operacyjnej i taktycznej. Wykorzystywano raczej doświadczenia dawniejsze. Wprowadzona przez Czarnieckiego walka szarpana połączona z jednoczesnym poruszeniem mas chłopskich, swoista forma wojny ludowej, była jedyną możliwą taktyką zastosowaną przeciwko przeważającemu w walce w otwartym polu nieprzyjacielowi. W latach siedemdziesiątych i osiemdziesiątych XVII w. na polską sztukę wojskową wywarł duży wpływ wszechstronny talent Jana Sobieskiego. Trafna ocena celów i możliwości strategicznych, bogactwo form manewru, staranne opracowanie planu bitwy i wyzyskiwanie czynnika zaskoczenia, sprawna organizacja dowodzenia i współdziałanie różnych formacji były podstawą jego zwycięstw, z których najpełniej charakteryzują jego sposób prowadzenia walki kampania chocimska (1673) i wiedeńska (1683). W późniejszych latach talent Sobieskiego przygasł, a wobec braku godnych następców nastąpił upadek staropolskiej sztuki wojennej.

Słusznie więc twierdzi Jan Wimmer, że „wojsko polskie XVII wieku przedstawiało niewątpliwie dużą wartość bojową. Dotyczy to zarówno jazdy, nie mającej sobie równej w żadnej z armii europejskich, jak i doskonałej, choć stosunkowo nielicznej piechoty i dragonii, czy wreszcie wykazującej wiele walorów na polach bitew artylerii". Natomiast ciemną stroną wojskowości Rzeczypospolitej był brak rozwiniętego systemu nowoczesnych fortyfikacji. Istniały tylko pojedyncze twierdze, które z powodzeniem stawiały czoła nieprzyjacielowi, ale nawet Warszawa czy Kraków nie zostały zabezpieczone należycie rozbudowanymi umocnieniami. Jedynie na południowym wschodzie można mówić o jakimś systemie zamków i ufortyfikowanych miast, w oparciu o które można było podejmować działania przeciwko Kozakom, Tatarom czy Turkom. Nawet jednak i tutaj ważne twierdze (jak Kamieniec Podolski) były zaniedbane. Systemu takiego nie było na innych granicach (z wyjątkiem ujścia Wisły) ani w centrum kraju, który wskutek tego był narażony na dalekie, niszczące wypady najeźdźców. Pod tym względem polska sztuka wojenna była ogromnie zacofana w stosunku do krajów Europy Zachodniej, co odbijało się fatalnie na możliwościach obronnych Rzeczypospolitej.

Niedowład fiskalny państwa sprawiał, że i dyplomacja polska drugiej połowy XVII w. nie nadążała za rozwojem ówczesnej dyplomacji europejskiej. Niedościgłym wzorem stała się zwłaszcza scentralizowana dyplomacja francuska ze stałymi poselstwami i znaczną liczbą drobniejszych agentów we wszystkich niemal krajach europejskich. Na utrzymywanie takiej sieci dyplomatycznej nie było stać Rzeczypospolitej. Wprawdzie królowie, zwłaszcza Jan III, starali się mieć swych rezydentów w najważniejszych dla swej polityki ośrodkach (np. Jan III w Wiedniu, Moskwie, Wenecji, Rzymie, Kopenhadze), jednak swobodę polityki królewskiej usiłował ograniczać coraz bardziej sejm, który zastrzegł sobie prawo wysyłania i przyjmowania poselstw. W 1683 r. konstytucja sejmowa zakazała rezydentom państw obcych dłuższego pobytu niż 9 tygodni. Nie była ona jednak przestrzegana i w Warszawie pozostawali stale nie tylko nuncjusz, ale i rezydenci austriaccy, brandenburscy, weneccy, rosyjscy, przez długi czas francuscy i holenderscy, okresowo zaś przedstawiciele wszystkich niemal państw europejskich. Jeżeli do tego dodać znaczną liczbę oficjalnych poselstw Rzeczypospolitej (wysyłanych przez sejm lub senat), kontakty dyplomatyczne można ocenić jako znaczne. Była to jednak dyplomacja nie zawsze skuteczna. Obok wspomnianych trudności fiskalnych i rozbieżności między królem a sejmem, na jej małej skuteczności ważyła dalsza decentralizacja dyplomacji. Magnaci niejednokrotnie nie oglądali się na oficjalną politykę Rzeczypospolitej, nawiązując samodzielne kontakty dyplomatyczne z innymi władcami. Szczególnie zaś za uprawnionych do takiego postępowania uważali się hetmani, zarówno koronni, jak litewscy. Większość z nich wykorzystywała swe wyjątkowo silne stanowisko w państwie i w razie jakiegokolwiek konfliktu z monarchą szukała poparcia za granicą. Ale coraz więcej magnatów wysługiwało się obcym, zarówno aby dogodzić własnym ambicjom, jak i za pieniądze. Próby zahamowania tego warcholstwa przez powoływanie winnych w szczególnie drastycznych wypadkach przez sąd sejmowy (marszałka Jerzego Lubomirskiego w 1664 r. czy podskarbiego Jana Andrzeja Morsztyna w 1682/1683 r.) nie dały rezultatów — zjawisko było już zbyt masowe, a skazanie przedstawiono jako przejaw despotyzmu królewskiego, szczególnie gdy zdrajcy z czasów najazdu szwedzkiego zyskali amnestię.

Wysokie koszty poselstw, zwłaszcza tzw. wielkich, powodowały, że na posłów Rzeczypospolitej powoływano często magnatów, ludzi dysponujących dostatecznymi funduszami, by nie musieli opierać się wyłącznie na pomocy finansowej Rzeczypospolitej. Sejm domagał się ponadto, by nie wysyłano jako posłów mieszczan. Doprowadziło to, podobnie jak przy obsadzie wyższych stanowisk w wojsku, do negatywnej selekcji. W Polsce nie uformowała się liczniejsza kadra doświadczonych dyplomatów, w ich poczynaniach pewność siebie nie wyrównywała niedostatecznych kompetencji. Stosunkowo nieźle przedstawiała się znajomość języków obcych — specjalne znaczenie miało przy tym opanowanie tureckiego czy tatarskiego. Jednakże oficjalnym językiem pozostawała łacina, gdy w Europie dokonał się już zwrot ku francuskiemu.

W działaniach dyplomacji polskiej tej doby nie wybijają się ani specjalnie uzdolnieni kierownicy służby dyplomatycznej (po Ossolińskim może jeden Andrzej Olszowski zasługiwałby na wymienienie), ani wybitniejsi dyplomaci. W najcięższych chwilach dyplomaci polscy potrafili dość zręcznie pozyskać sobie pomoc Krymu (od 1654 r.), o wiele trudniej poszło jednak z Austrią (1657). Nie zdołała natomiast dyplomacja polska wyciągnąć korzyści z rywalizacji francusko-habsburskiej. Zawarty zaś w 1684 r. traktat Ligi Świętej był klasycznym przykładem niedołęstwa dyplomacji Rzeczypospolitej, która nie umiała wykorzystać wkładu polskiego w sukcesy poprzedniego roku w celu zapewnienia jednolitej strategii sojuszników i zabezpieczenia odpowiednio wysokich subsydiów, a także podziału przyszłych zdobyczy, przystała natomiast na ograniczenie swobody własnych poczynań dyplomatycznych.

Walka o utrzymanie całości granic Rzeczypospolitej odbywała się więc w niesprzyjających warunkach kryzysu wewnętrznego, niedostatku wysiłku fiskalno-militarnego, niesprawności dyplomacji. Rzeczypospolitej nie było stać na jednoczesną skuteczną obronę odległych od siebie zagrożonych obszarów — w tych okolicznościach nie dało się uniknąć strat terytorialnych.

c. Walka z najazdem szwedzkim

Krytyczny moment w dziejach państwowości polskiej nastąpił w 1655 r. Zagrożony został byt Rzeczypospolitej. Gdy zwycięskie wojska rosyjskie opanowały większość W. Ks. Litewskiego, a na Ukrainie trzymał się mocno Chmielnicki, na Polskę zwalił się najazd szwedzki. Był on o tyle nieoczekiwany, że rozejm ze Szwecją upływał dopiero w1661 r. Nie mając żadnych formalnych podstaw do naruszenia rozejmu, Szwedzi zamierzali znów wykorzystać trudną sytuację Rzeczypospolitej i bądź opanować jej tereny nadmorskie, bądź też podporządkować ją sobie w całości. Upojeni sukcesami na terenie Rzeszy i osiągniętymi tam w traktacie westfalskim zdobyczami, feudałowie szwedzcy liczyli na łatwe zagarnięcie Kurlandii i Prus, co zamieniłoby Bałtyk w wewnętrzne jezioro szwedzkie.

Historycy w rozmaity sposób usiłowali wytłumaczyć źródła inwazji szwedzkiej. Jedni kładli nacisk na stosunki wewnętrzne w Szwecji, na trudności z utrzymaniem licznej armii, przyzwyczajonej żyć ze zdobytego kraju. Inni podkreślali, że na decyzję szwedzką wpłynęły sukcesy rosyjskie na Litwie. Szwedzi obawiali się nie tylko wzmocnienia Rosji, ale i możliwości opanowania przez nią Kurlandii, dysponującej dość poważną flotą i dogodnymi portami, co mogłoby zagrozić ich pozycjom na wschodnich wybrzeżach Bałtyku. Jednym z pierwszych celów działań szwedzkich w tym rejonie stało się też opanowanie Dyneburga, które zahamowało dalsze postępy rosyjskie w kierunku Inflant.

Jak wiadomo, do wystąpienia zachęcała Karola X Gustawa także opozycja magnacka w Rzeczypospolitej, niezadowolona z prób umocnienia swej władzy przez Jana Kazimierza oraz z nieudolności okazanej w prowadzeniu wojny na wschodzie. Do Sztokholmu zbiegł skłócony z królem, skazany na banicję przez sąd marszałkowski za naruszenie spokoju rezydencji monarszej, podkanclerzy kor. Hieronim Radziejowski. Stał się on pośrednikiem między królem szwedzkim a frondującymi magnatami i obiecywał, że po wkroczeniu do Polski Szwedzi nie spotkają się z większym oporem. Zarówno bowiem magnaci, jak i szlachta mieli żywić nadzieję, że przy pomocy szwedzkiej uda im się odzyskać tereny litewskie i ukraińskie. Nie były to obietnice bez pokrycia. Jak wykazał Władysław Czapliński, w Polsce panowała opinia, że gdyby nawet Karol X Gustaw sięgnął po koronę, to nie byłby w stanie ograniczyć przywilejów szlacheckich, jeśli Rzeczpospolita pozostałaby nadal w swych granicach. Toteż oddając się „pod protekcję" królowi szwedzkiemu spodziewano się uratować w ten sposób całość państwa i przywileje stanowe.

Początkowe sukcesy szwedzkie potwierdziły te zapowiedzi. W lecie wkroczyły do Rzeczypospolitej armie z Pomorza i Inflant. W dniu 25 lipca wojska szwedzkie pod dowództwem feldmarszałka Wittenberga przekroczyły granicę polską pod Drahimiem. Pospolite ruszenie, pod dowództwem wojewodów poznańskiego Krzysztofa Opalińskiego i kaliskiego Andrzeja Karola Grudzińskiego, skoncentrowane pod Ujściem w celu obrony Wielkopolski, po krótkiej walce nie tylko skapitulowało, ale oddało swą prowincję pod protekcję Karola X Gustawa. Jednocześnie wkraczająca na Litwę armia Magnusa de la Gardie zapowiadała pomoc w obronie przed Rosjanami. Dali się pozyskać tej agitacji hetman Janusz Radziwiłł i jego kuzyn, koniuszy litewski Bogusław, spodziewając się przy okazji wykroić dla siebie część Rzeczypospolitej. W połowie sierpnia przyjęli oni zwierzchność Karola Gustawa, a 20 października podpisali układ w Kiejdanach, na mocy którego Litwa miała wejść w związek państwowy ze Szwecją, zrywając unię z Polską.

W tym czasie cała niemal zachodnia część Korony była już w ręku Szwedów. Zupełnie zawiodło pospolite ruszenie dalszych województw, które jedno po drugim poddawały się Karolowi X Gustawowi. Bez walki padła Warszawa, poddana zaraz gruntownemu rabunkowi. Jan Kazimierz próbował na czele jazdy stawiać opór wojsku szwedzkiemu pod Żarnowcem, został jednak pobity i szukał schronienia najpierw w Żywieckiem, potem w Głogówku w księstwie opolskim. Jedynie Kraków, którego bronił Stefan Czarniecki, stawiał dzielnie przez 3 tygodnie opór Szwedom, gdy jednak ci rozbili pod Wojniczem nadchodzącą odsiecz, musiał kapitulować (19 października). Magnaci i szlachta masowo odstępowali od Jana Kazimierza, zgłaszając swe akcesy na ręce Karola X Gustawa. Podporządkowała mu się też znakomita większość wojska koronnego. Nieliczni szukali ratunku za granicą, próbując pozyskać kosztem znacznych ustępstw pomoc habsburską lub siedmiogrodzką. Nikt jednak nie kwapił się do konfliktu ze zwycięskimi Szwedami.

Najeźdźcy równie prędko, jak opanowali Polskę, potrafili stracić poparcie szlachty. Zawdzięczali to bezwzględnemu traktowaniu Rzeczypospolitej, wydzieraniu kontrybucji, rabowaniu i niszczeniu majętności, gwałceniu wszelkich praw. Na ziemiach polskich powtórzyły się sceny z najgorszych lat wojny trzydziestoletniej. Swym bezwzględnym postępowaniem Szwedzi wywołali żywiołowe wystąpienia ludności. Pierwsi porwali się do walki chłopi, zachęceni zresztą do tego przez Jana Kazimierza. Już w końcu września chłopi stoczyli pierwszą utarczkę ze Szwedami pod Myślenicami w Krakowskiem. Zaczęły tworzyć się oddziały partyzanckie, złożone z mieszczan, chłopów i szlachty, która odstępując z kolei Karola X Gustawa stawała na ich czele. Z powodzeniem walczył ze Szwedami w południowej Wielkopolsce na czele takich ochotników Krzysztof Żegocki starosta babimojski. Poważniejsze sukcesy osiągnęły podobne oddziały na Podkarpaciu, oswobadzając w początkach grudnia Nowy Sącz i wiele mniejszych miasteczek. Nie kapitulował ani przed Chmielnickim, ani na rzecz Szwedów Lwów i Zamość. Zamknął przed najeźdźcą swe bramy Gdańsk, bronił się Malbork. Na Litwie dochowała wierności Janowi Kazimierzowi część wojska litewskiego pod komendą wojewody witebskiego Pawła Sapiehy, która umocniła się na Podlasiu i prowadziła walkę z Radziwiłłami, zdobywając nawet Tykocin. Pod wrażeniem tego potężniejącego zrywu narodowego Jan Kazimierz wydał z Opola uniwersał, wzywający wszystkich Polaków do walki przeciwko Szwedom, i wkrótce potem udał się (18 grudnia) w drogę powrotną do Rzeczypospolitej. Wahających się miał przekonać jedyny wierny sojusznik Polski, chan krymski Mohammed Gierej, który pokonał właśnie Chmielnickiego i zapowiedział surowe represje wobec wszystkich odstępców.

Niemało przyczyniła się do rozbudzenia zapału do walki udana obrona ufortyfikowanego silnie za panowania Władysława IV klasztoru jasnogórskiego. Sprawa ta rozbudziła liczne spory wśród historyków polskich. Dawniejsza historiografia skłonna była bez większych zastrzeżeń dawać wiarę przygotowanej na potrzeby ówczesnej propagandy religijnej tezie przeora paulinów Augustyna Kordeckiego, wyrażonej w *Nowej Gigantomachii*, o przełomowej roli obrony Jasnej Góry. Dokładniejsze badania pozwoliły ustalić, że twierdza była lepiej przygotowana do obrony, niż to dawniej przyjmowano, że wojska gen. Müllera nadawały się raczej do blokady niż do oblężenia, że wreszcie obrońcy klasztoru gotowi byli pójść na kompromis z Karolem X Gustawem, byleby uniknąć okupacji, że wreszcie walki ze Szwedami wzmogły się przed oblężeniem. Te wszystkie uściślenia tłumaczą wprawdzie lepiej przyczyny, dla których Jasna Góra zdołała przetrwać sześciotygodniowe oblężenie, wbrew jednak najbardziej skrajnemu stanowisku zajętemu przez Olgierda Górkę, nie pomniejszają znaczenia samej obrony. Pod kierunkiem Kordeckiego powiodło się niewielkiej załodze, złożonej z kilkuset żołnierzy, chłopów, mieszczan i szlachty, przetrzymać napór szwedzki do momentu, kiedy w obawie przed nadchodzącą odsieczą ze strony oddziałów chłopskich nieprzyjaciel musiał odstąpić. Zaatakowanie Jasnej Góry przez Szwedów, spowodowane głównie nadzieją na zdobycie tam bogatych skarbów kościelnych, ułatwiło wykorzystanie w walce z nimi religii. Dostarczało argumentu tym wszystkim, którzy wzywali do zwalczania Szwedów nie tylko jako najeźdźców, ale i jako wrogich katolicyzmowi protestantów. Zresztą zapał religijny wyładowywano nie tylko na nieprzyjacielu, ale i na miejscowych innowiercach, których oskarżano o sprzyjanie Szwedom i powiązanie się z ich sprawą.

W końcu 1655 r. ziemia zaczynała się palić najeźdźcom pod nogami. Hetmani koronni, którzy niedawno opowiedzieli się po stronie Karola X Gustawa, wypowiedzieli mu posłuszeństwo (powołując się m. in. na oblężenie Jasnej Góry jako przykład łamania przez niego podjętych zobowiązań) i zawiązali 29 grudnia konfederację w Tyszowcach przeciwko Szwedom. W początkach 1656 r. Jan Kazimierz wrócił do Rzeczypospolitej. Ogromny wpływ, jaki wywarła na przebieg wojny postawa mas chłopskich, skłonił króla do złożenia we Lwowie ślubowania, że będzie się starał „aby lud w moim królestwie od wszelkich obciążeń i niesprawiedliwości uwolnić". Słowa te miały jednak pozostać tylko czczą obietnicą, która na razie pozyskała przecież chłopów do dalszej walki. Zwycięstwo nad Szwedami wymagało bowiem jeszcze długiego i ciężkiego wysiłku.

Karol X Gustaw tymczasem próbował zakończyć opanowanie Polski przez zajęcie Prus. Bez walki poddał się Toruń, po dłuższym oblężeniu kapitulował Malbork, jednak Szwedzi nie mogli przełamać oporu Gdańska, wspartego przez Holandię. Natomiast Karol X Gustaw zdołał skłonić do ustępstw Fryderyka Wilhelma I: na mocy podpisanego w Królewcu układu książę elektor uznał się za lennika szwedzkiego w zamian za przyznanie mu Warmii. Wtedy Karol X Gustaw skierował się znów na południe, by rozprawić się z polską irredentą. Spotkały go jednak niepowodzenia. Polacy organizowali dopiero armię i nie byli w stanie skutecznie stawić czoła wojskom szwedzkim w otwartym polu — świadczyła o tym porażka Czarnieckiego pod Gołębiem. Z powodzeniem zastosował wtedy wódz polski wojnę szarpaną, atakując straże przednie i zaopatrzenie nieprzyjaciela, a unikając starć z głównymi siłami. Osłabiony nękającymi walkami Karol X Gustaw musiał ustąpić spod Zamościa i zrezygnować z uderzenia na Lwów. Nie zdołali też Szwedzi utrzymać się na linii Sanu, gdy do walki z nimi ruszyło tamtejsze chłopstwo, wezwane uniwersałami Jana Kazimierza, oraz pospolite ruszenie, a jednocześnie zaczęły się koncentrować wojska polskie i litewskie Sapiehy. Karol X Gustaw został zmuszony do odwrotu, utknął wszakże w widłach Sanu i Wisły, osaczony przez Czarnieckiego, Jerzego Lubomirskiego i Sapiehę. Wprawdzie wyrwał się stamtąd, gdy Czarniecki pospieszył nad Pilicę i pod Warką rozgromił usiłujące udzielić królowi pomocy posiłki szwedzkie pod wodzą margrabiego Fryderyka Badeńskiego (7 kwietnia), ale nie był już zdolny powstrzymać dalszej ofensywy polskiej. Prowadzona w oparciu o powszechny ruch partyzancki wojna ludowa złamała szwedzki system obrony. Odebrano większość Małopolski (z wyjątkiem Krakowa), po czym daleki zagon Czarnieckiego i Lubomirskiego wsparł powstanie w Wielkopolsce, które oczyściło z wojska szwedzkiego i tę dzielnicę. W końcu czerwca odzyskana została Warszawa, której dowódca Wittenberg kapitulował w obliczu gwałtownego szturmu wojska i mas pospolitego ruszenia i ludu.

Król szwedzki musiał szukać sprzymierzeńców. W zamian za obietnicę odstąpienia mu Wielkopolski pozyskał pomoc Fryderyka Wilhelma i wraz z jego wojskami skierował się ponownie pod Warszawę. Ciężka, trzydniowa bitwa pod Warszawą (28 - 30 lipca) skończyła się znów dzięki przewadze artylerii i lepszej sprawności manewru zwycięstwem wojska szwedzkiego i brandenburskiego. Nie przyniosła jednak trwałego rozstrzygnięcia. Wojska Fryderyka Wilhelma musiały się wkrótce wycofać, zaskoczone najazdem Prus Książęcych przez oddziały polskie i nadesłane im z pomocą przez wiernego sojusznika czambuły tatarskie. Hetmanowi Gosiewskiemu powiodło się pokonać Szwedów i Brandenburczyków pod Prostkami, co jeszcze bardziej osłabiło zdolności ofensywne elektora. Jednocześnie bowiem Czarniecki oczyszczał z brandenburskich garnizonów Wielkopolskę, a potem wojska polskie wtargnęły w odwecie do Marchii i na Pomorze Zachodnie.

Korzystna dla Rzeczypospolitej zmiana w układzie sił związana była z porozumieniem z Rosją. Na jesieni 1656 r. zawarła ona wspomniany rozejm w Niemieży pod Wilnem z Rzecząpospolitą, wszczynając jednocześnie działania w Inflantach przeciwko Szwedom. Ułatwiło to oczyszczenie Litwy z wojsk szwedzkich. Rosjanie zaś nie tylko zapewnili sobie utrzymanie dotychczasowych zdobyczy (z ekspektatywą na tron polski dla cara), ale i możliwość przeciwdziałania dalszemu wzrostowi potęgi szwedzkiej, niekorzystnemu dla ich planów powrotu nad Bałtyk.

Wtedy dopiero Karol X Gustaw zrezygnował z zamiaru podporządkowania sobie całej Polski, co wydawało mu się łatwe wobec pierwotnych sukcesów, i wysunął plan jej rozbioru między sąsiadów, by przynajmniej w ten sposób utrzymać część zdobyczy. Najpierw więc traktatem w Labiawie (20 listopada) zabezpieczył sobie wierność najważniejszego sojusznika Fryderyka Wilhelma przyznając mu suwerenność w Prusach Książęcych i w Warmii i ponawiając obietnicę przekazania Wielkopolski. Później, 6 grudnia 1656 r., z inicjatywy szwedzkiej doszło w Radnot w Siedmiogrodzie do spisania układu rozbiorowego. Zastrzegając dla siebie Prusy Królewskie, Kujawy, północne Mazowsze, Żmudź i Inflanty z Kurlandią Karol Gustaw rozdawał Wielkopolskę Brandenburczykom, województwo nowogrodzkie Bogusławowi Radziwiłłowi (ówczesnemu namiestnikowi w Prušach Książęcych), Ukrainę Chmielnickiemu, a pozostałe części Rzeczypospolitej księciu siedmiogrodzkiemu Jerzemu Rakoczemu, który od dawna rościł sobie pretensje do korony polskiej. Tak więc palatynowi Zweibrücken, a zarazem królowi Szwecji przypada wątpliwy zaszczyt zainicjowania barbarzyńskiego programu podziału narodowego terytorium Polski; w wiek później program ten podejmą inni władcy niemieckiego pochodzenia. Na razie do rozbioru nie doszło.

Wprawdzie w początkach 1657 r. wojska siedmiogrodzkie wkroczyły do Rzeczypospolitej i grabiąc bezlitośnie kraj — wobec słabego oporu rozproszonych na leżach zimowych wojsk polskich — dotarły aż do Brześcia Litewskiego i Warszawy, ale wystąpienie Jerzego Rakoczego wywołało korzystne dla Rzeczypospolitej skutki międzynarodowe. Austria, która poprzednio dość opieszale prowadziła rokowania sojusznicze z Polską, poczuła się zaniepokojona o swe posiadłości węgierskie w razie zbytniego wzmocnienia księcia siedmiogrodzkiego. W tej sytuacji podskarbi Bogusław Leszczyński nie miał większych trudności z zawarciem w Wiedniu traktatu posiłkowego, na mocy którego Habsburg miał wysłać do Polski 12 tys. wojska (zresztą na żołd Rzeczypospolitej, i to pod zastaw połowy dochodu z żup solnych). Zarazem dwór wiedeński podjął kroki dyplomatyczne w celu oderwania od związku ze Szwecją Brandenburgii. Po takim przygotowaniu na Rakoczego spadła nieunikniona katastrofa. Siedmiogród doczekał się odwetowego najazdu Lubomirskiego, zaś sam Rakoczy otoczony w odwrocie przez wojska polskie i tatarskie pod Czarnym Ostrowiem na Podolu musiał kapitulować, zobowiązując się do wysokich odszkodowań. Za niezgodne z ówczesnym interesem Turcji wystąpienie przeciwko Polsce spotkała go też niełaska Porty — odsądzenie od tronu.

Położenie Karola X Gustawa uległo dalszemu pogorszeniu. W obliczu przeważających sił polsko-austriackich musiała kapitulować szwedzka załoga Krakowa. Do wojny ze Szwecją przyłączyła się Dania, zawierając przymierze z Rzecząpospolitą. Wiele zależało od stanowiska Brandenburgii. Fryderyk Wilhelm, który poprzednio nie dotrzymał zobowiązań lennych wobec Rzeczypospolitej i współdziałał przeciwko niej z Karolem X Gustawem, nie był z kolei lojalny wobec niego. Za pośrednictwem dyplomacji habsburskiej, zwłaszcza posła Franciszka Lisoli, doszło do zawarcia układów welawsko-bydgoskich na jesieni 1657 r. Układ ten był zdecydowanie niekorzystny dla Polski, która płaciła koszty pozyskania Hohenzollerna dla interesów habsburskich w Rzeszy. Fryderyk Wilhelm otrzymał suwerenność w Prusach Książęcych, prawo przemarszu przez Prusy Królewskie, w lenno ziemię lęborsko-bytowską. Tytułem wynagrodzenia za koszty dalszej wojny obiecano mu starostwo drahimskie (zajęte samowolnie przez Hohenzollerna w 1668 r.) oraz Elbląg po zdobyciu go na Szwedach, ale z prawem wykupu przez Polskę za 4 mln talarów. Ten ostatni punkt nie został zrealizowany — Szwedzi opuścili Elbląg dopiero na mocy traktatu oliwskiego i wtedy wobec opozycji w Rzeczypospolitej i stanowiska ludności nie wydano miasta Hohenzollernowi. Natomiast jedynym śladem dotychczasowej zależności Prus Książęcych od Rzeczypospolitej pozostała zapowiedź, że w razie wygaśnięcia Hohenzollernów Prusy Książęce wrócą do Polski. Związany z tym był ewentualny hołd stanów pruskich na ręce przedstawicieli Polski w czasie obejmowania władzy przez nowego księcia (ostatni odbył się w 1698 r.). Ponadto wieczyste przymierze miało wiązać elektora z Rzecząpospolitą, zobowiązując Hohenzollerna do udzielania Polsce niewielkiej pomocy militarnej i finansowej w razie wojny (co do czasów Jana III było parokrotnie realizowane).

Odtąd na terenie Rzeczypospolitej przeprowadzano już tylko działania oczyszczające, starając się odebrać z rąk szwedzkich miasta Prus Królewskich i Inflant. W 1658 r. po pięciomiesięcznym oblężeniu wojska polskie i austriackie zmusiły do kapitulacji Szwedów w Toruniu — niedostatek ciężkiej artylerii nie pozwalał na pełne wykorzystanie przewagi i do końca wojny nie udało się usunąć Szwedów z Malborka i Elbląga. Karol X Gustaw przeniósł w tym czasie główny teatr wojny do Danii. Zanim sprzymierzeńcy zdołali jej udzielić pomocy, wymusił bardzo niekorzystny dla Duńczyków pokój w Röskilde. Gdy — szykując się z kolei do rozbioru królestwa duńskiego — Karol Gustaw wznowił w lecie 1658 r. wojnę, nastąpiła wyprawa polsko-brandenbursko-austriacka najpierw na Pomorze Szczecińskie, a potem do Danii, gdzie oddziały polskie pod dowództwem Czarnieckiego wsławiły się udziałem w zdobyciu wyspy Alsen i twierdzy Koldyngi. W 1659 r. wyróżniły się w bitwie pod Nyborgiem, zakończonej ciężką klęską Szwedów.

W tej sytuacji, pod naciskiem Francji obawiającej się, by nie doszło do usunięcia Szwecji z Rzeszy, rozpoczęły się w początkach 1660 r. pertraktacje pokojowe w Oliwie pod Gdańskiem. Chociaż po śmierci Karola X Gustawa, która nastąpiła podczas rokowań, możliwości wytargowania poważniejszych ustępstw kształtowały się pomyślnie dla Polski, nie stawiano Szwedom zbyt wygórowanych warunków, rezerwując siły na walkę na wschodzie. Zresztą w tym kierunku parła i Ludwika Maria, starając się pozyskać kierownika polityki francuskiej, kardynała Mazzariniego, dla swych planów elekcyjnych w Polsce. W rezultacie traktat pokojowy w Oliwie (podpisany 3 maja 1660 r.) nie wprowadził istotnych zmian granicznych w stosunku do dawnej linii rozejmowej, pozostawiając w ręku polskim Kurlandię i południowo-wschodnią część Inflant. Szwecja zobowiązała się dotrzymywać wolności handlu na Bałtyku oraz zwrócić Polsce zrabowane biblioteki i archiwa, co jednak nie zostało w pełni zrealizowane. W traktacie znalazł się także punkt zapewniający swobody religijne protestantów w Prusach Królewskich, co posłużyło z czasem państwom niekatolickim uczestniczącym w układzie, a zwłaszcza Brandenburgii, do mieszania się w sprawy wewnętrzne Rzeczypospolitej. Sam Fryderyk

Wilhelm uzyskał cenne dlań potwierdzenie postanowień welawsko-bydgoskich, musiał jednak opuścić zajęte Pomorze Szczecińskie. Gwarantem tych wszystkich postanowień został Ludwik XIV, którego minister de Lumbres był głównym mediatorem w rokowaniach. Pokój oliwski objął Polskę, Brandenburgię i Szwecję. Dania zawarła oddzielny układ pokojowy w Kopenhadze, rewidujący większość niepomyślnych dla niej postanowień z Röskilde. Odrębny pokój ze Szwedami zawarła także Rosja (1661).

Najazd szwedzki odegrał katastrofalną rolę w dziejach Polski. Skutki jego dadzą się porównać tylko ze skutkami wojny trzydziestoletniej dla Rzeszy. Była już mowa o zniszczeniu i rabunku dóbr materialnych i kulturalnych przez obce wojska (por. cz. 1, s. 148). Łączyły się z tym i znaczne straty ludnościowe, gdy w ślad za wojną nadciągnęła zaraza. Wzmogła się w Rzeczypospolitej ksenofobia i nietolerancja. Na różnowierców, którzy z obawy przed kontrreformacją sprzyjali Szwedom czy Rakoczemu, spadły prześladowania, które spowodowały bądź ich dobrowolną, bądź to narzuconą, jak w wypadku arian, emigrację z kraju, co odbiło się ujemnie na dalszym rozwoju stosunków kulturalnych. Znacznemu osłabieniu uległa międzynarodowa pozycja Polski. Szczególnie niekorzystnie ułożyły się pod tym względem stosunki nad Bałtykiem, gdzie możliwości Polski wobec ostatecznej utraty większości Inflant oraz zwierzchności nad Prusami Książęcymi uległy wyraźnemu skurczeniu. Wprawdzie ogólnonarodowy zryw uratował Rzeczpospolitą przed rozbiorem lub utratą niezależności i przekreślił nadzieje Szwedów na opanowanie portów polskich, nie wykorzystano jednak go dla wzmocnienia państwa, jakkolwiek słabe strony istniejącego ustroju ujawniły się już bardzo poważnie.

d. Zakończenie wojen z Rosją i podział Ukrainy

Na ustępstwa w stosunku do Brandenburgii i kompromisowe stanowisko wobec Szwecji wywarł wpływ rozwój wydarzeń na ziemiach wschodnich Rzeczypospolitej, gdzie magnateria nie miała zamiaru rezygnować ze swych dawnych posiadłości. Po śmierci Chmielnickiego hetmanem kozaczyzny obwołano Jana Wyhowskiego, szlachcica wziętego do niewoli pod Żółtymi Wodami, kierownika kancelarii Chmielnickiego. Reprezentował on interesy bogatszej części Kozaków i starał się uniezależnić od Moskwy, szukając najpierw protekcji Karola X Gustawa, a potem Rzeczypospolitej. W Polsce poniewczasie zrozumiano błędy dawnej polityki. Nurt pojednawczy zmierzał do wznowienia zasad ugody zborowskiej czy nawet do masowej nobilitacji wśród Kozaków i ulżenia ciężarom mieszczan i chłopów (uniwersał z 1655 r.). Do koncepcji tych powrócili reprezentant Wyhowskiego, arianin, podkomorzy kijowski Jerzy Niemirycz, oraz poseł Jana Kazimierza Stanisław Kazimierz Bieńkowski, wojewoda czernihowski. Dnia 16 września 1658 r. doszło do podpisania przygotowanej przez nich w Hadziaczu ugody, która miała otworzyć nowy etap w stosunkach polsko-ukraińskich. Z województw kijowskiego, czernihowskiego i bracławskiego utworzono „Księstwo Ruskie” pod władzą hetmana zatwierdzanego przez króla spośród kandydatów przedstawionych przez stany prowincjonalne. Księstwo miało otrzymać, podobnie jak Litwa, swe własne urzędy, trybunał, akademię; brałoby przy tym udział we wspólnym sejmie, a metropolita i biskupi prawosławni mieli być dopuszczeni do senatu, prawosławie zaś zrównane w prawach z katolicyzmem. Starszyźnie kozackiej obiecywano szlachectwo, sam rejestr jednak uległ zmniejszeniu do 30 tys. Ponadto szlachta miała powrócić do swych dóbr — co oznaczało ponowne podporządkowanie jej chłopstwa i usunięcie Kozaków.

Ugoda hadziacka została przyjęta przez sejm w 1659 r. i zaprzysiężona przez króla i senat. Rozgorzała na nowo wojna z Rosją, która potraktowała porozumienie polsko-kozackie jako naruszenie rozejmu. Okazało się jednak wkrótce, że ugoda z Polską nie ma dostatecznego poparcia wśród ludności „Księstwa Ruskiego”. Wprawdzie przy pomocy wojsk polskich i tatarskich Wyhowski zdołał rozbić pod Konotopem nadciągającą armię rosyjską, nie powstrzymał jednak wystąpienia czerni. Zginął zamordowany Niemirycz, Wyhowski musiał zrzec się buławy, zaś jego następca Juraszko Chmielnicki, syn Bohdana, odnowił ugodę perejasławską. O panowaniu nad Ukrainą miała zdecydować siła oręża.

Do decydującej próby sił doszło w 1660 r. Dwie wielkie wyprawy zorganizowane przez Rosjan w celu zakończenia podboju Litwy i sięgnięcia po Kraków skończyły się niepowodzeniem. Rzeczpospolita zdobyła się na wielki wysiłek militarny, zaciągając 54 tys. żołnierzy. Na Litwie Czarniecki pokonał pod Połonką armię Iwana A. Chowańskiego, zmusił przeciwnika do zwinięcia oblężenia Lachowicz i wycofania się poza Berezynę. Nowe zwycięstwo nad Chowańskim w następnym roku umożliwiło odebranie Wilna. Na Wołyniu Jerzy Lubomirski osaczył na czele przeważających sił polsko-tatarskich armię Wasyla B. Szeremietiewa pod Cudnowem. Gdy nie powiodła się próba odsieczy kozackiej, a Juraszko Chmielnicki zdecydował się uznać władzę Jana Kazimierza, Szeremietiew musiał kapitulować.

Poniesione klęski złamały możliwości ofensywne Rosji, nie przyniosły jednak całkowitego odzyskania terenów utraconych w latach pięćdziesiątych przez Rzeczpospolitą. Powoli odebrano większą część W. Ks. Litewskiego, nie kusząc się jednak o zdobycie Smoleńska. Na Ukrainie doszło do podziału na związaną z Rzecząpospolitą część prawobrzeżną (pod rządami Juraszki Chmielnickiego i jego następców) oraz uznającą ugodę perejasławską część lewobrzeżną. Własną politykę prowadziło także Zaporoże. Podjęta późną jesienią 1663 r. ofensywa Jana Kazimierza, mająca doprowadzić do opanowania całej Ukrainy i do wymuszenia na carze pokoju, zakończyła się niepowodzeniem. Przeciwnicy unikali bitwy w otwartym polu, armia królewska zaś niszczała przy zdobywaniu uporczywie broniących się miasteczek w trudnych, zimowych warunkach. Zagony polskie dotarły na kilkanaście mil od Moskwy, jednak Jan Kazimierz musiał zrezygnować z kontynuowania kampanii i w obawie przed odwilżą, która mogła postawić armię w trudnej sytuacji, zarządził odwrót. Rzeczypospolitej też nie starczało sił na akcje ofensywne, a walki wewnętrzne, konfederacje wojskowe, a później rokosz Lubomirskiego sparaliżowały do końca jej możliwości militarne. Tymczasem niepowodzenia polskie zachwiały wiarą w sens ugody z Rzeczypospolitą wśród kozaczyzny prawobrzeżnej. Rozpoczęły się nowe spiski i powstania ludowe, które usiłowano znów poskromić twardą ręką. Spadło to niewdzięczne zadanie na Czarnieckiego, który w toku kampanii zmarł w 1665 r. od rany otrzymanej przy zdobywaniu jednej z twierdz kozackich. Coraz silniejsze na Ukrainie wpływy tatarskie podminowały też sojusz Rzeczypospolitej z Krymem, na którym opierały się dotychczasowe sukcesy polskie. O panowanie na Ukrainie zamierzała się pokusić sama Wielka Porta.

W tych warunkach, pod naciskiem powtarzających się ruchów chłopskich na Ukrainie i w obawie przed interwencją turecko-tatarską, Rzeczpospolita i Rosja zdecydowały się zawrzeć w 1667 r. w Andruszowie rozejm. Na długi czas położył on kres wojnom polsko-rosyjskim, otwierając możliwości współdziałania obu krajów. Wśród komisarzy prowadzących długie rokowania nie brakowało ludzi wypowiadających się za przymierzem między obu państwami, skierowanym przeciwko wspólnym wrogom, Szwecji i Turcji. W początkowej fazie rokowań za takim rozwiązaniem konfliktu, które by umożliwiło współpracę, opowiadał się ze strony rosyjskiej bojar Atanazy Ordin Naszczokin, a ze strony Rzeczypospolitej kanclerz litewski Krzysztof Pac. Ostatecznie doszło do przewlekłych przetargów, na których odbił się przebieg rokoszu Lubomirskiego. Rzeczpospolita oddawała terytoria zdobyte w 1619 r. (Smoleńszczyznę, Siewierszczyznę i Czernihowszczyznę), a także parę twierdz w Witebskiem (Wieliż, Siebież i Newel). Terytorium Ukrainy uległo podziałowi. Po stronie rosyjskiej pozostawała jego część na lewym brzegu Dniepru wraz z Kijowem (początkowo na dwa lata, później na stałe) oraz Zaporoże (przez pewien czas we wspólnym władaniu z Polską). Specjalny punkt przewidywał współdziałanie przeciwko Krymowi i Turcji.

Znaczenie układu w Andruszowie jako „ostatecznego załamania się polskiej ekspansji wschodniej" (jak to ujął znawca tego zagadnienia Zbigniew Wójcik) jest niewątpliwe. Bardziej dyskusyjne wydaje się natomiast twierdzenie Wójcika, że układ w Andruszowie wraz z traktatami welawsko-bydgoskimi „oznacza decydujące załamanie się pozycji Rzeczypospolitej na arenie międzynarodowej". Między traktatem polanowskim a andruszowskim znalazł się wszakże rozejm w Niemieży. Dystans dzielący te dwa układy wskazuje na regenerację (przyznajemy, że przejściową) sił polskich, a zarazem osłabienie Rosji. Toteż mimo poniesionych przez Rzeczpospolitą na wschodzie strat terytorialnych, których znaczenia dla państwa polskiego nie należy przeceniać, Andruszów wskazuje na ponowne uformowanie się względnej równowagi między obu wielkimi krajami słowiańskimi.

Z punktu widzenia dalszej perspektywy historycznej (której nie zawsze można wymagać od współczesnych) istotne zagrożenie dla interesów Polski stanowiła utrata zwierzchnictwa nad Prusami Książęcymi. Mimo traktatu oliwskiego sprawa ta nie była jeszcze ostatecznie przegrana u progu lat sześćdziesiątych. Przejęcie przez Fryderyka Wilhelma władzy suwerennej w Prusach Książęcych spotkało się bowiem ze zdecydowanym oporem ze strony miejscowej ludności, słusznie zaniepokojonej o swe przywileje. Szlachta pod wodzą Chrystiana Kalksteina i mieszczanie królewieccy, z Hieronimem Rothem na czele, przygotowywali zbrojny opór, nie zamierzając uznać uprawnień elektora. W 1662 r. opozycja zawarła ligę obronną i zwróciła się do Polski z prośbą o pomoc. Rzeczpospolita jednak, zajęta wojną na wschodzie, rozbrojona przez konfederacje wojskowe, nie udzieliła poparcia. Osamotnieni Prusacy musieli kapitulować. Fryderyk Wilhelm wkroczył z wojskiem do Królewca, uwięził przywódców ruchu, a w następnym roku odbył się uroczysty hołd stanów Księstwa w obecności przedstawicieli Polski. Przywódca opozycji szlacheckiej zbiegł do Rzeczypospolitej i tutaj jednak dosięgła go mściwa ręka Hohenzollerna. W 1670 r. poseł elektora porwał Kalksteina z Warszawy i wydał do Prus „na srogą kaźń". Polska zdobyła się tylko na bezsilne protesty.

e. Początek wojen z Turcją o Ukrainę i zwrot ku Francji

Porozumienie polsko-rosyjskie było dla obu stron konieczne ze względu na przygotowującą się interwencję turecką. W Stambule obserwowano z rosnącym zainteresowaniem zamęt na Ukrainie, nabierając przekonania, że może ona stać się terenem łatwej ekspansji tureckiej. Od czasów Chmielnickiego Porta mogła się powoływać na swe prawa do Ukrainy. W miarę jak kończyła się przewlekła wojna z Wenecją o Kretę, sprawa ta stawała się coraz bardziej aktualna dla wojowniczego sułtana Mehmeda IV i jego wezyra Ahmeda Köprülü. W 1666 r. usunięto przychylnego Polsce chana krymskiego Mohammeda Giereja, a z jego następcą wszedł w porozumienie hetman kozaczyzny prawobrzeżnej, Piotr Doroszenko, który uznał się za lennika tureckiego i wezwał pomoc tatarską. Spodziewał się bowiem, że przy pomocy Porty zdoła restaurować zagrożoną rokowaniami polsko-rosyjskimi jedność Ukrainy. Na jesieni tego roku zerwanie Krymu z Polską było już faktem — współdziałający z Kozakami Tatarzy zmietli znajdujące się na Naddnieprzu oddziały polskie. Szlachta zlekceważyła niebezpieczeństwo i sejm 1667 r. przeprowadził znaczną redukcję wojska wobec układu andruszowskiego — do 20 tys.

Gdy w 1667 r. wojska tatarsko-kozackie podjęły uderzenie na Lwów, nowy hetman kor. Jan Sobieski mógł im stawić czoła z 8 tys. żołnierzy. Okopał się więc na zagrażającej liniom komunikacyjnym wroga pozycji pod Podhajcami i przez dwa tygodnie odpierał zwycięsko powtarzające się ataki. W końcu Tatarzy zdecydowali się odnowić przymierze z Polską, a Doroszenko uznał jej zwierzchnictwo.

Tymczasem Jan Kazimierz abdykował i następcą jego obrano niedołężnego Michała Korybuta Wiśniowieckiego (1669 - 1674). Walki fakcyjne w kraju osiągnęły punkt szczytowy. Nadal trwał też zamęt na Ukrainie.

Doroszenko nie ustawał w zabiegach, by zrealizować swe plany zjednoczenia obu stron Naddnieprza. Nie przynosiły one powodzenia. Odrzucony został również z miejsca przez podkanclerzego Andrzeja Olszowskiego wysunięty przez Doroszenkę projekt powiązania Ukrainy z Polską na nowych zasadach, zapewniających Kozakom pełną autonomię czy niemal niezależność, po czym buławę hetmańską specjalna komisja przekazała Michałowi Chanence. Ten nie stawiał tak dalekich warunków, ale też cieszył się znacznie mniejszymi wpływami wśród Kozaków. Urażony Doroszenko zwrócił się znów o pomoc do Tatarów i Turków, by przy ich pomocy podporządkować sobie prawobrzeże. Ale skutecznie powstrzymał go hetman Sobieski, który mimo skromnych sił rozbił dwukrotnie Tatarów i wyparł ich i Doroszenkę z Bracławszczyzny (1671).

Wtedy jednak interweniowała w sprawy ukraińskie bezpośrednio Porta, która w 1669 r. zakończyła zwycięsko wojnę z Wenecją i mogła skierować swe siły przeciwko Rzeczypospolitej. Rozdzierana walkami o władzę Polska stanęła znów na skraju przepaści, podobnej do tej, która otworzyła się przed nią w 1655 r. Mimo oficjalnego wypowiedzenia wojny przez Turcję dwa kolejne sejmy zostały zerwane. Zwołane przez króla pospolite ruszenie zamieniło się w sejm konny, radzący, jak zgnębić politycznych przeciwników, a nie jak walczyć z najazdem. Potężna armia (przesadnie obliczana na ponad 200 tys.) Turków, Tatarów i Kozaków Doroszenki wkroczyła pod wodzą samego padyszacha, Mehmeda IV, w lecie 1672 r. na Bracławszczyznę i Podole. Po stosunkowo krótkim oporze musiała kapitulować najważniejsza twierdza polska na tym terenie, Kamieniec Podolski (z załogą 1100 ludzi). Wojska tureckie ruszyły na Lwów, a po Rzeczypospolitej rozlały się czambuły tatarskie, sięgając po jasyr aż poza San. Sobieski dysponując kilkoma tysiącami wojska nie był w stanie podjąć działań przeciwko głównym siłom tureckim. Natomiast skutecznie zaatakował rozproszone oddziały tatarskie uderzając spod Krasnegostawu na południe. Udało mu się uwolnić około 44 tys. jasyru. Nie zapobiegło to jednak podpisaniu upokarzającego dla Rzeczypospolitej układu z Turkami w Buczaczu (18 X 1672). Polska nie tylko odstępowała w nim Porcie województwa podolskie (z Kamieńcem), bracławskie i kijowskie, ale godziła się płacić 22 tys. dukatów rocznego haraczu, eufemistycznie nazwanego upominkiem.

Traktat ten całe społeczeństwo uznało słusznie za ograniczający niezależność Rzeczypospolitej. Na sejmie 1673 r. uspokoiły się waśnie wewnętrzne, uchwalono wysokie podatki na 50-tysięczną armię. Dyplomacji polskiej udało się zapewnić neutralność Krymu i współdziałanie Rosji. Na jesieni hetman Sobieski przystąpił do ofensywy. Korzystając z podziału armii tureckiej na 3 korpusy (w Jassach, Chocimiu i Kamieńcu) postanowił uderzyć na najmocniejszy z nich (ok. 30 tys. żołnierzy) stojący pod wodzą Husseina-baszy w dawnym obozie Chodkiewicza. Wkroczył więc do Mołdawii i nagłym zwrotem na północ zaskoczył przeciwnika. Turcy stawili początkowo silny opór na umocnionych pozycjach, gdy jednak Sobieski przetrzymał przez całą noc z 10 na 11 listopada swą armię w gotowości do szturmu, zdołał tym tak osłabić przeciwnika, że atakująca świtem piechota wdarła się prędko na wały, po czym ataki jazdy otworzyły drogę do obozu tureckiego. Hussein-basza próbował parokrotnie kontratakować, zostął jednak odparty przez jazdę polską. Gdy załamał się most na Dniestrze, a brzegi rzeki znalazły się w ręku wojsk polskich, osaczona armia turecka uległa całkowitemu zniszczeniu (11 XI 1673). Bitwa pod Chocimiem była największym zwycięstwem odniesionym do tego czasu w Europie na lądzie nad Turkami. Rozproszyła ona groźbę wiszącą nad Polską i przywróciła wiarę w żywotność narodu i państwa.

Z powodu śmierci Michała Wiśniowieckiego zwycięstwa tego nie dało się w pełni wykorzystać. Hetman litewski Michał Pac odmówił dalszego podporządkowania się Sobieskiemu, który zrezygnował z zamierzonej akcji na Dunaj. Oddziały polskie, które zajęły Jassy, zostały wkrótce wyparte przez Turków, którzy odzyskali też połączenie z Kamieńcem.

Po elekcji Jan III (1674 - 1696) Sobieski kontynuował dalszą wojnę z Turkami. Na własną rękę działania przeciwko Turcji podjęła również Rosja. Na nią też spadła w 1674 r. nowa ofensywa turecka, podjęta w obronie oblężonego przez wojska rosyjskie w Czehryniu Doroszenki. Sobieski przeprowadził działania odciążające, które umożliwiły mu opanowanie Bracławszczyzny. Następny rok przyniósł nową akcję turecką na Lwów, Jan III rozbił jednak zdążające tam wojska tatarskie, a nieustępliwa obrona niewielkiej załogi w Trembowli zatrzymała główne siły nieprzyjaciela, który nie próbował stawić czoła zbliżającej się odsieczy i wycofał się do Mołdawii. Nie bez znaczenia dla decyzji tureckiej były równoczesne sukcesy Rosjan, którzy zajęli Czehryń i podporządkowali sobie Doroszenkę. Decydujący charakter miała kampania 1676 r. Armia turecko-tatarska, przeważająca dwukrotnie nad wojskami Jana III (40 tys. na ok. 21 tys.), wtargnęła pod wodzą Ibrahima Szejtana na Pokucie i posunęła się w górę Dniestru aż po Żurawno, gdzie w umocnionym obozie stawił jej skuteczny opór król polski. Przez dwa tygodnie Polacy odpierali szturmy tureckie, po czym przy pośrednictwie francuskim de Béthune'a doszło do podpisania rozejmu. Pozostawiał on w ręku tureckim Podole z Kamieńcem i Bracławszczyznę, Niemirów i Kalnik, które Sobieski miał przekazać Turkom. O haraczu już więcej nie wspominano. Jan III spodziewał się wytargować większe ustępstwa tureckie w Stambule przy pomocy dyplomacji francuskiej, jednak okazałe poselstwo Jana Gnińskiego (1677/1678) natrafiło na stanowczy sprzeciw nowego pyszałkowatego wezyra Kara Mustafy i musiało zadowolić się potwierdzeniem warunków żurawińskich. Turkom, którzy odnieśli właśnie sukcesy nad prowadzącymi teraz walkę Rosjanami, trzeba było oddać twierdze ukrainne. W tych warunkach traktat w Żurawnie nie mógł stanowić podstawy stałej pacyfikacji między Rzecząpospolitą a Portą i stał się tylko przejściowym zawieszeniem broni.

Tymczasem trwała pacyfikacja z Turcją leżała u podstaw zasadniczego zwrotu w polityce Rzeczypospolitej, który zamierzał przeprowadzić Jan III. Zwrot ten wiązał się ze zmianą w układzie sił w Europie, która nastąpiła po traktacie pirenejskim (1659). Na czoło państw europejskich wysunęła się wtedy Francja, która dysponowała potencjałem finansowym i militarnym nie mającym sobie równych. Zmierzając do zdobycia hegemonii w Europie dyplomacja francuska starała się otoczyć swych najważniejszych konkurentów łańcuchem sojuszy. Obok tradycyjnego sojusznika antyhabsburskiego, jakim była dla Francji Turcja, i pozyskanej sobie w dobie wojny trzydziestoletniej Szwecji ważne miejsce w planach francuskich zajmowała także Rzeczpospolita, zwłaszcza od czasu ustabilizowania się jej stosunków ze Szwecją po traktacie oliwskim. Polska była jednak krajem powiązanym tradycyjnym już sojuszem z Austrią, który miał licznych zwolenników wśród magnaterii. Oderwanie jej od tego związku wymagało więc długich i skomplikowanych zabiegów. Bez większej przesady można powiedzieć, że wypełniają one cały okres panowania Ludwika XIV. Ta rywalizacja francusko-austriacka o wpływy w Polsce odbijała się zarówno na międzynarodowym położeniu Rzeczypospolitej, jak i na walkach wewnętrznych. W latach sześćdziesiątych uformował się bowiem nie bez inicjatywy królowej Ludwiki Marii (por. cz. 1, s. 353) silny obóz profrancuski, do którego należał m. in. Jan Sobieski. Obóz ten zmierzał do elekcji francuskiego księcia czy kandydata na tron polski, co stworzyłoby podstawy do umocnienia związków polsko-francuskich. Okazało się rychło, że obóz proaustriacki jest zdolny do pokrzyżowania tych planów, a nawet do zdobycia sobie dominującej pozycji, gdy z Wiedniem powiązał się przez małżeństwo z Eleonorą Habsburżanką Michał Korybut Wiśniowiecki. W jakiej mierze fakt ten wpłynął na wybuch wojny Turcji z Polską, pozostaje kwestią dyskusyjną. Nie wydaje się, by miał on decydujące znaczenie dla Stambułu, który i bez tego rozwijał swe własne aneksjonistyczne plany. Natomiast nie ulega wątpliwości, że przeciągająca się wojna polsko-turecka była bardzo wygodna dla Wiednia, który dzięki niej mógł się zaangażować całkowicie w ciężką wojnę z Francją.

Elekcja Jana III otworzyła nowe szanse przed obozem profrancuskim; w Polsce zjawili się dyplomaci francuscy, napłynęły pieniądze na kaptowanie stronników. Jan III i jego żona, Francuzka z pochodzenia, Maria Kazimiera d'Arquien, gotowali się do wystąpienia po stronie Francji, walczącej wtedy z koalicją holendersko-austriacko-hiszpańsko-brandenburską. W rok po elekcji, 11 czerwca 1675 r., król polski podpisał w Jaworowie tajny układ sojuszniczy, w którym Ludwik XIV zobowiązywał się do wypłaty wysokich subsydiów (200 tys. talarów rocznie) na wojnę z elektorem brandenburskim, drugie tyle w razie rozszerzenia się wojny na Austrię, oraz obiecywał Prusy Książęce jako ekwiwalent dla Rzeczypospolitej. W rokowaniach dyplomatycznych mówiło się też o nabytkach śląskich. W ewentualnej wojnie z Brandenburgią Polska miałaby współdziałać z sojuszniczką Francji Szwecją.

Realizacja tych planów napotkała jednak nieprzezwyciężone trudności zarówno na arenie międzynarodowej, jak i w Rzeczypospolitej. Brandenburgia i zwłaszcza Austria trafiły ze swym złotem do przeciwników króla i posiały takie intrygi, że całkowicie związały ręce Sobieskiemu. W odpowiedzi na Jaworów Wiedeń i Moskwa podpisały traktat skierowany zarówno przeciwko polityce Sobieskiego, jak i przeciwko wszelkim próbom ograniczenia polskich wolności. Było to pierwsze wspólne wystąpienie obu tych państw jako obrońców ustroju Rzeczypospolitej dla utrzymania jej w stanie słabości. Co ważniejsze, Szwecja, na której miał się opierać główny ciężar wojny z Brandenburgią, całkowicie zawiodła. Wojska szwedzkie uderzające z Pomorza Zachodniego zostały pokonane i w ręce Hohenzollerna wpadł Szczecin. Równie fatalnie zakończyła się próba opanowania Prus Książęcych. Wprawdzie w lecie 1677 r. podpisano w Gdańsku tajną konwencję polsko-szwedzką, na mocy której Jan III nie tylko godził się na przepuszczenie wojsk szwedzkich z Inflant do Prus, ale i na wspomożenie Szwedów swym prywatnym zaciągiem — za co on i jego rodzina mieli zdobyć prawa do Prus Książęcych. Do wystąpienia korpusu szwedzkiego doszło wskutek opieszałości jego dowódcy gen. Horna dopiero w półtora roku później. Skończyło się na nowej porażce Szwedów. W tym czasie dobiegały już końca rokowania pokojowe na zachodzie, w toku których tylko interwencja dyplomatyczna Ludwika XIV uratowała Szwecję przed poważniejszymi stratami terytorialnymi, zapobiegając zwłaszcza oddaniu Szczecina.

Pod wpływem tych niepowodzeń, a także pod naciskiem opozycji magnackiej, musiał Sobieski zrezygnować ze swych ambitnych planów bałtyckich. Wycofał się również z dywersyjnej antyhabsburskiej akcji na Węgrzech, objętych powstaniem kuruców, kierowanym wtedy przez E. Tökölyego. Jan III nie tylko poprzednio ułatwił powstańcom zaopatrzenie w broń i rekruta, ale nawet zgodził się na uformowanie przez związanego z dworem kawalera maltańskięgoHieronima Lubomirskiego parotysięcznego oddziału, który poszedł na pomoc Tökölyemu (1677).

f. Liga antyturecka

Pierwszy etap polityki zewnętrznej Jana III skończył się więc niepowodzeniem. Nie zdołał przekonać społeczeństwa szlacheckiego o konieczności zmiany orientacji, powrotu do polityki bałtyckiej nawet za cenę ustępstw na wschodzie, co — jak zgodnie podkreślają dzisiaj historycy — odpowiadało ówczesnej polskiej racji stanu. Gdy nie powiódł się program maksymalny, trzeba się było zadowolić minimalnym — odzyskaniem terenów utraconych na wschodzie. Podjęcie działań rewindykacyjnych wobec Rosji, sugerowane przez Portę i Krym Rzeczypospolitej, było przedsięwzięciem nierealnym, przynajmniej dopóki Turcy okupowali Podole i Bracławszczyznę. Wykorzystała wprawdzie Rzeczpospolita trudności rosyjskie w wojnie z Turcją i przy odnowieniu rozejmu w 1678 r. wymogła wypłatę 2 mln złp. i zwrot Newla, Wieliża i Siebieża, ale o wojnie z Rosją nie myślano, przeciwnie, widziano w Rosji nadal sojusznika przeciwko Porcie. Na plan pierwszy w polityce polskiej wysunął się bowiem znów program odzyskania całości ziem polskich na południowym wschodzie i przywrócenia wpływów w Mołdawii. Szykował więc Jan III wielką ligę przeciwturecką, gdy w Rzeczypospolitej nasilała się propaganda przeciwko „niewiernym", podsycana z Rzymu i Wiednia. Dyplomacja polska napotkała jednak trudności i niechęć we wszystkich niemal stolicach europejskich.

Z pomocą wszakże planom Sobieskiego przyszła sama Turcja. Zaledwie bowiem Mehmed IV zakończył wojnę z Rosją (1681), a już gotował się do wystąpienia przeciwko Austrii w obronie Tökölyego. Przed Sobieskim stanął dylemat, który do dzisiaj budzi rozterkę wśród historyków polskich: czy zostawić Austrię jej własnemu losowi, jak pozostawiła ona Polskę w 1672 r., czy też wykorzystać powstającą możliwość współdziałania w celu uporania się z groźnym przeciwnikiem. Jan III wybrał drugie rozwiązanie. Rozprawił się z opozycją — tym razem z obozem profrancuskim, oskarżając jednego z jego przywódców, podskarbiego Morsztyna, o spisek i zdradę. Przytoczone dowody były tak przekonywające, że Morsztyn zbiegł do Francji (po czym skazał go sąd sejmowy), a drugi współwinny, poseł francuski Vitry, musiał opuścić Warszawę. Jednocześnie przed sejmem postawił król sprawę sojuszu zaczepno-odpornego z Austrią. Podpisany 1 kwietnia 1683 r. sojusz przewidywał wspólne działania wojenne i wspólny pokój z Turcją, zobowiązując obie strony do akcji dywersyjnej w razie ataku tureckiego na terytorium jednego z państw sojuszniczych, a tylko w wypadku bezpośredniego zagrożenia Wiednia lub Krakowa wzajemną odsiecz. Leopold I zrzekł się wszelkich pretensji do Rzeczypospolitej związanych z układem z 1657 r. i zobowiązywał się do wypłacenia Polsce 1,2 mln złp. na koszty wojny. Natychmiast rozpoczął się też zaciąg ustalonego przez sejm 48-tysięcznego komputu.

W lipcu przeszło 100-tysięczna armia turecka Kara Mustafy obległa Wiedeń. Jan III uznał, że wszelkie zwlekanie może tylko ułatwić Turkom pokonanie rozdzielonych sojuszników, i szybkim marszem przez Śląsk i Morawy udał się na czele 25 tys. armii na pomoc oblężonej stolicy Austrii. Jeszcze wcześniej w walkach z Turkami wziął udział Hieronim Lubomirski, który tym razem dokonał zaciągów 4 tys. żołnierzy na potrzeby cesarza. Armia sojusznicza, licząca około 70 tys. Polaków, Austriaków i Niemców, skoncentrowała się nad Dunajem powyżej Wiednia. Dowództwo nad nią objął Sobieski, który też wysunął koncepcję uderzenia przez Las Wiedeński, uzupełnioną potem przez dowódców austriackich dodatkową akcją lewego skrzydła wzdłuż Dunaju. Do bitwy doszło 12 września 1683 r. Uderzające na prawym skrzydle wojsko polskie miało do pokonania największe trudności terenowe. Piechota polska przy współdziałaniu artylerii opanowała umocnione pozycje janczarów i odparła kontrataki tureckie, gdy jednocześnie wojska austriackie przebijały się nad Dunajem do bram Wiednia. Kara Mustafa, którego wojsko było zdemoralizowane poprzednimi powodzeniami i obciążone zdobytym łupem, zarządził odwrót, który zamienił się w ucieczkę, gdy Sobieski rzucił do ataku masy kawalerii polskiej, austriackiej i niemieckiej. Szarża blisko 20 tys. jazdy doprowadziła do opanowania obozu tureckiego i przypieczętowała klęskę Turków. Jakkolwiek też Kara Mustafa zdołał wyprowadzić z pogromu znaczną część armii tureckiej, jej siła ofensywna została złamana.

Zwycięstwo wiedeńskie nie oznaczało jednak końca wojny. Pościg za pobitym nieprzyjacielem, a zwłaszcza dwie bitwy pod Parkanami wykazały, że Turków lekceważyć nie można. W pierwszym bowiem starciu Sobieski dał się zaskoczyć Turkom i dopiero w dwa dni później (9 X) wraz z Austriakami zniszczył broniącą północnych Węgier armię turecką Kara Mehmeda. Przed Sobieskim otwierały się nowe możliwości — szukał jego protektoratu nieustępliwy w walce z Habsburgami Tököly, gotów był poddać mu swe państwo książę Siedmiogrodu Apaffy, przeszedł na jego stronę hospodar mołdawski Petryczejko, gdy oddziały kozackie pod wodzą Kunickiego zapuściły się po Dunaj. Ale wszelkie zdobycze na tym terenie były możliwe wbrew Habsburgom, a nie w sojuszu z nimi, a Rzeczpospolita nie miała już sił na żadną tego rodzaju samotną walkę. Nie rezygnując więc ze zdobyczy na południowym wschodzie Jan III wycofał swe wojska z Węgier i przystąpił (5 marca 1684 r.) do Ligi Świętej, sojuszu jednoczącego w walce z państwem osmańskim Rzeczpospolitą z Austrią, Wenecją i państwem papieskim. Odzyskanie utraconych poprzednio na rzecz Porty obszarów i walka do czasu wspólnie zawieranego pokoju legły u podstaw tej ostatniej europejskiej krucjaty, organizowanej z wielkim nakładem energii przez papieża Innocentego XI. Zawierany w pośpiechu i niestarannie przygotowany przez polską dyplomację traktat stał się pierwszym z serii nieudanych sojuszy, które ułatwiły niekorzystną dla Rzeczypospolitej zmianę układu sił w jej najbliższym sąsiedztwie. Toteż powtarzające się od czasu do czasu utyskiwania historyków polskich na udział Polski w odsieczy wiedeńskiej, która przecież i podniosła prestiż Rzeczypospolitej w Europie, i otworzyła lepsze możliwości odzyskania awulsów (jak nazywano wówczas oderwane ziemie), powinny się zwracać raczej ku Lidze Świętej, która w imię szczytnych haseł obrony chrześcijaństwa zawiązała na długo swobodę poczynań polskich i pogrążyła kraj w letargu niemocy.

Jan III przeżywał po Wiedniu okres przesadnej euforii. Król przeceniał siły i możliwości Rzeczypospolitej, wyobrażał sobie, że potrafi z sojuszu wyciągnąć podobne zyski jak te, które wkrótce miały przypaść Austrii. Zamiast skupić się na odebraniu Kamieńca, Sobieski podejmował wyprawy w głąb Mołdawii, jakby w walkach z broniącymi jej oddziałami tureckimi i ordą tatarską mogło zapaść jakieś rozstrzygnięcie. Wobec doznanych niepowodzeń, a także pod naciskiem dyplomacji cesarskiej i papieskiej, Jan III zdecydował się na poważne ustępstwa wobec Rosji, by skłonić ją do przystąpienia do wojny z Turcją. Wysłani do Moskwy kasztelan poznański Krzysztof Grzymułtowski i kanclerz litewski Marcjan Ogiński podpisali 1 maja 1686 r. „wieczny pokój", opierający się na postanowieniach rozejmu andruszowskiego, Rosja uzyskała w nim potwierdzenie poprzednich nabytków terytorialnych (wraz z Kijowem), zapewnienie niezasiedlania pasa granicznego wzdłuż średniego biegu Dniepru oraz swobodę wyznania dla ludności prawosławnej w Rzeczypospolitej z prawem interweniowania w jej interesie, co z czasem ułatwiło jej oddziaływanie na wewnętrzne sprawy Polski i Litwy. W zamian za to Rzeczpospolita otrzymywała wynagrodzenie pieniężne oraz przymierze skierowane jednak tylko przeciwko Tatarom.

Sobieski stawiał wszystko na jedną kartę — miało być nią rozgromienie Turcji w 1686 r. przez jednoczesny atak polski na księstwa naddunajskie, austriacki na środkowe Węgry, wenecki na Grecję. Nie doszło jednak do zgodnego współdziałania wszystkich sojuszników, choć Austriacy umieli wykorzystać rozproszenie sił tureckich w celu zdobycia Budy, a Wenecjanie umocnili się na Peloponezie. Jan III, który z dużym nakładem kosztów przygotował 40-tysięczną armię do ofensywy na Dunaj, zadowolił się odebraniem hołdu w Jassach, po czym nie przeprowadził nawet zamierzonych działań przeciwko Budziakom, zarządzając 2 września 1686 r. pod Fałczynem odwrót. Data ta rozpoczyna nie tylko zmierzch sławy Jana III, ale i koniec świetności staropolskiego oręża. Następne lata nie przyniosły już sukcesów militarnych. Nie pomogło współdziałanie z wojskami rosyjskimi, które zresztą pod wodzą ks. Golicyna nie spisały się lepiej w walkach z Tatarami. Polacy nie zdobyli się nawet na porządne blokowanie Kamieńca. Fatalnie wypadła ostatnia wyprawa Sobieskiego na Mołdawię w 1691 r. Podjęta z wielkim wysiłkiem, zakończyła się w lasach bukowińskich pełnym niepowodzeniem. Wprawdzie do końca wojny w ręku polskim pozostało kilka twierdz mołdawskich (Suczawa, Neamc, Soroka), nie zdołano jednak obronić się przed nowymi napadami tatarskimi, sięgającymi znów po Lwów. Armia uległa dezorganizacji. Wojna budziła coraz większe niezadowolenie szlachty i magnaterii, które uważały kontynuowanie walki za przejaw polityki dynastycznej Sobieskiego i gotowe były zadowolić się odzyskaniem od Turcji Kamieńca i Podola, zgodnie z ofertami pokojowymi przedstawianymi przez Portę za pośrednictwem chana krymskiego.

Sobieski nie był już zdolny do podjęcia tego rodzaju decyzji. Polityka jego wahała się między Francją a Austrią, prowadząc od małżeństwa królewicza Jakuba z księżniczką Jadwigą Neuburską, siostrą cesarzowej, do prywatnego traktatu Marysieńki z Ludwikiem XIV w 1692 r., w którym znalazła się moc obietnic francuskich pod warunkiem podporządkowania się Sobieskich królowi francuskiemu. Ostatecznie do końca życia Jan III nie wyplątał się z pętów Ligi Świętej. Charakteru nieudolnie toczonej wojny nie zdołał zmienić i August II, którego starannie przygotowywana kampania w 1698 r. utknęła nie dalej jak pod Podhajcami. Toteż gdy doszło do zawierania pokoju w 1699 r. w Karłowicach, Polska musiała zadowolić się odzyskaniem awulsów, Bracławszczyzny i Podola, podczas gdy Wenecja wynosiła z wojny Moreę, a Austria, wzmocniona opanowaniem całych niemal Węgier z Siedmiogrodem, wysunęła się zdecydowanie na czoło potęg środkowoeuropejskich.

Długoletnie wojny, które przyszło Rzeczypospolitej toczyć w drugiej połowie XVII w. w obronie swego stanu posiadania na wschodzie, spełniły swe zasadnicze zadanie: utrzymania przy Rzeczypospolitej jak największej części terenów stanowiących główną bazę latyfundiów magnackich. Miały one wszakże swój wąski klasowy charakter — oczywiście z wyjątkiem takich momentów, jak w 1672 r., kiedy w grę weszła niezależność całej Rzeczypospolitej. Polityczne skutki tego długotrwałego zaangażowania zasadniczych sił polskich na wschodzie były jak najbardziej ujemne. Uniemożliwiły one Polsce aktywną rolę w wydarzeniach środkowoeuropejskich, szczególnie zaś wykorzystanie trzech wojen koalicji z Francją dla restauracji swej pozycji nad Bałtykiem. Zamiast odzyskania choćby części Śląska, nastąpiło podporządkowanie polityki polskiej Austrii. W stosunkach wewnętrznych wojny z Rosją i Turcją przyczyniły się do zwiększenia wpływów zainteresowanej utrzymaniem obszarów wschodnich magnaterii i tej części szlachty, która była najbardziej zachowawcza i kierowała się prywatą. Wreszcie zdezorganizowały one do końca system wojskowy i podatkowy. Ciężary wojenne i gwałty ze strony niepłatnego żołnierza stały się jednym z podstawowych czynników rozkładających gospodarkę polską w tym czasie

5. Rządy oligarchii magnackiej

a. Dalszy rozstrój czy reforma?

Potężny wstrząs, jaki przeżyła Rzeczpospolita w związku z powstaniem na Ukrainie, ruchami chłopskimi, a w końcu zagrożeniem jej niezależności w dobie najazdu szwedzkiego, postawił z całą ostrością przed społeczeństwem szlacheckim problem usprawnienia organizacji państwa. Jeżeli brakowało motywów do przezwyciężenia stagnacji w tej dziedzinie w okresie spokoju i dobrobytu za czasów Władysława IV, to teraz zjawiło się ich dosyć. Załamywały się podstawy organizacji dwuczłonowego państwa, każda niemal instytucja ujawniała swe słabości. Częściowo był to rezultat błędnych założeń lub rozwiązań, częściowo wszakże rezultat zmian w charakterze społeczności szlacheckiej, o których już była mowa. Przed Rzecząpospolitą stał więc dylemat — albo dalsze pogłębienie rozstroju państwowego, którego skutki musiały być katastrofalne, albo reforma. Fatalnym zbiegiem okoliczności na dylemat ten musiało odpowiedzieć pokolenie niezłych żołnierzy, ale równocześnie miernot politycznych, nie dorównujących już nie tylko egzekucjonistom, ale i ludziom pokroju Jakuba Sobieskiego.

Zresztą decyzja zapaść miała już tylko w walce między dworem królewskim a fakcjami magnackimi. Szlachcie średniej przypadła rola statystów. Nie można Janowi Kazimierzowi i Ludwice Marii odmówić troski o losy Rzeczypospolitej. Niestety, reprezentowane przez nich stanowisko, podobnie jak poprzednich Wazów, cechowało nadmierne kierowanie się względami dynastycznymi. Jeżeli przy tym Jan Kazimierz i królowa nauczyli się patrzeć z pogardą na ustrój Rzeczypospolitej, to w ich otoczeniu brakowało ludzi, którzy mogliby tę niechęć do demokracji szlacheckiej przekształcić w bardziej racjonalne dążenia do naprawy państwa. Wkrótce po koronacji głównym problemem stało się zapewnienie tronu wybranemu przez siebie kandydatowi, który właściwie miał się charakteryzować jedną tylko cechą o zasadniczym znaczeniu dla obojga królestwa — zgadzać się na zaślubienie siostrzenicy Marii Ludwiki, palatynówny Renu Anny Marii. Kwestia ta była wysuwana tak obsesyjnie, że nawet niektórzy historycy gotowi byli uwierzyć, że od tego zależało ocalenie Polski.

Zapewne, ujęcie twardą ręką wzrastającego sobiepaństwa było koniecznością chwili. Jak słusznie pisał Władysław Konopczyński, „czasy Jana Kazimierza ujrzały po raz pierwszy Rzeczpospolitą podzieloną na kompleksy terytorialne, zostające pod bezspornym protektoratem wybujałych oligarchów albo będące przedmiotem ich rywalizacji". Na Litwie rządził się wrogi dworowi królewskiemu i gotów do zerwania unii z Polską Janusz Radziwiłł wraz z kuzynem Bogusławem, po nich trzęśli nią Krzysztof i Michał Pacowie. W Wielkopolsce najwięcej liczono się z powiązanymi przez długi czas z dworem Leszczyńskimi — prymasem Andrzejem, podskarbim Bogusławem i stale frondującym wojewodą poznańskim, z czasem podkanclerzym Janem. Koneksje brandenburskie zaprowadzą w końcu Leszczyńskich do obozu zdecydowanej opozycji, której poprzednio nadawali ton Opalińscy. Małopolską kierował Jerzy Lubomirski, marszałek w. kor., pan krociowej fortuny i wielkich ambicji. Nie byli to ludzie pozbawieni talentów, ale stawiający interes swój czy swego rodu przed racją stanu Rzeczypospolitej. A obok nich kilkudziesięciu innych, mniejszych, ale równie przekonanych o swej wartości.

Wiemy już, jaką rolę odegrali w stosunkach zewnętrznych Rzeczypospolitej. Główną domeną ich działania były jednak sprawy „domowe". Januszowi Radziwiłłowi ma Rzeczpospolita do zawdzięczenia pierwsze liberum veto. Jego klient, Siciński, starosta upicki, sam sprzeciwił się prolongacie obrad sejmowych na sejmie wiosennym w 1652 r. W ten sposób obok jednomyślnego przyjmowania uchwał sejmowych wytworzyła się druga zasada: grupa posłów lub nawet jeden poseł może zerwać sejm w dowolnym momencie jego obrad i w ten sposób przekreślić wszystkie uzgodnione nawet poprzednio jego uchwały. W 1652 r. protest Sicińskiego został potępiony, ale i uznany za zgodny z prawem. Otworzyło to drogę do sparaliżowania działalności ustawodawczej w Rzeczypospolitej i niesłychanie osłabiło najważniejszy obok króla organ w państwie. W 1654 r. grupa rozwydrzonych magnatów w podobny sposóby zerwała sejm w obliczu inwazji nieprzyjaciela na Rzeczpospolitą, co miało się powtórzyć i w 1672, i w 1702 r. W 1669 r. zerwano sejm przed upływem jego terminu, a w 1688 r. przed obiorem marszałka, a więc przed ukonstytuowaniem się. W ciągu 100 lat stosowania liberum veto (tj. do 1764 r.) zerwano aż 42 sejmy na ogólną liczbę odbytych 71 (prócz elekcyjnych), tj. blisko 60%, przy czym liczba ta z każdym panowaniem wzrastała. Analiza poszczególnych wypadków wskazuje, że na ogół rwanie sejmów odbywało się za poduszczeniem różnych fakcji magnackich, działających często ręka w rękę z przedstwicielami obcych dworów, które widziały w tym najlepszy sposób paraliżowania poczynań reformatorskich Rzeczypospolitej. W podobny sposób jak sejmy i z podobnymi skutkami prawnymi zrywane bywały także sejmiki.

Jan Kazimierz nie potrafił dostatecznie szybko zareagować na wprowadzenie zgubnej dla Rzeczypospolitej zasady liberum veto. Zresztą stosunki jego ze społeczeństwem,zwłaszcza z magnatami, układały się coraz gorzej. Rezultatem tego narastającego rozdźwięku stało się powszechne odstępstwo z 1655 r. Dopiero po nim nastąpiło otrzeźwienie. Padło wtedy wiele istotnych projektów reform — król złożył obietnicę poprawy doli chłopów, sejm zgodził się na zmianę dwuczłonowego składu państwa na trójczłonowy z „księstwem ruskim", wreszcie mając poparcie patriotycznej części szlachty na zjeździe w 1658 r. Jan Kazimierz przedstawił program usprawnienia urzędów centralnych. Pod hasłem powrotu do starych zwyczajów postulował więc, by głównym zadaniem sejmu stało się ustosunkowanie do propozycji królewskich, ażeby wprowadzić podejmowanie decyzji większością głosów, stworzyć Radę Nieustającą przy królu złożoną z senatorów i szlachty, ustanowić akcyzę, czopowe i cło generalne (a więc obejmujące wszystkich) jako stałe podatki. Senat poparł ten projekt, po czym sejm wyznaczył w 1659 r. specjalną komisję do ustalenia nowego sposobu podejmowania postanowień.

Skończyło się jednak na pięknych projektach. W sprawie chłopskiej, gdy tylko ustało zagrożenie szwedzkie, nie podjęto nic. Ugoda hadziacka okazała się dziełem spóźnionym (por. cz. 1, s. 238). Reforma parlamentaryzmu utknęła na rafie elekcji vivente rege. Dwór królewski powiązał ją bowiem ze sprawą dla siebie najważniejszą — wyboru następcy. Kwestia ta wypłynęła oficjalnie w czasie najazdu szwedzkiego, kiedy za pozyskanie pomocy rosyjskiej czy austriackiej Rzeczpospolita gotowa była zapłacić nadziejami na koronę polską. Poważnie branym kandydatem był nie tyle car Aleksy (chociaż sejm 1658 r. wyraził zgodę na oddanie mu tronu polskiego pod nierealnym warunkiem przyjęcia katolicyzmu) co arcyksiążę Karol Habsburg, brat cesarza. Początkowo też poseł austriacki Franciszek Lisola popierał z tego względu projekty wzmocnienia organów centralnych w Rzeczypospolitej. Po pewnym czasie jednak Ludwika Maria zorientowała się, że kandydat austriacki nie jest skłonny zaślubić Anny Marii, wobec czego wszczęła starania o francuskiego księcia krwi. Nad sprawą dyskutowano na razie otwarcie i na radach senatu zastanawiano się nad walorami przyszłego władcy. Jednak gdy Mazzarini zproponował w końcu księcia d'Enghien, syna Kondeusza, kandydatura ta wywołała tyle zastrzeżeń, że Ludwika Maria przeszła do akcji konspiracyjnej, zyskując sobie przy pomocy francuskiego złota i awansów popleczników, którzy byliby gotowi do swego rodzaju zamachu stanu. Królowa bowiem zamierzała narzucić Rzeczypospolitej elekcję za życia króla, vivente rege (jak Zygmunta Augusta) pod pretekstem, że uniknie się w ten sposób kryzysu bezkrólewia.

Jakkolwiek udało się do obozu profrancuskiego przyciągnąć wpływowych magnatów, jak Paców na Litwie, kanclerza podówczas, z czasem prymasa Mikołaja Prażmowskiego, najtęższą chyba wtedy głowę w Rzeczypospolitej, współtwórcę projektu reformy parlamentarnej, Jana Sobieskiego, a także Stefana Czarnieckiego, przeciwko projektom Ludwiki Marii wystąpili z poduszczenia Franciszka Lisoli Łukasz Opaliński i Jan Leszczyński, i co ważniejsze — Jerzy Lubomirski, którego stanowisko przesądziło w pewnej mierze o niepowodzeniu całego przedsięwzięcia. Najpierw opozycja przekreśliła na komisji sejmowej projekty likwidacji liberum veto, po czym przystąpiła do decydującej rozgrywki na sejmie 1661 r. Król postawił przed nim m. in. kwestię wyrównania zaległości dla wojska i elekcji następcy tronu, rezygnując z forsowania reformy parlamentarnej. Na próżno Jan Kazimierz rzucał wtedy prorocze słowa, że jeśli Rzeczpospolita nie unormuje sprawy następstwa i utrzyma bezkrólewia, to dojdzie do tego, że Litwę i Ruś zagarnie Rosja, a Polską podzieli się Brandenburgia z Austrią. Opozycja wytrwała w oporze i sprawa elekcji upadła. Groźniejsze niż postawa sejmu było zachowanie wojska. Gdy bowiem toczyły się w Warszawie obrady, zawiązana została (nie bez inspiracji Lubomirskiego i Leszczyńskiego) konfederacja niepłatnego żołnierza, Związek Święcony ze Stefanem Świderskim jako marszałkiem. Konfederaci nie tylko upominali się o zaległy żołd, ale i promowali się na obrońców zagrożonych wolności szlacheckich, zapowiadając, że będą walczyć o restaurację „zepsutych" praw, przede wszystkim przeciwko próbom ograniczenia wolnej elekcji. Podobny związek powstał na Litwie pod Stefanem Żeromskim jako marszałkiem, tyle że do haseł antykrólewskich dołączyły się i antymagnackie skierowane przeciwko Pacom. Nie pomogło dworowi zawiązanie własnej konfederacji wojskowej, Związku Pobożnego, w dywizji Czarnieckiego. Większość poszła za Lubomirskim i podszeptami habsbursko-brandenburskimi. Pod jej naciskiem sejm w 1662 r. wyrzekł się wszelkich planów elekcji za życia króla, ograniczając się do uchwalenia olbrzymich podatków, łącznie z pierwszy raz wprowadzonym pogłównym generalnym, na zaspokojenie potrzeb wojska sięgających 25 mln. Przez dwa lata nie można było uspokoić wojska, aż doszło do wewnętrznego rozłamu, gdy na Litwie konfederaci dokonali samosądu na Żeromskim i starającym się go pozyskać dla dworu hetmanie Gosiewskim. Wtedy dopiero rozpadła się konfederacja na Litwie, a wkrótce potem rozwiązała się w Koronie (1663). Wytargowali sobie przecież konfederaci połowę żądanej sumy, nie licząc spustoszonych dóbr. Ale tragiczny paradoks historii tkwił w fakcie pogrzebania dzieła niezbędnych dla kraju reform rękami tych, którzy poprzednio ratowali jego całość i niezależność.

Mimo wszystko dwór jeszcze nie rezygnował całkowicie. Słusznie widząc w Lubomirskim główną przeszkodę dla swych projektów, Ludwika Maria postanowiła pozbyć się go z kraju. Wykorzystała dwuznaczne zachowanie się Lubomirskiego podczas kampanii rosyjskiej 1663 r., kiedy rozpuszczał wśród szlachty krakowskiej wiadomości o rzekomo szykującym się najeździe tatarskim. Oskarżony o zdradę stanu, został powołany w 1664 r. przed sąd sejmowy. Gdy marszałek nie stawił się nań osobiście, został na podstawie zresztą niezbyt przekonywających dowodów skazany na konfiskatę dóbr, banicję i infamię i pozbawiony sprawowanych urzędów (które przejął po nim oddany stronnik obozu profrancuskiego Jan Sobieski).

W tym czasie Lubomirski schronił się już pod opiekę cesarską na Śląsk, gdzie werbował za pieniądze austriackie żołnierza i skąd prowadził szeroką akcję dyplomatyczną, starając się pozyskać przeciw Janowi Kazimierzowi pomoc Krymu, Kozaków, Moskwy. Gdy dwór zamawiał sobie pomoc francuską (pod nowym kandydatem do tronu, samym Kondeuszem) i szwedzką, Lubomirski wkroczył do Rzeczypospolitej i wszczął otwarty rokosz przeciwko królowi (1665). Opowiedziała się za nim część wojska koronnego, a także trochę szlachty, głównie wielkopolskiej, zachęconej przez Jana Leszczyńskiego. Wojska królewskie nie były w stanie przeszkodzić jego przemarszom po kraju, a Litwini dali się pobić jego podkomendnym pod Częstochową. Na jesieni doszło do zawarcia rozejmu pod Pałczynem.

Obie strony wykorzystały go do lepszego przygotowania się do rozgrywki w następnym roku. Lubomirski doprowadził do zerwania sejmu, na którym miało dojść do ostatecznej ugody, po czym walki się odnowiły. Mimo przewagi liczebnej regalistów, górę wziął talent dowódczy rokoszanina. Pod Mątwami rozbite zostały najlepsze oddziały dworskie (dywizja Czarnieckiego), które rokoszanie wybili do nogi. Królowi nie pozostało nic innego, jak zawarcie nowej ugody w Łęgonicach. Rezultat walk był zupełnie jałowy — Jan Kazimierz zrezygnował formalnie z planów elekcji vivente rege i obiecał rokoszanom amnestię, Lubomirski zaś przeprosił króla i ponownie opuścił Rzeczpospolitą. Wkrótce potem umarł we Wrocławiu.

Jakkolwiek Jan Kazimierz nie przestał myśleć o wybraniu swego następcy, a nawet dla osiągnięcia tego celu abdykował w 1668 r. po zerwanym sejmie, rokosz Lubomirskiego zadał ciężki cios wszelkim projektom wzmocnienia władzy królewskiej i reformy Rzeczypospolitej. Doświadczenia wojenne na krótko tylko poruszyły inercję szlachecką. Z czasem w odparciu najazdu szwedzkiego szerokie rzesze szlacheckie znalazły sobie argument za wyższością ustroju Rzeczypospolitej, tym chętniej dając posluch magnatom, którzy bronili jego nienaruszalności.

b. Konfederacje i intrygi fakcyjne

Rokosz Lubomirskiego utrwalił konfederację jako jedną z najbardziej typowych form organizacji walki politycznej, aż do końca istnienia Rzeczypospolitej szlacheckiej. Ogólnokrajowe konfederacje szlacheckie występowały poprzednio sporadycznie poza okresami bezkrólewi. O wiele częstsze bywały konfederacje wojskowe (por. cz. 1, s. 142) o wąskim zakresie uczestników. Zresztą konfederacje wojskowe stanowiły punkt wyjścia zarówno dla konfederacji tyszowieckiej, jak i w pewnej mierze rokoszu Lubomirskiego, a więc obu wielkich związków konfederacyjnych z czasów Jana Kazimierza. Od połowy XVII do połowy XVIII w. zorganizowało się w Rzeczypospolitej 9 ogólnokrajowych, czyli tzw. generalnych konfederacji, nie licząc zawartych na konwokacjach i kilkudziesięciu wojewódzkich, prowincjonalnych czy wojskowych. Nieprzypadkowo rozpowszechnienie się konfederacji nastąpiło właśnie w tym okresie. Złożyły się na to dwie zasadnicze przyczyny. Jedną z nich był rozkład sejmów i sejmików. Konfederacje, które kierowały się raczej większością głosów i nie uznawały liberum veto (choć bywały wyjątki i pod tym względem), mogły spełniać w tych warunkach rolę instytucji zastępczej, zapewniającej sprawniejsze funkcjonowanie aparatu państwowego. Drugą przyczyną było zapewnienie lepszych form organizacyjnych fakcjom magnackim czy ich związkom. Zamiast luźnych, często osobistych powiązań, następowało ściślejsze podporządkowanie oparte na składanej przez każdego uczestnika konfederacji przysiędze. Tworzył się także rodzaj przymusu — wstrzymującym się od konfederacji grożono represjami i uznaniem za „wrogów ojczyzny".

W konfederacjach miała prawo — czy nawet obowiązek — uczestniczenia cała szlachta. Powoływano do nich także znaczniejsze miasta, które miały prawo uczestniczenia w sejmach czy w sejmikach (w Prusach Królewskich). Konfederacje miały swe naczelne władze: marszałka oraz radę konfederacką, która dwukrotnie (w 1673 i 1710 r.) uznała się za sejm. Okres trwania konfederacji zależał od możliwości osiągnięcia jej celów. Zwykle nie był dłuższy niż rok czy parę lat, ale bywały konfederacje ciągnące się do 10 lat (jak sandomierska).

Konfederacje były częstym zjawiskiem w średniowiecznej Europie. W XVII w. spotykało się je rzadziej, choć np. występowały w Szkocji czy w Rzeszy (jako tzw. konwenty). Rola ich w Polsce nie została jeszcze przekonywająco oceniona, brak zresztą prac zajmujących się nimi całościowo. Stanowiły one zapewne jeden z zasadniczych elementów dekompozycji ustroju: większość z nich skierowana była przeciwko monarsze, często też były dziełem fakcji magnackich. Ale wiele konfederacji stawiało sobie za zadanie obronę niezależności Rzeczypospolitej przed obcym uciskiem. Były one ponadto czynnikiem scalającym więź ogólnopaństwową szlachty, i to nieraz z głębokim, osobistym zaangażowaniem poszczególnych członków. W związku z niedomaganiami i brakami występującymi w ustroju politycznym Rzeczypospolitej konfederacje były instytucją niezbędną.

Konfederacje i zrywane sejmy były tylko częścią spadku, który zostawiał Jan Kazimierz swym następcom. Bilans jego panowania był wyjątkowo niekorzystny — straty terytorialne, nowa rezygnacja z Opolszczyzny, deprecjacja monety, skompromitowanie planów reform w oczach szlachty i rozwielmożnienie się fakcji magnackich. Nic dziwnego, że inicjały I. C. R. wybite na tynfach odczytywano jako Initium Calamitatis Regni. Równie fatalnie wypadły rządy jego następcy.

Elekcja w 1669 r. niespodziewanie pokazała, że średnia szlachta jest jeszcze siłą, której nie można lekceważyć. Już konwokacja wykluczyła od tronu tych wszystkich kandydatów, którzy poprzednio w sposób nielegalny zabiegali o koronę. Na pole elekcyjne zjechały się tłumy szlachty, która swe niezadowolenie przejawiła najpierw w ostrzelaniu szopy, w której obradowali senatorzy, a potem w nieoczekiwanym wyborze Michała Korybuta Wiśniowieckiego. W ten sposób Rzeczpospolita szlachecka dostała najbardziej nieudolnego władcę w swych dziejach, którego jedyną zasługą w oczach wyborców były czyny jego ojca i niezwiązanie się z żadnym ze zwalczających się obozów magnackich. Był to przedziwny symbol kultu prowincjonalnej mierności, który przytłaczał ówczesną Polskę.

Klęska elekcyjna obu wielkich obozów magnackich doprowadziła do nowego układu sił. Przy boku Michała Korybuta znalazł się nie tylko podkanclerzy Andrzej Olszowski, statysta dość trzeźwo oceniający potrzeby Rzeczypospolitej, który miał nieszczęście wymienić Wiśniowieckiego wśród kandydatów do korony w swej broszurze przedelekcyjnej, ale i kuzyn króla, hetman polny koronny Dymitr Wiśniowiecki, a także Pacowie, którzy zerwali z obozem profrancuskim. Olszowski postarał się o zdobycie poparcia zewnętrznego przez doprowadzenie do małżeństwa Michała z arcyksiężniczką Eleonorą, siostrą cesarza Leopolda I. Czy ze strony Wiednia nie kryła się za tym nadzieja przeforsowania z czasem na tron polski jej wybrańca i późniejszego męża, walecznego ks. Karola Lotaryńskiego, trudno powiedzieć. W każdym razie zdobyła sobie rychło zasłużoną sympatię, a choć jej wpływ osobisty na Michała (rzekomo impotenta) nie był zbyt wielki, w gronie doradców króla zaczął dominować głos posłów austriackich, zwłaszcza magnata śląskiego Schaffgotscha.

Zawiedziony w swych oczekiwaniach obóz profrancuski, zwłaszcza prymas Prażmowski i hetman Sobieski, odpowiedział na to przygotowywaniem zamachu stanu w celu detronizacji Michała Korybuta i wprowadzenia kandydata francuskiego. Tym razem na ich prośby Ludwik XIV przeznaczył tron polski bratankowi Kondeusza, ks. Saint Paul de Longueville. Rozpoczęły się gwałtowne krytyki Michała Korybuta i zacięta walka obozów, której ofiarą padały zrywane jeden po drugim sejmy (właśnie wynikiem tych rozgrywek było dalsze ugruntowanie liberum veto — zerwanie sejmu przed przewidzianym jego 6-tygodniowym terminem w 1669 r.). Do szczytowego napięcia doszło w 1672 r. w obliczu najazdu tureckiego. Po zerwaniu dwu sejmów przez regalistów prymas Prażmowski z całym profrancuskim magnackim obozem zażądał od króla abdykacji. Wtedy Michał Korybut odwołał się do popierającej go szlachty. Zamiast zaciągnąć wojska na obronę Rzeczypospolitej (co groziło wzmocnieniem pozycji Sobieskiego), zwołał rzekomo dla odparcia Turków pospolite ruszenie, które jesienią 1672 r. zawiązało się w konfederację pod Gołębiem w Lubelskiem. Marszałkiem został bratanek pogromcy Szwedów, Stefan Czarniecki, który wraz z dwoma magnackimi demagogami, Michałem Pacem i Szczęsnym Potockim, rozpętali nagonkę przeciwko fakcji profrancuskiej, licząc na obłowienie się jej dobrami i godnościami. W akcie konfederacji znalazło się więc pozbawienie prymasa Prażmowskiego i jego rodziny piastowanych urzędów i dóbr, oddanie innych przeciwników Michała Korybuta pod sąd. Wprowadzono wszakże i postulaty reformatorskie, jak likwidację dożywotności urzędów, które proponowano przyznawać na 3 lata, oraz postawienie przed sąd rwaczy sejmowych. Szlachta uwieńczyła swe dzieło rozsiekaniem paru oponentów, po czym rozjechała się do domów, zostawiając realizację postanowień marszałkowi i zwołanej do Warszawy na początek 1673 r. radzie konfederackiej.

Jak by nie dość było Buczacza, Rzeczpospolita stanęła w obliczu wojny domowej. Sobieski bowiem zagrożony dymisją doprowadził do zawarcia konfederacji w Szczebrzeszynie przez oddane sobie wojsko koronne — przy majestacie, ale i przy hetmanie, a przeciw uchwałom gołąbskim. Jednakże o detronizacji nie było już mowy, tym bardziej że kandydat francuski zginął w lecie w czasie inwazji Holandii. Przy pośrednictwie neutralistów i nuncjusza Buonvisiego, zaniepokojonego w interesie montującej się koalicji antyfrancuskiej możliwością utrzymania warunków buczackich, doszło do porozumienia między obradującymi w Warszawie konfederatami gołąbskimi a radą konfederacji szczebrzeszyńskiej w prymasowskim Łowiczu. W imię zgody ogólnoszlacheckiej poszły w zapomnienie wszelkie pomysły reformatorskie, ale przynajmniej sejm, oparty na obu radach, zdobył się na konieczny wysiłek fiskalno-wojskowy.

W elekcji 1674 r. stanęli przeciwko sobie dwaj godni przeciwnicy — ks. Karol Lotaryński, popierany przez podporządkowaną Pacom Litwę, i Jan Sobieski. Za kandydaturą zwycięzcy spod Chocimia opowiedziała się zdecydowana większość. Wybór był trafny. Sobieski był wreszcie tym „Piastem", na którego czekano od wygaśnięcia dynastii jagiellońskiej. Ojciec jego, Jakub, znakomity parlamentarzysta i dyplomata, zapewnił mu staranne wykształcenie zdobyte nie tylko w Akademii Krakowskiej, ale i w podróżach zagranicznych, które objęły Anglię, Francję, Holandię, Niemcy i Turcję. Jan III wyrobił sobie dzięki temu wielostronne zainteresowania, które odnosiły się zarówno do nauki i sztuki, jak strategii i dyplomacji. Był znakomitym wodzem, popularnym wśród żołnierzy, z którymi umiał dzielić ich dolę i niedolę, ale i statystą dobrze zorientowanym w sytuacji międzynarodowej, a także doskonałym stylistą, czego dał dowód w swych listach do żony Marysieńki. Jak to się nieraz Polakom zdarzało, nie zawsze potrafił zachować godność narodową wobec cudzoziemców, zwłaszcza Ludwika XIV, który mu imponował i na którego służbę gotów był wstąpić. Zresztą jego zachowanie w czasie najazdu szwedzkiego lub w obozie profrancuskim może budzić wątpliwości, czy i w nim nie dominowało czasami magnackie sobiepaństwo i czy zawsze powodował się patriotyzmem, którego mu zresztą odmówić nie sposób. Polityka wewnętrzna nie była jego mocną stroną — pod tym względem szkoła Ludwiki Marii wydawała swe złe owoce. Sobieski trafnie oceniał, że jego elekcja stanowiła szansę dla ugruntowania się narodowej dynastii na tronie polskim. Było bowiem niemal zasadą, że w elekcjach w Rzeczypospolitej największe szanse mieli potomkowie aktualnych władców. Zafascynowany tym celem nie przywiązywał należytej wagi do reform wewnętrznych, obejmujących uzdrowienie parlamentaryzmu i spraw fiskalno-wojskowych. Z czasem miało się okazać, że żaden z jego synów nie dorównał zdolnościami ojcu, zaś spory między najstarszym Jakubem a żądną władzy intrygantką Marysieńką przekreśliły ostatecznie plany dynastyczne Jana III.

Początkowo Sobieski miał zamiar wykorzystać swe związki z Wersalem w celu wzmocnienia swej władzy monarszej i zapewnienia sukcesji potomstwu. Przymierze z Francją miało otworzyć dla króla subsydia francuskie, a zarazem umożliwić podbój Prus Książęcych, które dostałyby się w ręce jego rodziny. Zamiary te, związane także z innymi projektami reform, zwłaszcza z usprawnieniem funkcjonowania sejmu, zostały jednak sparaliżowane przez działającą w porozumieniu z Wiedniem opozycję magnacką. Skupiała ona takie podpory obozu proaustriackiego, jak Pacowie na Litwie, biskup krakowski Trzebicki i Dymitr Wiśniowiecki w Małopolsce, wreszcie Jan Leszczyński w Wielkopolsce. Jeszcze przed sejmem koronacyjnym miało dojść do zawarcia tajnej konfederacji jednoczącej opozycjonistów. Gdy król trwał w swej polityce profrancuskiej, w 1678 r. Wiśniowiecki i Trzebicki mieli wejść w porozumienie z Karolem Lotaryńskim co do zamachu stanu i wprowadzenia go na tron polski. Nie jest pewne, jak dalece ten spisek przedstawiał realną groźbę dla Sobieskiego, w każdym razie przyczynił się do rezygnacji króla z dotychczasowej polityki. Ale i jego polityka kompromisu nie dała lepszych rezultatów. Wprawdzie w senacie ze strony życzliwych królowi biskupów padały propozycje zwiększenia kompetencji monarszych, a Jędrzej Chryzostom Załuski przygotował królowi wnikliwy memoriał o usterkach rządu polskiego z dość skromnymi propozycjami dotyczącymi utrudnienia zrywania sejmów, skrócenia bezkrólewia, skoncentrowania polityki zewnętrznej w ręku monarchy i przyznania mu nieco szerszych uprawnień, ale nic z tego nie dostało się do konstytucji sejmowych.

Zerwanie z obozem profrancuskim kosztowało Jana III stratę wielu dawniejszych zwolenników, a nowi sojusznicy nie okazali się bynajmniej skorzy do popierania zamiarów Sobieskiego. Daremnie król starał się wysuwać swego syna Jakuba przez powierzanie mu komendy nad wojskiem czy wprowadzenie do senatu i myślał o osadzeniu go na hospodarstwie mołdawskim. Wywołało to niezadowolenie szlachty i przeciwdziałanie dworów obcych. Właśnie w tym czasie doszło do zawarcia układów trzech państw sąsiednich — Austrii, Brandenburgii i Szwecji (1686), które miały na celu niedopuszczenie do zmiany ustroju Rzeczypospolitej, zwłaszcza zasady wolnej elekcji. Nie pierwszy to układ tego rodzaju — poprzedziło go podobne porozumienie Szwecji z Brandenburgią w 1667 r. i Rosji z Austrią w 1675 r. Coraz bardziej kurczyła się swoboda manewru nawet w sprawach wewnętrznych Rzeczypospolitej. Plany Sobieskiego były zresztą również przyczyną trudności z małżeństwem Jakuba — dwór berliński sprzątnął mu sprzed nosa upatrzoną na małżonkę córkę Bogusława Radziwiłła, dziedziczkę olbrzymich włości na Litwie, które miały wpaść w ręce Hohenzollernów i domu neuburskiego. Dopiero zawarte za pośrednictwem Wiednia małżeństwo z Elżbietą ks. neuburską zapewniło królewiczowi umiarkowane zresztą poparcie cesarza, który nie bez oporów zgodził się przekazać mu w ramach wiana dobra na Śląsku — państwo oławskie. Jednakże w samej Rzeczypospolitej opozycja nie zaprzestała utrudniać królowi jego poczynań. Zgodnie występowały przeciwko niemu fakcje magnackie z rzeszami swej klienteli szlacheckiej — w Koronie Lubomirscy, forytowany przez króla hetman Stanisław Jabłonowski, wojewoda poznański Rafał Leszczyński, Krzysztof Grzymułtowski, na Litwie Sapiehowie, podskarbi Benedykt i hetman Kazimierz, którzy przejęli spadek po Pacach. Nawet bliski królowi kanclerz Jan Wielopolski czy J. Ch. Załuski nie cofali się przed działalnością spiskową, gdy chodziło o wykluczenie elekcji vivente rege czy zabezpieczenie swej pozycji. Mógł Jan III odwołać się wprost do szlachty, spośród której wywodzili się jego najbardziej oddani stronnicy, jak Stanisław Szczuka czy M. Matczyński. Daremnie jednak na sejmie 1688/1689 r. regaliści domagali się w odpowiedzi na zuchwałe ataki na króla zwołania sejmu konnego, na którym doszłoby do rozprawy z magnatami. Dwór nie zdobył się na energiczne działanie i pod naciskiem malkontentów, a także obawiających się wycofania króla z Ligi Świętej cesarza i papieża Sobieski zrezygnował ze swych aspiracji.

Rozpoczęły się ostatnie, najgorsze lata panowania Jana III, kiedy rozstrój wewnętrzny w Rzeczypospolitej osiągnął swe szczyty. Schorowany król nie był zdolny ani do opanowania wzrastającej walki fakcyjnej, ani nawet do zaprowadzenia porządku we własnej rodzinie, rozrywanej niesnaskami między Marysieńką a Jakubem. Rwał się sejm za sejmem — do skutku doszedł tylko jeden w 1691 r., by zapewnić zaopatrzenie dla wojska, ułożyć sprawy administracyjne i usprawnić porządek sejmowania. Litwa jęczała pod despotyzmem Sapiehów, którzy zaprowadzali swe rządy terrorem i korupcją, prześladując przeciwników wyrokami trybunału i wprowadzaniem wojsk do ich dóbr, lekceważąc nawet ekskomuniki biskupa wileńskiego, skoro zawieszał je ich przyjaciel prymas kardynał Michał Radziejowski. Nie ograniczali się przy tym Sapiehowie do działalności na Litwie, ale wciągali też jednego po drugim magnatów koronnych do organizowanego przez siebie nowego spisku, który miał im zapewnić decydujący głos w czasie nowej elekcji. Toczyły się targi z dworem wiedeńskim i wersalskim, a kraj ogarniała fala anarchii i bezprawia. O żadnych reformach już nikt nie myślał. Śmierć Jana III, 17 czerwca 1696 r., otworzyła najdłuższe i zarazem najbardziej skorumpowane bezkrólewie w dziejach Polski.

Tak więc powtarzające się zabiegi o wzmocnienie władzy królewskiej nie dały ani w pierwszej, ani w drugiej połowie XVII w. żadnego rezultatu, przyczyniły się najwyżej do osłabienia autorytetu królewskiego i ułatwiły magnaterii kompromitowanie wszelkich poczynań reformatorskich jako dążeń absolutystycznych. Za planami królewskimi opowiadała się z reguły wąska grupa magnatów, najczęściej świeżo wypromowanych przez monarchę, i szlachty związanej z dworem. Wojsko, którym dysponowali władcy, było nieliczne i niepewne, bo źle płatne, więc skore do konfederacji. Dochody skarbowe niskie. Zwolenników planów monarszych zrażało przy tym częste podporządkowywanie interesów państwa interesom dynastycznym. W tych warunkach działalność magnaterii, liczącej na poparcie większości szlachty oraz państw sąsiednich zainteresowanych w utrzymaniu Rzeczypospolitej w słabości, była ułatwiona. Dopiero niespodziewany wynik elekcji 1697 r., kiedy królem Polski został władca zasobnego elektoratu saskiego, zmienił nieco tę sytuację.

6. Unia personalna polsko-saska

a. Absolutystyczne zabiegi Augusta II i upadek pozycji międzynarodowej Polski

Fryderyk August II Wettin (1697 - 1733) opanował tron polski dzięki rzuceniu odpowiednio wysokich sum między głosującą szlachtę i magnatów, a także dzięki szybkości działania, możliwości łatwego przerzucenia wojsk do Rzeczypospolitej i poparciu ze strony koalicji antytureckiej. Elekcja była bowiem znów rozbita i znaczna część szlachty głosowała za francuskim księciem Franciszkiem Conti, którego prymas Radziejowski najpierw ogłosił królem. Nie przeszkodziło to zwolennikom Wettina w ogłoszeniu swego wybrańca elektem, a gdy August II rozgłosił swą konwersję, w prędkim ukoronowaniu go na Wawelu. Conti przybył do Gdańska już poniewczasie i ze zbyt słabymi siłami, by mógł pokusić się o podporządkowanie sobie Polski. Gdy nacisnęli nań Sasi, rychło odpłynął do Francji, chociaż jego zwolennicy zorganizowali pod przewodnictwem prymasa Radziejowskiego rokosz w Łowiczu i opierali się uznaniu Augusta II. Dopiero w 1699 r. sejm pacyfikacyjny uspokoił Rzeczypospolitą.

Elekcja Wettina rozpoczyna przeszło półwiekowy okres unii personalnej polsko-saskiej. Nie był to twór szczęśliwy ani dla jednej, ani dla drugiej strony. Pod jednym berłem bowiem złączono dwa różne organizmy gospodarcze, społeczne i narodowe. Saksonia była krajem dobrze rozwiniętym ekonomicznie, z silnym mieszczaństwem, podatnym na wpływy wczesnego Oświecenia i racjonalizmu, choć nie wolnym od protestanckiego zelotyzmu. Wśród ludności niemieckiej była niewielka mniejszość słowiańska, najsilniejsza na przyłączonych w 1635 r. Łużycach, gdzie Serbowie łużyccy stanowili znaczny procent chłopów i biedniejszego mieszczaństwa. Pozycja elektora była ograniczona uprawnieniami stanów saskich i łużyckich, które na swych sejmikach (landtagach) decydowały o obciążeniach podatkowych i miały wpływ na organ przyboczny władcy, tajną radę.

Przecież była to pozycja monarchy dziedzicznego, zdecydowanie mocniejsza niż króla polskiego. Zresztą zakres władzy elektorskiej wzrósł w końcu XVII w. w wyniku zabiegów samego Augusta II i jego poprzednika, rozbudowywał się nowoczesny aparat państwowy i powoli Saksonia upodabniała się do państw rządzonych absolutystycznie, chociaż do uformowania się absolutyzmu nigdy tam nie doszło. Scalenie więc Saksonii z Polską w ściślejszy organizm państwowy było mało realne. Zbyt wiele przeciwieństw dzieliło oba kraje.

Zamiana unii personalnej w realną nie znajdowała dla siebie dostatecznego oparcia w stanowisku zarówno Polaków, jak i Sasów. Szlachta w Polsce obawiała się związanego z tym wzrostu zarówno władzy monarszej, jak i wpływów niemieckich. W społeczeństwie saskim dominowała niechęć wyznaniowa — w uściśleniu związku z Rzecząpospolitą dostrzegano drogę do przymusowej rekatolizacji kraju. Stąd silna w obu krajach opozycja wobec polityki Augusta II, który wraz ze swym najbliższym otoczeniem usiłował przez wiele lat nadać unii między Polską a Saksonią charakter stały. Na pierwszym miejscu stawiał król przy tym swój interes dynastyczny — zapewnienie Wettinom czołowej pozycji w Europie. Polska miała stać się dlań tym, czym dla Hohenzollernów Prusy, dla Habsburgów Czechy, a zwłaszcza Węgry, dla Hanowerczyków — Anglia: miała wzmocnić pozycję Wettinów w Rzeszy i umożliwić im sięgnięcie po koronę cesarską. Nie było to możliwe bez zasadniczych zmian ustrojowych w Rzeczypospolitej. Niemniej walka o realizację tych zamierzeń wypełniła panowanie Augusta II, nadając mu cechy awanturnictwa. Wettinowi nie można odmówić uzdolnień władczych, szerokich zainteresowań, dobrej znajomości arkanów polityki międzynarodowej. Nie krępowała też zbytnio jego poczynań nadmierna pobudliwość erotyczna, chociaż wielu historyków skłonnych było w niej widzieć jeden z głównych motywów jego działania. Był wszakże człowiekiem niezmiernie ambitnym, zapatrzonym w dwór wersalski, poznany w latach młodości, i usiłującym naśladować Króla-Słońce bez uwzględniania swych realnych możliwości. Stąd też rządy jego były jednym pasmem zawodów i niepowodzeń, które pogłębiły upadek Polski i osłabiły Saksonię.

Wzmocnienie władzy monarszej usiłował August II uzyskać bądź pod naciskiem utrzymywanego w Rzeczypospolitej wojska saskiego, bądź przez podboje odpadłych od niej terytoriów (co zapewnić miało Wettinom jako nowym ich posiadaczom sukcesję tronu w Polsce), bądź też wreszcie przy współdziałaniu sąsiadów, którym w zamian król był gotów oddać część ziem Rzeczypospolitej. Szlachta polska miała być postawiona wobec faktu dokonanego, na jej współdziałanie dwór saski nie liczył, najwyżej na wykorzystanie antagonizmów szlachecko-magnackich czy walk fakcyjnych. I istotnie: nawet niewielka grupa magnaterii, która swe wywyższenie zawdzięczała protekcji królewskiej (jak Szembekowie czy Przebendowscy), była negatywnie nastawiona do planów ograniczenia złotej wolności. Wkrótce wszakże okazało się, że siły saskie są za słabe dla ujarzmienia Rzeczypospolitej, plany aneksyjne nieosiągalne, zaś sąsiedzi słuchają chętnie podszeptów co do rozbioru Rzeczypospolitej, ale nie zamierzają w zamian przyłożyć się do wzmocnienia pozycji jej władcy. W ten sposób polityka Augusta II skończyła się fiaskiem. Co gorsza — planowane zamachy na istniejący ustrój Polski nie tylko wzmogły zastrzeżenia przeciwko wszelkim reformom, ale i przyzwyczaiły szlachtę i zwłaszcza magnatów do szukania oparcia z zewnątrz przeciwko własnemu królowi. Droga, na którą weszła magnateria od czasu „potopu” szwedzkiego, miała znaleźć swe uzasadnienie w oporze przeciwko lekceważącemu polskie interesy narodowe Sasowi.

Wszystko to prowadziło do dalszej, niesłychanej demoralizacji społeczeństwa. Przykład szedł od samego króla, który notorycznie nie krępował się najuroczystszymi zobowiązaniami, zdobywał stronników za pieniądze i godności, wysuwał prywatne zachcianki przed sprawy państwowe. Była to wprawdzie w ówczesnej Europie postawa typowa dla większości władców, a na terenie samej Rzeczypospolitej prześcigali się z królem w podobnym postępowaniu jego wrogowie i sojusznicy. To jednak, co uchodzi przy sukcesach, bywa potępiane w razie niepowodzeń. Funkcjonowanie ustroju Rzeczypospolitej zależało przy tym w znacznie większym stopniu niż w monarchiach absolutnych od poczucia obywatelskiego szlachty. Tymczasem powtarzające się w drugiej połowie XVII w. kryzysy polityczne i demagogiczna propaganda fakcji magnackich sprawiły, że miejsce postawy obywatelskiej zajęła prywata. Załamanie się moralności obywatelskiej społeczeństwa wystąpiło już w pełni w drugiej połowie rządów Jana III. Pod rządami Augusta mogło nastąpić tylko dalsze pogłębienie tego procesu z wszelkimi jego ujemnymi skutkami dla państwowości polskiej.

Na jej kryzysie zaważyły jeszcze dwa elementy. Pierwszym z nich był upadek wojskowości polskiej. Wynikał on tylko w ograniczonym stopniu ze słabości liczebnej armii, która jeszcze w dobie wojny północnej bywała rozbudowywana do blisko 50 tys., co w połączeniu z wojskami saskimi (ok. 30 tys.) dawało już siłę pokaźną jak na ówczesną Europę. Nie było także spowodowane niedostatecznym uzbrojeniem, chociaż pozostawało ono nieco w tyle za przodującymi armiami. Główną przyczyną niepowodzeń był wszakże zanik ducha bojowego w wojsku (by nie mówić o pospolitym ruszeniu), które po długim ciągu niepowodzeń straciło wiarę w skuteczność własnych działań i poddane podobnym rozterkom politycznym jak szlachta nie miało przekonania co do słuszności sprawy, o którą walczyło. W warunkach wojny domowej źle opłacony żołnierz przechodził bez większych oporów (podobnie zresztą jak magnaci i szlachta) z jednej strony na drugą, więcej myśląc o łupieniu dóbr aktualnych przeciwników niż o zwalczaniu nieprzyjaciela. Trudno się dziwić, że w tych warunkach poza paru śmiałymi partyzantami nie pojawiał się żaden prawdziwy talent dowódczy, a hetmani byli tylko wysokimi urzędnikami, a nie wodzami, rzadko zresztą kiedy lojalnymi wobec króla.

Po 1717 r. Rzeczpospolita przestała dysponować liczącą się w stosunkach europejskich armią. Zaniedbano nawet i tego, by z kilkunastotysięcznego wojska stworzyć kadrę umożliwiającą pomnożenie jego liczby w razie potrzeby. Przez dłużej niż pół wieku Rzeczpospolita była praktycznie rozbrojona i tradycje wojskowe uległy znacznemu osłabieniu. Żadne państwo nie mogło sobie bezkarnie pozwolić na takie zaniedbanie. Jeżeli odpowiedzialność za taki stan rzeczy spada głównie na samą społeczność szlachecką, to równoczesny uwiąd polskiej dyplomacji był rezultatem działalności samego króla i jego saskich doradców. Skrępowany w poczynaniach dyplomatycznych przez uzależnienie ich od zgody sejmu czy senatu August II wolał posługiwać się dyplomacją saską, podporządkowaną mu w większym stopniu niż polska. Trzeba przyznać, że rozbudował on znakomicie sieć dyplomatyczną w całej Europie, mając stałe przedstawicielstwa we wszystkich niemal państwach. Jego posłowie i rezydenci zapewniali mu dobrą orientację w wydarzeniach polityki europejskiej, sprawnie także wywiązywali się na ogół z powierzanych im misji. Można chyba bez przesady stwierdzić, że sieć dyplomatyczna Wettina należała do najlepszych w tym czasie. Polacy odgrywali w niej jednak drugorzędną rolę. Nie brakowało wśród nich wprawdzie ludzi utalentowanych, jak Stanisław Poniatowski, który jednak zdobył sobie poczesne miejsce między dyplomatami europejskimi na służbie obcej, u Karola XII. August II przeznaczał Polaków do misji o drugorzędnym charakterze (z wyjątkiem stosunków z Portą i Krymem), a z czasem doprowadził do całkowitego niemal zaniku polskiej służby dyplomatycznej. Sytuacja taka utrzymała się i za panowania Augusta III, co odbiło się fatalnie i na stanie kadry dyplomacji polskiej, gdy ustały związki z Saksonią, i na orientacji polskiej w sprawach międzynarodowych. W ograniczonym tylko stopniu mogła te braki wyrównać rozwijającą się wtedy prywatna dyplomacja magnatów czy kontakty z licznymi przy dworze Augustów posłami obcymi, którzy bardziej niż polskich cenili sobie wpływowych ministrów saskich.

Stan wojskowości i dyplomacji polskiej najlepiej charakteryzuje rezygnację Rzeczypospolitej z odgrywania poważniejszej roli w polityce międzynarodowej. Przy żywej działalności politycznej sasko-wettińskiej, Rzeczpospolita zachowuje zwykle bierne stanowisko. W tym właśnie okresie Polska staje się ostatecznie przedmiotem w polityce innych państw europejskich. Na tle ambitnych planów Augusta II jest to sytuacja paradoksalna, ale zrozumiała, jeżeli się uwzględni rolę jaka w zamysłach króla miała przypaść Saksonii w jej związku z Polską, rolę hegemona politycznego i eksploratora potencjału gospodarczego Rzeczypospolitej.

b. Polska wobec wielkiej wojny północnej

Początkowo unia personalna z Saksonią zdawała się otwierać przed Polską perspektywy poprawy jej sytuacji międzynarodowej. Połączenie potencjału militarnego i dyplomatycznego obu krajów dawało dobre możliwości oddziaływania na stosunki środkowoeuropejskie, szczególnie po oczekiwanej długo pacyfikacji z Turkami. Jakkolwiek też sojusznicy Rzeczypospolitej z wojny tureckiej, papież, cesarz, a także car Piotr I, zdecydowanie popierali kandydaturę Wettina do tronu polskiego, to przecież dla Austrii, a w pewnej mierze i Rosji, wygodniejszym królem byłby bardziej zależny od sąsiadów Jakub Sobieski. Prędko zrozumiał ten zwrot w sytuacji środkowoeuropejskiej Ludwik XIV i puszczając w niepamięć klęskę elekcyjną przystąpił do rokowań z Augustem II, by zyskać jego poparcie przeciwko Austrii w zbliżającym się konflikcie o tron hiszpański.

Nie jest jasne, jakie były początkowe cele polityki Augusta II, zwłaszcza zaś wątpliwości budzi jego porozumienie z elektorem brandenburskim Fryderykiem III w Piszu, które otworzyło przed Hohenzollernem bramy Elbląga. Doprowadziło to bowiem do wielkiego napięcia między Rzecząpospolitą a elektorem, który musiał ustąpić i wycofać swe wojska (1700) — zresztą w parę lat później wprowadził on swe oddziały na tzw. terytorium elbląskie, a więc do posiadłości ziemskich miasta. Czy chodziło Augustowi o uzyskanie w zamian Krosna nad Odrą, przez które miałby swobodne połączenie między Saksonią a Rzecząpospolitą, tak ważne dla jego planów, czy też o sprowokowanie wojny, która dałaby szansę opanowania Prus Książęcych, na pewno nie wiadomo. Te nastroje antypruskie wykorzystywał August II także po sięgnięciu przez Hohenzollerna po tytuł królewski w 1701 r., by skłonić go do korzystnych dla siebie układów, podobnie zresztą bezskutecznie w ówczesnej sytuacji jak i bezsilne były protesty polskie.

Inną szansę dla planów Augusta II tworzyło przymierze antyszwedzkie, do którego obok Saksonii włączyły się Dania i Rosja. Geneza tej ligi północnej nie jest w pełni jasna. Część historyków skłonna była dopatrywać się w niej inicjatywy Piotra I, który wracając z podróży po Europie spotkał się z królem polskim w Rawie w 1698 r. i dyskutował z nim wobec pewnego już pokoju z Turcją nad planami wojny ze Szwecją. W rzeczywistości geneza tych projektów jest nieco starsza i wiąże się z konfliktem szwedzko-duńskim o Holsztyn. Dwór kopenhaski zaniepokojony penetracją szwedzką na obszarze granicznym z Danią od południa starał się zyskać poparcie innych państw, które padły ofiarą zaborczej polityki szwedzkiej. Wszedł więc w porozumienie z Piotrem I, a także ze spokrewnionym przez matkę z dynastią duńską Augustem II, z którym już w początkach 1698 r. zawarł układ obronny. W toku dalszych pertraktacji dyplomatycznych, zwłaszcza gdy przedstawiciel niezadowolonej z naruszania uprawnień szlachty inflanckiej Reinhold Patkul zwrócił się z prośbą o protekcję do króla polskiego, doszło do zawarcia traktatów zaczepnych między Saksonią, Rosją i Danią, i uformowania się ligi północnej (1699). Celem jej było odzyskanie przez te państwa ziem zagarniętych przez Szwecję, przy czym August II występował jako król polski z pretensjami do Inflant i Estonii, w których chciał przecież osadzić Wettinów i w ten sposób związać dynastię na stałe z tronem polskim.

W początkach 1700 r. Duńczycy zaatakowali Holsztyn, a August II próbował znienacka zająć Rygę. Wbrew oczekiwaniom wojska szwedzkie były tym razem dobrze przygotowane do wojny, a młodociany Karol XII okazał się znakomitym wodzem. Przy pomocy Holandii i Anglii prędko zmusił Danię do zawarcia pokoju, po czym rozgromił pod Narwą wojska Piotra I, który także przyłączył się do wojny. Tymczasem Augustowi II nie powiodło się niespodziewane opanowanie Rygi, nie mógł też jej zmusić do kapitulacji długim oblężeniem. W tych warunkach Wettin usiłował wycofać się z dalszej wojny, tym bardziej że rokowania z Francją otwierały perspektywy korzystnego sojuszu: rozpoczynał się właśnie kryzys hiszpański. Szwecja miała jednak własne plany i właśnie wojna z Augustem była dla niej dogodna. Stosunki Szwecji z Rzecząpospolitą, a także z Rosją w końcu XVII w. nie układały się bowiem wcale tak pokojowo, jak to często sugerowali historycy. Próby Jana III budowy portu w Połądze czy rozwoju Libawy spotkały się z represjami floty szwedzkiej. Przeciwdziałali także Szwedzi próbom Augusta II skierowania handlu tranzytowego z Persji do Kurlandii. Nie tylko te ekonomiczne względy, które przypomniał ostatnio historyk angielski L. Lewitter, kierowały poczynaniami szwedzkimi. Karol XII obawiał się, że połączenie sił polskich i saskich tworzy nowy, niebezpieczny dla Szwecji układ sił nad Bałtykiem, i postanowił rozbić związek, zanim by się zdołał ugruntować. Dlatego wystąpił z żądaniem rezygnacji Augusta II z tronu polskiego jako warunkiem zasadniczym przy wszczęciu wszelkich rokowań pokojowych.

Król szwedzki spodziewał się słusznie, że postulat ten spotka poparcie w Rzeczypospolitej. Wprawdzie wojna o awulsy została aprobowana przez senat, ale przeciwko Augustowi II istniała nadal silna opozycja. Ponadto na Litwie doszło do wojny domowej. Doprowadzona do ostateczności bezwzględnym postępowaniem Sapiehów szlachta litewska wraz z innymi fakcjami magnackimi zawiązała konfederację i rozpoczęła walkę, która skończyła się jej pełnym zwycięstwem pod Olkiennikami (1700). Pokonani oligarchowie poszukali sobie wtedy protekcji szwedzkiej, nakłaniając Karola XII do kontynuowania wojny i detronizacji króla, w którym widzieli sprawcę swej klęski.

W tej sytuacji Karol XII nie zadowolił się rozbiciem wojsk saskich nad Dźwiną (1701), ale zajął Kurlandię (którą zamierzał wcielić do swego państwa) i wkroczył do Rzeczypospolitej. Polska nie brała dotychczas oficjalnego udziału w wojnie i próbowała pośredniczyć między Augustem a Karolem XII. Wobec żądania detronizacji mediacja taka rychło okazała się nierealna. Znów jednak, mimo wkroczenia wojsk szwedzkich na Litwę, sejm został zerwany, a Rzeczpospolita nie uzbrojona i zdezorientowana wobec najeźdźcy. Karol XII posuwał się szybko w głąb kraju — padła bez walki Warszawa, a wkrótce potem i Kraków, gdy armia szwedzka rozbiła wojska saskie i polskie (które pierwsze pośpiesznie zaczęły odwrót) pod Kliszowem, 19 lipca 1702 r. Niepowodzenia te, pogłębione w następnym roku porażką jazdy saskiej pod Pułtuskiem i kapitulacją piechoty w oblężonym Toruniu, doprowadziły do rozłamu wśród szlachty. Opozycja nasiliła się, zwłaszcza gdy przeciwko królowi wystąpił ambitny prymas Radziejowski, który chciał zdobyć sobie pierwsze miejsce w państwie. Skończyło się na odegraniu przez kardynała niechlubnej roli narzędzia luterańskiego władcy. Pod naciskiem Karola XII doszło do zawarcia w 1704 r. konfederacji warszawskiej, opierającej się zresztą na niewielkiej grupie magnatów i szlachty, głównie wielkopolskiej, która zgodnie z życzeniem króla szwedzkiego ogłosiła detronizację Augusta II i nową elekcję. Gdy August uwięził zabiegających o koronę polską Sobieskich, nowego elekta wskazał sam Karol XII. Został nim wybrany 12 lipca 1704 r. poprzez garść szlachty, i to pod asystą wojska szwedzkiego, wojewoda poznański Stanisław Leszczyński. Ten magnat wielkopolski, z rodziny notorycznie już spiskującej z obcymi dworami przeciwko własnym królom, był człowiekiem młodym, gruntownie wykształconym, może rozsądnym, ale pozbawionym wyrobienia politycznego, a co najgorsze — całkowicie uległym Karolowi XII, niezdolnym do skutecznego przeciwstawienia się najbardziej szkodliwym dla Rzeczypospolitej poczynaniom władcy. Nieszczęśliwe losy Stanisława Leszczyńskiego, jego walka z Wettinami sprawiły, że w dawniejszej historiografii traktowany był dość wyrozumiale. Im dokładniej jednak poznaje się jego działalność, tym więcej budzi ona zastrzeżeń. Pierwszy to, bądź co bądź, władca Polski z łaski jej sąsiada, fatalny wzór służalczości, a z czasem wiary w swe monarsze posłannictwo, jedno i drugie kosztem własnego kraju. Pierwszym owocem jego elekcji było rozprzestrzenienie się wojny domowej w całej Rzeczypospolitej, Szwedzi starali się bowiem wszędzie wymusić jego uznanie. Drugim — kompromitujący układ warszawski z 1705 r., który pod pozorem pacyfikacji wprowadzał polityczne i gospodarcze podporządkowanie Szwecji Rzeczypospolitej. Szwedzi mieli prawo trzymać swe wojsko w Polsce i czynić zaciągi, otrzymali wyjątkowe uprawnienia handlowe (zwłaszcza w handlu morskim) i narzucili się Polsce jako wieczny sojusznik — bo traktat ten stanowić miał swego rodzaju niezmienne prawo kardynalne. W traktacie warszawskim Karol XII odkrył całkowicie swe karty — Rzeczpospolita miała spaść do roli państwa zależnego od Szwecji, a siły jej zamierzał król wykorzystać do wspólnej walki ze swym najgroźniejszym przeciwnikiem — Rosją.

Okazało się wszakże raz jeszcze, że zamiar pełnego podporządkowania Rzeczypospolitej przekraczał możliwości szwedzkie. Zdecydowana większość szlachty przeciwstawiła się konfederacji warszawskiej i nie uznawała legalności elekcji antykróla. Wierna Augustowi szlachta i magnateria zawarły 20 maja 1704 r. konfederację sandomierską pod Stanisławem Denhoffem jako marszałkiem, deklarując walkę w obronie króla i całości Rzeczypospolitej. Zdając sobie sprawę ze słabości zarówno własnych środków, jak i wyniszczonej wojną armii saskiej, sandomierzanie szukali pomocy w Rosji, która odnosiła już pierwsze sukcesy nad Szwedami w Ingrii i Estonii. Już poprzednio pomoc rosyjską zapewnił sobie obóz antysapieżyński na Litwie. Dnia 30 sierpnia 1704 r. w zdobytej przez cara Narwie zawarł traktat sojuszniczy z Rosją poseł Rzeczypospolitej, wojewoda chełmiński Tomasz Działyński. Sojusz przewidywał wspólną walkę aż do chwili wymuszenia na Szwedach traktatu pokojowego, w którym Polska miała odzyskać Inflanty. Polska miała otrzymać subsydia i wystawić 48-tysięczną armię, Rosja uzyskała prawo walki ze Szwedami na terytorium Rzeczypospolitej i zobowiązała się pomóc w likwidacji powstania Paleja, które objęło w 1702 r. Ukrainę Naddnieprzańską. Sojusz przynosił doraźne korzyści obu stronom: Rosję zabezpieczał przed wykorzystaniem przeciwko niej sił polskich przez Szwecję, Rzeczypospolitej dawał szansę oparcia się zachłanności szwedzkiej. W dalszym rachunku otwierał jednak lepsze możliwości przed stroną silniejszą — Rosją, ułatwiając jej ingerencję w sprawy wewnętrzne Rzeczypospolitej. W żadnym przecież wypadku (jakkolwiek czynili to niektórzy historycy) nie można stawiać na jednej płaszczyźnie sojuszu narewskiego z traktatem warszawskim, który ograniczał niezależność Polski.

Wiele zależało teraz od własnego wysiłku Rzeczypospolitej. Nie był on jednak wystarczający i ograniczał się głównie do walki „szarpanej". Przygotowywana z dużym wysiłkiem szeroko pomyślana akcja ofensywna wojsk rosyjskich, saskich i polskich skończyła się nowym niepowodzeniem. Rosjanie zostali zmuszeni przez Karola XII do odwrotu spod Grodna, natomiast wojska saskie poniosły znów klęskę pod Wschową (1706). Tymczasem na Zachodzie szala zwycięstw w wojnie o sukcesję hiszpańską przechyliła się zdecydowanie na stronę koalicji antyfrancuskiej i Anglia i Holandia zrezygnowały ze swych poprzednich zastrzeżeń co do wkroczenia wojsk szwedzkich do Rzeszy. Karol XII nie omieszkał wykorzystać tego i wkrótce Saksonia znalazła się w jego ręku. Pełnomocnicy Augusta II zawarli upokarzający traktat w Altranstädt (1706), w którym Wettin rezygnował z korony polskiej, godził się na wysokie odszkodowania i wydawał w ręce szwedzkie Patkula na nieuchronną kaźń.

Kapitulacja Augusta II nie wpłynęła na uspokojenie Rzeczypospolitej. Przed ratyfikowaniem traktatu z Karolem XII Wettin zdołał jeszcze odnieść pod Kaliszem zwycięstwo nad wojskami szwedzkimi i konfederatów warszawskich. Większość kraju została dzięki temu oswobodzona od wojska szwedzkiego, które regenerowało swe siły w Saksonii, łupiąc z kolei elektorat. Sandomierzanie umocnili swój sojusz z Rosją, skutecznie przy tym parowali naciski Piotra I zmierzającego do powołania nowego władcy, siłą rzeczy zależnego od cara, aż do momentu, kiedy ponowne wkroczenie wojsk Karola XII przez Śląsk do Rzeczypospolitej wysunęło na czoło problem wspólnej obrony. Nawet przecież w trudnym okresie ofensywy Karola XII na Moskwę, gdy wojska rosyjskie zostały wycofane z Rzeczypospolitej, nie wyrzekli się sandomierzanie sojuszu z Rosją. Odrzucali także projekty porozumienia ze Stanisławem, bowiem zmuszałyby ich do wystąpienia przeciwko Piotrowi I. Ponieważ Karol XII odrzucił z kolei myśl o neutralizacji Polski, wysuwaną przez sandomierzan, do porozumienia takiego nie doszło. Karol XII, ufny w swą przewagę militarną i w pomoc hetmana kozackiego Iwana Mazepy, który zobowiązał się przejść na stronę szwedzką, zrezygnował z wykorzystania jakichkolwiek sił polskich przeciwko Rosji, obarczając tylko Stanisława zadaniem sparaliżowania pozostawionej na tyłach armii sandomierzan. Rozwiązanie takie okazało się błędem politycznym i militarnym. Stanisław okazał się niezdolny do pokonania sandomierzan, jego wojska poniosły porażkę pod Koniecpolem, a próba przedarcia się z oddziałami szwedzkimi do osamotnionego na Ukrainie Karola XII skończyła się niepowodzeniem. W ten sposób, gdy zawiodła pomoc Mazepy i rozbite zostały przez Rosjan ciągnące od Inflant posiłki szwedzkie, postawa sandomierzan uniemożliwiła Karolowi XII wzmocnienie jego armii i wydatnie przyczyniła się do klęski szwedzkiej pod Połtawą w 1709 r.

Bezpośrednim następstwem zwycięstwa połtawskiego stało się usunięcie wojsk szwedzkich z Rzeczypospolitej i restauracja Augusta II, który uznał swą abdykację za nieważną. Leszczyński uciekł do Szczecina, natomiast Walna Rada Warszawska uznała w 1710 r. wyłączne prawa Wettina do tronu polskiego. Do pełnej pacyfikacji było jednak jeszcze daleko, w Polsce przebywały obce wojska, a proszwedzka emigracja, działając na Pomorzu i przy Karolu XII, który schronił się w Turcji w Benderach, starała się siać niepokój przez formowanie spisków antykrólewskich oraz podejmowanie działań partyzanckich w kraju. Nie przyniosły oczekiwanych rezultatów działania militarne, które mogły zlikwidować te niebezpieczne ośrodki na pograniczu. Wojna rosyjsko-turecka zakończyła się niepowodzeniem Piotra I, który musiał zrezygnować z nabytków karłowickich i zobowiązać się do wyprowadzenia swych wojsk z Rzeczypospolitej. Także parokrotne wyprawy Augusta II, podejmowane wraz z Duńczykami, którzy przystąpili znów do ligi północnej, oraz przy pomocy rosyjskiej w latach 1711 - 1713 na Pomorze Zachodnie, nie doprowadziły do pełnego opanowania tej prowincji. Jedyny zysk wyciągnęły z nich Prusy, które w 1713 r. zajęły w sekwestr Szczecin pod pretekstem zneutralizowania Pomorza szwedzkiego.

Pod wpływem tych niepowodzeń August II wszczął kroki zmierzające do wycofania się z wojny, a zarazem rozluźnienia ciążącej nad jego poczynaniami zależności od Piotra I. Zawarty bowiem w Toruniu w 1709 r. nowy układ sojuszniczy między obu władcami krępował silnie niezależność poczynań dyplomatycznych króla polskiego. Podjęte w cieniu ligi północnej zabiegi emancypacyjne Augusta II dały rezultaty połowiczne, tym bardziej że król połączył je z dążeniami do wzmocnienia swej pozycji w Rzeczypospolitej, co wzmogło podejrzliwość szlachty. Początkowo August II liczył na pomoc francuską, toteż zawarł w 1714 r. traktat przyjaźni z Ludwikiem XIV, który miał mu otworzyć drogę do porozumienia ze Szwecją. Karol XII był wszakże nieustępliwy i stawiał szczególnie wysokie wymagania co do rekompensaty dla Stanisława. W tych warunkach nie pozostało Augustowi nic innego, jak ponowne podjęcie walki z przeciwnikiem, który po powrocie z Turcji gromadził wojska w Stralsundzie, grożąc inwazją elektoratu lub Rzeczypospolitej. Przeprowadzone wspólnie z wojskami pruskimi i duńskimi przez Sasów oblężenie Stralsundu uwieńczone jego zdobyciem (1715) przekreśliło te plany króla szwedzkiego, kończąc właściwie udział wojsk saskich w wojnie północnej.

c. *Konfederacja tarnogrodzka i pacyfikacja północy*

W tym czasie usiłował August II wykorzystać obecność wojska saskiego w Rzeczypospolitej, by pod jego naciskiem zmusić szlachtę do częściowej zmiany ustroju, a zarazem obarczyć ją kosztami utrzymania tych oddziałów. Złamanie ruchawki szlacheckiej w 1714 r. stworzyło pozornie korzystną sytuację dla realizacji tych zamierzeń. Jednakże w następnym roku utworzyła się opozycja przeciw Augustowi II, która łączyła zarówno dawny obóz proszwedzki, jak i prorosyjski, zapewniając sobie poparcie Piotra I, niechętnego wzmocnieniu pozycji monarchy w Rzeczypospolitej. Gdy na jesieni zawarło związek antysaski wojsko koronne, stało się to sygnałem do podjęcia walk z rozproszonymi po kraju oddziałami saskimi. W tym powszechnym ruchu zbrojnym wzięła udział nie tylko wyjątkowo licznie szlachta, ale także chłopi uciskani kontrybucjami saskimi. 26 listopada 1715 r. doszło w Tarnogrodzie do zawiązania konfederacji, która pod marszałkiem Stanisławem Ledóchowskim, podkomorzym krzemienieckim, zobowiązała się do walki o usunięcie Sasów z Rzeczypospolitej.

Mimo energicznej akcji feldmarszałka saskiego Jakuba H. Flemminga, który zepchnął konfederatów za Wisłę i zajął Zamość, wojska saskie nie zdołały opanować ruchu, który rozszerzył się na Litwę i Wielkopolskę. Konfederaci odrzucili zawarte w Rawie przy pośrednictwie senatorów porozumienie z Sasami, po czym zwrócili się do Piotra I z prośbą o mediację. Spodziewali się przy tym, że uda im się zainicjować pacyfikację między Rosją a Szwecją, która ułatwiłaby usunięcie Wettina z tronu polskiego. W obawie o swą koronę August II przyjął również mediację carską, po czym podczas spotkania z Piotrem I w Gdańsku zdołał sparować te tendencje detronizatorskie. Prowadzone w obecności ambasadora carskiego, Grzegorza Dołgorukiego, rokowania ciągnęły się blisko pół roku w Lublinie, Kazimierzu, a w końcu w Warszawie, przerywane odnawianiem się walk i sukcesami konfederatów. Gdy jednak na życzenie Augusta II Dołgoruki wezwał do Rzeczypospolitej wojska rosyjskie, a działający w Prusach konfederaci zostali pokonani pod Kowalewem przez Sasów, doszło 3 listopada 1716 r. do podpisania traktatu warszawskiego między królem a szlachtą, zatwierdzonego w 1717 r. przez jednodniowy sejm zwany niemym, bo nie dopuszczono na nim do żadnej dyskusji.

Zawarte w traktacie warszawskim i w konstytucjach sejmu niemego postanowienia były wynikiem kompromisu między reprezentantami króla (Flemmingiem i biskupem kujawskim Konstantym Szaniawskim) a delegatami konfederackimi. Wbrew powtarzającemu się często w historiografii zdaniu, Piotr I nie stał się gwarantem traktatu warszawskiego. Postulaty Dołgorukiego w tej sprawie zostały zgodnie uchylone przez króla i Ledóchowskiego i późniejsze odwoływanie się do rzekomej gwarancji carskiej czy to przez ministrów rosyjskich, czy opozycję w Polsce było nieuzasadnione. W przygotowaniu konstytucji Dołgoruki już nie uczestniczył. Niemniej mediacja carska świadczyła o znacznym wzroście wpływów rosyjskich w Rzeczypospolitej; wynikała zresztą z wielokrotnie ponawianych obietnic Piotra I, że będzie czuwać nad nienaruszalnością wolności szlacheckich. W ten sposób car zabezpieczał możliwość dalszego swobodnego rozwoju potęgi Rosji.

Traktat warszawski przede wszystkim regulował stosunki między Polską a Saksonią, opierając się na poprzednich zobowiązaniach Augusta II. Więzy łączące oba kraje miały wyłącznie pozostać unią personalną. Ministrom saskim zabroniono podejmowania decyzji w sprawach zewnętrznych i wewnętrznych Rzeczypospolitej, zresztą nie miało ich przebywać więcej niż sześciu przy królu. Wojsko saskie opuściło Polskę — król mógł zatrzymać przy sobie tylko 1200 żołnierzy gwardii. Wreszcie zabroniono królowi dłuższego przebywania w Saksonii, tj. poza granicami Rzeczypospolitej, i podejmowania tam decyzji w sprawach polskich. Podobnie i ministrom polskim zabroniono wtrącania się do spraw saskich. Postanowienia te były niekorzystne dla króla, utrudniały mu bowiem kontynuację dotychczasowej polityki w Polsce. Obok tego do traktatu zostało wprowadzonych wiele uchwał, które umiejętnie wykorzystywane mogły się przyczynić do wzmocnienia władzy monarszej. Przede wszystkim przeprowadzono reformę skarbowo-wojskową, ustalając wprawdzie liczbę wojska na 24 tys. porcji żołnierskich (co wobec konieczności opłacania gaż oficerskich redukowało liczbę wojska do ok. 18 tys., a więc na bardzo niski poziom jak na stosunki europejskie), ale przeznaczając nań stałe podatki nie tylko z dóbr królewskich i kościelnych, jak dotąd bywało, lecz również i dóbr szlacheckich — ziemskich. Nie równało się to wszakże opodatkowaniu szlachty, lecz jej poddanych. Ustalony w ten sposób budżet państwa wynosił ok. 10 mln złp., czyli był trzykrotnie wyższy niż stałe dochody państwa w końcu XVII w. Było to jednak niewiele w porównaniu z sąsiednimi krajami. Co gorsza — odtąd systemu podatkowego nie zmieniano przez pół wieku, co postawiło Rzeczpospolitą na jednym z dalszych miejsc w Europie. Dochody pruskie przekraczały bowiem polskie w tym czasie przeszło czterokrotnie, a rosyjskie siedmiokrotnie. Na domiar złego przez zastosowanie systemu repartycji wojskowych, tj. przydzielania oddziałom wojskowym określonych województw, ziem czy dóbr, w których miały wybierać swe należności, ograniczono swobodę manewrowania dochodami, zamieniając po trochu żołnierzy w poborców podatkowych. Specjalnie powołane trybunały skarbowe w Radomiu i Grodnie miały czuwać nad systematycznym wypłaceniem w ten sposób żołdu.

Inna próba reformy objęła ustalenie obowiązków najwyższych urzędników państwowych. Chodziło przy tym głównie o ograniczenie nadmiernych uprawnień hetmanów, którym starano się w ten sposób uniemożliwić swobodne dysponowanie skarbem wojskowym, prowadzenie własnej dyplomacji, wreszcie wpływ na elekcję przez narzucenie obowiązku przebywania na granicach w czasie bezkrólewia. Zapowiedziano także powołanie specjalnych sądów przy królu przeciwko przestępcom stanu. W konstytucjach sejmu niemego znalazły się także poważne ograniczenia sejmików. Zakazano tzw. limity sejmików, a więc odraczania ich przez sam sejmik do nowego terminu, odebrano prawo zaciągu wojska i nakładania podatków (z wyjątkiem czopowego i szelężnego, przeznaczonego na potrzeby samorządowe). Wobec indolencji sejmu sejmiki utrzymały wszakże swe dominujące w życiu wewnętrznym stanowisko aż po lata sześćdziesiąte XVIII wieku.

Gdy dodać do tego, że Augustowi powiodło się wymóc na hetmanach oddanie pod komendę Flemminga wojska autoramentu cudzoziemskiego, a więc najwartościowszej części armii, trudno się dziwić, że zdarzały się głosy współczesnych, którzy w uchwałach tych widzieli początek reformy otwierającej drogę ku absolutyzmowi. Były to jednak złudzenia. Ograniczona reforma stała się po doświadczeniach wojny północnej postulatem poważnej części średniej szlachty. Domagali się jej najwybitniejsi pisarze polityczni tej epoki, Stanisław Szczuka podkanclerzy litewski i Stanisław Dunin Karwicki cześnik sandomierski, opowiadały się za nią i niektóre sejmiki. Prawda, że nie wychodziły te postulaty poza sprawy wojskowo-skarbowe. Jeden Karwicki umiał domagać się usprawnienia sejmu jako najwyższego organu władzy państwowej, nie tylko proponując przekazanie mu rozdawnictwa urzędów, ale i ograniczenie liberum veto i stworzenie sejmu gotowego, który można by zbierać prędko w razie potrzeby. Ten ostatni postulat nie został wysłuchany, aczkolwiek parokrotnie za panowania Augusta II stosowano limitę sejmu, polegającą na odraczaniu posiedzeń w tym samym składzie na późniejszy termin. Ostatecznie postanowienia sejmu niemego przyniosły rozwiązanie najbardziej palącej kwestii, i to w takim zakresie, na jaki stać było wyczerpaną długotrwałą wojną Rzeczpospolitą. Na tym wszakże zakończyły się reformatorskie zapędy szlachty, zbiegające się w tym punkcie z dworem.

Mimo klęsk i niepowodzeń, które spadły na Polskę i Saksonię w czasie wojny północnej, w Europie nie od razu zdawano sobie sprawę, że są one odbiciem nowego układu stosunków, a nie — jak mówili współcześni — tylko chwilowym „zaćmieniem Polski". Zagrożona przez najazd turecki Wenecja zabiegała więc w 1715 r. o pomoc Polski, odwołując się do Ligi Świętej, a później także Austria starała się wciągnąć Augusta II do wojny z Portą. Wprawdzie nie doszło do realizacji tych planów, otworzyły one jednak drogę do porozumienia z Wiedniem. Zaniepokojeni wzrostem wpływów rosyjskich w Rzeszy, a także możliwością porozumienia między Rosją a Szwecją cesarz Karol VI i Jerzy I angielski zawarli w początkach 1719 r. sojusz z Augustem II w Wiedniu. Miał on na celu zahamowanie dalszego wzrostu wpływów rosyjskich i zmuszenie cara do wycofania swych wojsk z Rzeszy i Rzeczypospolitej. Warunkiem wejścia w życie układu było jednak formalne przystąpienie Polski. Początkowo szlachta popierała w tej sprawie króla, gdy jednak Piotr I na stanowcze żądanie Rzeczypospolitej wyprowadził w 1719 r. z niej swe wojska, ratyfikacja układu przez sejm okazała się niemożliwa. Traktat wiedeński miał zresztą przede wszystkim znaczenie demonstracyjne — Anglia i Austria zbyt wtedy były zaangażowane w konflikcie z Hiszpanią, by mogły myśleć o podejmowaniu skutecznych kroków militarnych na północy. Dzięki uzyskanemu oparciu emancypacyjna polityka Augusta II zakończyła się wprawdzie uniezależnieniem od Piotra I, ale musiał to opłacić niepowodzeniami w walce z hetmańskim, prorosyjskim obozem w Rzeczypospolitej a także niedopuszczeniem swych przedstawicieli na rokowania pokojowe w Nystadt. Zmuszony do rezygnacji na rzecz Piotra I z pretensji do Inflant August zadowolił się rozejmem ze Szwecją, która przestała graniczyć z Rzecząpospolitą.

Rzeczpospolita i Saksonia wyszły z wojny nieuszczuplone terytorialnie, należąc formalnie do zwycięzców. Faktycznie Polska obok Szwecji była główną ofiarą wielkiej wojny północnej. Na jej terenie toczyły się najdłużej walki, spadały na nią ciężary utrzymania wojsk sojuszniczych i nieprzyjacielskich; zniszczenia i zarazy, które nadciągnęły za przechodzącymi wojskami, spowodowały olbrzymie straty materialne i ludnościowe. Można bez przesady stwierdzić, że całe dzieło odbudowy po wojnach z połowy XVII w. zostało zaprzepaszczone. Wojna uwydatniła słabość Polski, wzmogła dezorientację polityczną szlachty i magnaterii, ułatwiła ingerencję sąsiadów w sprawy wewnętrzne Rzeczypospolitej. Wielka wojna północna przypieczętowała upadek państwa szlacheckiego.

d. Sprawa sukcesji i wojna o tron polski

Końcowe piętnastolecie rządów Augusta II należy do słabo zbadanych odcinków dziejów Polski. Wśród historyków panuje opinia, że jest to jeden z najciemniejszych odcinków tych dziejów, kiedy dominuje prywata, zamiast o dalsze cele polityczne walczy się tylko o drobne korzyści fakcji magnackich, a za wzór dla tych postaw służy sam August II ze swymi planami rozbiorowymi. Stanowisko takie jest chyba nazbyt uproszczone; nie docenia ani od dawna oczekiwanego pokoju, który umożliwiał odbudowę zrujnowanej gospodarki, ani uformowania się właśnie w tych latach obozu, który z czasem miał podjąć trudne dzieło odnowy państwa.

Dominującym problemem tego okresu stała się kwestia następstwa tronu. August II zrezygnował w 1717 r. z zacieśnienia unii polsko-saskiej, z umocnienia swych atrybutów monarszych, nie wyrzekł się jednak zapewnienia sukcesji synowi. Te jego dążenia budziły sprzeciwy współczesnych, a także zastrzeżenia historyków. Są one przesadne. Jeżeli doszło do unii personalnej polsko-saskiej, która przetrwała krytyczne momenty w czasie wojny północnej, leżało w interesie polskim utrwalenie dynastii wettińskiej na tronie. Już same zabiegi sąsiadów Polski przeciwko takiemu rozwiązaniu są wymowną pod tym względem wskazówką. Tak się jednak złożyło, że w Polsce pogląd ten zwyciężył dopiero podczas Sejmu Wielkiego. Na razie August II musiał zwalczać zarówno opory wewnętrzne, jak i zewnętrzne.

Elekcję syna przygotowywał August II już podczas wojny północnej. Wygórowane ambicje pchały go jednak jeszcze dalej — ku tronowi cesarskiemu. Służyć temu miało małżeństwo Fryderyka z Marią Józefą, córką cesarza Józefa I. Aby sięgnąć po obie korony, August II doprowadził do konwersji królewicza (tajnej w 1712, publicznej w 1717), po czym, po zbliżeniu do Wiednia — do ślubu syna z Habsburżanką w 1719 r. Wprawdzie sankcja pragmatyczna odsuwała ją od spadku na rzecz córek Karola VI, jednak August II spodziewał się najpierw przy pomocy austriackiej zapewnić synowi następstwo w Polsce, a potem wytargować jakieś ustępstwa, co najmniej Śląsk, za rezygnację z pretensji do dziedzicznych praw habsburskich.

Dwór wiedeński nie udzielił jednak oczekiwanego poparcia i sprawa następstwa w Polsce utknęła w toku walki z opozycją hetmańską. Upokorzeni na sejmie niemym hetmani wielcy, koronny Adam Sieniawski i litewski Ludwik Pociej, od dawna wysługujący się Piotrowi I, skorzystali teraz z protekcji carskiej, by podjąć walkę polityczną z dworem królewskim. Pretekstem stała się sprawa komendy nad wojskiem autoramentu cudzoziemskiego, przyznanej Flemmingowi. W istocie chodziło o sparaliżowanie poczynań Augusta II, zarówno związanych z traktatem wiedeńskim, jak i następstwem tronu, i o zapewnienie hetmanom dominującego głosu w Rzeczypospolitej. Trzy kolejne sejmy unicestwiła opozycja hetmańska, aż w 1724 r. król zrezygnował z utrzymania tych oddziałów z ręku zaufanego ministra.

Przypadek dał wtedy nowy atut w ręce Wettina. W Toruniu doszło do tumultu religijnego, podczas którego sprowokowani podobno protestanci zdemolowali kolegium jezuickie. Ponieważ władze miejskie zachowały podczas tumultu bezczynność, postawiono w stan oskarżenia zarówno sprawców zajść, jak i burmistrza. Sąd kanclerski wydał wyrok zgodny z prawem, ale bardzo surowy: 10 mieszczan toruńskich, w tym jeden z burmistrzów, zostało ściętych, innych skazano na mniejsze kary. Sprawa stała się głośna w całej Europie. Już poprzednio protestanci w Rzeczypospolitej zabiegali o interwencje swych współwyznawców, zwłaszcza w Prusach, Holandii, Anglii i Szwecji, w związku z ograniczeniami, jakie na nich spadały. Dopiero jednak sprawa toruńska, dzięki niezliczonym broszurom rozpowszechnianym po całej Europie, stała się podstawą do oskarżeń Polski o niebywałą nietolerancję, jakby w innych krajach, katolickich czy protestanckich, nie zdarzały się podobne wypadki. Nawiasem mówiąc, ta toruńska „krwawa łaźnia", jak ją nazwali protestanci, do ostatnich czasów służy historykom, zwłaszcza z RFN, do oskarżania Polaków o fanatyzm i okrucieństwo.

Cała sprawa miała wszakże swój sens polityczny. August II, który odrzucił interwencje za skazanymi, spodziewał się, że na fali rozbudzonych namiętności religijnych uda mu się pozyskać zaufanie szlachty, co rzeczywiście zarysowało się na sejmie 1724 r. Zamierzał także wykorzystać międzynarodowy konflikt, jaki wyrósł wokół sprawy toruńskiej, gdy Prusy i Anglia ostro wystąpiły w obronie protestantów i wspólnie z Rosją przygotowywały interwencję w Polsce. Rzeczpospolita zajęła postawę obronną — szlachta domagała się pospolitego ruszenia przeciwko Fryderykowi Wilhelmowi pruskiemu, który porywaniem ludzi do swej gwardii wielokrotnie pogwałcił granicę polską. Angielskiemu posłowi Finchowi odpowiedziano, by król angielski lepiej czuwał nad tolerancją w swym kraju, szczególnie wobec katolików. Tymczasem śmierć Piotra I odsunęła niebezpieczeństwo interwencji. Rzeczpospolita natomiast ustanowiła na sejmie wielką komisję, która miała uporządkować jej stosunki z sąsiadami — bez uciekania się do pomocy dyplomacji saskiej. Nie przyniosła ona jednak oczekiwanych owoców, gdy kraj ogarnęły znów walki fakcyjne.

Lata dwudzieste XVIII w. przyniosły bowiem wykrystalizowanie się dwu wielkich obozów magnackich, Czartoryskich i Potockich, których rywalizacja miała zaciążyć na życiu politycznym kraju przez blisko pół wieku. Czartoryscy należeli do starego, aczkolwiek zubożałego rodu książęcego na Litwie. Między pierwszymi w Rzeczypospolitej rodzinami magnackimi znaleźli się dopiero w początkach XVIII w. dzięki szczęśliwym spekulacjom wojennym podczas kryzysu północnego, bogatym ożenkom (które dały im m.in. fortunę Sieniawskich), a także poparciu króla Augusta II. Od połowy lat dwudziestych trudno się było już nie liczyć z potęgą Augusta Aleksandra Czartoryskiego, wojewody ruskiego, i Fryderyka Michała, podkanclerzego litewskiego, zwłaszcza gdy przyłączył się do tego obozu przez małżeństwo z ich siostrą Konstancją najzdolniejszy parweniusz tych czasów, wybitny dyplomata Karola XII — Stanisław Poniatowski, podskarbi litewski, wkrótce wojewoda mazowiecki. Wszyscy przywódcy Familii, jak popularnie nazywano ten obóz, wyróżniali się dobrą orientacją polityczną, nowoczesnym spojrzeniem na sprawy Rzeczypospolitej, aktywnością kontrastującą z powszechną apatią. Nie wolni od prywaty i wysuwania na czoło interesu rodowego — jak przystało na uczniów Flemminga i Augusta II — wiązali to stanowisko z troską o losy Rzeczypospolitej, pewni, że najlepiej zabezpieczyliby je sami, gdyby oddano je w ich ręce.

Przeciwko Familii występowała większość starej magnaterii, kierowana przez Potockich. Potoccy patrzyli z góry na Czartoryskich, ponieważ swych wielkich majętności na Ukrainie dorobili się dobry wiek wcześniej. Karierę Potockich hamowało, aczkolwiek nie zwichnęło, związanie się z Leszczyńskim. Józef Potocki wojewoda kijowski, który w młodości marzył o stworzeniu dla siebie księstwa stanisławowskiego, został z łaski Karola XII hetmanem koronnym i choć brakowało mu zdolności wojskowych, stale dążył do odzyskania tej funkcji. Teodor Potocki, nominat Stanisława na biskupstwo krakowskie, został prymasem przy Auguście, za co się odwdzięczył intrygowaniem przeciwko Wettinowi z Wiedniem i Petersburgiem. Gdy Potoccy dyrygowali Koroną, na Litwie współdziałali z nimi Radziwiłłowie, Sapiehowie i Ogińscy.

Obóz Potockich dokładał wszelkich starań, by pohamować rosnący wpływ Familii. Pod koniec panowania Augusta II rozgorzała prawdziwa walka między obu fakcjami — przy czym celem jej było zdobycie najwyższych urzędów w Rzeczypospolitej, nie obsadzonych po śmierci dotychczasowych dzierżycieli. Ponieważ zgodnie z konstytucją z 1717 r. mianowanie hetmanów (a o to głównie chodziło) mogło nastąpić tylko na ukonstytuowanym sejmie, wysiłki opozycji skoncentrowały się na rwaniu sejmów przed wyborem marszałka. W ten sposób przepadły cztery sejmy od 1729 r. W tej sytuacji w interesie Familii wystąpił ze swą pierwszą broszurą polityczną Stanisław Konarski, potępiając w *Rozmowie ziemianina z sąsiadem* (1732) zwyczaj zrywania sejmów w każdej okazji i pod każdym pretekstem.

Właśnie na członkach Familii opierał August II swe nadzieje na koronę polską dla syna, zbierając od nich zobowiązania, że poprą go w czasie elekcji. Perspektywy sukcesji wettińskiej układały się coraz gorzej. Od 1725 r., tzn. od chwili małżeństwa króla francuskiego Ludwika XV z córką Leszczyńskiego Marią, znów rosły szanse Stanisława. Na jego rzecz pracowało poselstwo francuskie w Warszawie, zwłaszcza ambasador Monty, który pieniędzmi i perswazjami kaptował mu stronników zarówno wśród jego dawnych zwolenników, jak i całej wpływowej magnaterii. Doszło do tego, że Stanisława decydowały się popierać oba zwalczające się obozy magnackie. Rosła też jego popularność wśród szlachty, zniechęconej do Augusta II i upatrującej w Stanisławie kandydata narodowego, zdolnego przywrócić dawny autorytet Rzeczypospolitej.

Rzecz cała opierała się na złudzeniach. Wprawdzie Leszczyński wiele nauczył się w toku trudnych lat emigracji, nie zdobył jednak kwalifikacji na wielkiego polityka czy wodza, potrzebnego Polsce. Natomiast jako kandydat dworu francuskiego musiał budzić zastrzeżenia potęg europejskich obawiających się naruszenia ówczesnej równowagi sił. Potęgi te od dawna układały się, jak zapewnić w Polsce elekcję wolną, tj. wysuwającą na tron polski najbardziej dla nich odpowiedniego kandydata. Już w 1720 r. — jako swego rodzaju odpowiedź na traktat wiedeński — zostało zawarte w Poczdamie porozumienie rosyjsko-pruskie, którego celem było utrzymanie wolności szlacheckich w Rzeczypospolitej, a zwłaszcza elekcji. Porozumienie to, skierowane przeciwko dopuszczeniu do tronu syna Augusta II, było parokrotnie odnawiane za panowania kolejnych carów. Podobny charakter miały dalsze układy: z 1724 r. — rosyjsko-szwedzki, z 1726 r. — rosyjsko-austriacki. Kiedy wyłoniła się obok Wettina kandydatura Stanisława, zainteresowane dwory postanowiły narzucić Polsce swego elekta. Gdy prymas Potocki zamawiał sobie pomoc cesarską i carską na wypadek rzekomo przygotowywanego przez Augusta II zamachu stanu (który w najlepszym razie polegałby a rozdaniu buław bez sejmu), dwór wiedeński wespół z petersburskim i berlińskim akceptował już przygotowany przez ministra rosyjskiego Loewenwolda traktat, zwany traktatem trzech czarnych orłów (1732), w którym oddalano od korony polskiej zarówno Fryderyka Augusta, jak i Stanisława Leszczyńskiego, przeznaczając ją dla infanta portugalskiego Dom Emanuela. Koncentracja wojska austriackiego i rosyjskiego nad granicami Rzeczypospolitej miała zagwarantować wykonanie tych postanowień.

W ostatniej chwili usiłował jeszcze wykorzystać rozdźwięki między trzema dworami August II, który w wyniku swej polityki przechytrzenia wszystkich — znalazł się osamotniony, bez sojuszników, w rozbracie zarówno ze społeczeństwem polskim, jak i saskim. Po raz ostatni miał rozważać z ministrem pruskim Grumbkowem (jeśli można wierzyć jego jednostronnej relacji) „wielki plan" podziału Polski, w którym Wettini za dziedziczną koronę mieliby zadowolić się Małopolską, Wielkopolską oraz rdzenną Litwą z Wilnem. Było to w czasie jego podróży z Drezna do Warszawy, ostatniej, jaką odbył. Nie zdołał już inaugurować obrad ponownie zwołanego sejmu ani rozdać buław. Śmierć zaskoczyła go wśród nie uporządkowanych spraw, nawet sukcesja syna na tronie polskim, której poświęcił tyle starań, wyglądała mało realnie. Werdykt historii potępił go dość zgodnie za winy popełnione i nie popełnione. A przecież wiele myśli reformatorskich, które wyszły od dworu czy powstały pod jego panowaniem, miało owocować przez cały XVIII wiek.

Olbrzymia większość społeczności szlacheckiej w Rzeczypospolitej opowiedziała się zgodnie na konwokacji przeciwko powoływaniu kandydatów cudzoziemskich na tron, a na elekcji poparła niefortunnego antykróla z czasów wojny północnej, Stanisława Leszczyńskiego. Nawet Familia i Potoccy zjednoczyli swe siły, by zapewnić jego wybór 12 września 1733 r. Stanisław przybył już poprzednio do Warszawy przebrany za kupca; kierownik polityki francuskiej kardynał Fleury nie kwapił się bowiem, by teściowi króla francuskiego dać należytą asystę wojskową i wysłać go, jak Contiego z eskadrą floty wojennej.

Tymczasem zaś korzystając z rezygnacji Dom Emanuela dwór drezdeński wszedł w porozumienie z Petersburgiem i Wiedniem i za cenę ustępstw politycznych (uznanie sankcji pragmatycznej, oddanie Kurlandii Bironowi, faworytowi carycy Anny) uzyskał ich poparcie do korony polskiej. Znalazła się grupa magnatów, czy to oddanych stronników Wettinów, czy niechętnych Leszczyńskiemu panów litewskich, która nie tylko zawiązała drugie koło elekcyjne, ale i postarała się o ściągnięcie wojska rosyjskiego; pod jego osłoną przeprowadziła wybór Augusta III (5 X). Znów oręż miał rozstrzygnąć, komu ostatecznie przypadnie korona polska.

Przewaga militarna była po stronie Sasów i Rosjan. Fryderyk August wprowadził bowiem także swe wojska do Rzeczypospolitej, bez trudu zajął Kraków i koronował się na króla polskiego. Natomiast Stanisław wyjechał do Gdańska, by tam czekać na pomoc francuską. Jakkolwiek Francja rozpoczęła rychło pod pretekstem obrony wolnej elekcji w Polsce wojnę z Austrią, starała się jednak wykorzystać ją dla nowych zdobyczy nad Renem i we Włoszech, nie przejmując się zbytnio losem Polski. W obawie przed interwencją angielską Fleury nie chciał się angażować poważniej nad Bałtykiem. Do Gdańska dotarł jedynie niewielki oddział, którego dowódca, Plélo, padł w szturmie na pozycje rosyjskie, a cała pomoc nie zaważyła poważniej na przebiegu walk. Dzielnie walczyli gdańszczanie, którzy zdobyli się na znaczny wysiłek wojskowy w obronie prawowitego elekta. Jednakże zdążające z odsieczą wojska koronne zostały bez większego trudu rozbite przez Rosjan, po czym wobec znacznej przewagi oblegających sił rosyjsko-saskich Gdańsk kapitulował po 4 miesiącach (29 V 1734).

Ujęci w Gdańsku stronnicy Stanisława musieli uznać Augusta III. Sam jednak Leszczyński zdołał (przebrany tym razem za chłopa) uciec do Prus Książęcych, skąd nadal pobudzał do oporu przeciwko Wettinowi, korzystając z udzielonej mu gościny przez Fryderyka Wilhelma I, który spodziewał się wytargować przez to dla siebie nabytki kosztem Polski. W odpowiedzi na wydany z Królewca manifest, 5 listopada 1734 r. została zawiązana w Dzikowie konfederacja pod laską marszałkowską Adama Tarły, który otrzymał szerokie uprawnienia polityczne i wojskowe. Jako zasadniczy cel konfederacja dzikowska wytknęła sobie walkę o niezależność

Rzeczypospolitej i odwołała się do Rosjan oraz Sasów, by pomogli jej wbrew stanowisku swych władców w utrzymaniu wolności. Nie było to wezwanie całkiem bezpodstawne, w Saksonii istniała bowiem silna opozycja przeciwko objęciu przez Wettina korony polskiej, a wśród Rosjan rządy kliki niemieckiej z otoczenia Anny budziły duże niezadowolenie. Zabrakło jednak energiczniejszej akcji dyplomatycznej, której nie mogły zastąpić manifesty. Niedostateczny był także wysiłek wojskowy — Rosjanie i Sasi likwidowali prędko oddziały dzikowian. Najdłużej opór utrzymał się w puszczy kurpiowskiej, przekształcając się z czasem w ruch antyfeudalny tamtejszych chłopów.

O losach wojny ostatecznie przesądziły wydarzenia na Zachodzie. Zwycięska Francja zadowoliła się ustępstwami austriackimi nad Renem i we Włoszech. W chwili, gdy poseł konfederacji dzikowskiej do Paryża, Jerzy Ożarowski, oboźny koronny, podpisywał z kardynałem Fleury nowy alians, dyplomaci francuscy ubijali już w Wiedniu rozejm (1735), zatwierdzony w trzy lata później jako pokój wiedeński. Wątpliwą pociechą było, że w podobny sposób Fleury oszukał i Włochów. Na mocy tego układu Stanisław musiał zrzec się korony polskiej i zadowolić się księstwem Lotaryngii (uzależnionym zresztą od Francji), którego dotychczasowy władca Franciszek, późniejszy cesarz, przeniesiony został do Toskanii. Tron polski pozostał w ręku Wettina.

Poprzednio już po stronie Augusta III zawiązana została konfederacja warszawska, która współdziałała w zwalczaniu dzikowian. Pacyfikację Rzeczypospolitej przeprowadził dopiero sejm z 1736 r., jedyny pod panowaniem Augusta III nie zerwany. Zakończono na nim długoletni konflikt o urzędy, który niemało zaważył i na przebiegu wojny o tron polski. Buławę wielką koronną otrzymał za dostatecznie wczesne opuszczenie dzikowian Józef Potocki, pozostałe urzędy podzielili między siebie najbardziej wpływowi elektorzy nowego króla. Zatwierdzono oddanie Kurlandii Bironowi. W ten sposób wynagrodziwszy zasługi twórców drugiej elekcji saskiej, sejm zadowolił się opuszczeniem kraju przez wojska obce.

W tak nieoczekiwany sposób zrealizowana została sukcesja wettińska w Polsce. August III zaczynał swe rządy od tego, od czego jego ojciec starał się uwolnić: od znacznego uzależnienia ze strony państw sąsiednich. Ale i strona przeciwna nie mogła wykrzesać z tego zmarniałego pokolenia szlacheckiego, ze żeranych prywatą magnatów ofiarności i gotowości do walki o niezależność Rzeczypospolitej. W rezultacie wojna o tron polski przyniosła ograniczenie suwerenności Rzeczypospolitej i uprawnień szlacheckich w jednym z najważniejszych punktów — wolnej elekcji.

e. Walki fakcji magnackich i zagarnięcie Śląska przez Prusy

Polityczna rola nowego monarchy była bardzo ograniczona. August III (1733 - 1763) był starannie przygotowany do swej funkcji pod okiem doświadczonych polityków i pedagogów. Jako młodzieniec zapowiadał się na dobrego władcę — z czasem wszakże (może wpłynęła na to odziedziczona po ojcu choroba) stawał się coraz bardziej apatyczny i gnuśny, oddając tok spraw w ręce zaufanych ministrów, a samemu spędzając czas na prymitywnych rozrywkach. Był przy tym ogromnie zarozumiały na punkcie swej godności królewskiej. W rezultacie dał się omotać pochlebcom dworskim, w rodzaju wszechwładnego wkrótce ministra saskiego Henryka Brühla czy marszałka nadwornego Jerzego Mniszcha, którzy swe wpływy przy boku króla obracali przede wszystkim na własne korzyści. Brühl był zresztą zdolnym politykiem, który od bardzo skromnych początków awansował do roli pierwszego ministra, odsuwając od wpływów towarzysza młodości Fryderyka Augusta — Józefa Aleksandra Sułkowskiego. Pozbawiło go to sympatii polskich historyków, którzy traktowali go — podobnie jak współcześni Sasi — jako zręcznego karierowicza. Pełne oświetlenie jego roli w Polsce — na tle wczesnego Oświecenia — oczekuje dopiero swego badacza. Na tym miejscu wypadnie się ograniczyć do podkreślenia jej wagi, zresztą o jego powiązaniu z Rzecząpospolitą najlepiej świadczą zabiegi o uzyskanie indygenatu dla siebie i swojej rodziny.

W świetle dotychczasowych badań nie jest jasne, jakie były założenia polityki dworu królewskiego w Polsce. Trudno odpowiedzieć, czy chodziło tylko o zapewnienie sukcesji dla jednego z licznych (pięciu) synów Augusta III, czy też otaczający króla ministrowie równie konsekwentnie dążyli do reform. Wydaje się wszakże, że dominowała sprawa sukcesji. Główny nurt walki politycznej w kraju toczył się w gruncie rzeczy poza dworem królewskim, koncentrując się wokół dalszej rywalizacji wielkich obozów magnackich. Podobnie jak było przy obu poprzednich władcach, w pierwszym okresie panowania Augusta III, po 1754 r., dwór włączył się żywo do tej walki, popierając poczynania reformatorskie Familii. Na drugi okres przypadły klęski Saksonii w czasie wojny siedmioletniej i całkowity marazm dworu i jego obozu.

Walka polityczna w Rzeczypospolitej toczyła się w tym czasie na kilku płaszczyznach, przy czym obok ambicji fakcyjnych oddziaływało na nią poczucie ograniczenia niezależności państwa, a także ideologia wczesnego Oświecenia. Coraz liczniejsze publikacje roztrząsały konieczność reform wewnętrznych w Rzeczypospolitej, postulując nie tylko usprawnienia działalności sejmu i organów administracyjnych ,ale także przeobrażenia społeczne, wzrost roli ekonomicznej i politycznej mieszczaństwa, przywrócenie swobody osobistej chłopom. Rozpoczęta przez Stanisława Konarskiego reforma edukacyjna zmierzała do rozbudzenia poczucia obywatelskiego wśród szlachty i magnatów. Nowe hasła przejmowały także zwalczające się obozy magnackie. Program reform Czartoryskich znalazł najpełniejsze odbicie w piśmie politycznym *List ziemianina do pewnego przyjaciela z inszego województwa*, ogłoszonym przez Stanisława Poniatowskiego, podówczas już kasztelana krakowskiego, przed sejmem 1744 r. Proponował on przede wszystkim zwiększenie liczby wojska oraz reformy skarbowe — szczególnie wprowadzenie cła generalnego. Związana z tym byłaby także reforma sądownictwa oraz sejmikowania i sejmowania, ukrócone liberum veto. Za podstawę tych poczynań uważał Poniatowski prowadzenie polityki merkantylistycznej, popieranie rozwoju przemysłu, opiekę nad wzrostem zaludnienia. Ale i Potoccy nie pozostawali w tyle, jeśli chodziło o ogłoszone hasła. Antoni Potocki, wojewoda bełski, proponował również znaczne reformy wewnętrzne, a nawet wypowiadał się za dopuszczeniem mieszczan do kierowania sprawami państwa.

Walka polityczna prowadzona była nadal metodami jak najbardziej szkodliwymi dla Rzeczypospolitej — zwalczano więc przeciwników za pomocą rwania sejmów i sejmików, ścigania wyrokami podporządkowanych sobie sądów, zrywania nawet trybunałów, wreszcie uciekania się do pomocy zagranicznej. O ile Potoccy główne swe oparcie znajdowali w Prusach Fryderyka II, o tyle Familia sterowała coraz wyraźniej w kierunku Rosji, po doświadczeniach ostatniego bezkrólewia zdając sobie sprawę z tego, że od niej zależy ostateczna decyzja w sprawach Rzeczypospolitej.

Ucierpiały na tym żywotne interesy Rzeczypospolitej. Przede wszystkim nie można było przeprowadzić nieodzownej reformy skarbowo-wojskowej, bez której wszelkie dążenia do zapewnienia niezależności kraju pozostawały mrzonką, skoro otaczające go państwa dysponowały wielokrotnie liczniejszą armią. Sprawa znalazła się na dobrej drodze na sejmie 1736 r., który powołał w tym celu specjalną komisję. Ale odtąd nieustanne przeszkody odsuwały rozwiązanie tej sprawy z sejmu na sejm, by w latach pięćdziesiątych rozpłynęła się w nicości. Tak więc szlachta najchętniej zepchnęłaby koszty utrzymania wojska na inne stany, mieszczan czy Kościół, przeciwna była wyrównaniu obciążeń między poszczególnymi ziemiami (chodziło zwłaszcza o cofnięcie ulg przyznanych w 1717 r. obszarom południowo-wschodnim, głównym ośrodkiem latyfundiów), wreszcie nie mogła się zgodzić, w jaki sposób poskromić nadużycia aparatu fiskalnego. Do tego dołączały się i sprawy personalne — hetman Józef Potocki godził się na aukcję wojska, która zwiększałaby jego możliwości; gdyby do tego nie doszło, wolał utrzymać stan dotychczasowy. Wreszcie przeciwne aukcji wojska były i dwory sąsiednie — jeżeli nie wszystkie, to ten, który w danym momencie czułby się najbardziej zagrożony. Płynęły więc wskazówki i pieniądze, znajdowali się chętni rwacze sejmowi, a Rzeczpospolita trwała w stagnacji i bezsile.

W ten sposób nie skorzystała Rzeczpospolita z okazji, którą dawała wojna rosyjsko-turecka z końca lat trzydziestych, kiedy Rosja i Austria zaskoczone oporem tureckim skłonne były poprzeć reformę wojskową. Potoccy, którzy ocalenie niezależności Rzeczypospolitej widzieli wtedy w konfederacji antyrosyjskiej pod patronatem turecko-szwedzkim, zerwali kolejne dwa sejmy. Gdy z początkiem lat czterdziestych doszło do współdziałania Familii z dworem królewskim, a jednocześnie przebieg wojny śląskiej i wojny sukcesyjnej austriackiej skłonił dwory petersburski i wiedeński do popierania programu aukcji wojska, umożliwiającej antypruską interwencję Polski, współdziałając blisko z Fryderykiem II Potoccy spowodowali zerwanie trzech sejmów — z 1744, 1746 i 1748 r., które miały realne szanse przeprowadzenia reform. Szczególnie dramatyczny przebieg miał sejm 1744 r., kiedy sytuacja układała się wyjątkowo korzystnie dla Polski, a sprawa reformy skarbowo-wojskowej, popieranej zgodnie przez znakomitą większość społeczności szlacheckiej, była na najlepszej drodze. W ostatniej chwili, gdy dwór spodziewał się zadać decydujący cios przeciwnikom przez ujawnienie stosowanego przez posła pruskiego przekupstwa, sprawa ta wywołała rozłam wśród posłów — rzekomo niesłusznie oskarżonych — i ułatwiła Potockim unicestwienie obrad. W ten sposób przekreślona została najpoważniejsza po sejmie niemym próba odnowy Rzeczypospolitej.

W latach pięćdziesiątych aż do końca rządów Augusta III gubiła się myśl państwowa w sprawach drugorzędnych. Czartoryscy uwikłani w aferę o rozbiór dóbr ordynacji ostrogskiej przeszli do opozycji i sami z kolei rwali sejmy, niepomni niedawno rzucanych przestróg. Największym wpływem cieszyła się koteria Jerzego Mniszcha, która główny wysiłek obracała na sprzedawanie co ważniejszych urzędów i wyłapywanie najbogatszych królewszczyzn. Głoszący swój „patriotyzm" następca Potockiego — hetman Jan Klemens Branicki czy trzęsący Litwą Michał Radziwiłł, trwonili wysiłki schlebiając zacofaniu szlacheckiemu i intrygując z obcymi dyplomatami. Kraj pogrążył się w odmętach najgorszej anarchii politycznej. Rzeczpospolita stanęła otworem wobec wpływów z zewnątrz i obcych wojsk, które zachowywały się na jej terenie jak w kraju podbitym.

Niepowodzenia prób reform z lat 1744 - 1748 były tym dotkliwsze, że związane były ze sprawami międzynarodowymi, z dążeniami do przeciwstawienia się agresywnej polityce Fryderyka II. Od chwili uzyskania suwerenności w Prusach Książęcych Hohenzollernowie nie tylko usilnie starali się wykorzenić wszelkie wpływy polskie na swym terenie, ale umacniali się coraz bardziej nad Bałtykiem, opanowując większość Pomorza Zachodniego. Często wysuwane były przez Prusy także projekty zaboru większych czy mniejszych części Prus Królewskich. Za panowania Augusta II wielokrotnie toczono rozmowy z dyplomatami saskimi, szwedzkimi i rosyjskimi o uzyskanie choćby Kurlandii, Warmii, Elbląga i tzw. via regia — połączenia do Prus Książęcych. Wzrost wpływów rosyjskich z Rzeczypospolitej uniemożliwiał realizację tych zamierzeń. Po objęciu tronu Fryderyk II pierwsze agresyjne plany skierował jednak przeciwko innej dzielnicy polskiej, która od paru stuleci znajdowała się pod panowaniem czeskim i austriackim. Wykorzystując kryzys dynastyczny Habsburgów po objęciu tronu przez Marię Teresę wkroczył na Śląsk w 1740 r. i w krótkim czasie opanował tę prowincję. Próba odsieczy austriackiej skończyła się klęską pod Małujowicami koło Brzegu, po czym rozpętana wojna sukcesyjna austriacka uniemożliwiła Wiedniowi dalszą walkę o Śląsk. Przy pośrednictwie Anglii, która spodziewała się w ten sposób pomóc swej sojuszniczce Austrii, doszło w 1742 r. do zawarcia pokoju wrocławsko-berlińskiego. Przyznawał on większość Śląska wraz z hrabstwem kłodzkim Prusom, tylko księstwa opawsko-karniowskie i cieszyńskie pozostały w ręku Habsburgów.

Zdobycie Śląska przez Prusy stanowiło poważne zagrożenie Rzeczypospolitej i stanu posiadania polszczyzny na zachodzie. Odtąd na całej długości zachodniej granicy stykała się Polska z Prusami, które miały ułatwioną penetrację polityczną, gospodarczą i militarną na jej tereny. Zarazem ludność polska na Śląsku stanęła przed groźbą wzmożonej germanizacji. Państwo habsburskie, jakkolwiek popierało postępy niemczyzny na Śląsku, było w swych poczynaniach krępowane przez wielonarodowościowy charakter monarchii, szczególnie zaś przez fakt, że Śląsk był krajem korony czeskiej. Ludność polska utrzymywała swe odrębności kulturalne, rozwijało się piśmiennictwo polskie (szczególnie protestanckie). Na terenie całego niemal Górnego Śląska, na rozległych obszarach środkowego Śląska nie tylko po Odrę, ale i na jej lewym brzegu w księstwach brzeskim i wrocławskim, w północno-wschodniej części Dolnego Śląska ludność mówiła po polsku w życiu codziennym, w kościele i w szkole. Najazd pruski budził wśród tej ludności uzasadnione obawy, toteż sam Fryderyk II przyznał, że np. mieszkańcy Górnego Śląska ustosunkowani są doń niechętnie, i gotów był zrezygnować z włączenia tego terenu do swego państwa za niewielkie nabytki w północnych Czechach. Mieszkańcy ci zresztą z bronią w ręku dali wyraz tej niechęci, organizując oddziały partyzanckie przeciw wojskom pruskim.

Zdobycie Śląska oznaczało wreszcie poważny wzrost potencjału gospodarczego Prus. Śląsk należał do najbogatszych i najbardziej przemysłowo rozwiniętych krain tej części Europy. Doskonale zwłaszcza rozwijało się płóciennictwo śląskie. W drugim i trzecim dziesięcioleciu Śląsk przeżywał wyraźny rozwój gospodarczy. Wbrew twierdzeniu wielu historyków pruskich, trzeba podkreślić, że Fryderyk II pokusił się o zagarnięcie prowincji będącej w pełni rozwoju, a nie podupadającej, jak chcieli jego gloryfikatorzy. W pierwszym okresie rządy pruskie przyniosły dla Śląska tylko ruiny i zniszczenia.

Pierwsza wojna śląska nie zakończyła bowiem walki o tę prowincję. Prusy przeprowadziły o jej utrzymanie rychło drugą wojnę z Austrią (1744 - 1745), zakończoną pokojem drezdeńskim, powtarzającym warunki z 1742 r., a potem jeszcze trzecią, siedmioletnią (1756 - 1763), z całą koalicją austriacko-francusko-rosyjską. Polska, jakkolwiek chodziło o jej najżywotniejsze interesy, nie wmieszała się do wojen śląskich. Saksonia od początków unii personalnej z Polską zabiegająca o mniejszy czy większy skrawek Śląska, który dałby jej bezpośrednie połączenie z Rzecząpospolitą, w pierwszej wojnie wystąpiła po stronie pruskiej, w drugiej i trzeciej — po austriackiej. Brühl i August III początkowo wyobrażali sobie, że kryzys dynastyczny w Austrii otworzy Wettinowi drogę do korony czeskiej, jeśli nie cesarskiej. W przymierzu z Prusami liczyli na zdobycie Moraw i Śląska Górnego. Skończyło się na zniszczeniu armii saskiej w kampanii ołomunieckiej podjętej niefortunnie przez Fryderyka II w 1742 r. W zagarnianiu Śląska dzielnie sekundowali zresztą Wettinowi Potoccy, ułatwiając królowi pruskiemu zaciąg jazdy polskiej. Po tych doświadczeniach Sasi wiązali swe nadzieje na zdobycze we współdziałaniu z Austriakami. Ale w toku drugiej wojny śląskiej ponieśli nowe porażki, a sam elektorat stał się terenem najazdu pruskiego. Właśnie wtedy dwór drezdeński daremnie starał się stworzyć warunki do interwencji polskiej przeciwko Prusom, zabiegając o aukcję wojska na sejmie 1744 r. Na próżno też traktat warszawski (8 I 1745), zawarty między Austrią, Anglią, Holandią i Saksonią, otwierał przed Augustem III możliwość wzmocnienia swej pozycji w Rzeczypospolitej. Skrępowany przez opozycję i własną bezsilność August III niczego nie osiągnął.

Wojna siedmioletnia przyniosła zagładę armii saskiej, zaatakowanej niespodziewanie przez Prusy i zmuszonej do kapitulacji w Pirnie (1756). Saksonia znalazła się pod okupacją pruską, a jej siła militarna na długie lata została przekreślona. Rzeczpospolita i tym razem utrzymała neutralność. Wojska obu walczących stron gospodarowały na jej ziemiach jak u siebie, a dyplomaci toczyli rokowania o pacyfikację kosztem bezbronnej Rzeczypospolitej. Fryderyk II myślał o rozbiorze. Petersburg — po opanowaniu Prus Książęcych — proponował wymianę tego obszaru na resztę Inflant i część Białorusi. Na razie nic z tych planów nie wyszło i pokój hubertsburski z 1763 r. nie wprowadził żadnych zmian terytorialnych w tej części Europy.

Niemniej neutralność rozbrojonej Rzeczypospolitej podczas wojen śląskich, a zwłaszcza siedmioletniej, przygotowała pierwszy rozbiór Polski. Natomiast niepowodzenia saskie w wojnach śląskich przesądziły ostatecznie o załamaniu się unii polsko-saskiej. Nie spełniła ona nadziei politycznych żadnej ze stron, toteż po śmierci Augusta III musiała się rozpaść. Starania króla o zapewnienie sukcesji jednemu ze swych synów zostały przy tym przekreślone przez zmiany na tronie carskim po śmierci Elżbiety. O ile bowiem Elżbieta zgodziła się na oddanie w ręce królewicza Karola księstwa kurlandzkiego (1758), co w dalszej perspektywie otwierało mu szanse na tron polski, o tyle Piotr III przegnał go z Mitawy, a Katarzyna II przywróciła Kurlandię Bironowi, akcentując swe nieprzychylne stanowisko wobec Wettinów.

Niepowodzenia polityczne unii personalnej polsko-saskiej nie powinny przesłaniać pozytywnych stron, jakie miała ona dla rozwoju gospodarczego i kulturalnego obu krajów. Związek z Polską był korzystny dla bogatego mieszczaństwa saskiego, które znajdowało w Rzeczypospolitej rynek dla swych produktów, sprowadzając w zamian płody rolne i surowce. Nie bez znaczenia była niewielka, ale cenna migracja rzemieślników, górników i manufakturzystów saskich, którzy współdziałali przy odbudowie i rozbudowie zniszczonego wojnami polskiego rzemiosła i przemysłu. Niemałą rolę odegrali także Sasi w początkach polskiego Oświecenia, podobnie jak Polacy w Saksonii, by wymienić nazwisko Józefa Aleksandra Jabłonowskiego, założyciela i mecenasa Towarzystwa Naukowego w Lipsku. Dobra pamięć o pozytywnych skutkach unii personalnej polsko-saskiej przetrwała długo, tworząc wyjątkową tradycję w stosunkach polsko-niemieckich.

7. Kultura doby sarmatyzmu — Barok i wczesne Oświecenie

a. Sarmatyzm i kontrreformacja

Jak była już o tym mowa (por. cz. 1, s. 175), okres drugiej połowy XVII i pierwszej XVIII w. nie tworzy jednolitej całości w dziejach kultury polskiej. Większa część tego okresu związana jest bowiem ściśle z całą epoką Baroku, zaczynającą się co najmniej od przełomu XVI i XVII w. Końcowe dziesięciolecia stanowią już wstępną fazę Oświecenia. Granice chronologiczne w dziejach kultury nie bywają przecież ostre, zwykle dochodzi do formowania się okresów przejściowych, w których współistnieją i ścierają się tendencje schyłkowe z nowatorskimi, i tak też się dzieje w połowie XVIII w. Przy wyodrębnieniu czasów wczesnego Oświecenia przyjdzie się więc ograniczyć do ich cech wyróżniających — jednocześnie bowiem utrzymuje się szereg elementów typowych dla kultury barokowej.

Barok który za odrębną, mającą własny system wartości epokę przyjęło się uważać właśnie dopiero w XX w., stawia przed badaczem liczne, nieprzezwyciężone dotychczas trudności terminologiczne i metodologiczne. Jest to bowiem okres skomplikowany i kontrowersyjny, pełen wewnętrznych sprzeczności, które znajdowały odbicie we wszystkich dziedzinach twórczości kulturalnej. Sięgały one od fanatyzmu i mistycyzmu po racjonalizm, od powołanej znów do życia scholastyki po zdobycze nauk przyrodniczych i ścisłych. Niepokój i niepewność, na próżno zagłuszane przepychem i monumentalnością przebijają z dzieł sztuki. Obok typowego, ozdobnego, pełnego fantazji stylu uznanie budzi prostota klasycyzmu. Podobnie jak w innych dziedzinach, tak i w tej załamuje się jednolitość rozwoju europejskiego, tworzą się odrębne, niekiedy antagonistyczne kręgi kulturalne. Cały wiek upłynie, zanim z tego rozbicia zacznie się wyłaniać bardziej harmonijny światopogląd Oświecenia.

W rozwoju Baroku europejskiego Polska zajmuje odrębne, oryginalne miejsce. Na jej obszarze doszło do uformowania się sarmackiego Baroku, który oddziaływał zresztą silnie i na kraje sąsiednie. W Baroku sarmackim stopiły się w wyjątkowo udany i pełny sposób elementy Baroku zachodnioeuropejskiego z wpływami orientalnymi, a także rodzimymi, polskimi tradycjami. Powstała dzięki temu sztuka, piśmiennictwo i obyczajowość, które uważane są za najbardziej typowe dla Rzeczypospolitej szlacheckiej.

Jak w dobie Odrodzenia, tak i w epoce Baroku szczególnie bliskie pozostawały związki kulturalne z Włochami. Nadal w Polsce — na dworze królewskim czy pod opieką magnatów — przebywali liczni artyści włoscy, architekci, malarze, muzycy, śpiewacy, którzy przenosili nowe zdobycze świetnej i w tym okresie sztuki włoskiej do Rzeczypospolitej. Nie ustawały również podróże Polaków do Włoch, czy to na uniwersytety, które do połowy XVIII w. ściągały najliczniej katolicką młodzież polską, czy z pielgrzymkami, czy po prostu przy zwiedzaniu obcych krajów. Wbrew bowiem często powtarzanej opinii tego rodzaju kontakty z zagranicą nie zanikły, ale zmienił się ich charakter. Ograniczały się bowiem głównie do warstwy magnackiej i nastawione były przede wszystkim na zetknięcie się z życiem obyczajowym wielkich dworów monarszych czy arystokracji. Obok Włoch najważniejszym celem takich wędrówek stawał się w coraz większym stopniu Paryż i Wersal.

Od połowy XVII w. wzrastały bowiem w Rzeczypospolitej wpływy kultury francuskiej, by w ciągu XVIII w. zdobyć dla siebie dominującą pozycję. Wzrost wpływów kultury francuskiej w Polsce związany był nie tylko z rosnącym znaczeniem politycznym Francji w Europie, ale i z rozkwitem francuskiej literatury i sztuki. Dużą rolę odegrały także królowe — Francuzki — Ludwika Maria i Maria Kazimiera, które poprzez swój dwór ułatwiały powstawanie związków rodzinnych między polskimi rodami magnackimi a francuską arystokracją, a kultywując francuskie obyczaje czy sprowadzając francuskich artystów, nauczycieli (szczególnie księży misjonarzy, którzy zajęli się unowocześnieniem kształcenia kleru) przyczyniały się do ugruntowania wysokiej pozycji kultury francuskiej w Polsce. Kierunek ten kontynuował i dwór wettiński, zwłaszcza Augusta II, ulegający całkowicie modzie na naśladowanie wzorów Wersalu. Wzrastała znajomość języka francuskiego, który w czasach saskich jest już nie tylko potocznym językiem dworu królewskiego, ale i bywa często używany we dworach magnackich, także w korespondencji. Wolniej trafiała francuszczyzna do dworów średniej szlachty, która wolała nadal delektować się łaciną.

Związki z kulturą niemiecką odegrały większą rolę dopiero w XVIII w., w dobie unii personalnej z Saksonią. Wpływy holenderskie, z czasem także angielskie, utrzymywały się głównie na Pomorzu czy wśród skupisk protestantów polskich. Ogarniały one łatwiej kręgi mieszczańskie — wśród magnaterii, rzadziej szlachty, typowa dla XVIII w. moda na wzory angielskie wystąpiła dopiero w połowie tego wieku.

Natomiast w ciągu XVII w. następowała wyraźna orientalizacja gustów w Rzeczypospolitej. Wzory tatarskie, tureckie, nawet perskie znajdowały swe odbicie nie tylko w wyposażeniu wnętrz, w strojach, w życiu codziennym, ale także w zdobnictwie artystycznym. Wzrastała znajomość języków wschodnich w Polsce, pojawiały się tłumaczenia utworów perskich lub opisy dworu sułtańskiego, które budziły zainteresowanie w Europie Zachodniej. Nadal także czerpano niemało z ruskiej kultury ludowej. Sięganie po wzory wschodnie nie było przypadkowe. Wiązało się bowiem z pełnym przyjęciem ideologii sarmatyzmu, która właśnie nad brzegami Morza Czarnego doszukiwała się przodków „narodu szlacheckiego".

Sarmatyzm i kontrreformacja stanowiły ideologiczną podstawę kultury polskiej doby Baroku i one też decydowały o jej charakterze. Zwrot w tym kierunku dokonał się już w początkach XVII w., przy czym w ciągu tego wieku nastąpiło stopienie się obu tych ideologii. Katolicyzm uświęcał sarmatyzm, nadawał mu cechy posłannictwa. Sarmatyzm tej doby był bowiem nie tylko kontynuacją dawnych poglądów na pochodzenie szlachty, nie tylko ułatwiał stopienie się w jednolitym „narodzie" sarmackim szlachty polskiej, litewskiej i ruskiej, sprowadzając ich genezę do jednego źródła. Zarazem ugruntowywał przekonanie o swoistej „misji dziejowej", jaka miała przypaść Polsce. Wojny z drugiej połowy XVII w. i skuteczna opozycja przeciwko planom umocnienia władzy monarszej doprowadziły do przyjęcia się powszechnego przekonania, że zadaniem Polski, a ściślej mówiąc szlachty polskiej, była obrona chrześcijaństwa, czy raczej katolicyzmu, zarówno przed naporem islamu, jak i przed innowiercami, oraz że Polska powinna stać się ostatnią ostoją wolności, wzorem dla społeczeństw skazanych na rządy absolutne. W ten sposób ukształtował się ówczesny mesjanizm polski, wiara w specjalne posłannictwo Polaków jako narodu wybranego. Nie wolni od niej byli najwybitniejsi pisarze tej doby, jak Wacław Potocki czy Wespazjan Kochowski, który szczególnie szeroko rozwinął ideologię mesjanizmu w swej *Psalmodii*. Dla „złotej wolności" historycy szlacheccy znajdowali genealogię w rzekomych dawnych zwyczajach Sarmatów, starano się także wykazywać jej zgodność z porządkiem ustalonym przez Boga.

Sarmatyzm tej doby nie nawoływał do podbojów, jego ideałem stało się życie ziemiańskie, zasklepione w ramach ciasnego zaścianka, gdzie kultywowane miały być wszelkie cnoty obywatelskie. Stawał się w ten sposób ideologią samouwielbienia szlacheckiego, która szlachtę polską wysuwała na pierwsze miejsce w świecie. Wywoływało to pogardę nie tylko wobec innych stanów, ale i wobec innych narodów, wiarę we własną doskonałość. Politycznym skutkiem tej ideologii była niechęć do zmian ustrojowych. W zakresie kultury prowadziła do stagnacji i nietolerancji wobec każdej myśli, która zdawała się naruszać istniejący „doskonały" porządek.

Katolicyzm nadał sarmatyzmowi sakrę religijną, ale sam znalazł się również pod wpływem ideologii sarmackiej. Jak zauważył Janusz Tazbir, w XVII w. nastąpiła znaczna polonizacja katolicyzmu. Unaradawianie kultu religijnego nie było niczym szczególnym w Europie tej doby, w Polsce poprowadziło jednak Kościół w odmiennym kierunku niż w innych krajach. Ewolucja ta polegała na akceptowaniu stosunków społecznych i politycznych panujących w Rzeczypospolitej i przystosowywaniu do nich pojęć i wyobrażeń religijnych. Tak np. według kaznodziejów polskich niebo miało być nawet zorganizowane podobnie jak Rzeczpospolita. W utrzymaniu istniejącego porządku mieli pomagać odpowiedni święci, a Matkę Boską powołano w 1656 r. na królową Polski nie tylko dla zabezpieczenia całości kraju, ale i dla obrony wolności szlacheckich.

Dotychczasowe badania, trzeba przyznać, że dość powierzchowne, nie wskazują natomiast, by w Kościele katolickim w Polsce dochodziło do poważniejszego różnicowania się poglądów. Niewielkie tylko grupy poruszyły prądy mistyczne. Nie objął umysłów jansenizm i dopiero wczesne Oświecenie doprowadziło do skrystalizowania się wyraźniejszych obozów w katolicyzmie polskim. Skutki tego zastoju intelektualnego panującego w polskim Kościele katolickim odbiły się ujemnie na poziomie kultury polskiej. Zwycięska kontrreformacja okazała się za słabym źródłem do poruszenia ospałych umysłów sarmackich, gdy płynące z innych stron podniety zostały przez nią przytłumione.

Zjawisko to, związane z niskim poziomem ogółu duchowieństwa w Polsce, tłumaczą w pewnej mierze ostatnie badania Jerzego Kłoczowskiego i jego uczniów, wskazujące, że dopiero w pierwszej połowie XVIII w. można mówić o zrealizowaniu wytycznych soboru trydenckiego, dotyczących reformy kleru. Wtedy dopiero, według Kłoczowskiego, „upowszechnia się np. rzeczywiście instytucja seminariów przygotowujących kler parafialny, poważnie usprawnia się organizacja kościelna, zwiększa sieć szkół typu kolegiów czy studiów wewnątrzklasztornych, cały kraj objęty zostaje w sposób systematyczny wielką akcją misji ludowych". Było to w niemałym stopniu zasługą tego pokolenia biskupów, które weszło do episkopatu w drugim i trzecim dziesiątku XVIII w. i po raz pierwszy od czasów Zygmunta III, po okresie zastoju czy nawet cofania się, podjęło znów dzieło reformy Kościoła. Ale wyniki tych przemian miała odczuć Polska dopiero w dobie Oświecenia.

Dokonujące się zmiany można zaobserwować także w odniesieniu do kleru zakonnego. Niesłychanie rozmnożyła się liczba klasztorów rozrzuconych na terenie całej Rzeczypospolitej. Wymownie świadczy o tym poniższa tabela zestawiona na podstawie danych zawartych w drugim tomie *Kościoła w Polsce*:

Rok	1600	1650	1700	1772/1773
Liczba domów zakonnych	258	565	785	1 036
Liczba zakonników	3 600	7 500	10 000	14 500
Liczba zakonnic	840	2 760	2 865	3 211

Zdecydowaną przewagę miały zakony żebracze, których domy zakonne stanowiły w XVII w. przeszło 2/3 całości. Dopiero w połowie XVIII w. udział ten uległ zmniejszeniu, a jednocześnie jezuici wysunęli się na drugie co do liczebności (po bernardynach) miejsce. Wzrosła także znacznie liczba pijarów.

Zarówno kler świecki, jak i zakonny zdobył sobie przemożny wpływ na wszystkie stany. Utrzymujący się długo niski poziom umysłowy duchowieństwa oddziaływał fatalnie na społeczeństwo, powodując szerzenie się nie tylko nietolerancji, ale wprost fanatyzmu, ciemnoty i zabobonu. Ponurym jego przejawem były mnożące się procesy o czary, których fala docierała w tym czasie do Polski z Zachodu. Jakkolwiek nie przybrały one tak masowych rozmiarów, jak w sąsiednich Niemczech, wiele kobiet, oskarżonych o rzekome konszachty i stosunki z diabłem, poddano wymyślnym torturom i skazano, nieraz całymi grupami, na śmierć. Dopiero w połowie XVIII w. podniosły się głosy, które powstrzymały sądy na czarownice.

Mimo daleko posuniętej w pierwszej połowie XVII w. rekatolizacji kraju nie ustawały wystąpienia przeciwko protestantom. Atakowali ich pisarze katoliccy, surowa cenzura kościelna pilnowała przy tym, by nie ukazywały się dzieła podważające pozycję uprzywilejowanego katolicyzmu. Najostrzej zabrano się do arian. W 1658 r. w czasie wojny ze Szwecją, podczas której arianie trzymali dłużej niż inna szlachta stronę protestanta Karola Gustawa, sejm skazał tych, którzy nie zdecydowali się przyjąć katolicyzmu, na wygnanie z kraju. W rezultacie w 1660 r. kilkaset rodzin ariańskich opuściło Rzeczpospolitą, osiedlając się głównie w Prusach Książęcych i w Siedmiogrodzie. Ponieważ część arian nie bacząc na grożące represje (kara śmierci i konfiskata majątku) pozostała w kraju, pozorując tylko przyjęcie katolicyzmu, następne sejmy zaostrzyły rygory, a w Trybunale wprowadzono specjalny rejestr ariański obejmujący sprawy związane z tym wyznaniem.

Wygnanie arian stanowiło krok wyjątkowy w dziejach Polski. Odbiło się zdecydowanie ujemnie na dalszych możliwościach rozwoju intelektualnego społeczeństwa polskiego. Arianie, jakkolwiek prześladowani w wielu krajach europejskich, zdobyli sobie pewien wpływ na najśmielsze umysły tej doby i myśl ariańska stanowiła jedno ze źródeł, z którego czerpała filozofia angielska wczesnego Oświecenia. Natomiast w Europie XVII w. usuwanie różnowierców z kraju stosowane było dość często. W najbliższym sąsiedztwie Polski, w Rzeszy niemieckiej, doszło po traktacie westfalskim do masowych migracji na tle religijnym. Kilkadziesiąt tysięcy Ślązaków-protestantów opuściło wtedy swą ojczyznę, udając się do Saksonii, Brandenburgii i właśnie Rzeczypospolitej, aby uniknąć rekatolizacji.

Po wygnaniu arian nie doszło też w gruncie rzeczy do gwałtownych prześladowań kryptoarian. Nie brakło wprawdzie delatorów, którzy liczyli na uzyskania konfiskowanych majątków, ale nie zapadały — o ile wiadomo — wyroki śmierci. Z czasem rejestr ariański objął raczej wszelkie sprawy o apostazję czy ateizm — z tego też względu w początkach XVIII wieku Trybunał wydał głośny wyrok śmierci na Zygmunta Unruga, który jednak zdołał ujść za granicę i po wielu latach doczekać się skasowania nie uzasadnionego, jak się okazało, skazania.

W stosunku do innych wyznań protestanckich obowiązywała konfederacja warszawska z 1573 r. W rzeczywistości uprawnienia protestantów ulegały stałemu ograniczaniu, które przybrało na sile zwłaszcza w początkach XVIII w. Już jednak od 1668 r. surowo zakazano odstępstwa od religii katolickiej, tj, apostazji. W 1673 r. ograniczono dostęp do nobilitacji i indygenatu tylko do katolików. W 1717 r. po zniszczeniach wojny północnej zakazano protestantom restauracji uszkodzonych zborów i budowy nowych, zamknięto im też dostęp do ważniejszych urzędów, a wkrótce potem usunięto z sejmu. Zakazy te zebrała ostatecznie konstytucja sejmu 1733 r., która pozbawiła protestantów znacznej części praw politycznych przez zakazanie ich wyboru na posłów sejmowych i na deputatów do Trybunału oraz obejmowania urzędów.

Mimo wzmagania się fanatyzmu katolickiego wypadki krwawego prześladowania w sprawach wiary pozostały nader rzadkie. W 1689 r. skazano na śmierć i stracono szlachcica Kazimierza Łyszczyńskiego. Był on oskarżony o ateizm, powszechnie wtedy surowo karany. Największego rozgłosu nabrało stracenie mieszczan toruńskich w 1724 r. (zob. cz. 1, s. 271); sprawa ta została wykorzystana przede wszystkim w celach propagandy politycznej. Faktycznie — mimo niewątpliwych aktów fanatyzmu religijnego ze strony katolików — pozostawała Rzeczpospolita, w przeciwieństwie do większości państw europejskich, krajem o stosunkowo znacznej swobodzie religijnej.

Dbając o czystość katolicką stanu szlacheckiego, mniej przejmowano się nią w stosunku do innych warstw. Była też Rzeczpospolita nadal azylem dla różnych prześladowanych w innych krajach europejskich plebejów. Sprowadzano osadników luteranów, kalwinów, mennonitów, na wschodzie muzułmanów, pozwalając im na zachowanie swego wyznania. Wyraźny nacisk pod tym względem stosowano właściwie tylko wobec ludności prawosławnej, i to dopiero wtedy, gdy ostatecznie ustały nadzieje na porozumienie z kozaczyzną. Na początku XVIII w. wszystkich biskupów dyzunickich zmuszono do przejścia na unię. W ten sposób formalnie zlikwidowano hierarchię dyzunicką, choć utrzymywała się nadal spora grupa ludności wyznająca na Ukrainie i Białorusi prawosławie. Ponieważ zgodnie z pokojem z 1686 r. metropolicie kijowskiemu przyznane zostało prawo zwierzchności nad prawosławiem w Rzeczypospolitej, podejmowane przeciwko dyzunii kroki miały w większym stopniu charakter polityczny czy społeczny niż religijny.

Ograniczenia uprawnień protestantów prowadziły do kurczenia się ich liczebności, szczególnie wśród szlachty. Gdy więc na przełomie XVI i XVII wieku w Rzeczypospolitej miało istnieć około 500 zborów kalwińskich, już w połowie XVII w. liczba ta spadła do około 240, a w wiek później nie przekraczała zapewne i 60. W luteranizmie, który obejmował przede wszystkim mieszczan i chłopów, spadek liczby zborów był znacznie mniejszy. Niemniej protestanci stanowili stale znaczącą część społeczeństwa Rzeczypospolitej, zwłaszcza że udało się znów doprowadzić do współdziałania między kalwinami, luteranami i braćmi czeskimi. Opierając się na traktacie oliwskim protestanci w razie narzucania im ograniczeń odwoływali się niejednokrotnie do przewidzianych w nim gwarantów. Historiografia niemiecka podkreślała szczególną pod tym względem rolę Prus, które przypisywały sobie pozycję protektora protestantyzmu w Rzeczypospolitej. Nie negując, że Prusy korzystały z każdej okazji, by w ten sposób mieszać się w wewnętrzne sprawy polskie, trzeba podkreślić, że — zwłaszcza w XVIII w. — protestanci starali się zyskać przede wszystkim pomoc Anglii, a w pewnej mierze i Holandii. Sprawy te wymagają dokładniejszego zbadania, podobnie jak związki miedzy polskim protestantyzmem a saskim w dobie unii personalnej.

Wymownym świadectwem zastrzeżeń, które istniały wśród protestantów w Rzeczypospolitej w stosunku do Prus, może być ich stosunek do pietyzmu. Kierunek ten zakładał odnowienie wewnętrzne luteranizmu, przeciwstawiając się skostnieniu oficjalnej teologii luterańskiej i domagając się zapewnienia wiernym większej swobody w interpretacji Biblii.

Pietyzm spotkał się z poparciem wśród polskiej ludności protestanckiej na Śląsku i w Prusach Wschodnich, tym bardziej że kładł nacisk na naukę i publikacje w języku ojczystym. Jednak fakt, że głównym jego ośrodkiem stało się należące do Hohenzollernów Halle i że obok propagandy religijnej pietyści oddawali usługi polityczne królom pruskim, przyczynił się do tego, że w Rzeczypospolitej pietyzm nie zapuścił głębszych korzeni. Szczególne wątpliwości obudził wśród mieszczaństwa Prus Królewskich. Nie znaczy to zresztą, by nie miał on wpływu na kształtowanie się ideologii wczesnego Oświecenia właśnie wśród tego mieszczaństwa.

Już z powyższych rozważań widać, że byłoby błędem przypisywanie szlachcie wyłącznej roli twórców kultury omawianej epoki. W XVIII w., po odbudowie ze zniszczeń wojennych, szczególnie ważna rola przypadła mieszczaństwu pomorskiemu. Zresztą na oderwanych od Polski ziemiach śląskich i pomorskich właśnie mieszczaństwo było w tym okresie najważniejszym motorem rozwoju kultury polskiej.

b. *Oświata i nauka*

Ugruntowanie się wpływów sarmatyzmu i kontrreformacji oraz słabości rozwoju kulturalnego Polski były w niemałym stopniu rezultatem obniżenia się poziomu szkolnictwa. Nie bez znaczenia był pod tym względem spadek zainteresowania Kościoła katolickiego sprawami edukacji po zwycięstwie nad reformacją. Decydujące chyba jednak były spustoszenia wojenne i wyczerpanie ekonomiczne kraju po wojnach z połowy XVII w. Dotychczasowe badania nie wyjaśniły jeszcze dokładnie tej sprawy, ale wydaje się, że szczególnie głęboki upadek szkolnictwa nastąpił właśnie w drugiej połowie XVII w. Natomiast w świetle badań Stanisława Litaka pierwsza połowa XVIII w. przyniosła poprawę pod tym względem. Wbrew panującym w dawniejszej nauce historycznej poglądom w połowie XVIII w. w samej diecezji krakowskiej działało około 375 szkół parafialnych, tzn. około 40% parafii miało własne szkoły. Jeżeli nawet przyjmie się, że poważną część wśród nich stanowiły szkoły w miastach i miasteczkach, to i tak liczba parafialnych szkół wiejskich tylko na obszarze diecezji krakowskiej przekracza liczbę przyjmowaną do niedawna dla wszystkich szkół parafialnych w Rzeczypospolitej w tym czasie. Nie należy jednak wyciągać z tego zbyt daleko idących wniosków. Nie wiadomo, w jakim stopniu sytuacja na tym obszarze odpowiada stosunkom w całej Rzeczypospolitej. Niewątpliwie też w porównaniu z przełomem XVI i XVII w. liczba szkół parafialnych była dwukrotnie niższa — nie zdołano więc odrobić strat, jakie nastąpiły w ciągu XVII w. Wreszcie poziom tych szkół może budzić wątpliwości. Szkoły katolickie już w XVII w. przeżywały stagnację — ich poziom był niższy niż w wielu innych krajach katolickich.

Mimo niskiego poziomu kolegiów, mimo że głównym ich celem było wychowanie młodzieży w duchu przywiązania do religii i wolności szlacheckich, nie można jednak lekceważyć znaczenia wzrostu ich liczby, głównie zresztą w XVIII w. Tak więc liczba kolegiów i rezydencji jezuickich wzrosła w okresie od 1634 do 1759 r. z 42 do 67. Kolegiów pijarów (sprowadzonych do Polski w 1642 r.) było w połowie XVIII w. około 30. Jakkolwiek poważniejsze reformy objęły średnie szkolnictwo dopiero od lat czterdziestych XVIII w., podwojenie się liczby kolegiów, które nastąpiło zapewne głównie w pierwszej połowie XVIII w., nie mogło pozostać bez wpływu na stan oświaty szlacheckiej. Jeżeli więc przyjmiemy, że zgodnie z danymi z kontraktów lwowskich w początkach XVIII w. niepiśmiennych było 28% magnatów i bogatej szlachty, 40% szlachty średniej, a drobnej aż 92%, to w połowie XVIII w. sytuacja ta zapewne przedstawiała się już inaczej. Zresztą nawet w początkach XVIII w. mogły występować pod tym względem różnice między poszczególnymi dzielnicami. W tym okresie oblicza się niepiśmiennych mieszczan na około 44%, co znów nie może odnosić się do wszystkich miast.

Stosunkowo dobrze rozwiniętą sieć szkół parafialnych miało szkolnictwo protestanckie. Nadal też dobrą sławą cieszyły się gimnazja, zwłaszcza w Gdańsku i Toruniu, jakkolwiek nowa myśl pedagogiczna przenikała do nich powoli. Dobry poziom osiągnęły natomiast polskie szkoły protestanckie na Śląsku. Szczególny rozgłos zdobyła sobie prowadzona w początkach XVIII w. przez pietystów szkoła w Cieszynie. Duże zasługi w upowszechnianiu dobrej polszczyzny miała także polska szkoła miejska we Wrocławiu, której nauczyciele ogłosili kilka podręczników do nauki języka polskiego.

Najdłużej okres stagnacji przeżywało szkolnictwo wyższe. Z krajowych uczelni korzystało głównie mieszczaństwo. Mimo istnienia obok Akademii Krakowskiej także Akademii Zamojskiej i dwu jezuickich — w Wilnie i przez krótki czas we Lwowie — kwitła w nich tylko scholastyczna teologia i filozofia; nieco prawa i medycyny uczono w Krakowie, ale na niskim poziomie. Kto ze szlachty czy zwłaszcza magnatów chciał się kształcić, wyjeżdżał więc za granicę, najczęściej do Włoch czy krajów habsburskich, rzadziej do Francji. Wyjeżdżano także na uniwersytety protestanckie, do Holandii, Anglii, oraz do Niemiec, gdzie najwięcej kształciło się mieszczan z Pomorza i Wielkopolski. Ściągała również słuchaczy z Polski założona w 1702 r. przez jezuitów Akademia Wrocławska.

Wobec niskiego poziomu wyższych uczelni i braku mecenasów, zainteresowanych badaniami naukowymi, trudno mówić o poważnym rozwoju nauki w tym czasie. W tej dziedzinie Polska nie zdołała dotrzymać kroku krajom Europy Zachodniej. Jedynie w paru ośrodkach miejskich utworzyły się niewielkie grupki miłośników wiedzy raczej niż badaczy, które starały się śledzić rozwój nauki europejskiej. W tych warunkach osiągnięcia były skromne. Świetnymi obserwacjami nieba za pomocą skonstruowanych przez siebie lunet, m.in. odrysowaniem powierzchni księżyca, zdobył sobie uznanie gdańszczanin Jan Heweliusz (1611 - 1687). Wśród jezuitów wyróżnili się jako matematycy i astronomowie Adam A. Kochański (1631 - 1700), współpracownik zasłużonego dla siedemnastowiecznych badań naukowych wydawnictwa lipskiego *Acta Eruditorum*, Stanisław Solski, który zasłynął ponadto jako specjalista mechaniki stosowanej i architekt, oraz Wojciech Tylkowski, choć jego *Uczone rozmowy*, swoista popularyzacja wiedzy encyklopedycznej, wykazywały, że w innych dziedzinach nie wykraczał daleko poza zdobycze scholastyki.

Natomiast dobrze rozwijała się historiografia, podporządkowana zresztą założeniom ideologii sarmackiej (por. cz. 1, s. 217). Szczególne zainteresowanie budził okres wojen z połowy XVII w. Pisali o nim regalista Wawrzyniec Jan Rudawski, Stanisław Temberski oraz Wespazjan Kochowski, który w wydanym po łacinie *Roczników Polskich klimakterach* najpełniej przedstawił poglądy szlacheckie na rządy Jana Kazimierza. Zmiany w charakterze badań historycznych, wzrost zainteresowania źródłami skłoniły Andrzeja Chryzostoma Załuskiego do ogłoszenia zbioru korespondencji i aktów dotyczących czasów Jana III i początków XVIII w. Zbiór swój ogłosił wszakże po łacinie: *Epistolarum historico-familiares* (t. I - III — 1709 - 1711, t. IV — 1761). Ponieważ zbiór ten nie został dotychczas poddany gruntownemu zbadaniu, nie wiadomo, jak dalece tłumaczone w znacznej części teksty uległy przekształceniu. Najznamienitszym wszakże dziełem historycznym tej epoki stał się herbarz Kaspra Niesieckiego *Korona Polska* (Lwów 1740), zestawiający na podstawie starannych kwerend informacje o polskich rodzinach szlacheckich.

Studia prawnicze wzbogaciły się o teoretyczne badania nad państwem Aarona Aleksandra Olizarowskiego, *De politica hominum societate libri tres* (Gdańsk 1651). W dziele tym znalazły się nie tylko rozważania nad charakterem państwa polskiego (którego nie uważał za demokratyczne, skoro władzę w nim sprawowała tylko szlachta, a nie wszyscy obywatele, do których zaliczał także plebejów), ale również wnioski co do ułożenia stosunków między panem a chłopami; jego zdaniem powinny się one opierać na dwustronnych zobowiązaniach. Ukazało się również kilka podręczników polskiego prawa publicznego — najdokładniejszy z nich ogłosił Jan Hartknoch (1678).

Myśl społeczna i polityczna nie wyszła daleko poza postulaty poprzedniego okresu. Wprawdzie w swych *Satyrach albo przestrogach do naprawy rządu i obyczajów w Polszcze należących* (1650) Krzysztof Opaliński narzekał na upadek ducha publicznego i na ucisk chłopa, przestrzegając, że popchnie on poddanych do powstania, wprawdzie wstawiał się za mieszczanami Andrzej Maksymilian Fredro (jakkolwiek w swym poczytnym zbiorze aforyzmów *Przysłowia mów potocznych* (1658) bronił republikanizmu szlacheckiego, byle oświeconego), ale głosy te nie napotkały szerszego oddźwięku. Większą wziętością cieszyło się *Palatium reginae Libertatis*, dzieło jezuity Walentego Pęskiego, broniące złotej wolności i praw szlacheckich. Powtarzające się klęski wojenne przyniosły nieco więcej poważniejszych rozważań nad sposobami naprawy Rzeczypospolitej. Na liczne niedomogi państwa szlacheckiego zwrócił uwagę magnat Stanisław Herakliusz Lubomirski w swym dziele *De vanitate consiliorum* (1699). Wbrew tytułowi i powtarzanym często ocenom autor nie zajął w nim stanowiska skrajnie pesymistycznego, ale wskazał na różne sposoby wyprowadzenia Polski z rozstroju, w którym się znalazła, m. in. podkreślając ujemne skutki nadmiernego obciążenia chłopów czy mieszczan. Lubomirski był zwolennikiem wzmocnienia pozycji organów centralnych. Brakowało jednak w Rzeczypospolitej w tym czasie głosów zdecydowanie proabsolutystycznych — jeśli pominie się anonimowego autora *Wolności polskiej, rozmową Polaka z Francuzem roztrząśnionej* (1732), być może podkanclerzego Jana Lipskiego. Natomiast w początkach XVIII w. z projektami reform republikanckich, zmierzających do usprawnienia sejmu i wzmocnienia jego władzy, wystąpili Stanisław Szczuka i Stanisław Dunin-Karwicki (por. cz. 1, s. 269). Domagali się także niezbędnych wtedy reform skarbowo-wojskowych, nie łącząc jednak tych przemian ustrojowo-politycznych ze społecznymi. Tego rodzaju postulaty wysunęli dopiero pisarze wczesnego Oświecenia.

W ciągu pierwszej połowy XVIII w. wzrastało zainteresowanie problemami naukowymi wśród szlachty i mieszczaństwa. Większość jednak nie zaglądała do dzieł naukowych, ale szukała bardziej przystępnych publikacji. Jako środek popularyzacji wiedzy służyły wtedy przede wszystkim kalendarze, które zawierały informacje z najrozmaitszych dziedzin — niekiedy całkowicie przestarzałe i bajeczne, niekiedy jednak uwzględniające nowsze zdobycze nauki. Tego rodzaju zainteresowania skłoniły Benedykta Chmielowskiego do ogłoszenia encyklopedii *Nowe Ateny albo Akademija wszelkiej scyencyjej pełna* (Lwów 1745 - 1746). Mimo starań księdza Chmielowskiego dzieło było znacznie opóźnione w stosunku do stanu ówczesnej wiedzy, zawierało dziwne przemieszanie nowych ustaleń i wartościowych spostrzeżeń z bezkrytycznie przejmowanymi przestrzałymi informacjami i wstecznymi poglądami zaczerpniętymi wprost z wiedzy średniowiecznej. Godząc się z podniesionymi ostatnio zastrzeżeniami Stanisława Grzybowskiego co do traktowania dzieła Chmielowskiego jako wykwitu ciemnoty, trudno jednak dostrzec w nim coś innego niż kwintesencję wiedzy i mądrości sarmackiego Baroku.

Stosunkowo chętnie posługiwała się natomiast szlachta podręcznikami wiedzy rolniczej. Ukazało się ich kilka od końca XVI w., publikowano też podręczniki o chowie koni, pszczelnictwie itp. Pełną wiedzę encyklopedyczną w tym zakresie dał Jakub Kazimierz Haur w wielokrotnie przedrukowanej księdze *O ekonomice ziemiańskiej generalnej* (1675), obejmującej technikę produkcji gospodarstwa rolnego.

Wreszcie informacje o bieżących wydarzeniach przyzwyczajano się czerpać z prasy. Początkowo były to gazetki pisane, krążące po kraju. W XVII w. opublikował wprawdzie Hieronim Pinocci pierwsze polskie czasopismo „Merkuriusz Polski Ordynaryjny" (1661), wydawano je jednak tylko przez rok. Potem ukazywały się sporadycznie drukowane gazety, m. in. w latach 1718 - 1720 drukarz polski Jan Dawid Cenkier w Prusach Książęcych wydawał „Pocztę Królewiecką". Dopiero od 1729 r. pijarzy, a po nich jezuici wydawali stałą gazetę „Kurier Polski", zbierającą informacje o najważniejszych wydarzeniach krajowych i zagranicznych.

Literatura piękna doby Baroku nie może się wprawdzie poszczycić wielu dziełami ani pisarzami sięgającymi najwyższego ówczesnego poziomu literatury europejskiej, przyniosła ona jednak sporo nowych rodzajów literackich i nową tematykę. Niebywale rozwinęła się, przybierając nieraz formy monstrualne, epika — głównie religijna, ale także historyczna i fantastyczna. Obok najczęstszej formy wierszowanej występuje również pisana prozą powieść. Dalszemu rozwojowi uległa sielanka; tematyka sielankowo-pastoralna dominuje zwłaszcza w romansie. W poezji dobrze reprezentowana była także liryka, szczególnie religijna i miłosna. Szczerość wyrażanych uczuć zbyt często wszakże ustępowała miejsca wyszukanej formie. Zresztą to rozmiłowanie w kwiecistej formie charakteryzuje całą niemal twórczość literacką, gubiącą się w balaście słownym, nieraz wyszukanym, ale na ogół przyciężkim, zdradzającym nie najlepszy smak artystyczny pisarza.

Powstawały te utwory najczęściej nie w wyrafinowanej atmosferze dworu królewskiego, którego mecenat nie odgrywał w tym czasie poważniejszej roli dla literatury, ale we dworach magnackich i szlacheckich, w klasztorach, rzadziej w podupadłych miastach. Procesy dezyntegracyjne, które objęły całe społeczeństwo, odbiły się w ten sposób na stanie literatury: obfitość produkowanych dzieł rzadko nadążała za jakością, wiele z nich zresztą nie było przeznaczonych do druku. Surowa cenzura kościelna, z którą musieli się liczyć i najwybitniejsi, odstręczała od publikowania. Nadmiar gorliwości pod tym względem wydał fatalne owoce. Ukazywało się drukiem sporo miernych utworów, wiele lepszych pozostało w rękopisach. Właśnie w drugiej połowie XVII i w początkach XVIII w. sytuacja przedstawiała się pod tym względem najgorzej i dopiero trud badaczy, wykrywający zapomniane, zostawione w rękopisach utwory, pozwolił dostrzec w tej literaturze wartości, o których współcześni czy najbliższe im pokolenia nawet nie wiedziały.

W ramach tych tendencji i warunków rozwijały się różnorodne nurty twórczości. Najsilniej do wzorów zachodnioeuropejskich nawiązywał konceptyzm, który starał się oddać urodę życia, a szczególną wagę przywiązywał do starannego wyszlifowania formy. Najwybitniejszym przedstawicielem tego kierunku był Jan Andrzej Morsztyn (ok. 1613 - 1693), magnat przez długi czas związany z dworem królewskim. Tematyka jego poetyckich utworów, zebranych zarówno w opublikowanym współcześnie tomie *Kanikuła albo Psia gwiazda* (1647), jak i pozostałych w rękopisie w zbiorze *Lutnia*, obracała się głównie wokół spraw dworskich i miłości. Był również Morsztyn znakomitym tłumaczem, m. in. dokonał doskonałego tłumaczenia *Cyda* P. Corneille'a, który wystawiony został w Zamku Warszawskim w 1662 r.

Szeroką, aczkolwiek rodzimą falą płynęła twórczość średnioszlachecka, ulegająca wyraźnie wpływom sarmatyzmu i religiactwa. Nie brakowało w niej nurtu realistycznego, krytycznie ustosunkowującego się do rzeczywistości. Najalepiej reprezentuje go dwu poetów pochodzących z Krakowskiego, związanych z arianizmem. Pierwszy z nich, Zbigniew Morsztyn (ok. 1628 - 1689), żołnierz, który połowę swego życia musiał spędzić na wygnaniu w Prusach Książęcych, spisał w swym zbiorze wierszy *Muza domowa* trudy i niebezpieczeństwa życia żołnierskiego. Natomiast drugi, najwybitniejszy chyba poeta polski tej doby Wacław Potocki (1621 - 1696), przyjął katolicyzm i pozostał w kraju. Jego rozterki duchowe, ale także kłopoty rodzinne i gospodarskie, czy szerzej blaski i cienie życia szlachcica-ziemianina, znalazły odbicie w licznych wierszach, zebranych przez niego w *Ogrodzie fraszek* i w *Moraliach*. Pod wrażeniem zagrożenia ze strony Turcji Potocki napisał swe najbardziej znane dzieło — epopeję *Transakcja wojny chocimskiej* (1670), przedstawiające obronę przed Turkami w 1621 r. Wreszcie jego *Poczet herbów* (1683 - 1696) stanowi wielki wierszowany opis przemian stanu szlacheckiego: od rycerskości do hreczkosiejstwa. Potocki przeżywał głęboko niesprawiedliwości, które widział w otaczającym go społeczeństwie, nietolerancję, ucisk i poniżenie chłopa, nadużywanie złotej wolności. Był przekonany o wartości ustroju państwa szlacheckiego, ale zarazem dostrzegał, że pogrążająca się w rozstroju „Rzeczpospolita ginie". Tego rodzaju obaw nie podzielał gloryfikator sarmatyzmu i katolicyzmu Wespazjan Kochowski (1633 - 1700), średni szlachcic z Sandomierskiego. Trudności z cenzurą, jakie miał przy publikowaniu swego zbioru liryk i fraszek *Nieprożnujące prożnowanie* (1674), skierowały go na drogę twórczości religijnej i historycznej. Napisał więc *Roczników Polskich klimaktery*, a u schyłku życia swe najlepsze dzieło *Psalmodię polską* (1695), w którym w stylizowanej biblijnej formie przedstawił swe poglądy na sens życia ludzkiego i misję polskiego „narodu szlacheckiego". Kochowski nie krył degeneracji społeczeństwa szlacheckiego, ale wyrażał przekonanie, że dzięki specjalnej opiece boskiej naród wybrany zdoła się odrodzić.

W prozie wysoki poziom pisarstwa osiągnęli pamiętnikarze tej doby. Żaden jednak z nich nie może się równać z Janem Chryzostomem Paskiem (1636 - 1701), którego opisy perypetii wojennych z połowy XVII wieku mają niewiele sobie równych w całej ówczesnej literaturze europejskiej.

Literatura mieszczańska czy plebejska tej doby ledwie wegetuje. Brak pisarzy wybitnych, a dzieła ukazują się rzadko. Liczniejszy materiał zachował się dotychczas w rękopisach — obecny stan badań nie pozwala na jego pełniejszą klasyfikację i ocenę. Odnosi się to również do czasów saskich, zwłaszcza do pierwszych dziesięcioleci XVIII w. Nie znaczy to bynajmniej, by panegiryki i piśmiennictwo religijne, przeważające wśród publikacji tego okresu, odbijały faktyczne zainteresowania pisarzy tej doby. Z rękopisów widać, że stosunkowo dobrze rozwijała się nadal publicystyka polityczna. Paulina Buchwald-Pelcowa przypomniała niedawno satyrę tego okresu, wśród której nie brak utworów trafnie atakujących niedomogi ówczesnego społeczeństwa, jak np. poemat *Małpa-człowiek*, surowo krytykujący wszystkie stany. Większość utworów tej doby ma jednak charakter epigoński, powraca do spraw dawno już poruszanych w literaturze Baroku i posługuje się utrwalonymi w XVII w. formami. Epigonizm ten pociągnąć się miał zresztą nader długo, poza połowę XVIII w. Znajdzie on odbicie jeszcze w przesadnie ośmieszanych wierszach Józefa Baki. Ale główny nurt literacki będzie się w tym czasie kierować już ku innym problemom.

W tym okresie udziwnienia i ukwiecenia język polski przybrał wiele słów cudzoziemskich. Co gorsza — pod wpływem nauki szkolnej wykształcił się zwyczaj wprowadzania wtrętów łacińskich do języka polskiego, nadawania łacińskich form gramatycznych wyrazom polskim i odwrotnie, wzorowania się na stylistyce łacińskiej. Ten makaronizm językowy, dość powszechnie występujący zresztą i w ówczesnej niemczyźnie, niesłychanie zaśmiecił całe piśmiennictwo tego okresu, jakkolwiek trudno nie przyznać, że zapożyczenia łacińskie wpłynęły i na wzbogacenie i uściślenie języka polskiego. Niewielu tylko pisarzy umiało się ustrzec przed makaronizowaniem — zresztą w XVIII w. prace naukowe, a także znaczna część dzieł politycznych były publikowane po łacinie. Dopiero w połowie XVIII w. wystąpienia Stanisława Konarskiego i Franciszka Bohomolca zapoczątkowały oczyszczenie z łacińskich naleciałości mowy polskiej.

Teatr rozwijał się w omawianym okresie w ramach przygotowanych w dobie wczesnego Baroku. Dużą rolę odgrywał nadal teatr dworski, który utrzymał się za panowania Jana Kazimierza, mimo zmiennych losów wojennych, a w dobie Jana III uległ ponownej stabilizacji. Przedstawienia teatralne odbywały się wówczas nie tylko w Warszawie, ale także w rezydencjach monarchy w Jaworowie i Żółkwi. Miłośnikiem teatru był również August II. Na jego polecenie zbudowano w Warszawie kilka sal teatralnych. Osobny budynek teatralny wzniósł w 1748 r. w Warszawie August III. Teatr dworski opierał się głównie na trupach zagranicznych. Sprowadzano je najczęściej z Włoch, ale także z Francji i Niemiec. Największym powodzeniem cieszyły się sztuki włoskie, jakkolwiek wiadomo o wystawianiu również współczesnych sztuk francuskich. Podobny charakter miały coraz liczniejsze teatry zakładane na dworach magnackich. Wiadomo o istnieniu co najmniej 10 scen magnackich w czasach saskich. Na wyróżnienie zasługuje teatr pałacowy w Ujazdowie pod Warszawą Stanisława Herakliusza Lubomirskiego, gdzie odbywały się zapewne przedstawienia i oryginalnych komedii pisanych przez tegoż magnata, oraz teatr w Podhorcach, gdzie w połowie XVIII w. wystawiał swe sztuki historyczne hetman polny Wacław Rzewuski.

Z jezuickim teatrem szkolnym, który dysponował nadal największą liczbą scen i dobrym wyposażeniem technicznym oraz repertuarem, uwzględniającym (przynajmniej przez intermedia) potrzeby miejscowego widza, zaczęły konkurować teatry szkolne teatynów i pijarów. Nadal także odbywały się misteria związane z Męką Pańską i Bożym Narodzeniem. Właśnie z początków XVIII w. pochodzi znane misterium *Rozmowa pasterzów przy Narodzeniu Chrystusowym*, posługujące się dialektem ludowym i wykorzystujące muzykę na instrumentach używanych przez ludowe kapele (dudy, skrzypce, basy). Swoistą formę teatru stanowiły także szopki, w których wprowadzano elementy teatru kukiełkowego.

W muzyce polskiej tej doby trwały nadal, podobnie jak w całej Europie, silne wpływy włoskie. Utrzymywało się poprzednie podporządkowanie potrzebom kościelnym. W kościołach nadal wprowadza się organy, częściowo budowane w kraju. Najdoskonalszym ich przykładem są zachowane do dzisiaj organy u bernardynów w Leżajsku, dzieło Jana Głowińskiego z 1682 r. Działały też przy kościołach i klasztorach liczne kapele i chóry. Wybitni kompozytorzy tej doby tworzyli głównie dzieła religijne. Jeden z najsłynniejszych z nich, Bartłomiej Pękiel (zm. ok. 1670), pierwszy wniósł na grunt polski zasadę monodii z akompaniamentem (tj. samoistności melodycznej jednego górnego głosu, dla którego pozostałe głosy tworzą tylko akompaniament). Rozwinął również technikę polifoniczną. Pękiel komponował pierwszy w Polsce kantaty. Jego msze a capella zawierają elementy melodyki kolędowej, co podkreśla ich rodzimy charakter. Z muzyki świeckiej pozostało po nim trochę utworów tanecznych na lutnię.

Muzyka świecka nie zanikła przy tym całkowicie. Wiadomo o istnieniu licznych kapel na dworach królewskich, a także magnackich. Instrumenty muzyczne wędrowały także pod dachy dworków szlacheckich. Wśród utworów kompozytorów polskich tej doby trafiają się dzieła znakomite, jak sonata na dwoje skrzypiec i basso continuo Stanisława Sylwestra Szarzyńskiego z końca XVII w., zawierająca elementy sonaty przedklasycznej. Rozwijała się także muzyka ludowa, w której krystalizują się jej typowe właściwości rytmiczne i melodyczne — zwłaszcza mazura. Badania nad muzyką polską tej doby są dopiero w toku; ostatnie lata przyniosły nowe odkrycia w tej dziedzinie, które pozwalają ocenić rozwój barokowej muzyki polskiej o wiele wyżej, niż to dotąd czyniono.

Muzykę operową uprawiano nadal na dworze królewskim i na niektórych dworach magnackich. W XVIII w. wystawiano systematycznie opery i balety w Warszawie, w teatrze dworskim Augusta II i jego syna. Występowały trupy obce, włoskie i niemieckie, powoli rozbudzające zamiłowanie do tej formy muzycznej nie tylko wśród dworzan, ale i wśród mieszczaństwa warszawskiego, któremu udostępniono te przedstawienia. Opery wystawiano również w rezydencjach magnackich. Niekiedy wykonywano je siłami amatorskimi, choć starano się także sprowadzać śpiewaków z zagranicy.

Doskonałe odbicie znalazł barok w architekturze polskiej. Obok silnych wpływów włoskich krzyżowały się tutaj i holenderskie, i północnoniemieckie, i coraz mocniejsze francuskie. Stapiały się one w całość z rodzimymi tendencjami, dając oryginalną polską postać baroku. Głównym mecenasem była magnateria i Kościół. Patrycjat miejski od połowy XVII w. nie odgrywał już poważniejszej roli. Powstawały wspaniałe rezydencje i kościoły, a zniszczenia wojenne dodały bodźca do przekształcenia dawnych budowli w stylu barokowym.

W drugiej połowie XVII i w XVIII w. liczne były fundacje kościelne i klasztorne. Wzorowały się one najczęściej na baroku rzymskim, na jego formach wykształconych przez Fr. Borrominiego. Podziw miała budzić wspaniała fasada, uzyskująca obecnie linię falistą, ozdobiona często dwoma wieżycami, oraz panująca nad budynkiem kopuła. Uwaga wiernych miała się dzielić między imponujący rozmiarami ołtarz i kazalnicę, z której kaznodzieja miał panować nad zebranymi. Przykładem takiego kościoła może być kościół jezuicki w Poznaniu czy Św. Anny w Krakowie. Wnętrza kościołów były bogato dekorowane — rozwinęła się szczególnie dekoracja stiukowa, której najwspanialsze okazy zachowały się w kościele bernardynów na Czerniakowie czy w kościele na Antokolu wileńskim. Podporządkowane zdobnictwu było także malarstwo, pokrywające sklepienia i uciekające się często do efektów iluzjonistycznych.

W budownictwie świeckim następował powoli odwrót od form monumentalnych do bardziej intymnych. Wspaniałym przykładem monumentalnego budownictwa barokowego był wystawiony w drugiej połowie XVII w. przez architekta Tylmana z Gameren pałac Krasińskich w Warszawie. Już jednak w tym okresie rozpoczęła się budowa pałaców, które bardziej były przystosowane do potrzeb życia codziennego, do stworzenia wygodniejszych warunków bytowania. W Warszawie powstał nowy typ pałacu-dworu, który zachował charakter mieszkalny dworku szlacheckiego, wprowadzając elementy monumentalności w reprezentacyjnej sali na osi wejściowej, we wspaniałości elewacji i w przepychu dekoracji. Najwcześniejszym wzorem takiego budownictwa stał się pałac Jana III w Wilanowie, zbudowany przez Polaka włoskiego pochodzenia, Augustyna Locci. W ten sposób powagę i dostojność pełnego baroku wyparła fantazja, miękka i płaska linia rokoka — miejsce sal i komnat zajęły salony i buduary. Styl ten miał zatriumfować pod rządami Wettinów. W stylu rokoko polecił August II przebudować stary pałac Bielińskich na pałac Saski z Ogrodem Saskim, ozdobionym rzeźbami, altanami i pawilonami. Na tych przykładach wzorowało się wiele rezydencji magnackich w restaurowanej po zniszczeniach wojny północnej Warszawie, a także w dobrach magnackich. Przykładem może być zbudowany przez Jakuba Fontanę pałac Potockich w Radzyniu, w ziemi łukowskiej, pałac w Laszkach Mniszków czy w Białymstoku Branickiego. Pałace te nie miały już charakteru obronnego, od otoczenia izolowały je parki i ogrody z kunsztownie zestawianymi kobiercami kwiatów, ze strzyżonymi drzewami i krzewami oraz sztucznymi dekoracjami.

Bardzo ciekawie prezentowało się budownictwo drewniane. Ugruntował się nie tylko typ polskiego dworu szlacheckiego drewnianego, ale także kościołów. Kościoły drewniane trzymały się stosunkowo mocno tradycji z czasów Odrodzenia, choć nie brakło i prób przeniesienia do nich form murowanej architektury barokowej. Budowniczowie byli z zasady miejscowego pochodzenia. Znane są liczne nazwiska tych mistrzów ciesielskich, którzy — jak np. Marcin Snopek, budowniczy kościoła w Oleśnie — sięgali poza granice Rzeczypospolitej, tam gdzie utrzymywała się mowa polska.

Rzeźba barokowa odgrywała raczej rolę pomocniczą, wypełniając monumentalne wnętrza, ozdabiając fasady i portale. Oryginalnych rzeźbiarzy polskich było zresztą niewielu. Do najwybitniejszych należał Jan Urbański, którego twórczość związana była głównie z Wrocławiem. Dopiero też w XVIII w. częściej zaczęły się pojawiać posągi stojące osobno przed budynkami czy w parkach.

W malarstwie większą rolę odegrał mecenat Jana III, który chętnie gromadził wokół siebie artystów, zdolnych przekazać sceny historyczne związane z sukcesami króla czy portretujących monarchę i jego rodzinę. Do najwybitniejszych w tym gronie należał nadworny malarz króla Jerzy Eleuter Siemiginowski i Jan Tricjusz. Sprowadzali także malarzy na swój dwór Wettini, działali oni jednak głównie w Dreźnie. Gdy do Polski przybywali malarze z Włoch czy z Niemiec, niejeden polski malarz wędrował za granicę, jak arianin Bogdan Lubieniecki czy jego brat Krzysztof, którzy działali na terenie Niemiec i Holandii, malując obrazy historyczne, krajobrazy i sceny rodzajowe. Siłą rzeczy rozwijało się także malarstwo religijne — najznakomitszym jego przedstawicielem był działający dopiero w XVIII w. Szymon Czechowicz. Opierał się wprawdzie na wzorach rzymskiego eklektyzmu, ale odznaczał się przy tym dużym wyczuciem barwy. W tematyce tego malarstwa można zaobserwować pewien nawrót do koncepcji średniowiecznych; charakterystyczne były elementy makabryczne, jak taniec śmierci, nierzadkie zresztą w ówczesnej Europie.

Typowe dla sarmatyzmu było malarstwo portretowe na zamówienie tak ze strony średniej szlachty, jak i magnaterii. Portrety te, przeważnie dzieła anonimowych malarzy, znamionowało krytyczne spojrzenie na model, wierność portretowa i ostrość charakterystyki, mimo pewnej konwencjonalności ujęcia. Niekiedy wszakże były to postacie zmyślone, panowała bowiem moda na szczycenie się galeriami przodków, którzy dokumentowali świetność rodu. Przy uroczystych obchodach pogrzebowych potrzebny był również portret trumienny — i w tym zakresie obok wielu przeciętnych zdarzały się dzieła znakomite. W sumie ten portret „sarmacki" stanowił jedno z najbardziej oryginalnych zjawisk w sztuce polskiej tego okresu.

Jakkolwiek Barok nie przyniósł już tylu dzieł świetnych co czasy Odrodzenia, to jednak kultura polska zachowała do początków XVIII w. swe siły atrakcyjne. Polska nadal pełniła rolę pośrednika w rozprzestrzenianiu się nowych osiągnięć kulturalnych między Wschodem a Zachodem. Nie chodzi przy tym tylko o terytoria, które znalazły się w ramach Rzeczypospolitej, o Litwę, Białoruś, Ukrainę, częściowo Inflanty, ale także o kraje sąsiednie, które przez dłuższy lub krótszy czas znajdowały się pod urokiem kultury polskiej. Język polski stał się w tym czasie językiem międzynarodowym, używanym w dyplomacji południowo-wschodniej Europy przez Tatarów, Rosjan, Wołochów i Mołdawian. Zresztą to znaczenie języka polskiego sięgało i na Zachód. Także Niemcy w XVII w. z terenów Śląska, Pomorza, Saksonii, Brandenburgii chętnie uczą się języka polskiego. W Tybindze w 1677 r. nie wahano się nawet twierdzić, z wyraźną przesadą, że najważniejszym z żywych języków po języku niemieckim jest polski. Powszechnie zdarzali się Rusini, Mołdawianie i Niemcy, którzy ogłaszali drukiem swe polskie utwory. W Moskwie w pewnych okresach, np. za regencji Zofii Aleksiejewny, język polski, strój i obyczaj były przyjmowane przez dwór.

Ta siła oddziaływania kultury polskiej stanowiła ważny element w procesie asymilacyjnym obcej etnicznie ludności w Rzeczypospolitej. Właśnie w XVII w. nastąpiła polonizacja większości szlachty litewskiej i znacznej części ruskiej. O wiele już słabiej sięgały te procesy do mieszczaństwa, a jeszcze słabiej do chłopstwa. W ten sposób pozornie nastąpiło ujednolicenie językowe i kulturalne Rzeczypospolitej, gdy w rzeczywistości nie wychodziło ono daleko poza klasę panującą. Lekceważenie okazywane plebejom prowadziło ponadto do zapominania o nieszlacheckiej ludności polskiej, zamieszkującej tereny śląskie i pomorskie nie należące do Rzeczypospolitej. Więź kulturalna tych terenów z innymi ziemiami polskimi uległa w tym czasie osłabieniu, rozwijająca się na nich kultura polska miała bardziej samoistny charakter, nie łączyła się równie ściśle w integralną całość z kulturą polską jak w wiekach poprzednich. W rezultacie w dobie Baroku ugruntowało się przekonanie o decydującej sile polszczyzny na wschodnich kresach Rzeczypospolitej przy jednoczesnym osłabieniu więzów z faktycznie polską ludnością spoza granicy. Wytworzyło to trwałe resentymenty w psychice szlachty polskiej, które utrzymując się w okresie kształtowania się nowoczesnego narodu polskiego utrudniały mu znalezienie właściwego miejsca wśród otaczających go narodów.

d. Wczesne Oświecenie

Ostatnie ćwierćwiecze omawianego okresu były to, jak wspomniano, lata przejściowe, kiedy obok silnych jeszcze elementów sarmacko-barokowych kształtowały się podstawy kultury Oświecenia. Wprawdzie już Jędrzej Kitowicz dostrzegł to zjawisko, gdy starał się zostawić opis ginącej obyczajowości sarmackiej, ale późniejsi badacze skłonni byli lekceważyć wszystko, co się działo w pogardzanych od wystąpień Hugona Kołłątaja czasach saskich. Dopiero ostatnie badania umożliwiły zasadniczą rewizję tych poglądów i doprowadziły do uwydatnienia roli wczesnego Oświecenia. Najpełniejszy obraz dokonywających się wtedy przemian dał Mieczysław Klimowicz w swym *Oświeceniu*.

Gdy ideologia i wzory Oświecenia dotarły do Polski, był to już prąd w pełni rozwinięty w Europie Zachodniej, zwłaszcza w Anglii i Francji. U podłoża jego leżała wiara w potęgę rozumu ludzkiego, który wyzwolony z krępujących do dogmatów scholastycznych miał stać się głównym źródłem poznania. Na racjonalistycznych przesłankach zamierzano oprzeć nową moralność, by otworzyć drogę do sprawiedliwej organizacji społeczeństwa. Przeprowadzana gruntowna krytyka dotychczasowych stosunków, która skierowała się głównie przeciwko przywilejom stanowym i Kościołowi, miała ułatwić to zadanie.

Idee wczesnego Oświecenia przenikały do Polski różnymi drogami. Nie bez znaczenia była gallomania Augusta II i Stanisława Leszczyńskiego, z których pierwszy propagował kulturę francuskiego klasycyzmu i rokoka, a drugi przyczyniał się do rozprzestrzeniania francuskiej myśli społecznej i filozoficznej. Nie bez znaczenia było także oddziaływanie protestanckiego mieszczaństwa Prus Królewskich, które okazało się podatne na akceptowaną częściowo przez luteranizm filozofię racjonalistyczną. Wreszcie w paradoksalny sposób sączyła się ta ideologia przez włoskie studia kleru — katolicyzm bowiem również nie mógł się oprzeć naciskowi myśli racjonalistycznej i właśnie co światlejsi duchowni włoscy próbowali wykorzystać ją dla pogodzenia rosnących rozbieżności między wiedzą a wiarą. Przejawiało się to m. in. w przyjmowaniu eklektycznej filozofii protestanckiego uczonego Chrystiana Wolffa, głoszącego umiarkowany racjonalizm, który uniezależniał nauki ścisłe i przyrodnicze od wpływów teologii. Filozofia Wolffa odegrała istotną rolę w kształtowaniu się wczesnego Oświecenia w Niemczech, m. in. w Saksonii. Stała się również źródłem inspiracji tak dla protestanckich, jak i katolickich kręgów zwolenników Oświecenia w Polsce.

Podstawowym problemem Oświecenia było podniesienie poziomu wykształcenia i upowszechnienie oświaty — był to zasadniczy warunek powodzenia postulowanych przemian w organizacji społeczeństwa. Była już mowa o wzroście liczby szkół w Rzeczypospolitej w pierwszej połowie XVIII w. Zasadnicze znaczenie miało wszakże unowocześnienie szkolnictwa i postawienie przed nim nowych zadań wychowawczych. Chodziło o przygotowanie obywatela świadomego swych zadań i obowiązków społecznych i politycznych. Związane z tym musiały być i zmiany programowe — położenie większego nacisku na nauki ścisłe i przyrodnicze, na naukę języków nowoczesnych, na historię ojczystą i te przedmioty, których znajomości wymagały potrzeby ówczesnego życia. Pierwsze próby reform szkolnych podjęli w latach trzydziestych w swych nielicznych w Polsce kolegiach teatyni. Za granicą, w Luneville, szkołę rycerską dla szlachty polskiej i lotaryńskiej założył Stanisław Leszczyński. Przełomową wszakże rolę odegrała inicjatywa Konarskiego. Stanisław Konarski (1700 - 1773) pochodził ze średnioszlacheckiej rodziny z Sandomierskiego. Po wstąpieniu do zakonu pijarów wykładał w ich kolegiach, po czym w 1725 r. udał się do Rzymu, gdzie najpierw studiował w Collegium Nazarenum, a potem był w nim nauczycielem. Do kraju powrócił przez Francję, Niemcy i Austrię, po czym oddał się pracy pedagogicznej i naukowej. Rozwinął również żywą działalność publicystyczną. W czasie wojny o tron polski bronił sprawy Leszczyńskiego. W 1740 r. Konarski założył w Warszawie Collegium Nobilium. Była to szkoła średnia o wysokim poziomie, przypominająca liczne w tym czasie w Europie szkoły rycerskie, przeznaczona zresztą dla młodzieży szlacheckiej i magnackiej. Program odpowiadał potrzebom modernizacji, a głównym celem wychowawczym stało się wdrożenie poczucia obowiązku obywatelskiego wobec interesów Rzeczypospolitej. Na odbywających się sejmikach uczniowskich dyskutowano więc nad wadami ustroju i możliwościami jego naprawy, a teatr szkolny stawiał wzory postaw heroicznych. Sam Konarski napisał dla niego w tym celu sztukę *Tragedia Epaminondy*. Wystawiano także dzieła klasyków francuskich oraz — co charakteryzuje stosunek do nowej ideologii — tragedie Woltera.

Jakkolwiek wprowadzone przez Konarskiego innowacje wywołały zastrzeżenia zarówno w jego własnym zakonie, jak szczególnie ze strony jezuitów, Collegium Nobilium stało się wzorem nowej szkoły. W 1754 r. zostały zreformowane wszystkie pozostałe kolegia pijarskie; wkrótce w ślad za nimi poszło i szkolnictwo jezuickie. Rozpoczęto przygotowywanie nowych podręczników oraz uczyniono pierwsze kroki w kierunku doskonalenia fachowego nauczycieli. W dziedzinie teatru szkolnego kontynuował poczynania Konarskiego jezuita Franciszek Bohomolec, który nie tylko dokonał gruntownej rewizji przestarzałego repertuaru, ale sam napisał (czy raczej przetłumaczył i przerobił) dwadzieścia kilka komedii według najlepszych wzorów ówczesnych.

W ten sposób zapoczątkowana została przebudowa szkolnictwa, jedno z najważniejszych osiągnięć epoki Oświecenia. Jednocześnie niemal położone zostały podstawy pod rozwój nowoczesnej nauki. Wielkimi mecenasami nauki stali się w tym czasie Andrzej Stanisław Załuski (1695 - 1754), kanclerz wielki koronny i biskup krakowski, oraz jego brat Józef Jędrzej Załuski (1702 - 1774), biskup kijowski. Byli oni zwolennikami filozofii Wolffa, którego Andrzej Stanisław starał się nawet sprowadzić do Krakowa w celu podniesienia poziomu Akademii. Założyli oni obaj w Warszawie Bibliotekę, otwartą w 1747 r. i udostępnioną szerszej publiczności. Była to jedna z największych bibliotek w ówczesnej Europie, liczyła ponad 300 tys. tomów i 10 tys. rękopisów. Józef Jędrzej Załuski skupił wokół siebie uczonych, przy pomocy których podjął trud przypomnienia osiągnięć kulturalnych Polski, przede wszystkim z okresu Odrodzenia. Wraz ze swym sekretarzem Janem Danielem Janockim położył też podstawy pod rozwój polskiej bibliografii. Zajmował się ponadto historią (m. in. poddał krytyce jeden z mitów „sarmackich" o tzw. rokoszu gliniańskim), a nawet pisywał wiersze i tłumaczył sztuki teatralne.

Załuscy zainicjowali również wiele akcji wydawniczych. Tak więc przyczynili się do podjęcia przez Stanisława Konarskiego wielkiego dzieła opublikowania konstytucji sejmowych, zebranych w *Volumina legum*. Inny pijar, historyk Marcin Dogiel, rozpoczął wydawanie zbioru polskich traktatów międzynarodowych (dzieło nie ukończone do dnia dzisiejszego). Andrzej Stanisław Załuski otoczył opieką najwybitniejszego historyka w Rzeczypospolitej tej doby, gdańszczanina Gotfryda Lengnicha (1689 - - 1774), z czasem wychowawcę Stanisława Augusta Poniatowskiego. Lengnich przygotował doskonały jak na owe czasy opis ustroju polskiego w dziele *Ius publicum Regni Poloniae* (1742), a także napisał dzieje Prus Królewskich od początków XVI w., cenne do dzisiaj dla badaczy tego regionu. Nad dziejami Polski, jej ustrojem i kulturą pracowało w pierwszej połowie XVIII w. wielu badaczy w Gdańsku, Toruniu, Elblągu i Królewcu. Ci uczeni, przeważnie pochodzenia niemieckiego, zainicjowali własnie ożywienie życia naukowego w Polsce, które miało wydać pełne owoce w drugiej połowie XVIII w. Nie należała zresztą pod tym względem Polska do wyjątków. Jeszcze bardziej doniosła była wtedy rola uczonych niemieckich w Rosji.

Stosunkowo słabiej rozwijały się badania przyrodnicze i nauki ścisłe. Istniały trudności ze zdobyciem odpowiednich instrumentów i eksponatów (pod tym względem wielkie zasługi oddał Andrzej Stanisław Załuski). Pierwszy gabinet fizyki doświadczalnej zdołał założyć w Polsce w tym czasie pijar Antoni Wiśniewski, współpracownik Konarskiego.

Dydaktyczne cele, jakie stawiali sobie już pierwsi zwolennicy idei Oświecenia, konieczność wychowywania społeczeństwa powodowały, że nie mogli się oni ograniczać do działalności oświatowej wśród młodzieży, ale musieli dbać o poziom ogółu, przynajmniej szlacheckiego i mieszczańskiego. Służyły temu celowi różne wydawnictwa, przede wszystkim zaś czasopisma „uczone" i „moralne", które pojawiają się w tym okresie w Polsce. Tego rodzaju publikacje rozpowszechniły się już w Europie Zachodniej. Nieprzypadkowo też najwcześniejsze z nich zaczęły się ukazywać w Rzeczypospolitej w języku niemieckim. Próbę taką podjął sam Lengnich już w latach 1718 - 1719, wydając pierwsze czasopismo naukowe czy raczej zbiór studiów „Polnische Bibliothek". Było to jednak wydawnictwo efemeryczne, podobnie jak wydane w 1759 r. w Lesznie „Primitiae Physico-Medicae". Większe znaczenie miały wydawane przez przybysza z Saksonii, zasłużonego edytora licznych poloników, Wawrzyńca Mitzlera de Coloffa (1711 - 1778), czasopisma uczone: „Warschauer Bibliothek" (1753 - 1755) oraz „Acta Litteraria" (1755 - 1756). Czasopisma te były wszakże w niemałym stopniu przeznaczone na zagranicę. Do polskiego czytelnika miał trafić dopiero jego miesięcznik „Nowe Wiadomości Ekonomiczne i Uczone" (1758 - 1761), który popularyzował głównie wiedzę ekonomiczną i medyczną. Jako pierwsze czasopisma „moralne" poświęcone nowej ideologii i etyce, ukazały się „Patriota Polski" mieszczanina toruńskiego T. Baucha i „Monitor" Adama K. Czartoryskiego.

Jednocześnie rozwijała się także publicystyka polityczna. Nawiązywała ona do postulatów wysuwanych poprzednio przez wybitnych „statystów" polskich, szczególnie do dzieła Stanisława Dunin-Karwickiego. Zgodnie z założeniami Oświecenia nie ograniczała się jednak do żądań w sprawie reformy ustroju politycznego, ale stawiała kwestię nowego ułożenia stosunków społecznych, co miało stać się punktem wyjściowym dla każdej reformy. Najpełniejszy program reform znalazł się w *Głosie wolnym wolność ubezpieczającym*, opublikowanym dopiero w 1743 r., choć datowanym na 1733 r., którego autorstwo wiąże się ze Stanisławem Leszczyńskim. Znalazły się w nim żądania usprawnienia sejmu, reorganizacji elekcji, wprowadzenia ciał kolegialnych, które kierowałyby rozbudowanym aparatem administracyjnym, wreszcie podniesienia liczby wojska do 100 tys. przy zapewnianiu stałych wpływów podatkowych na jego utrzymanie. Ale szczególnego znaczenia nabierała krytyka położenia chłopów i mieszczan. Leszczyński postulował obdarzenie chłopów wolnością osobistą i przeniesienie ich z pańszczyzny na czynsze w celu zapewnienia im większej samodzielności ekonomicznej. Wzywał również do zwiększenia opieki nad handlem i przemysłem oraz do zapewnienia mieszczaństwu lepszych warunków rozwoju.

Stosunkami gospodarczymi i społecznymi zajął się także Stefan Garczyński w swej *Anatomii Rzeczypospolitej Polskiej* (1750), krytykując ostro istniejącą sytuację, nędzę chłopską i trudności mieszczaństwa. Był on rzecznikiem ekonomiki merkantylnej, wdrożenia kultu pracy, podniesienia bogactwa kraju wspólnym wysiłkiem wszystkich stanów. Zbliżone do niego stanowisko zajmował w swych publikacjach ekonomicznych Mitzler de Coloff, postulujący m. in. powołanie Kolegium Handlowego, które by kierowało sprawami przemysłu i handlu.

Szczególne znaczenie miała działalność publicystyczna Stanisława Konarskiego. Ten reformator szkolnictwa walczył przez długie lata zarówno o uzdrowienie władz centralnych, jak i odrodzenie moralne całego społeczeństwa szlacheckiego. W licznych wystąpieniach publicystycznych starał się rozbudzić duchą obywatelskiego. Wskazywał też na upośledzenie innych stanów; tak np. w traktacie z 1757 r. *O uszczęśliwieniu własnej ojczyzny* domagał się ograniczenia poddaństwa osobistego chłopów i opieki nad mieszczaństwem. W swym najważniejszym dziele *O skutecznym rad sposobie* (1760 - 1763) zajął się organizacją władz centralnych. Był pierwszym, który bezkompromisowo odrzucił liberum veto, widząc w tym podstawowy warunek uzdrowienia parlamentaryzmu polskiego. Przedstawił zarazem obszerny projekt reformy sejmowania (żądając m. in. zapewnienia przewagi izby poselskiej nad senatem), a także powołania stałego rządu w postaci rady rezydentów szlacheckich i senatorskich przy królu. Odrzucał przy tym Konarski cały balast argumentacji historiozoficznej sarmatyzmu, odwołując się do znajomości praw rozwoju społecznego, do argumentów historycznych i do obowiązku każdego obywatela do udziału w kształtowaniu losów swego państwa.

Dzieło Konarskiego stało się zwiastunem dokonującego się przełomu w mentalności szlacheckiej. Od Rzeczypospolitej sarmackiej została bowiem już przebita droga do Rzeczypospolitej oświeconej.

INDEKS OSÓB

INDEKS NAZW GEOGRAFICZNYCH I ETNICZNYCH

SPIS TREŚCI